5 ⁴⁰

M. Beach

D1636117

EIGHT FRENCH CLASSIC PLAYS

BY

CORNEILLE, MOLIÈRE, RACINE

EDITED BY

J. C. LYONS
UNIVERSITY OF NORTH CAROLINA

AND

COLBERT SEARLES
UNIVERSITY OF MINNESOTA

NEW YORK
HOLT, RINEHART AND WINSTON

35402-0112

PRINTED IN THE
UNITED STATES OF AMERICA

CONTENTS

Pierre Corneille

tragi comédie — _Le Cid_

high-toned, almost super-
human idealism

peak of achievement as tragic _Polyeucte_
poet from artistic standpoint

comédie d'intrigue   _Menteur_

PREFACE

This volume presents to students and readers of French Literature the eight plays which not only mark most clearly the historical development of French Classic Drama, but also best exemplify its spirit, its scope and its literary qualities.

Le Cid (1636) marks the height of the tragi-comedy by which a taste for the theater had been developed. With it and the ardent discussions which it aroused, French drama became "regular" for two centuries. In 1643, *Polyeucte* marks the peak of Corneille's achievement as a tragic poet from an artistic standpoint at least. His *Menteur* of 1643 or 1644, a *comédie d'intrigue*, is the only comedy of the period to have held its place on the French stage. It is the most accomplished example of all that preceded Molière in the comic vein, and affords a norm, by which Molière's creations in the *comédie de mœurs* and the *comédie de caractère* may be measured.

Les Précieuses ridicules (1659) not only gave Molière his first complete success in Paris, but also opened his eyes to the kind of comedy best suited to his talents and to the tastes of the public which he was trying to amuse. All his qualities of dramatist-actor are exemplified in *Tartuffe* (1664–1669); in *Le Misanthrope* (1666) his powers as a character-portraitist and poet are most appealingly revealed.

The *Andromaque* of Racine (1667) created a sensation which resembled in many respects the furor aroused by *Le Cid* some thirty years before. It marked the entrance of strict psychological realism into the analysis of tragic passions to take the place of the high toned, but sometimes almost superhuman, idealism of Corneille. It was the first of a series of tragic masterpieces in which esthetic precepts and practical stage-craft were harmoniously wedded, where the thing to be said is put in limpid words combined with all the virtuosity of a consummate poet. The *Phèdre* (1677), in which Racine reached his highest point as poet and artist, marks also the end of the great period of French Classic Drama written to be presented on the public stage. It declined steadily thereafter

v

until it was supplanted early in the nineteenth century by something very different. These eight plays then present a closely knit cross-section of the most glorious epoch of the French theater.

These plays have been edited with the student of French Literature especially in view. We have tried to do no more, in the Introduction and Prefaces, than indicate the positions occupied by the poets and their works in the general movement. In the footnotes we have tried only to furnish such information as would make the reading of the plays easier, their literary and historical significance more clear. The readings of the *Grands Écrivains de la France* editions of these works have been followed in establishing the texts, except that the spelling has been modernized wherever rhyme and meter permitted. In those places where old spellings must remain, notes explain the forms when there is danger that the student may not recognize their meaning. The vocabulary has been made to collaborate as far as possible in this purpose. The English equivalents of the French word have all been given with reference to the contexts in which the French word occurs, in such a way that the vocabulary will not only afford the raw materials for a translation, but will serve to clarify and sometimes interpret the thought expressed. In a word, every step has been taken to make this introduction to French Classic Drama, which must necessarily be somewhat general, at least cordial.

                                        J. C. L.
                                        C. S.

EIGHT FRENCH CLASSIC PLAYS

Before Classic Drama

1 Le Théâtre sérieux
2 Le théâtre comique

INTRODUCTION

French drama before the classic period had been exceedingly prolific, and may be divided roughly into two types, *le théâtre sérieux* and *le théâtre comique*, with frequent encroachments of the comic on the serious. The classic drama of the seventeenth century is a continuation of these two genres, which we can present only in the briefest outline.

Le Théâtre Sérieux

French "serious drama" began almost as early as the language itself and had its origin like all drama in religious practices and observances. The first plays were dramatizations of the Biblical events commemorated in church festivals and were played in the churches themselves. In the fifteenth and early sixteenth century these dramatizations had developed into very long and complicated mystery plays [1] which required weeks and even months for their presentation. Partly as a consequence of this over-development, and directly because farcical episodes had been introduced in order to hold the attention of audiences through the protracted performances, these plays fell into disfavor and became the subject of legislative prohibition about the middle of the sixteenth century. However, *mystères* were written and played in spite of legislative action to the end of the century.

The *mystères* were played upon enormous stages in which the scenery remained unchanged throughout the performance. The stage was set for all the scenes of action from the beginning, and the actors moved over and around the stage with the progress of the story. This system of stage decoration is called multiple setting. These plays were not divided into acts, but into *journées*, that is, into such portions as could be performed in one day.

The unknown authors of these plays were not seeking literary reputation, and were content for the most part with merely

1. See Petit de Julleville, *Les Mystères*, 1880.

3

turning the material, taken chiefly from the Bible and the lives of the saints, into versified dialogue interspersed with songs and choruses. Since the chief purpose was to edify, these authors made no attempt at historical accuracy in regard to the presentation of manners, speech and costume. The general effect is that of a naïve attempt at popularization, by way of the drama, of the holy writ and of pious legends.

Coincident with the ban placed upon the *mystères* (1548) came the Renaissance enthusiasm for the literature of Greece and Rome. The Pléiade in its manifesto, *La Défense et Illustration de la Langue françoise* (1549) urged with passionate enthusiasm an imitation of ancient models. One of its members, Jodelle, set an example for the drama with his first "regular" French tragedy, *Cléopâtre captive* in 1552, and in the same year, his first "regular" French comedy, *Eugène*. Jodelle had enough followers to justify the inclusion in histories of French literature of a chapter, or chapters, on the Renaissance theater, but the practical effect was very slight. The Renaissance plays were never popular and the relatively few performances of them were given, for the most part, in colleges and private *châteaux*. Somewhat more interesting and significant were the attempts of a few poets to effect a compromise by treating Biblical subjects in the new Renaissance fashion. But here again nothing of any literary importance was achieved. The chief significance of the Renaissance drama is limited to the indirect influence which it exerted in arousing the interest of the literary-minded in a more artistic form of dramatic representation. It planted the germs of the movement which was to result some fifty years later in the adoption of the unities, conventions and proprieties which were to form such a characteristic feature of French classic tragedy.

The most direct and tangible influence of the Renaissance movement on the development of the French theater is to be seen in the shift of interest to which it led, rather than in the literary doctrines which it fostered. The many translations of the ancient poets and historians, especially Amyot's translation of Plutarch's Lives (1559), came to occupy in the interest of the reading public, the place formerly held by the religious literature, the Bible and the Lives of the saints.

This new interest made itself felt when a professional company headed by Valleran Leconte took over the lease of the Hôtel de Bourgogne a year or two before the close of the sixteenth century, and thereby founded the modern French theater. One of the earliest plays presented of which we have the text indicates clearly the transition from the old *drame sérieux* to the modern form of drama. This play was a dramatization *en huit journées* by Alexandre Hardy of a late Greek novel which had been translated by Amyot, *Les Amours de Théagène et Chariclée*. The division of a long dramatic work into "days" suggests at once the old drama of the mystery plays. On the other hand, the adoption of the five-act division for each *journée* represents the new tendency brought in by the Renaissance and is, for the moment, the most direct contribution of the learned movement as far as the form of the drama is concerned. Hardy, the most prolific, and hence the most important "furnisher" of plays for the Hôtel de Bourgogne during the first thirty years of the seventeenth century, seems to have tried several times this serial form of play. However it soon became apparent that the complete one-day, five-act play was more successful in attracting audiences, and plays in *journées* ceased to be given.

The transition from the old *théâtre sérieux* to the new type in the matter of staging plays is another perfectly natural development. The public was accustomed to the multiple stage setting and the Hôtel de Bourgogne adopted this system from the first. However its stage being limited in space, the actors were compelled to simplify and telescope the old settings. Instead of a stage representing a dozen or more localities, it was necessary to limit the number to an average of five or six, and to suggest separate places by symbols rather than by a complete "set" : a tree for a forest, a door for an apartment or a palace, a grating for a prison. The action took place before these indicated places as it had done in the more complete representation of the great open-air stages of the *Mystères*. Stage properties could be, and were, more lavishly used.[1]

As for the dramatic material, the stories of the plays were taken from the lives of the great of antiquity as given by historians, from the tales of Boccaccio and others, from the pastoral novels of the Italian, Spanish and contemporary French. They were fitted to the stage very much as the old

1. Cf. H. C. Lancaster, *La Mémoire de Mahelot*, 1920. Mahelot was the stage manager of the Hôtel de Bourgogne and the sketches which he made of the scenes to be "set up" have been preserved. Professor Lancaster in his edition gives forty-nine fac-similes.

French writers had dialogued the Bible and the lives and legends of the saints. The theater was in ill repute as a place for diversion, the situation in many respects being similar to that of the low class burlesque theater of our day.

However, the French had before them the example of Italy where the drama had been assiduously cultivated for half a century and more. Italian troupes of actors came frequently before the court of the Medici queens and regents of France. From 1622 on, Richelieu, who had a keen personal interest in the theater, took vigorous measures to elevate it as a place of amusement and encouraged it by his patronage of dramatic poets. In 1629, or very early in 1630, the Théâtre du Marais was established and the resulting competition greatly favored dramatic development.

From the beginning of the century to the presentation of the *Cid*, the chief genre to be cultivated was the tragi-comedy [1] or the tragedy with happy ending in which the "story" furnishes the chief interest. In the earlier tragi-comedy as cultivated by Hardy, this "story" was crudely, though often quite effectively, presented. But as the theater grew in good repute as a place of amusement it attracted more fastidious patrons, whose critical attitude had to be taken into account by actor-managers and playwrights. Grossly inadequate representations of localities and the multiplicity of trivial stage properties failed to appeal to imaginations which were far from being as naïve as the early frequenters of the Hôtel de Bourgogne. The elimination of these details came, not directly from a veneration of the rules of Aristotle and Horace as has been so often represented, [2] but rather from the action of the actors and playwrights themselves who were trying to cater to the tastes of their audiences. The first public and outspoken proclamation by a Frenchman in favor of the unities of action, time and place in the seventeenth century, was made by a practical playwright, Jean Mairet, in the preface to his pastoral tragi-comedy, *Silvanire* (1631), which had been assembled from the pastoral novel *Astrée*. The period 1630–1636 is one of constant experimentation and dis-

1. Cf. H. C. Lancaster, *The French Tragi-Comedy*, The Johns Hopkins University Press, Baltimore, 1907.   2. The essentials of the dramatic *règles* had been formulated by J. C. Scaliger in his *Poetices*, 1561, and by Jean de la Taille in the preface to his Biblical tragedy *Saül* in 1572; but this was part of an erudite movement which seems to have exerted no influence on the French theater during the first quarter of the seventeenth century.

cussion in which the cause of the unities gradually gains favor. In the season 1634–1635, Mairet, Corneille and Scudéry each produced a "regular" tragedy for the general public : *Sopho-nisbe*, *Médée* and *La Mort de César* respectively.   The success of the *Cid* (1636) and the discussions to which it led among the poets and critics, ending in the verdict of the French Academy, *Les Sentiments de l'Académie Française sur la tragi-comédie du Cid* (1637), left the unities, not to speak of many other conventions, so firmly established that they were taken for two centuries thereafter almost as a matter of course.

A purely incidental circumstance contributed much to this result.   So great was the popularity of the *Cid* that spectators were allowed to sit upon the stage.   The profit to the actors and the pleasure afforded the patrons made this practice popular for over one hundred years.   With a limited stage space still further reduced by a fringe of spectators, realistic stage settings and any physical action became impossible.   The space reserved for the actors was only a little more than that needed for entrances, exits and declamation.   The localization of the play could only be visually suggested by the back curtain, and a few very simple accessories.   A stage manager's notes (1673) for three of the plays contained in this volume read : **Le Cid :** *Le théâtre est une chambre à quatre portes.   Il faut un fauteuil pour le roi ;* **Le Misanthrope :** *Le théâtre est une chambre.   Il faut six chaises, trois lettres, des bottes ;* **Andromaque :** *Le théâtre est un palais à colonnes, et dans le fond, une mer avec des vaisseaux.*

As a consequence, stage action becomes wholly psychological. A classic French tragedy is, not the representation of a tragic event, but the analysis of the emotions and impulses which precede the performance of a tragic action.   This analysis really constitutes the play although the outcome is regularly related, generally by some minor character, for the sake of completeness.   The audiences of Corneille, Molière and Racine did not go to *see* a play ; they went to hear it and their chief interest lay in the psychological, moral or spiritual problem involved, a taste moreover developed by the salon conversations so characteristic of the time.   The French classic drama was not then a "show," but rather a clinic in which the moral being of some interesting personage of bygone days was dissected for the benefit of a very present and a very critical audience.

The "serious drama" resulting from this conception may be roughly divided into three genres suggested by the qualifying adjectives *héroïque, romanesque* and *passionnée.* The vogue of the first type, of which Corneille was the great creator with his Roman tragedies, *Horace, Cinna, Polyeucte, La Mort de Pompée, Nicomède,* lasted from 1640 to about 1650. Corneille also initiated the second with his "heroic comedy," *Don Sanche d'Aragon* (1650). Racine created the third by the series of masterpieces beginning with *Andromaque* in 1667. The *tragédie héroïque* shows the triumph of the will over the obstacles presented by external forces or personal inclination, the whole being intimately connected with interests of state, religion or family. The second type presents problems of high-flown gallantry, the triumph of a very "noble" species of love over the obstacles presented by differences of social rank, duties to state or family, or mistaken identities. This genre was closely allied to, and no doubt influenced by, the contemporary novels of Mlle de Scudéry, La Calprenède and Gomberville. In spite of spectacular contemporary theatrical successes, this genre produced no masterpiece and during its vogue the tragi-comedy regained much of the favor lost during the "heroic" period of Corneille. The *tragédie passionnée* of Racine is all that the epithet implies : the presentation of human hearts torn by passion which they cannot repress, driven to the perpetration of crimes in spite of all external considerations and of their own nobler impulses. From the psychological and artistic point of view the *tragédie passionnée* is the acme of development achieved by the French in the field of pure tragedy.

Le Théâtre Comique

The old "comic drama" consisted of the *farce,* the *sottie* and the *moralité.* The *farce,* to be defined as the dramatization in one act of a comic event, was the most ancient as well as the most natural dramatic form in the language. It stood highest in popular favor and its vogue was never more pronounced than during the first three or four decades of the seventeenth century. However the *farce* was non-literary and only a relatively small number have been preserved. Under the refining influences which molded the classic tragedy the *farce* became less and less crude and was finally absorbed by the comedy, either as a comic episode as often in Molière, or, when retaining its original one-act form it was treated with a certain amount of literary preoccupation.

The *sottie* was a kind of satiric *revue* presented by the law clerks and students of the organizations of *Sots*, who made merry during the carnival season. The *sotties* flourished especially during the latter part of the fifteenth and the first decades of the sixteenth centuries. Their satire became so bold that they were finally abolished.

On the other hand the *moralités* were a sort of hybrid drama, written chiefly for edification and made up of comic and serious elements. They were dramatized allegories in which the virtues and vices were personified. They had little direct influence upon the development of formal comedy.

The Renaissance repudiated the *farces*, *sotties* and *moralités* as it had the *mystères*, and sought to establish in their place a comedy based directly on the plays of Plautus and Terence. A theoretician of the period [1] defined the comedy as : *le miroir de la vie parce qu'en elle s'introduisent des personnes populaires, desquelles il faut garder la bienséance selon la condition et état de chacune.* However, the writers of the Renaissance were too much under the influence of the ancients to create a really national drama. The few plays which they produced were little more than variations on the themes, situations and typical characters which they borrowed, not from French "life," but from the Latin comedies. Besides, the Italian actors at the French court who had developed this renewal of Latin comedy to a high degree, monopolized the type and effectively discouraged French competition.

During the early years of the seventeenth century the Hôtel de Bourgogne depended almost exclusively upon the farce to enliven its programs. There are authentic notices of not more perhaps than a half dozen professional representations of complete comedies from 1600 to 1630, if we accept the then standard definition of a comedy as a literary composition which attempts to depict the "rank and profession of each one" of the characters which it presents. No one of this scant half dozen comedies which seem to have been presented, can be considered as in any way an attempt to present a picture of contemporary life and manners.

A closer approach to national comedy may be seen in the

---

[1]. Jacques Pelletier du Mans, *Art poétique*, 1555.

pastoral plays which became more and more popular after
1610 and continued in vogue for some twenty years.[1] Rigal
has quite satisfactorily characterized them all when he defines
the pastorals of Hardy as : *des comédies bourgeoises et sérieuses,
agrémentées d'incidents comiques ou merveilleux*.[2] Corneille
maintained with pride and some reason that he had invented
a new type of comedy with his *Mélite* (1629 or 1630), in that
he had produced a comic play without introducing the typical
comic characters such as the clever slave and the braggart
captain of the Latin and Italian comedy. At the same time
he eliminated the obscenity which had characterized previous
efforts in this field. His subsequent comedies show a well-
defined and constant progress toward the creation of a genuine
French comedy of manners. In the preface to *La Veuve*
(1634) he thus defines comedy : *La comédie n'est qu'un portrait de nos actions et de nos discours, et la perfection des portraits
consiste en la ressemblance.* He insists that he has lived up to
the spirit of that definition. In two plays which followed,
La Galerie du Palais and *La Place Royale*, Corneille did, as a
matter of fact, come close to this ideal. The scenes of both
were laid in well-known localities within Paris ; shopkeepers
and persons of higher social rank mingled on the stage, topics
of local and contemporary interest were discussed. Other
writers imitated or adopted his point of view. However, the
movement was very short lived and for the time being had no
important results. Corneille himself did not long persist in
his early conception of comedy as manifested in the preface of
La Veuve. In the preface to *La Suivante* (1637), which is almost
a significant comedy of manners, he gave a new definition :
*Les fourbes et les intrigues sont principalement du jeu de la
comédie, les passions n'y entrent que par accident.* French
comedies for more than twenty years after this date are composed with few exceptions [3] according to this formula.

Aside from these rather timid attempts, the process of con-
structing comedies was essentially that which prevailed with
the writers of tragi-comedy. Writers of the serious genre were
content to : *mettre en vers une vie de Plutarque*,[4] so : *pendant*

---

1. See J. Marsan, *La Pastorale dramatique en France*, Paris,
Hachette, 1905.   2. Rigal, *Alexandre Hardy*, Paris, 1899, p. 507.
3. The most notable being *Les Visionnaires* of Desmarest de St.-Sorlin
(1637) and *Le Pédant joué* of Cyrano de Bergerac (1654).   4. Guéret,
Le Parnasse réformé, 1669.

plus de quarante ans, on a tiré tous les sujets de pièces de théâtre de "l'Astrée," et les poètes se contentaient ordinairement de mettre en vers ce que M. d'Urfé y fait dire en prose aux personnages de son Roman.[1] Other novels and finally the contemporary Spanish plays which were rich in plot material were drawn upon extensively.[2] Corneille's *Menteur* (1643–1644) and the plays of Scarron are the most successful examples of French comedies written in this fashion before the time of Molière. They are comedies written solely, or almost solely, for the purpose of amusing an audience, with little attempt at the portrayal of character or the presentation of contemporary manners and interests. Being comedies of situation, special characterizations of men and things are incidental. The first five-act comedies of Molière, *L'Étourdi* (1655) and *Le Dépit Amoureux* (1656), are of this type except that he had come much more directly than either Corneille or Scarron under the influence of the Italian comedy, not only as regards plot material, but more especially in matters of dramatic craftsmanship and stage practice.

Arrived in Paris (1658) Molière's experiments as poet and actor-manager gradually revealed to him the type of comedy which would most appeal to the audiences upon whose patronage his existence depended : a comedy built upon the old skeleton of a romance achieved in the face of obstacles. However these obstacles were no longer to be invented to make a plot but were to grow out of the moral qualities of the characters presented ; characters not only of all time in general but of his own time in particular (cf. *l'Impromptu de Versailles*). The whole was to hinge on contemporary social and moral problems, giving his plays an effect of individuality and local color. Thus Molière did for French classic comedy what Corneille and Racine together achieved for French classic tragedy.

Brief Comments on the Alexandrine Verse

French tragedies of the 17th century were always written in verse. The verse form of the tragedy was the "alexandrine," or 12-syllable verse. This convention had been established by the theoreticians and writers of tragedies of the middle of

---

1. Segrais, *Segraisiana*, 1722.   2. *La mode de ce temps était de piller les poètes espagnols*, De la Martinière, *Discours sur le style burlesque en général, et sur celui de Scarron en particulier*, Amsterdam, 1737.

the 16th century and, with a few exceptions in the heterogene-
ous period from 1580 to 1610, tragedies continued to be written
in 12-syllable verse until, in the time of Corneille and Racine,
it was an inviolable rule.   Had it ever occurred to an eccentric
author to write a tragedy in prose, it would probably have
been hissed off the stage.

The 12-syllable verse had early been associated with the
Roman d'Alexandre, a version of the story of Alexander the
Great composed by Lambert de Tors and Alexandre de Bernay
in the last part of the 12th and early part of the 13th centuries.
Hence the term "alexandrine."   The details of the verse had
undergone considerable changes between the 13th and 17th
centuries, but the dramatic *alexandrin* of the 17th century is
briefly as follows :

There are two kinds of lines, "masculine" and "feminine" :
a "feminine" line is one which ends in a weak or "mute" *e*,
which would be the thirteenth syllable, except that a "mute"
e is not given syllabic value at the end of a line.   Any other
line has but twelve syllables and is "masculine."   Masculine
and feminine couplets alternate throughout a classic tragedy.

The *alexandrin* is divided into two halves (hemistichs) by a
pause (cæsura) after the sixth syllable.   It is to be remembered
that "mute" *e* counts as a syllable in poetry unless it is immediately followed by a vowel sound.   The normal alexandrine
has a slight accent on the sixth and twelfth syllables (at the
end of the first hemistich and at the end of the line).   Each
hemistich is often subdivided by a pause, and the pause at the
cæsura may be weakened whenever the grammatical structure
of the line seems to demand it.   Thus the possible groups of
syllables within the line are numerous : 3-3-3-3, 2-4-3-3,
1-5-3-3, etc.   The division 3-3-3-3 recurs frequently and is
regarded as a sort of "type."   Such variety in the arrangement
of the pauses enabled the poet to avoid monotony and to give
the line the movement that the sense demanded.[1]

The use of the *alexandrin* in comedies was by no means so
rigidly fixed.   In fact, the more important comedies of the
latter part of the sixteenth century are in prose, as they were

[1]. It is to be noted that the comments on the alexandrine in this
paragraph are only general indications : it is impossible to reduce poetry
to a mathematical process.   Detailed information on the technique of
the alexandrine may be found in M. Grammont, *Le Vers Français*,
Paris, Champion, 1913, Chap. I.

usually adaptations of the prose comedies of the Italians. However, the new trend given to the comedy by Corneille's series of early efforts in this field carried with it a tendency to use the alexandrine in comedies also. By the time of Molière it was expected that a comic production containing one or three acts might be in prose, but that a regular five-act comedy would be in verse. An astonishment on the part of the audience at the five prose acts of *l'Avare* is sometimes alleged in explanation of the cool reception the spectators gave this play. It is true that *Dom Juan* (1665) is also in five acts and in prose, but it is argued that Molière was here rehandling a theme that was already familiar in prose, whereas in *l'Avare* he was introducing an original and formal five-act comedy. These two plays are the only exceptions to the general statement that Molière's five-act comedies are written in alexandrine verse, — and those plays he wrote in prose are in one to three acts and are closer in nature to the farce.

PART I

CORNEILLE

Pierre Corneille was born the 6th of June, 1606, at Rouen in Normandy. His father Pierre was a lawyer in the *parlement* (Judicial council) of that city and exercised the functions of supervisor of the waters and forests in the district, with practical energy and determination. The family was well to do, of solid bourgeois stock and highly esteemed.

Pierre the son received a classical education at the hands of the Jesuits and distinguished himself in Latin composition. In 1624 he was received as a lawyer by the *parlement* of his native city and, four years later, purchased offices corresponding to those of our modern forest and harbor commissioner. He performed the exacting duties thereof for twenty-one years, during the period when he was composing his greatest plays.

The poet was left virtual head of the family in 1640 by the death of his father. He married the same year. He was elected to the Academy in 1647 after having been rejected twice because of his residence in the provinces. In 1662 he moved to Paris where he spent the last years of his life in somewhat straitened circumstances. He died on the first of October, 1684.

Corneille's life was that of a practical citizen, officer of the state, deacon in his parish, who performs his duties conscientiously and devotes himself to the rearing of a large family. The poet impressed his contemporaries as being heavy and dull, unable to read effectively the verses which he had written. The discordance between his personal life and his work seems complete.

In his work Corneille was a constant innovator who, as M. Lanson has pointed out, invented more rules than he adopted. One can divide his work into several periods or, better, into several phases.

There is a persistent legend that a love affair occasioned his first play. The poet, introduced by a friend to his sweetheart, becomes his successful rival. Upon this slender and quite banal plot, Corneille constructed his first play, *Mélite*, which

15

was presented in Paris at the end of 1629 or very early in 1630. According to the poet it was so successful that it established a second theatrical troupe in Paris, the Théâtre du Marais. He claims further that he had no knowledge of any rules when he wrote it, only a "little common sense and the example of the late M. Hardy." However the visit which he made to Paris in order to attend the production of the comedy, brought the rules to his attention and acquainted him with the type of drama then popular. His next dramatic composition was a tragi-comedy, *Clitandre* (1632?), in which, while observing the unities as they were then understood, he hardly surpassed from a poetic standpoint his first model. He reverted at once and with great success to comedy and a number of comic plays followed : *La Veuve; La Galerie du Palais; La Place Royale, ou l'Amoureux extravagant; La Suivante.* This series of come-dies was interrupted in 1635 by his first regular tragedy, *Médée,* an adaptation from Seneca. A comedy more irregular than any of the preceding, a "monster" as he termed it, *L'Illusion comique,* intervened and then the *Cid,* at the end of 1636, came to close with great éclat this long period of apprenticeship and experimentation with dramatic ideas and methods.

The *Cid* was a great turning point in Corneille's career, as it was indeed for the whole French theater. The ardent discussions to which it led and the conclusions in which these discussions resulted, made clear to the poet and to his con-temporaries that it is the function of tragedy to present a moral problem and a spiritual crisis, and that this moral problem and spiritual crisis is the soul of the tragedy for which all the rest is but explanation and material setting. But this explana-tion must be so clear that no uncertainty will be felt by the spectator and the setting must be so appropriate that no spec-tator's taste will be offended. Furthermore, the moral problem and the spiritual crisis must be of such magnitude that it will be interesting, that is to say, out of the ordinary. To predis-pose the spectator to credence, this problem and crisis will be taken from history, but from a history so remote as to preclude a too intimate acquaintance on the part of the spectator with the details, in order to leave the poet more freedom in his crea-tion. A tragedy then must present the moral preparation preceding some great event, remote from the intellectual domain of the spectators, but involving motives and spiritual states which often recur in their own personal experience.

Corneille worked out this conception in the plays which followed the *Cid: Horace, Cinna, Polyeucte, La Mort de Pompée*. With *Le Menteur* (1643–44) and its sequel, *La Suite du Menteur*, a year later, Corneille entered upon a new series of experiments. *Polyeucte* had raised the much discussed question of the fitness of a wholly good or a wholly bad character as a subject for tragedy. *Le Menteur* was to be a "feeler" in what was considered an inferior genre, the comedy. The attempt turned out to be a success and led to *Rodogune* (1645) in which the leading character, Cléopâtre, is wholly bad and the moral problem all but unsolvable. This was followed by *Théodore* (1646) and, the following year, by *Héraclius*.

The year 1650 saw two interesting and important compositions, *Andromède, tragédie à machines*, in which one sees a precursor of modern grand opera, and *Dom Sanche d'Aragon, comédie héroïque*, a precursor of the *comédie sérieuse* of which Diderot was to give the formulæ a hundred years later. The play initiated for the time being the *tragédie romanesque* as has been pointed out in the general introduction.

In *Nicomède* (1651) Corneille produced his greatest play of the extreme Cornelian type in which the will is all dominant, and his last tragedy to remain long in popular favor. The year following, *Pertharite* was unsuccessful and the poet withdrew from dramatic composition for seven years. He devoted himself as a poet during this period to a verse translation of the *Imitatio Christi* of Thomas à Kempis, to a collective edition of his plays, and to the composition of his *Trois Discours: Du Poème dramatique, De la Tragédie, Des trois Unités*.

In 1659 he felt again the urge to dramatic composition and responding to an invitation from Fouquet, minister of finance and patron of letters, composed a tragedy on the subject of *Œdipe*. It was the first of a series of tragedies in which, despite occasional magnificent scenes, one follows the decline of his dramatic genius : *La Toison d'Or, tragédie à machines* (1660), *Sertorius* (1662), *Sophonisbe* (1663), *Othon* (1664), *Agésilas* (1666), *Attila* (1667), *Tite et Bérénice, comédie héroïque*, in unconscious rivalry with Racine (1670), *Psyché, tragédie-ballet*, in collaboration with Molière (1672), *Pulchérie, comédie héroïque* (1672) and *Suréna* (1674), a complete failure, which marked the close of his career as a dramatist.

LE CID

Toward the end of December, 1636, Corneille's epoch-making play was first offered by the Troupe du Marais for the approval of the Parisian theatrical public. The reception given the play was highly enthusiastic : it offered sensations which the spectators were not accustomed to feeling at plays of that day. Posterity has approved the opinion of the seventeenth century public, and recognizes in *Le Cid* one of the great masterpieces of French dramatic literature.

At the time of the appearance of *Le Cid*, Pierre Corneille was already known to theater-goers of the period. Thirty years of age, he was the author of eight plays : one tragedy, one tragi-comedy, and six comedies. Corneille was not better known at this time, however, than any one of a considerable number of dramatic writers who were supplying the Parisian theaters with their plays. *Le Cid* made its author overnight the outstanding figure among the coterie of playwrights.

The theme which Corneille had chosen for what proved to be the most brilliant success of the century was a familiar one to readers of Spanish chronicles and ballads. Ruy (Rodrigo) Diaz de Bivar belonged to a noble Castilian family and became a doughty warrior in the service of Sancho II, King of Castile, and later of Alphonso VI, King of Castile and Leon. He died in 1099. We are not interested here in the actual events of the life of the Cid, but in the legendary figure he became in song and story, since this is what we find Corneille dealing with in his play. Popular imagination may have distorted the actual details of his existence, but recent investigations show that in spirit he was largely the sort of man that legend pictured him. The Cid may have been idealized, but he was certainly not transfigured.

The Cid's life of mighty deeds contained the stuff of which epic poems are made, and within the half-century following his death there was composed (about 1140) the *Poema de mio Cid*. In this medieval epic of some 3700 lines, the Cid is already somewhat idealized, but he is still human. He meets defeats as well as victories, and is seen as the chief warrior at the head of a band of fighting men.

The original version of the *Crónica rimada* probably goes back to the end of the thirteenth or the beginning of the fourteenth century. In this poem the real position of the Cid

un drame pré classique

among his contemporaries has been considerably modified : he is represented as proud, sensitive, and irritable and at the same time, strangely enough, a model of devotion and charity. In this version there is also introduced for the first time a definite romantic element, the love story of Chimène and Rodrigue. In the older poem the love story had hardly existed, Chimène appearing only as a married woman.

From this time on the incidents of the life of the Cid passed into the type of popular Spanish literature known as the *romances*. The episode dealing with his life and marriage seems to have had a particular appeal. Many of these treatments of moments in the Cid's career were in the collection of *romances* which appeared in two parts in 1600 and 1605, known as the *Romancero general*.

It was almost certainly the appearance of this collection which led a Spanish dramatist, Guillen de Castro, to compose two plays on the theme of the Cid, *Las Mocedades del Cid* (the youthful exploits of the Cid) and *Las Hazañas del Cid* (the mighty deeds of the Cid). Both of these plays were first printed in 1618. It was from the first of them that Corneille fashioned his play of the Cid.

The plot of *Las Mocedades del Cid* is quite elaborate. The action of the play extends over a year and a half, contains details that were supernatural or horrible, and the scene shifts over most of northern Spain. It was Corneille's task to condense the three elements involved here into the limits of the unities of time, place, and action. In short, the theme did not lend itself readily to the compact requirements of the French classic stage : it was too "romantic." We point out in the notes to the text of Corneille's play the incongruities which inevitably resulted from this condensation.

The secret involved in the composition of a classic tragedy (although Corneille called *Le Cid* a *tragi-comédie* in the early days) is to concentrate the interest on a "moral struggle" which begins, reaches its climax, and is concluded within twenty-four hours. In *Le Cid* Corneille presents the problem which motivates all his major tragedies, a clash between the interests of love and duty, with the latter regularly prevailing.

The complete and brilliant success of *Le Cid* quite naturally excited among his fellow-playwrights a keen jealousy of his sudden preëminence. And Corneille's haughty attitude was certainly not likely to placate the envious. In the *Excuse à*

Ariste Corneille, under the pretext of excusing himself from writing light verse to be set to music, dwelt with considerable complacency on his achievements as a dramatist and his superiority to those who deemed themselves his rivals in the dramatic field. Such sentiments, publicly expressed, were certainly not likely to disarm potential critics. The literary Quarrel over the merits of *Le Cid*, lasting for more than a year, has come to be known as the *Querelle du Cid*. The campaign against the play was launched by Georges de Scudéry with his *Observations sur Le Cid.* In this pamphlet Scudéry lays claim to the strictest impartiality, but attempts to prove that *Le Cid* is a piece of bald plagiarism and that its pretended merits disappear on close examination. Other leaders in the attack on Corneille's play were Jean Mairet and Claveret. Scudéry laid his case before the newly established *Académie Française*, the group of forty "immortals" who were to legislate on what was correct in French language and literature.

The Academy as a whole accepted the task with no great enthusiasm. It appointed one committee to examine the verse of the play, and another to write a critique of the play as a work of dramatic art. The lion's share of the work of this second and more important committee was done by Jean Chapelain, moving spirit in the Academy and literary adviser to Richelieu. He presented a draft of his conclusions and after several months of discussion it was accepted by the body with some modifications, and published late in 1637 under the title, *Sentiments de l'Académie Française sur la tragi-comédie du Cid.* It was filled with obvious and partially necessary concessions to both sides, but the general impression is unfavorable to Corneille's play. The Academy bluntly asserted that the author would have done better not to write on such a subject, whose details were so well known that he was unable to bring them into conformity with the prevailing standards of morality and social propriety. Corneille was influenced by this verdict to the extent of going to Roman history for material for his subsequent tragedies. It was natural that the members of the Academy would not be wholly complimentary in their remarks on *Le Cid:* they were traditionalists and conservatives in such matters, and *Le Cid* was a novelty.

The oft-repeated statement that Cardinal Richelieu brought his influence to bear on "his" Academy to force an unfavorable decision on *Le Cid* seems unfounded. It must be remembered that he had the play given a special performance in his own residence and that he authorized his niece, Mme de Combalet, to accept the dedication when the play was printed. Furthermore, it is unlikely that a man as busy as the Cardinal would have devoted the time and effort that some critics pretend he did to the condemnation of a play.

The *Querelle du Cid* did the play no real harm : on the contrary it gave publicity that few plays are privileged to have. It was a quarrel between an enthusiastic general public and a small group of disgruntled scholars and rival playwrights who presumed to inform the public that it had bad taste. The *Querelle* has become an obscure detail of literary history and *Le Cid* continues to be recognized as one of the best plays of the French classic period.

For those who want further information on *Le Cid*, we suggest G. Reynier : *Le Cid de Corneille* (Paris, Librairie Mellottée, s. d.). There is also in this work a very satisfactory bibliography on Corneille. The various contemporary writings (documents, pamphlets, utterances) for and against *Le Cid* have been made accessible by A. Gasté in *La Querelle du Cid* (Paris, H. Welter, 1899).

une tragi - comédie (très à la m
une tragédie qui a une fin
heureuse.

ACTEURS.

DON FERNAND,[1] premier roi de Castille.

— DONA URRAQUE, infante de Castille.

DON DIÈGUE, père de don Rodrigue.

DON GOMÈS, comte de Gormas, père de Chimène.

DON RODRIGUE, amant de Chimène.

DON SANCHE, amoureux de Chimène.

DON ARIAS,
DON ALONSE, } gentilshommes castillans.

CHIMÈNE, fille de don Gomès.

LÉONOR, gouvernante de l'Infante.

ELVIRE, gouvernante de Chimène.

UN PAGE de l'Infante.

La scène est à Séville.[2]

---

1. Ferdinand I was King of Castile and Leon from 1033–1065. It was under him that Rodrigo de Bivar (Le Cid) performed his first exploits. His reign was a series of wars against the Moors, his vassals, and the members of his family. He had two daughters: Urraca and Elvira. 2. As Corneille admits in the *Examen* to this play, he committed an anachronism in placing the scene in Seville. This city was not redeemed from the Moors until 1248. But he needed a city where the Moors could approach with but little warning almost to the walls of the city by water. He was probably thinking of conditions in his native city of Rouen as he imagined this detail of the play.

ACTE I. SCÈNE PREMIÈRE.

CHIMÈNE, ELVIRE.

CHIMÈNE.

Elvire, m'as-tu fait un rapport bien sincère ?
Ne déguises-tu rien de ce qu'a dit mon père ?

ELVIRE.

Tous mes sens à moi-même en sont encor charmés :
Il estime Rodrigue autant que vous l'aimez,
Et si je ne m'abuse * à lire dans son âme,   5
Il vous commandera de répondre à sa flamme.[1]

CHIMÈNE.

Dis-moi donc, je te prie, une seconde fois
Ce qui te fait juger qu'il approuve mon choix :
Apprends-moi de nouveau quel espoir j'en dois prendre ;
Un si charmant discours ne se peut trop entendre ;[2]   10
Tu ne peux trop promettre aux feux de notre amour[3]
La douce liberté de se montrer au jour.[4]
Que t'a-t-il répondu sur la secrète brigue
Que font auprès de toi don Sanche et don Rodrigue ?[5]
N'as-tu point trop fait voir quelle inégalité   15
Entre ces deux amants me penche d'un côté ?[6]

ELVIRE.

Non ; j'ai peint votre cœur dans une indifférence
Qui n'enfle d'aucun d'eux ni détruit l'espérance,
Et sans les voir d'un œil * trop sévère ou trop doux,
Attend l'ordre d'un père à[7] choisir un époux.   20

---

1. *flamme = amour.* A *précieux* word.   2. "cannot be heard too
often."   3. *aux feux de notre amour = à notre amour profond.*   4. *se
montrer au jour = être connu de tout le monde.*   5. In old Spain young
ladies of position were inaccessible to prospective lovers. They made
every effort to ingratiate themselves with the lady-in-waiting, so she
would prejudice her mistress in their favor.   6. *i.e.*, she strongly pre-
fers one of them to the other.   7. *à = pour.*

23

Ce respect l'a ravi, sa bouche et son visage
M'en ont donné sur l'heure un digne témoignage,
Et puisqu'il vous en faut encor faire un récit,
Voici d'eux et de vous ce qu'en hâte il m'a dit :
"Elle est dans le devoir ; tous deux sont dignes d'elle,   25
Tous deux formés d'un sang noble, vaillant, fidèle,
Jeunes, mais qui font lire aisément dans leurs yeux
L'éclatante vertu de leurs braves aïeux.
Don Rodrigue surtout n'a trait en son visage
Qui d'un homme de cœur ne soit la haute image,   30
Et sort d'une maison si féconde en guerriers,
Qu'ils y prennent naissance au milieu des lauriers.
La valeur de son père, en son temps sans pareille,
Tant qu'a duré sa force, a passé pour merveille ;
Ses rides sur son front ont gravé ses exploits,   35
Et nous disent encor ce qu'il fut autrefois.
Je me promets * du fils ce que j'ai vu du père ;
Et ma fille, en un mot, peut l'aimer et me plaire."
    Il allait au conseil, dont l'heure qui pressait
A tranché ce discours qu'à peine il commençait ;   40
Mais à ce peu de mots je crois que sa pensée
Entre vos deux amants n'est pas fort balancée.
Le Roi doit à son fils élire un gouverneur,
Et c'est lui que regarde un tel degré d'honneur :
Ce choix n'est pas douteux, et sa rare vaillance   45
Ne peut souffrir qu'on craigne aucune concurrence.
Comme ses hauts exploits le rendent sans égal,
Dans un espoir si juste * il sera sans rival ;
Et puisque don Rodrigue a résolu * son père
Au sortir du conseil à proposer l'affaire,   50
Je vous laisse à juger s'il prendra bien son temps,
Et si tous vos désirs seront bientôt contents.

CHIMÈNE.

Il semble toutefois que mon âme troublée
Refuse cette joie, et s'en trouve accablée :
Un moment donne au sort des visages divers,   55
Et dans ce grand bonheur je crains un grand revers.

ELVIRE.

Vous verrez cette crainte heureusement déçue.

CHIMÈNE.

Allons, quoi qu'il en soit, en attendre l'issue.

SCÈNE II.

L'Infante, Léonor, Page.

L'INFANTE.[1]

Page, allez avertir Chimène de ma part
Qu'aujourd'hui pour me voir elle attend un peu tard,   60
Et que mon amitié se plaint de sa paresse.[2]

(Le Page rentre.)

LÉONOR.

Madame, chaque jour même désir [3] vous presse ;
Et dans son entretien [4] je vous vois chaque jour
Demander en quel point se trouve son amour.

L'INFANTE.

Ce n'est pas sans sujet : je l'ai presque forcée   65
A recevoir les traits dont son âme est blessée. [5]
Elle aime don Rodrigue, et le tient de ma main,
Et par moi don Rodrigue a vaincu son dédain : [6]
Ainsi de ces amants ayant formés les chaînes,*
Je dois prendre intérêt à voir finir leurs peines.   70

LÉONOR.

Madame, toutefois parmi leurs bons succès *
Vous montrez un chagrin qui va jusqu'à l'excès.
Cet amour, qui tous deux les comble d'allégresse,
Fait-il de ce grand cœur la profonde tristesse,
Et ce grand intérêt que vous prenez pour eux   75
Vous rend-il malheureuse alors qu'ils sont heureux ?
Mais je vais trop avant, et deviens indiscrète.

---

1. Critics have always agreed that the character of the Infanta is completely superfluous in the play. She serves no useful purpose in the development of the plot. Corneille himself admits this (*Discours du Poème dramatique*, the *Examen* of *Horace*, and the *Examen* of *Clitandre*). It has been suggested that Corneille introduced the Infanta for the purpose of symmetry, the hopeless admirer of Rodrigue being the pendant of Sancho, the hopeless lover of Chimène.   2. Read: *Que moi qui suis son amie me plains parce qu'elle ne semble pas désirer me voir.*
3. *le même désir.*   4. *dans son entretien = en causant avec elle.*
5. This line is quite *précieux*. It means that she has obliged Chimène to receive the attentions that have caused her love.   6. According to the *précieux* code a girl was supposed to be inaccessible, to be scornful of love, and to be won only with great difficulty.

L'INFANTE.

Ma tristesse redouble à la tenir secrète.
Écoute, écoute enfin comme j'ai combattu,
Écoute quels assauts brave* encor ma vertu.*   80
L'amour est un tyran qui n'épargne personne :
Ce jeune cavalier, cet amant que je donne,
Je l'aime.

LÉONOR.

     Vous l'aimez !

L'INFANTE.

                 Mets la main sur mon cœur,
Et vois comme il se trouble au nom de son vainqueur,
Comme il le reconnaît.

LÉONOR.

                 Pardonnez-moi, Madame,   85
Si je sors du respect pour blâmer cette flamme.
Une grande princesse à ce point s'oublier
Que d'admettre en son cœur un simple cavalier !
Et que dirait le Roi ?   que dirait la Castille ?
Vous souvient-il encor de qui vous êtes fille ?   ..

L'INFANTE.

Il m'en souvient si bien que j'épandrai mon sang
Avant que je m'abaisse à démentir* mon rang.
Je te répondrais bien que dans les belles âmes
Le seul mérite a droit de produire des flammes ;
Et si ma passion cherchait à s'excuser,   95
Mille exemples fameux pourraient l'autoriser ;
Mais je n'en veux point suivre où ma gloire s'engage ;*
La surprise des sens n'abat point mon courage ;
Et je me dis toujours qu'étant fille de roi,
Tout autre qu'un monarque est indigne de moi.   100
Quand je vis que mon cœur ne se pouvait défendre,
Moi-même je donnai ce que je n'osais prendre.
Je mis, au lieu de moi, Chimène en ses liens,[1]
Et j'allumai leurs feux pour éteindre les miens.[2]
Ne t'étonne donc plus si mon âme gênée [3]   105

---

  1. *Je mis Chimène en ses liens = J'ai fait que lui et Chimène sont
tombés amoureux l'un de l'autre.*   2. A *précieux* idea; *feux = amour.*
3. *gênée = au supplice.*

Avec impatience attend leur hyménée :
Tu vois que mon repos en dépend aujourd'hui.
Si l'amour vit d'espoir, il périt avec lui :
C'est un feu qui s'éteint, faute de nourriture ;
Et malgré la rigueur de ma triste aventure,   110
Si Chimène a jamais Rodrigue pour mari,
Mon espérance est morte, et mon esprit guéri.
Je souffre cependant un tourment incroyable :
Jusques à cet hymen Rodrigue m'est aimable ;
Je travaille à le perdre, et le perds à regret ;   115
Et de là prend son cours mon déplaisir secret.
Je vois avec chagrin que l'amour me contraigne
À pousser des soupirs [1] pour ce que je dédaigne ;
Je sens en deux partis mon esprit divisé :
Si mon courage est haut, mon cœur est embrasé ;   120
Cet hymen m'est fatal, je le crains et souhaite :
Je n'ose en espérer qu'une joie imparfaite.
Ma gloire et mon amour ont pour moi tant d'appas,
Que je meurs s'il s'achève ou ne s'achève pas.

LÉONOR.

Madame, après cela je n'ai rien à vous dire,   125
Sinon que de vos maux avec vous je soupire :
Je vous blâmais tantôt, je vous plains à présent ;
Mais puisque dans un mal* si doux et si cuisant,
Votre vertu combat et son charme et sa force,
En repousse l'assaut, en rejette l'amorce,   130
Elle rendra le calme à vos esprits flottants.
Espérez donc tout d'elle, et du secours du temps ;
Espérez tout du ciel : il a trop de justice
Pour laisser la vertu dans un si long supplice.

L'INFANTE.

Ma plus douce espérance est de perdre l'espoir.   135

LE PAGE.

Par vos commandements Chimène vous vient voir.

L'INFANTE, *à Léonor*.

Allez l'entretenir en cette galerie.

---

1. *pousser des soupirs pour = être amoureuse de.*

LÉONOR.

Voulez-vous demeurer dedans [1] la rêverie?

L'INFANTE.

Non, je veux seulement, malgré mon déplaisir,*
Remettre mon visage un peu plus à loisir.   140
Je vous suis.

       Juste ciel, d'où j'attends mon remède,*
Mets enfin quelque borne au mal qui me possède :
Assure mon repos, assure mon honneur.
Dans le bonheur d'autrui je cherche mon bonheur :
Cet hyménée à trois également importe ;   145
Rends son effet plus prompt, ou mon âme plus forte.
D'un lien conjugal joindre ces deux amants,
C'est briser tous mes fers,[2] et finir mes tourments.
Mais je tarde un peu trop : allons trouver Chimène,
Et par son entretien soulager notre peine.   150

SCÈNE III.

LE COMTE, DON DIÈGUE.

LE COMTE.

Enfin vous l'emportez,* et la faveur du Roi
Vous élève en [3] un rang qui n'était dû qu'à moi :
Il vous fait gouverneur du prince de Castille.

DON DIÈGUE.

Cette marque d'honneur qu'il met dans ma famille
Montre à tous qu'il est juste, et fait connaître assez   155
Qu'il sait récompenser les services passés.

LE COMTE.

Pour grands que [4] soient les rois, ils sont ce que nous sommes :
Ils peuvent se tromper comme les autres hommes ;
Et ce choix sert de preuve à tous les courtisans
Qu'ils savent mal payer les services présents.   160

---

1. *dedans = dans:* allowed in poetic usage of the 17th century
2. *briser tous mes fers = me libérer de mon amour.* 3. *en = à.* 4. *Pour
grands que = Quelque grands que.*

DON DIÈGUE.

Ne parlons plus d'un choix dont votre esprit s'irrite :
La faveur l'a pu faire autant que le mérite ;
Mais on doit ce respect au pouvoir absolu,
De n'examiner rien quand un roi l'a voulu.[1]
À l'honneur qu'il m'a fait ajoutez-en un autre ;   165
Joignons d'un sacré nœud [2] ma maison à la vôtre :
Vous n'avez qu'une fille, et moi je n'ai qu'un fils ;
Leur hymen nous peut rendre à jamais plus qu'amis :
Faites-nous cette grâce, et l'acceptez pour gendre.

LE COMTE.

À des partis plus hauts ce beau fils doit prétendre ;   170
Et le nouvel éclat* de votre dignité
Lui doit enfler le cœur d'une autre vanité.
    Exercez-la, Monsieur, et gouvernez le Prince :
Montrez-lui comme il faut régir une province,
Faire trembler partout les peuples sous sa loi,   175
Remplir les bons d'amour, et les méchants d'effroi.
Joignez à ces vertus celles d'un capitaine :
Montrez-lui comme il faut s'endurcir à la peine,
Dans le métier de Mars se rendre sans égal,
Passer les jours entiers et les nuits à cheval,   180
Reposer tout armé, forcer une muraille,
Et ne devoir qu'à soi le gain d'une bataille.
Instruisez-le d'exemple, et rendez-le parfait,
Expliquant à ses yeux vos leçons par l'effet.*

DON DIÈGUE.

Pour s'instruire d'exemple, en dépit de l'envie,   185
Il lira seulement l'histoire de ma vie.
Là, dans un long tissu de belles actions,
Il verra comme il faut dompter des nations,
Attaquer une place,* ordonner* une armée,
Et sur de grands exploits bâtir sa renommée.   190

LE COMTE.

Les exemples vivants sont d'un autre pouvoir ; [3]
Un prince dans un livre apprend mal son devoir.

1. These two lines on the absolute monarchy were appropriate in France of Corneille's time, but not in Spain when the action of the play is supposed to have taken place.   2. Supply : *de mariage.*   3. *d'un autre pouvoir = plus efficaces.*

Et qu'a fait après tout ce grand nombre d'années [1]
Que ne puisse égaler une de mes journées?
Si vous fûtes vaillant, je le suis aujourd'hui,   195
Et ce bras du royaume [2] est le plus ferme appui.
Grenade et l'Aragon tremblent quand ce fer brille ;
Mon nom sert de rempart à toute la Castille :
Sans moi, vous passeriez bientôt sous d'autres lois,[3]
Et vous auriez bientôt vos ennemis pour rois.   200
Chaque jour, chaque instant, pour rehausser ma gloire,
Met lauriers sur lauriers, victoire sur victoire.
Le Prince à mes côtés ferait dans les combats
L'essai de son courage à l'ombre de mon bras ;
Il apprendrait à vaincre en me regardant faire ;   205
Et pour répondre* en hâte à son grand caractère,
Il verrait . . .

DON DIÈGUE.

          Je le sais, vous servez bien le Roi :
Je vous ai vu combattre et commander sous moi.
Quand l'âge dans mes nerfs a fait couler sa glace,
Votre rare valeur a bien rempli ma place ;   210
Enfin, pour épargner des discours superflus,
Vous êtes aujourd'hui ce qu'autrefois je fus.
Vous voyez toutefois qu'en cette concurrence
Un monarque entre nous met quelque différence.

LE COMTE.

Ce que je méritais, vous l'avez emporté.   215

DON DIÈGUE.

Qui l'a gagné sur vous l'avait mieux mérité.

LE COMTE.

Qui peut mieux l'exercer en est bien le plus digne.

DON DIÈGUE.

En être refusé n'en est pas un bon signe.

LE COMTE.

Vous l'avez eu [4] par brigue, étant vieux courtisan.

DON DIÈGUE.

L'éclat de mes hauts faits fut mon seul partisan.   220

LE COMTE.

Parlons-en mieux, le Roi fait honneur à votre âge.

DON DIÈGUE.

Le Roi, quand il en fait, le mesure au courage.

LE COMTE.

Et par là cet honneur n'était dû qu'à mon bras.

DON DIÈGUE.

Qui n'a pu l'obtenir ne le méritait pas.

LE COMTE.

Ne le méritait pas !   Moi ?

DON DIÈGUE.

Vous.

LE COMTE.

Ton impudence,   225
Téméraire vieillard, aura sa récompense.

(*Il lui donne un soufflet.*)

DON DIÈGUE, *mettant l'épée à la main.*

Achève, et prends ma vie après un tel affront,
Le premier dont ma race ait vu rougir son front.

LE COMTE.

Et que penses-tu faire avec tant de faiblesse ?

DON DIÈGUE.

Ô Dieu ! ma force usée en ce besoin me laisse !   230

LE COMTE.

Ton épée est à moi ; mais tu serais trop vain,
Si ce honteux trophée avait chargé ma main.
   Adieu : fais lire au Prince, en dépit de l'envie,
Pour son instruction, l'histoire de ta vie : [1]
D'un insolent discours ce juste châtiment   235
Ne lui servira pas d'un petit ornement.[2]

---

1. Compare with lines 185–6. Note the irony.   2. The indirect
object *lui* refers to its antecedent, *ta vie:* "This just chastisement of
insolent words will serve as no little ornament for it."

SCÈNE IV.

Don Diègue.[1]

Ô rage ! ô désespoir ! ô vieillesse ennemie !
N'ai-je donc tant vécu que pour cette infamie ?
Et ne suis-je blanchi dans les travaux guerriers
Que pour voir en un jour flétrir tant de lauriers ?   240
Mon bras, qu'avec respect toute l'Espagne admire,
Mon bras, qui tant de fois a sauvé cet empire,
Tant de fois affermi le trône de son roi,
Trahit donc ma querelle, et ne fait rien pour moi ?
Ô cruel souvenir de ma gloire passée !   245
Œuvre de tant de jours en un jour effacée !
Nouvelle dignité,[2] fatale à mon bonheur !
Précipice élevé d'où tombe mon honneur !
Faut-il de votre éclat* voir triompher le Comte,
Et mourir sans vengeance, ou vivre dans la honte ?   250
Comte, sois de mon prince à présent gouverneur :
Ce haut rang n'admet point un homme sans honneur ;
Et ton jaloux orgueil, par cet affront insigne,
Malgré le choix du Roi, m'en[3] a su rendre indigne.
Et toi,[4] de mes exploits glorieux instrument,   255
Mais d'un corps tout de glace inutile ornement,
Fer, jadis tant à craindre, et qui, dans cette offense,
M'as servi de parade, et non pas de défense,
Va, quitte désormais le dernier[5] des humains,
Passe, pour me venger, en de meilleures mains.   260

SCÈNE V.

Don Diègue, Don Rodrigue.

DON DIÈGUE.

Rodrigue, as-tu du cœur[6] ?

---

1. Monologues were still permissible in 1636. By the middle of the century, however, they had passed out of fashion.   2. *Nouvelle dignité* and *Précipice élevé* refer to his appointment as *gouverneur du prince*. 3. *en = de ce haut rang.*   4. The remarks in the following lines are addressed to *fer* (= *épée*), personified.   5. *le dernier = le plus misérable.*   6. *cœur = courage*, as was usual in the 17th century.

DON RODRIGUE.

Tout autre que mon père
L'éprouverait [1] sur l'heure.

DON DIÈGUE.

Agréable colère !
Digne ressentiment à ma douleur bien doux !
Je reconnais mon sang à ce noble courroux ;
Ma jeunesse revit en cette ardeur si prompte.   265
Viens, mon fils, viens, mon sang, viens réparer ma honte ;
Viens me venger.

DON RODRIGUE.

De quoi ?

DON DIÈGUE.

D'un affront si cruel,
Qu'à l'honneur de tous deux il porte un coup* mortel :
D'un soufflet. L'insolent en eût [2] perdu la vie ;
Mais mon âge a trompé ma généreuse* envie :   270
Et ce fer que mon bras ne peut plus soutenir,
Je le remets au tien pour venger et punir.
     Va contre un arrogant éprouver ton courage :
Ce n'est que dans le sang qu'on lave un tel outrage ;
Meurs ou tue. Au surplus, pour ne te point flatter,   275
Je te donne à combattre un homme à redouter :
Je l'ai vu, tout couvert de sang et de poussière,
Porter partout l'effroi dans une armée entière.
J'ai vu par sa valeur cent escadrons rompus ;
Et pour t'en [3] dire encor quelque chose de plus,   280
Plus que brave soldat, plus que grand capitaine,
C'est . . .

DON RODRIGUE.

De grâce, achevez.

DON DIÈGUE.

Le père de Chimène.

DON RODRIGUE.

Le . . .

1. "would find out about it": *i.e.*, in an unpleasant way. 2. *eût =
aurait.* 3. *en = de lui.*

DON DIÈGUE.

Ne réplique point, je connais ton amour ;
Mais qui peut vivre infâme est indigne du jour.[1]
Plus l'offenseur est cher, et [2] plus grande est l'offense.   285
Enfin tu sais l'affront, et tu tiens la vengeance :
Je ne te dis plus rien.   Venge-moi, venge-toi ;
Montre-toi digne fils d'un père tel que moi.
Accablé des malheurs où * le destin me range,*
Je vais les déplorer : va, cours, vole, et nous venge.   290

SCÈNE VI.[3]

DON RODRIGUE.

Percé jusques au fond du cœur
D'une atteinte * imprévue aussi bien que mortelle,
Misérable vengeur d'une juste querelle,
Et malheureux objet d'une injuste rigueur,[4]
Je demeure immobile, et mon âme abattue   295
    Cède au coup qui me tue.
Si près de voir mon feu récompensé,
    Ô Dieu, l'étrange peine !
En cet affront mon père est l'offensé,
Et l'offenseur le père de Chimène !   300

Que je sens de rudes combats !
Contre mon propre honneur mon amour s'intéresse : *
Il faut venger un père, et perdre une maîtresse :
L'un m'anime le cœur, l'autre retient mon bras.
Réduit au triste choix ou de trahir ma flamme,[5]   305
    Ou de vivre en infâme,[6]
Des deux côtés mon mal est infini.
    Ô Dieu, l'étrange peine !

---

1. *du jour = de la vie.*   2. *et* might be omitted except for meter. Do not translate.   3. For monologue, see note 1, p. 32. Note the lyric verse of Scène VI which breaks the monotony of the alexandrines. The "lyric monologue" is a survival of the chorus of the 16th century tragedies.   The use of the chorus had been greatly diminished by Alexandre Hardy, and the lyric monologue no longer had any great favor by the time of Corneille.   Racine uses it in *Esther* and *Athalie* at the end of the century, but it is important to note that he was no longer a professional dramatist at the time.   4. Supply *du sort.*   5. *i.e.*, by killing Chimène's father.   6. *i.e.*, by leaving his father's insult unavenged.

Faut-il laisser un affront impuni ?
Faut-il punir le père de Chimène ?   310

    Père, maîtresse, honneur, amour,
Noble et dure contrainte, aimable tyrannie,
Tous mes plaisirs sont morts, ou ma gloire ternie.
L'un me rend malheureux, l'autre indigne du jour.[1]
Cher et cruel espoir d'une âme généreuse,*   315
    Mais ensemble [2] amoureuse,
  Digne ennemi de mon plus grand bonheur,
    Fer qui causes ma peine,
  M'es-tu donné pour venger mon honneur ?
  M'es-tu donné pour perdre ma Chimène ?   320

    Il vaut mieux courir au trépas.
Je dois à [3] ma maîtresse aussi bien qu'à mon père :
J'attire en me vengeant sa haine et sa colère ;
J'attire ses mépris en ne me vengeant pas.
À mon plus doux espoir l'un me rend infidèle,   325
    Et l'autre indigne d'elle.
  Mon mal augmente à le vouloir guérir ;
    Tout redouble ma peine.
  Allons, mon âme ; et puisqu'il faut mourir,
  Mourons du moins sans offenser Chimène.[4]   330

    Mourir sans tirer ma raison !*
Rechercher un trépas si mortel à ma gloire !
Endurer que l'Espagne impute à ma mémoire
D'avoir mal soutenu l'honneur de ma maison !
Respecter un amour dont mon âme égarée   335
    Voit la perte assurée !
  N'écoutons plus ce penser [5] suborneur,
    Qui ne sert qu'à ma peine.
  Allons, mon bras, sauvons du moins l'honneur,
  Puisqu'après tout il faut perdre Chimène.   340

    Oui, mon esprit s'était déçu.
Je dois tout à mon père avant qu'à ma maîtresse :
Que je meure au combat, ou meure de tristesse,
Je rendrai mon sang pur comme je l'ai reçu.

---

  1. See note, v. 284.   2. *ensemble = en même temps.*   3. *Je dois
à = J'ai un devoir à.*   4. *i.e.*, suicide.   5. *ce penser = cette pensée.*

Je m'accuse déjà de trop de négligence :   345
    Courons à la vengeance ;
Et tout honteux d'avoir tant balancé,   *weighed*
    Ne soyons plus en peine,
Puisqu'aujourd'hui mon père est l'offensé,
Si l'offenseur est père de Chimène.   350

ACTE II. SCÈNE PREMIÈRE.

Don Arias, Le Comte.

LE COMTE.

Je l'avoue entre nous, mon sang un peu trop chaud
S'est trop ému d'un mot, et l'a porté trop haut ; [1]
Mais puisque c'en est fait,* le coup est sans remède.

DON ARIAS.

Qu'aux volontés du Roi ce grand courage cède :
Il y prend grande part,* et son cœur irrité   355
Agira contre vous de pleine autorité.
Aussi vous n'avez point de valable défense :
Le rang de l'offensé, la grandeur de l'offense,
Demandent des devoirs,* et des soumissions
Qui passent le commun des satisfactions.[2]   360

LE COMTE.

Le Roi peut à son gré disposer de ma vie.

DON ARIAS.

De trop d'emportement votre faute est suivie.
Le Roi vous aime encore ; apaisez son courroux.
Il a dit : " Je le veux ;" désobéirez-vous ?

LE COMTE.

Monsieur, pour conserver tout ce que j'ai d'estime,*   365
Désobéir un peu n'est pas un si grand crime ;
Et quelque grand qu'il soit, mes services présents
Pour le faire abolir [3] sont plus que suffisants.

---

   1. *l'a porté trop haut :* "was too high-handed about it."   2. "Which exceed the normal type of satisfaction."   3. *Pour le faire abolir = Pour le faire pardonner.*

DON ARIAS.

Quoi qu'on fasse d'illustre et de considérable,
Jamais à son sujet un roi n'est redevable.   370
Vous vous flattez beaucoup, et vous devez savoir
Que qui sert bien son roi ne fait que son devoir.
Vous vous perdrez, Monsieur, sur cette confiance.[1]

LE COMTE.

Je ne vous en croirai qu'après l'expérience.

DON ARIAS.

Vous devez redouter la puissance d'un roi.   375

LE COMTE.

Un jour seul ne perd pas un homme tel que moi.
Que toute sa grandeur s'arme pour mon supplice,
Tout l'État périra, s'il faut que je périsse.[2]

DON ARIAS.

Quoi ! vous craignez si peu le pouvoir souverain . . .

LE COMTE.

D'un sceptre qui sans moi tomberait de sa main.   380
Il a trop d'intérêt lui-même en ma personne,
Et ma tête en tombant ferait choir [3] sa couronne.

DON ARIAS.

Souffrez que la raison remette vos esprits.
Prenez un bon conseil.

LE COMTE.

Le conseil en est pris.[4]

DON ARIAS.

Que lui dirai-je enfin ? je lui dois rendre compte.   385

LE COMTE.

Que je ne puis du tout consentir à ma honte.

---

1. *sur cette confiance = si vous continuez à croire cela.*   2. This
statement was not out of place in a play whose plot was laid in Spain at
the end of the 11th century.   The king was only an over-lord, and many
of the greater nobles were almost as powerful as he.   But the remarks
about "absolute royal power" belonged to France of Corneille's time,
not to Spain of 1065.   3. *choir = tomber.*   4. "My mind is made
up."

DON ARIAS.

Mais songez que les rois veulent être absolus.

LE COMTE.

Le sort en est jeté,[1] Monsieur, n'en parlons plus.

DON ARIAS.

Adieu donc, puisqu'en vain je tâche à[2] vous résoudre :
Avec tous vos lauriers craignez encor le foudre.   390

LE COMTE.

Je l'attendrai sans peur.

DON ARIAS.

Mais non pas sans effet.

LE COMTE.

Nous verrons donc par là don Diègue satisfait.

(*Il est seul.*)

Qui ne craint point la mort ne craint point les menaces.
J'ai le cœur au-dessus des plus fières* disgrâces ;
Et l'on peut me réduire à vivre sans bonheur,   395
Mais non pas me résoudre* à vivre sans honneur.

SCÈNE II.[3]

Le Comte, Don Rodrigue.

DON RODRIGUE.

À moi, Comte, deux mots.

LE COMTE.

Parle.

DON RODRIGUE.

Ôte-moi d'un doute.

Connais-tu bien don Diègue ?

LE COMTE.

Oui.

1. "The die is cast." 2. *à* would be replaced by *de* in modern French. 3. Note in this scene the staccato effect produced in spots of high emotional tension by the use of short, rifle-like speeches by the two characters involved.

DON RODRIGUE.

                    Parlons bas ; écoute.
Sais-tu que ce vieillard fut la même vertu,[1]
La vaillance et l'honneur de son temps? le sais-tu?   400

LE COMTE.

Peut-être.

DON RODRIGUE.

       Cette ardeur que dans les yeux je porte,
Sais-tu que c'est son sang? le sais-tu?

LE COMTE.

                   Que m'importe?

DON RODRIGUE.

À quatre pas d'ici je te le fais savoir.

LE COMTE.

Jeune présomptueux !

DON RODRIGUE.

          Parle sans t'émouvoir.
Je suis jeune, il est vrai ; mais aux âmes bien nées   405
La valeur n'attend pas le nombre des années.[2]

LE COMTE.

Te mesurer à moi ! Qui t'a rendu si vain,
Toi qu'on n'a jamais vu les armes à la main?

DON RODRIGUE.

Mes pareils à deux fois ne se font point connaître,
Et pour leurs coups d'essai veulent des coups de maître.[3]   410

LE COMTE.

Sais-tu bien qui je suis?

DON RODRIGUE.

              Oui ; tout autre que moi
Au seul bruit de ton nom pourrait trembler d'effroi.
Les palmes dont je vois ta tête si couverte
Semblent porter écrit le destin de ma perte.

---

1. We should say now *la vertu même* ("nobility itself").   2. *i.e.*, exceptional men achieve unusual things at an age when ordinary men are still immature. Compare lines 409–10.   3. *i.e.*, such men do not pass through stages of accomplishments, but reach the heights at once.

J'attaque en téméraire un bras toujours vainqueur ;   415
Mais j'aurai trop [1] de force, ayant assez de cœur.
À qui venge son père il n'est rien [2] impossible.
Ton bras est invaincu, mais non pas invincible.

LE COMTE.

Ce grand cœur [3] qui paraît aux discours que tu tiens,[4]
Par tes yeux, chaque jour, se découvrait aux miens ; [5]   420
Et croyant voir en toi l'honneur de la Castille,
Mon âme avec plaisir te destinait ma fille.
Je sais ta passion, et suis ravi de voir   *Enchanté*
Que tous ses mouvements* cèdent à ton devoir ;
Qu'ils n'ont point affaibli cette ardeur magnanime ;   425
Que ta haute vertu répond* à mon estime* ;
Et que voulant pour gendre un cavalier parfait,
Je ne me trompais point au choix que j'avais fait ;
Mais je sens que pour toi ma pitié s'intéresse ;
J'admire ton courage, et je plains ta jeunesse.   430
Ne cherche point à faire un coup d'essai fatal ;
Dispense ma valeur d'un combat inégal ;
Trop peu d'honneur pour moi suivrait cette victoire :
À vaincre sans péril, on triomphe sans gloire.
On te croirait toujours abattu sans effort ;   435
Et j'aurais seulement le regret de ta mort.

DON RODRIGUE.

D'une indigne* pitié ton audace est suivie :
Qui m'ose ôter l'honneur craint de m'ôter la vie !

LE COMTE.
Retire-toi d'ici.

DON RODRIGUE.
Marchons sans discourir.

LE COMTE.
Es-tu si las de vivre ?

DON RODRIGUE.
As-tu peur de mourir ?   440

1. *trop:* translate "more than enough." 2. *rien d'impossible* would be used in modern French. 3. *Ce grand cœur = Cette âme haute.* 4. *aux discours que tu tiens = dans ce que vous dites.* 5. *aux miens = à mes yeux.*

LE COMTE.

Viens, tu fais ton devoir, et le fils dégénère
Qui survit un moment à l'honneur de son père.

SCÈNE III.

L'Infante, Chimène, Léonor.

L'INFANTE.

Apaise, ma Chimène, apaise ta douleur :
Fais agir ta constance en ce coup de malheur.[1]
Tu reverras le calme après ce faible orage ;   445
Ton bonheur n'est couvert que d'un peu de nuage,
Et tu n'as rien perdu pour le voir différer.[2]

CHIMÈNE.

Mon cœur outré d'ennuis n'ose rien espérer.
Un orage si prompt qui trouble une bonace
D'un naufrage certain nous porte la menace :   450
Je n'en saurais* douter, je péris dans le port.
J'aimais, j'étais aimée, et nos pères d'accord ;
Et je vous en contais la charmante nouvelle,
Au malheureux moment que naissait leur querelle,
Dont le récit fatal, sitôt qu'on vous l'a fait,   455
D'une si douce attente a ruiné l'effet.
  Maudite ambition, détestable manie,
Dont les plus généreux souffrent la tyrannie !
Honneur impitoyable à mes plus chers désirs,
Que tu me vas coûter de pleurs, et de soupirs !   460

L'INFANTE.

Tu n'as dans leur querelle aucun sujet de craindre :
Un moment l'a fait naître, un moment va l'éteindre.
Elle a fait trop de bruit pour ne pas s'accorder,*
Puisque déjà le Roi les veut accommoder ;
Et tu sais que mon âme, à tes ennuis sensible,*   465
Pour en tarir la source y fera l'impossible.

----

1. "Draw upon your fortitude in this moment of misfortune."
2. "because it is delayed."

CHIMÈNE.

Les accommodements ne font rien en ce point :
De si mortels affronts ne se réparent point.
En vain on fait agir la force ou la prudence :
Si l'on guérit le mal, ce n'est qu'en apparence.   47ι
La haine que les cœurs conservent au dedans
Nourrit des feux [1] cachés, mais d'autant plus ardents.

L'INFANTE.

Le saint nœud qui joindra don Rodrigue et Chimène
Des pères ennemis dissipera la haine ;
Et nous verrons bientôt votre amour le plus fort   475
Par un heureux hymen étouffer ce discord.[2]

CHIMÈNE.

Je le souhaite ainsi plus que je ne l'espère :
Don Diègue est trop altier, et je connais mon père.
Je sens couler des pleurs que je veux retenir ;
Le passé me tourmente, et je crains l'avenir.   480

L'INFANTE.

Que crains-tu ? d'un vieillard l'impuissante faiblesse ?

CHIMÈNE.

Rodrigue a du courage.

L'INFANTE.

Il a trop de jeunesse.

CHIMÈNE.

Les hommes valeureux le sont du premier coup.[3]

L'INFANTE.

Tu ne dois pas pourtant le redouter beaucoup :
Il est trop amoureux pour te vouloir déplaire,   485
Et deux mots de ta bouche arrêtent sa colère.

CHIMÈNE.

S'il ne m'obéit point, quel comble à mon ennui !
Et s'il peut m'obéir, que dira-t-on de lui ? [4]

1. *feux = passions.*   2. *ce discord = cette discorde.* The former is now used only in music.   3. For idea, compare lines 405, 409.   4. In this couplet Chimène states the crux of the play : is Rodrigue to listen to love and obey her or is he to follow the call of honor ? If he does the former she can no longer respect him as a gentleman, and if the latter her pride will be hurt.

Étant né ce qu'il est, souffrir un tel outrage !
Soit qu'il cède ou résiste au feu qui me l'engage,   490
Mon esprit ne peut qu'être ou honteux ou confus,[1]
De son trop de respect, ou d'un juste refus.

L'INFANTE.

Chimène a l'âme haute, et quoiqu'intéressée,
Elle ne peut souffrir une basse pensée ;
Mais si jusques au jour de l'accommodement   495
Je fais mon prisonnier de ce parfait amant,
Et que j'empêche ainsi l'effet de son courage,
Ton esprit amoureux n'aura-t-il point d'ombrage ?*

empêcher le duel ?

CHIMÈNE.

Ah ! Madame, en ce cas je n'ai plus de souci.

SCÈNE IV.

L'INFANTE, CHIMÈNE, LÉONOR, LE PAGE.

L'INFANTE.

Page, cherchez Rodrigue, et l'amenez ici.   500

LE PAGE.

Le Comte de Gormas et lui . . .

CHIMÈNE.

Bon Dieu ! je tremble.

L'INFANTE.

Parlez.

LE PAGE.

De ce palais ils sont sortis ensemble.

CHIMÈNE.

Seuls ?

LE PAGE.

Seuls, et qui semblaient tout bas se quereller.

CHIMÈNE.

Sans doute ils sont aux mains,* il n'en faut plus parler.
Madame, pardonnez à cette promptitude.[2]   505

---

1. *honteux:* ashamed of him as a knight, for not defending the family honor.   *confus:* embarrassed because his love was not strong enough to make him forget all else.   2. Supply: "in leaving you." Chimène leaves the stage, presumably in quest of fuller information.

SCÈNE V.

L'Infante, Léonor.

L'infante.

Hélas ! que dans l'esprit je sens d'inquiétude !
Je pleure ses malheurs, son amant me ravit ;
Mon repos m'abandonne, et ma flamme revit.
Ce qui va séparer Rodrigue de Chimène
Fait renaître à la fois mon espoir et ma peine ;
Et leur division, que je vois à regret,   510
Dans mon esprit charmé jette un plaisir secret.[1]

Léonor.

Cette haute vertu* qui règne dans votre âme
Se rend-elle sitôt à cette lâche flamme?

L'infante.

Ne la nomme point lâche, à présent que chez moi   515
Pompeuse et triomphante elle me fait la loi :[2]
Porte-lui du respect, puisqu'elle m'est si chère.
Ma vertu* la combat, mais malgré moi j'espère ;
Et d'un si fol espoir mon cœur mal défendu
Vole après un amant que Chimène a perdu.   520

Léonor.

Vous laissez choir ainsi ce glorieux[3] courage,
Et la raison chez vous perd ainsi son usage?

L'infante.

Ah ! qu'avec peu d'effet on entend la raison,
Quand le cœur est atteint d'un si charmant poison[4] !
Et lorsque le malade aime sa maladie,   525
Qu'il a peine à souffrir que l'on y remédie !

Léonor.

Votre espoir vous séduit, votre mal vous est doux ;
Mais enfin ce Rodrigue est indigne de vous.

---

1. The Infanta loves Rodrigue but cannot consider him seriously because of the difference in their ranks. To forget him she throws him with Chimène. Now the killing of Chimène's father would separate the two lovers, Rodrigue would be again unattached ; thus the Infanta's hopeless love is once more aroused. 2. *elle me commande.* 3. *glorieux = fier.* 4. *un si charmant poison = amour.*

honneur — gloire

L'INFANTE.

Je ne le sais que trop ; mais si ma vertu cède,
Apprends comme l'amour flatte* un cœur qu'il possède.   530
   Si Rodrigue une fois sort vainqueur du combat,
Si dessous[1] sa valeur ce grand guerrier s'abat,
Je puis en[2] faire cas,* je puis l'aimer sans honte.
Que ne fera-t-il point, s'il peut vaincre le Comte ?
J'ose m'imaginer qu'à ses moindres exploits   535
Les royaumes entiers tomberont sous ses lois ;[3]
Et mon amour flatteur déjà me persuade
Que je le vois assis au trône de Grenade,
Les Mores subjugués trembler en l'adorant,
L'Aragon recevoir ce nouveau conquérant,   540
Le Portugal[4] se rendre, et ses nobles journées[5]
Porter delà les mers ses hautes destinées,
Du sang des Africains[6] arroser ses lauriers :
Enfin, tout ce qu'on dit des plus fameux guerriers,
Je l'attends de Rodrigue après cette victoire,   545
Et fais de son amour un sujet de ma gloire.

LÉONOR.

Mais, Madame, voyez où vous portez son bras,[7]
Ensuite[8] d'un combat qui peut-être n'est pas.

L'INFANTE.

Rodrigue est offensé ; le Comte a fait l'outrage ;
Ils sont sortis ensemble : en faut-il davantage ?   550

LÉONOR.

Eh bien ! ils se battront, puisque vous le voulez ;
Mais Rodrigue ira-t-il si loin que vous allez ?

L'INFANTE.

Que veux-tu ?* je suis folle, et mon esprit s'égare :
Tu vois par là[9] quels maux cet amour me prépare.

---

   1. *dessous = sous.*   2. *en = de lui.*   3. *sous ses lois:* "under
his rule."   4. Corneille is in error here : Portugal was not a country
to be conquered, since it had been created out of land conquered from
the Moors by this same King of Castile that Rodrigo was serving
(1064–65). He had placed it under one of his nobles and it was a de-
pendency of Castile at the moment in question.   5. *ses nobles journées:* what he accomplished during his days, hence "mighty victories."
6. *Africains = Mores.*   7. Supply : "in your imagination."
8. *Ensuite = À la suite.*   9. *par là = par cela.*

Viens dans mon cabinet consoler mes ennuis,   555
Et ne me quitte point dans le trouble où je suis.

SCÈNE VI.

Don Fernand,[1] Don Arias, Don Sanche.

DON FERNAND.

Le Comte est donc si vain et si peu raisonnable !
Ose-t-il croire encor son crime pardonnable ?

DON ARIAS.

Je l'ai de votre part* longtemps entretenu ;
J'ai fait mon pouvoir,[2] Sire, et n'ai rien obtenu.   560

DON FERNAND.

Justes cieux ! ainsi donc un sujet téméraire
A si peu de respect et de soin de me plaire !
Il offense don Diègue, et méprise son roi !
Au milieu de ma cour il me donne la loi ![3]
Qu'il soit brave guerrier, qu'il soit grand capitaine,   565
Je saurai bien rabattre une humeur si hautaine.
Fût-il[4] la valeur même, et le dieu des combats,
Il verra ce que c'est que de n'obéir pas.
Quoi qu'ait pu mériter une telle insolence,
Je l'ai voulu d'abord traiter sans violence ;   570
Mais puisqu'il en abuse, allez dès aujourd'hui,
Soit qu'il résiste ou non, vous assurer de lui.

DON SANCHE.

Peut-être un peu de temps le rendrait moins rebelle :
On l'a pris tout bouillant encor de sa querelle ;

1. The weakness of the King throughout the play is something that
has been criticized ever since *Le Cid* was first performed.   He should
have arrested Le Comte after he had insulted Don Diègue, should have
forced a public apology instead of trying to arrange a secret reconciliation.   Don Fernand should have taken more energetic measures against
the attack of the Moors and not left all to the efforts of the inexperienced
Rodrigue.   And so on.   Corneille discusses these points in the *Examen*
to *Le Cid* (1660).   The King of Spain was not a mighty monarch in the
days of the Cid : he could not order his powerful nobles about at will.
And, still more important, Corneille is following his model Guillen de
Castro.   2. *J'ai fait mon pouvoir = J'ai fait ce que j'ai pu.*   3. See
note, v. 516.   4. *Fût-il = Même s'il était.*

Sire, dans la chaleur d'un premier mouvement,*   575
Un cœur si généreux se rend malaisément.
Il voit bien qu'il a tort, mais une âme si haute
N'est pas sitôt réduite à confesser sa faute.

DON FERNAND.

Don Sanche, taisez-vous, et soyez averti
Qu'on se rend criminel à prendre son parti.[1]   580

DON SANCHE.

J'obéis, et me tais ; mais, de grâce* encor, Sire,
Deux mots en sa défense.

DON FERNAND.

        Et que pouvez-vous dire?

DON SANCHE.

Qu'une âme accoutumée aux grandes actions
Ne se peut abaisser à des soumissions :
Elle n'en conçoit point qui s'expliquent sans honte ;   585
Et c'est à ce mot seul qu'a résisté le Comte.
Il trouve en son devoir un peu trop de rigueur,
Et vous obéirait, s'il avait moins de cœur.[2]
Commandez que son bras, nourri dans les alarmes,
Répare cette injure à la pointe des armes ;   590
Il satisfera, Sire ; et vienne qui voudra
Attendant qu'il l'ait su, voici qui répondra.[3]

DON FERNAND.

Vous perdez le respect ; mais je pardonne à l'âge,
Et j'excuse l'ardeur en un jeune courage.
  Un roi dont la prudence a de meilleurs objets   595
Est meilleur ménager du sang de ses sujets :
Je veille pour les miens, mes soucis les conservent,
Comme le chef a soin des membres qui le servent.
Ainsi votre raison n'est pas raison pour moi :
Vous parlez en soldat ; je dois agir en roi ;   600
Et quoi qu'on veuille dire, et quoi qu'il ose croire,
Le Comte à m'obéir ne peut perdre sa gloire.
D'ailleurs l'affront me touche : il a perdu d'honneur*

---

1. Note the kingly dignity : when the king has censured a subject it
becomes criminal to defend him.   2. *s'il avait moins de cœur = s'il
était moins noble et brave.*   3. *voici qui répondra = je me porte garant
de sa conduite.*

Celui que de mon fils j'ai fait le gouverneur ;
S'attaquer à mon choix, c'est se prendre* à moi-même,   605
Et faire un attentat sur le pouvoir suprême.
N'en parlons plus. Au reste, on a vu dix vaisseaux
De nos vieux ennemis arborer les drapeaux ;
Vers la bouche du fleuve [1] ils ont osé paraître.

DON ARIAS.

Les Mores ont appris par force à vous connaître,   610
Et tant de fois vaincus, ils ont perdu le cœur
De se plus hasarder contre un si grand vainqueur.

DON FERNAND.

Ils ne verront jamais sans quelque jalousie
Mon sceptre, en dépit d'eux, régir l'Andalousie ;
Et ce pays si beau, qu'ils ont trop possédé   615
Avec un œil d'envie est toujours regardé.
C'est l'unique raison qui m'a fait dans Séville
Placer depuis dix ans le trône de Castille,
Pour les voir de plus près, et d'un ordre plus prompt
Renverser aussitôt ce qu'ils entreprendront.   620

DON ARIAS.

Ils savent aux dépens de leurs plus dignes têtes
Combien votre présence assure vos conquêtes :
Vous n'avez rien à craindre.

DON FERNAND.

              Et rien à négliger :
Le trop de confiance attire le danger ;
Et vous n'ignorez pas qu'avec fort peu de peine   625
Un flux de pleine mer jusqu'ici les amène.
Toutefois j'aurais tort de jeter dans les cœurs,
L'avis étant mal sûr,[2] de paniques terreurs.
L'effroi que produirait cette alarme inutile,
Dans la nuit qui survient troublerait trop la ville :   630
Faites doubler la garde aux murs et sur le port.[3]
C'est assez pour ce soir.

---

   1. The Guadalquivir, which flows by Seville.   2. *mal sûr = peu sûr*.   3. The excuse he gives here, not wanting to alarm the city uselessly, is satisfactory enough. But if a close watch was being kept, why was the defense of the city, when the Moors came, left to the un-authorized and unofficial efforts of Don Rodrigue (see lines 1215–1220)? Corneille admits this weakness in the *Examen*.

SCÈNE VII.

DON FERNAND, DON SANCHE, DON ALONSE.

DON ALONSE.

Sire, le Comte est mort :
Don Diègue, par son fils, a vengé son offense.

DON FERNAND.

Dès que j'ai su l'affront, j'ai prévu la vengeance ;
Et j'ai voulu dès lors prévenir ce malheur.   635

DON ALONSE.

Chimène à vos genoux apporte sa douleur ;
Elle vient toute en pleurs vous demander justice.

DON FERNAND.

Bien qu'à ses déplaisirs mon âme compatisse,
Ce que le Comte a fait semble avoir mérité
Ce digne châtiment de sa témérité.   640
Quelque juste pourtant que [1] puisse être sa peine,
Je ne puis sans regret perdre un tel capitaine.
Après un long service à mon État rendu,
Après son sang pour moi mille fois répandu,
À quelque [2] sentiment que son orgueil m'oblige,   645
Sa perte m'affaiblit, et son trépas m'afflige.

SCÈNE VIII.[3]

DON FERNAND, DON DIÈGUE, CHIMÈNE, DON SANCHE, DON ARIAS, DON ALONSE.

CHIMÈNE.

Sire, Sire, justice !

DON DIÈGUE.

Ah ! Sire, écoutez-nous.

CHIMÈNE.

Je me jette à vos pieds.

1. *Quelque juste . . . que:* " However just." 2. *quelque . . . que:* " whatever." 3. Note the short speeches to heighten emotional effect. Compare I, 5.

DON DIÈGUE.

J'embrasse vos genoux.

CHIMÈNE.

Je demande justice.

DON DIÈGUE.

Entendez ma défense.

CHIMÈNE.

D'un jeune audacieux punissez l'insolence : 650
Il a de votre sceptre abattu le soutien,
Il a tué mon père.

DON DIÈGUE.

Il a vengé le sien.

CHIMÈNE.

Au sang de ses sujets un roi doit la justice.

DON DIÈGUE.

Pour la juste vengeance il n'est point de supplice.[1]

DON FERNAND.

Levez-vous l'un et l'autre, et parlez à loisir.[2] 655
Chimène, je prends part à votre déplaisir ;
D'une égale douleur je sens mon âme atteinte.
Vous [3] parlerez après ; ne troublez pas sa plainte.

CHIMÈNE.

Sire, mon père est mort ; mes yeux ont vu son sang [4]
Couler à gros bouillons de son généreux * flanc ; 660
Ce sang qui tant de fois garantit vos murailles,
Ce sang qui tant de fois vous gagna des batailles,
Ce sang qui tout sorti fume encor de courroux
De se voir répandu pour d'autres que pour vous,[5]
Qu'au milieu des hasards n'osait verser la guerre, 665
Rodrigue en votre cour vient d'en couvrir la terre.

1. This statement was not exactly in conformity with the energetic
efforts of Richelieu to suppress duelling among French noblemen.
2. *à loisir:* i.e., in turn, without interrupting one another. 3. This
is addressed to Don Diègue. 4. This whole scene, in which the
heroine is forced to demand the life of the man she loves, has excited the
admiration of critics. All of Corneille's tragedies were built about the
clash of love and duty. 5. The whole speech is filled with artificial
ideas but this particular couplet is worthy of special attention. Such
preciosities were quite to the taste of the 17th century audience.

J'ai couru sur le lieu, sans force et sans couleur :
Je l'ai trouvé sans vie.   Excusez ma douleur,
Sire, la voix me manque à ce récit funeste ;
Mes pleurs et mes soupirs vous diront mieux le reste.   670

DON FERNAND.

Prends courage, ma fille, et sache qu'aujourd'hui
Ton roi te veut servir de père au lieu de lui.

CHIMÈNE.

Sire, de trop d'honneur ma misère est suivie.
Je vous l'ai déjà dit, je l'ai trouvé sans vie ;
Son flanc était ouvert ; et pour mieux m'émouvoir,   675
Son sang sur la poussière écrivait mon devoir ;
Ou plutôt sa valeur en cet état réduite
Me parlait par sa plaie,[1] et hâtait ma poursuite ;
Et, pour se faire entendre au plus juste des rois,
Par cette triste bouche[2] elle empruntait ma voix.   680
  Sire, ne souffrez pas que sous votre puissance
Règne devant vos yeux une telle licence ;
Que les plus valeureux, avec impunité,
Soient exposés aux coups de la témérité ;
Qu'un jeune audacieux triomphe de leur gloire,   685
Se baigne dans leur sang, et brave leur mémoire.
Un si vaillant guerrier qu'on vient de vous ravir
Éteint, s'il n'est vengé, l'ardeur de vous servir.
Enfin mon père est mort, j'en demande vengeance,
Plus pour votre intérêt que pour mon allégeance.[3]   690
Vous perdez en la mort d'un homme de son rang :
Vengez-la par une autre, et le sang par le sang.
Immolez, non à moi, mais à votre couronne,
Mais à votre grandeur, mais à votre personne ;
Immolez, dis-je, Sire, au bien de tout l'État   695
Tout ce qu'enorgueillit un si haut attentat.[4]

DON FERNAND.

Don Diègue, répondez.

1. Another *précieux* idea.   2. The comparison of a *gaping wound*
with a *mouth* is in somewhat bad taste to modern readers.   3. Chimène
insists on Rodrigue's punishment for the good of the state ; if an unknown youngster could gain fame and go unpunished for striking down
a man in command, why should one want to be high in the esteem of the
king ?   4. Read : *Tous ceux à qui un si grand crime, étant impuni,
donne l'espoir de se rendre célèbres de la même façon.*

DON DIÈGUE.

Qu'on est digne d'envie
Lorsqu'en perdant la force on perd aussi la vie,
Et qu'un long âge apprête aux hommes généreux,*
Au bout de leur carrière, un destin malheureux !   700
Moi, dont les longs travaux ont acquis tant de gloire,
Moi, que jadis partout a suivi la victoire,
Je me vois aujourd'hui, pour avoir trop vécu,
Recevoir un affront et demeurer vaincu.
Ce que n'a pu jamais combat, siège, embuscade,   705
Ce que n'a pu jamais Aragon ni Grenade,
Ni tous vos ennemis, ni tous mes envieux,
Le Comte en votre cour l'a fait presqu'à vos yeux,
Jaloux de votre choix, et fier de l'avantage
Que lui donnait sur moi l'impuissance de l'âge.   710
  Sire, ainsi ces cheveux blanchis sous le harnois,
Ce sang pour vous servir prodigué tant de fois,
Ce bras, jadis l'effroi d'une armée ennemie,
Descendaient [1] au tombeau tous chargés d'infamie,
Si je n'eusse [2] produit un fils digne de moi,   715
Digne de son pays et digne de son roi.
Il m'a prêté sa main, il a tué le Comte ;
Il m'a rendu l'honneur, il a lavé ma honte.
Si montrer du courage et du ressentiment,
Si venger un soufflet mérite un châtiment,   720
Sur moi seul doit tomber l'éclat* de la tempête :
Quand le bras a failli, l'on en [3] punit la tête.
Qu'on nomme crime, ou non, ce qui fait nos débats,
Sire, j'en suis la tête, il n'en est que le bras.
Si Chimène se plaint qu'il a tué son père,   725
Il ne l'eût jamais fait si je l'eusse pu faire.
Immolez donc ce chef que les ans vont ravir,
Et conservez pour vous le bras qui peut servir.
Aux dépens de mon sang satisfaites Chimène :
Je n'y résiste point, je consens à ma peine ;   730
Et loin de murmurer d'un rigoureux décret,
Mourant sans déshonneur, je mourrai sans regret.

---

1. *descendaient:* "would have gone down."   2. *Si je n'avais* . . .
3. *en:* "for it."

DON FERNAND.

L'affaire est d'importance, et, bien considérée,
Mérite en plein conseil d'être délibérée.
    Don Sanche, remettez Chimène en sa maison.   735
Don Diègue aura ma cour et sa foi pour prison.
Qu'on me cherche son fils.   Je vous ferai justice.

CHIMÈNE.

Il est juste, grand Roi, qu'un meurtrier périsse.

DON FERNAND.

Prends du repos, ma fille, et calme tes douleurs.

CHIMÈNE.

M'ordonner du repos, c'est croître mes malheurs.   740

ACTE III. SCÈNE PREMIÈRE.[1]

Don Rodrigue, Elvire.

ELVIRE.

Rodrigue, qu'as-tu fait? où viens-tu, misérable?

DON RODRIGUE.

Suivre le triste cours de mon sort déplorable.

ELVIRE.

Où prends-tu cette audace et ce nouvel orgueil,
De paraître en des lieux que tu remplis de deuil?
Quoi? viens-tu jusqu'ici braver l'ombre du Comte?   745
Ne l'as-tu pas tué?[2]

DON RODRIGUE.

        Sa vie était ma honte :
Mon honneur de ma main a voulu cet effort.

    1. Note that the scene shifts from the court to the home of Chimène.
2. Presumably the body of the Count was lying in state in his home.
Reference to the remains is carefully avoided, as this would have con-
jured up an unpleasant picture in the minds of the spectators. Corneille
says in the *Examen* (1660) that the question of the Count's funeral perplexed him considerably : he decided to let it go unmentioned.

ELVIRE.

Mais chercher ton asile en la maison du mort !
Jamais un meurtrier en fit-il son refuge ? [1]

DON RODRIGUE.

Et je n'y viens aussi que m'offrir à mon juge.[2]   750
Ne me regarde plus d'un visage étonné ;
Je cherche le trépas après l'avoir donné.
Mon juge est mon amour, mon juge est ma Chimène :
Je mérite la mort de mériter [3] sa haine,
Et j'en [4] viens recevoir, comme un bien souverain,   755
Et l'arrêt de sa bouche, et le coup de sa main.

ELVIRE.

Fuis plutôt de ses yeux, fuis de sa violence ;
À ses premiers transports dérobe ta présence :
Va, ne t'expose point aux premiers mouvements*
Que poussera l'ardeur de ses ressentiments.   760

DON RODRIGUE.

Non, non, ce cher objet à qui j'ai pu déplaire
Ne peut pour mon supplice avoir trop de colère ;
Et j'évite cent morts qui me vont accabler,[5]
Si pour mourir plus tôt je puis la redoubler.

ELVIRE.

Chimène est au palais, de pleurs toute baignée,   765
Et n'en reviendra point que bien accompagnée.
Rodrigue, fuis, de grâce ; ôte-moi de souci.
Que ne dira-t-on point si l'on te voit ici ?
Veux-tu qu'un médisant, pour comble à sa misère,
L'accuse d'y souffrir l'assassin de son père ? [6]   770
Elle va revenir ; elle vient, je la voi : [7]
Du moins, pour son honneur, Rodrigue, cache-toi.

---

1. Rodrigue's audacity in coming to his victim's home is inspired by
love, — hence impressive.   2. Chimène : he will ask her to decide his
fate.   3. *de mériter = parce que je mérite.*   4. *en = d'elle.*   5. To
live with Chimène hating him would be worse than to die a hundred
times.   6. Even in a classic play we find the fear of scandal and its
wagging tongue : in Elvire's mind it does not seem so terrible that
Rodrigue is in Chimène's house, but it would be terrible if the public
knew it.   7. *voi = vois :* permissible in poetry.

SCÈNE II.

Don Sanche,[1] Chimène, Elvire.

DON SANCHE.

Oui, Madame, il vous faut de sanglantes victimes :
Votre colère est juste, et vos pleurs légitimes ;
Et je n'entreprends pas, à force de parler,   775
Ni de vous adoucir, ni de vous consoler.
Mais si de vous servir je puis être capable,
Employez mon épée à punir le coupable ;
Employez mon amour à venger cette mort :
Sous vos commandements mon bras sera trop fort.   780

CHIMÈNE.

Malheureuse !

DON SANCHE.

De grâce, acceptez mon service.

CHIMÈNE.

J'offenserais le Roi, qui m'a promis justice.

DON SANCHE.

Vous savez qu'elle marche avec tant de langueur,
Qu'assez souvent le crime échappe à sa longueur ;
Son cours lent et douteux fait trop perdre de larmes.   785
Souffrez qu'un cavalier vous venge par les armes :
La voie en est plus sûre, et plus prompte à punir.

CHIMÈNE.

C'est le dernier remède ; et s'il y faut venir,
Et que [2] de mes malheurs cette pitié vous dure,[3]
Vous serez libre alors de venger mon injure.   790

DON SANCHE.

C'est l'unique bonheur où mon âme prétend * ;
Et pouvant l'espérer je m'en vais trop content.

---

1. The chief function of Don Sanche in the play is to show Chimène's power over her admirers.   2. *que = si*, as often when *si* would be repeated in several consecutive clauses.   3. *vous dure:* "if you continue to feel" (free translation).

SCÈNE III.

CHIMÈNE, ELVIRE.

CHIMÈNE.

Enfin je me vois libre, et je puis sans contrainte
De mes vives douleurs te faire voir l'atteinte ; [1]
Je puis donner passage à mes tristes soupirs ;   795
Je puis t'ouvrir mon âme et tous mes déplaisirs.

    Mon père est mort, Elvire ; et la première épée
Dont s'est armé Rodrigue a sa trame coupée.[2]
Pleurez, pleurez, mes yeux, et fondez-vous en eau !
La moitié de ma vie [3] a mis l'autre [4] au tombeau,   800
Et m'oblige à venger, après ce coup funeste,
Celle que je n'ai plus sur celle qui me reste.

ELVIRE.

Reposez-vous, Madame.

CHIMÈNE.

              Ah ! que mal à propos
Dans un malheur si grand tu parles de repos !
Par où sera jamais ma douleur apaisée,   805
Si je ne puis haïr la main qui l'a causée ?
Et que dois-je espérer qu' [5] un tourment éternel,
Si je poursuis un crime, aimant le criminel ?

ELVIRE.

Il vous prive d'un père, et vous l'aimez encore !

CHIMÈNE.

C'est peu de dire aimer, Elvire : je l'adore ;   810
Ma passion s'oppose à mon ressentiment ;
Dedans mon ennemi je trouve mon amant ;
Et je sens qu'en dépit de toute ma colère
Rodrigue dans mon cœur combat encor mon père :

---

1. The charge of weakness should not be brought against Chimène
because of what she freely confesses to Elvire. Remember that a *gouvernante* was *une autre soi-même* and the things Chimène told her were
carefully guarded secrets. In public, Chimène concealed her feeling for
Rodrigue and demanded his execution as her father's murderer.   2. *a
sa trame coupée = a coupé le cours de sa vie.* The placing of a noun object
between the auxiliary and the past participle was becoming obsolete even
in Corneille's day.   3. *La moitié = Rodrigue.*   4. *l'autre (moitié)
= le Comte.*   5. *qu' = sauf.*

Il l'attaque, il le presse, il cède, il se défend,   815
Tantôt fort, tantôt faible, et tantôt triomphant ;
Mais en ce dur combat de colère et de flamme,
Il déchire mon cœur sans partager mon âme ; [1]
Et quoi que mon amour ait sur moi de pouvoir, [2]
Je ne consulte point pour suivre mon devoir :   820
Je cours sans balancer où mon honneur m'oblige.
Rodrigue m'est bien cher, son intérêt m'afflige ; [3]
Mon cœur prend son parti ; mais malgré son [4] effort,
Je sais ce que je suis, et que mon père est mort.

ELVIRE.

Pensez-vous le poursuivre ?

CHIMÈNE.

Ah ! cruelle pensée !   825
Et cruelle poursuite où je me vois forcée !
Je demande sa tête, et crains de l'obtenir :
Ma mort suivra la sienne, et je le veux punir !

ELVIRE.

Quittez, quittez, Madame, un dessein si tragique ;
Ne vous imposez point de loi si tyrannique.   830

CHIMÈNE.

Quoi ! mon père étant mort, et presque entre mes bras,
Son sang criera vengeance, et je ne l'orrai [5] pas !
Mon cœur, honteusement surpris par d'autres charmes,
Croira ne lui devoir que d'impuissantes larmes !
Et je pourrai souffrir qu'un amour suborneur   835
Sous un lâche silence étouffe mon honneur !

ELVIRE.

Madame, croyez-moi, vous serez excusable
D'avoir moins de chaleur contre un objet aimable,
Contre un amant si cher : vous avez assez fait,
Vous avez vu le Roi ; n'en pressez point l'effet,   840
Ne vous obstinez point en cette humeur étrange.

---

1. Her *soul* was governed by *reason*, and reason forbade her to feel
affection for her father's slayer.   2. *quoi que . . . de pouvoir:*
"whatever control."   3. *son intérêt m'afflige:* "it grieves me sorely
that he is involved."   4. *son = de mon cœur.*   5. *orrai* is the
future of the now obsolete verb *ouïr.*

LE CID.

deludes us w/ expectations of

CHIMÈNE.

pride

Il y va de ma gloire,* il faut que je me venge ;
Et de quoi que nous flatte un désir amoureux,
Toute excuse est honteuse aux esprits généreux.

ELVIRE.

Mais vous aimez Rodrigue, il ne vous peut déplaire.   845

CHIMÈNE.

Je l'avoue.

ELVIRE.

Après tout, que pensez-vous donc faire ?

pride ### CHIMÈNE.

(classique) peine

Pour conserver ma gloire et finir mon ennui,
Le poursuivre, le perdre, et mourir après lui.[1]

Le devoir est la chose importante

SCÈNE IV.[2]

une scène puissante

Don Rodrigue, Chimène, Elvire.

DON RODRIGUE.

Eh bien ! sans vous donner la peine de poursuivre,
Assurez-vous l'honneur de m'empêcher de vivre.[3]   850

CHIMÈNE.

Elvire, où sommes-nous, et qu'est-ce que je voi ? [4]
Rodrigue en ma maison !   Rodrigue devant moi !

---

1. It has been rightly said that this line contains the essence of the play.   2. Esthetic critics have found much fault with this scene as Corneille states in the *Examen*.   They object that strict observance of her duty should have caused Chimène to refuse to listen to Rodrigue, and to withdraw to her room.   Corneille thinks the power of the stirring emotions that are brought out in the scene is sufficient excuse for its possible unconventionality.   Note also that there is no witness to the scene save Elvire, who is so close to Chimène that the latter tells her her secret thoughts.   We can assume that if witnesses were present Chimène would have refused to talk to Rodrigue.   We must admit the scene is a powerful one.   3. Note the dramatic entry, — for which Corneille had a flair.   This line is too artificial to suit modern taste.   We may assume that Rodrigue entered and left Chimène's home under cover of darkness.   See note, v. 1013.   4. *voi = vois.*

DON RODRIGUE.

N'épargnez point mon sang : goûtez sans résistance
La douceur de ma perte et de votre vengeance.

CHIMÈNE.

Hélas !

DON RODRIGUE.

Écoute-moi.[1]

CHIMÈNE.

Je me meurs.

DON RODRIGUE.

Un moment.   855

CHIMÈNE.

Va, laisse-moi mourir.

DON RODRIGUE.

Quatre mots seulement :
Après ne me réponds qu'avecque [2] cette épée.

CHIMÈNE.

Quoi ! du sang de mon père encor toute trempée !

DON RODRIGUE.

Ma Chimène . . .

CHIMÈNE.

Ôte-moi cet objet odieux,
Qui reproche ton crime et ta vie à mes yeux.   860

DON RODRIGUE.

Regarde-le plutôt pour exciter ta haine,
Pour croître ta colère, et pour hâter ma peine.

CHIMÈNE.

Il est teint de mon [3] sang.

DON RODRIGUE.

Plonge-le dans le mien,
Et fais-lui perdre ainsi la teinture du tien.[4]

---

1. Note the complete change in relationship which is indicated by the simple shift from the plural (*vous*) to the singular (*tu*).   2. *avecque* = *avec;* an old form permissible here for the sake of the meter.   3. *i.e.*, her father's.   4. Corneille admits in the *Examen* that some of the re- marks in this scene are "*trop spirituelles pour partir de personnes fort affligées.*"   This is certainly one of them.

CHIMÈNE.

Ah ! quelle cruauté, qui tout en un jour tue   865
Le père par le fer, la fille par la vue !
Ôte-moi cet objet, je ne le puis souffrir : *fear*
Tu veux que je t'écoute, et tu me fais mourir !

DON RODRIGUE.

Je fais ce que tu veux, mais sans quitter l'envie
De finir par tes mains ma déplorable vie ;   870
Car enfin n'attends pas de mon affection *dont delay*
Un lâche repentir d'une bonne action.   *coward*
L'irréparable effet d'une chaleur trop prompte
Déshonorait mon père, et me couvrait de honte.
Tu sais comme un soufflet touche un homme de cœur ;   875
J'avais part* à l'affront, j'en ai cherché l'auteur :   *had a share*
Je l'ai vu, j'ai vengé mon honneur et mon père ;
Je le ferais encor, si j'avais à le faire.
Ce n'est pas qu'en effet contre mon père et moi
Ma flamme assez longtemps n'ait combattu pour toi ; [1]   880
Juge de son pouvoir : dans une telle offense
J'ai pu délibérer si j'en prendrais vengeance.
Réduit à te déplaire, ou souffrir un affront,
J'ai pensé qu'à son tour mon bras était trop prompt ;
Je me suis accusé de trop de violence ;   885
Et ta beauté sans doute emportait [2] la balance,
À moins que d' [3] opposer à tes plus forts appas   *unless*
Qu'un homme sans honneur ne te méritait pas ;   *place*
Que malgré cette part* que j'avais en ton âme,
Qui m'aima généreux* me haïrait infâme ;   890
Qu'écouter ton amour, obéir à sa voix,
C'était m'en rendre indigne et diffamer ton choix.
Je te le dis encore ; et quoique j'en soupire,
Jusqu'au dernier soupir je veux bien le redire :
Je t'ai fait une offense, et j'ai dû m'y porter*   895
Pour effacer ma honte, et pour te mériter ;
Mais quitte envers l'honneur, et quitte envers mon père,
C'est maintenant à toi que je viens satisfaire :

lay aside

---

1. Translate this couplet: "It is true that my love for you held out
in my heart for quite a while against my father and myself (the family
honor)."   2. *emportait = aurait emporté.*   3. *À moins que d' = À
moins d'.*   Seventeenth century usage allowed the use of both *que* and *de*
in the same construction.

C'est pour t'offrir mon sang qu'en ce lieu tu me vois.
J'ai fait ce que j'ai dû, je fais ce que je dois.   900
Je sais qu'un père mort [1] t'arme contre mon crime ;
Je ne t'ai pas voulu dérober ta victime :
Immole avec courage au sang qu'il a perdu
Celui qui met sa gloire à l'avoir répandu.

CHIMÈNE.

Ah ! Rodrigue, il est vrai, quoique ton ennemie,   905
Je ne te puis blâmer d'avoir fui l'infamie ;
Et de quelque façon qu' [2] éclatent mes douleurs,
Je ne t'accuse point, je pleure mes malheurs.
Je sais ce que l'honneur, après un tel outrage,
Demandait à l'ardeur d'un généreux courage :   910
Tu n'as fait le devoir que d'un homme de bien ;
Mais aussi, le faisant, tu m'as appris le mien.
Ta funeste valeur m'instruit par ta victoire ;
Elle a vengé ton père et soutenu ta gloire :
Même soin me regarde, et j'ai, pour m'affliger,   915
Ma gloire à soutenir, et mon père à venger.
Hélas ! ton intérêt [3] ici me désespère :
Si quelque autre malheur m'avait ravi mon père,
Mon âme aurait trouvé dans le bien* de te voir
L'unique allégement qu'elle eût pu recevoir ;   920
Et contre ma douleur j'aurais senti des charmes,
Quand une main si chère eût essuyé mes larmes.
Mais il me faut te perdre après l'avoir perdu ; [4]
Cet effort sur ma flamme à mon honneur est dû ;
Et cet affreux devoir, dont l'ordre m'assassine,   925
Me force à travailler moi-même à ta ruine.
Car enfin n'attends pas de mon affection
De lâches sentiments pour ta punition.
De quoi qu'en ta faveur notre amour m'entretienne, [5]
Ma générosité* doit répondre à* la tienne :   930
Tu t'es, en m'offensant, montré digne de moi ;
Je me dois, par ta mort, montrer digne de toi.

---

1. *un père mort = la mort d'un père.*   2. *de quelque façon qu'* : "in whatever way."   3. *ton intérêt* = "your being involved."   4. Play on the dual meaning of the verb *perdre: te perdre* = "destroy you ; " *l'avoir perdu* = "having lost him."   5. "Whatever arguments our love may advance in your favor."

DON RODRIGUE.

Ne diffère donc plus ce que l'honneur t'ordonne :
Il demande ma tête, et je te l'abandonne ;
Fais-en un sacrifice à ce noble intérêt :   935
Le coup m'en sera doux, aussi bien que l'arrêt.
Attendre après mon crime une lente justice,
C'est reculer ta gloire [1] autant que mon supplice.
Je mourrai trop heureux, mourant d'un coup si beau.

CHIMÈNE.

Va, je suis ta partie, et non pas ton bourreau.   940
Si tu m'offres ta tête, est-ce à moi de la prendre ?
Je la dois attaquer, mais tu dois la défendre ;
C'est d'un autre que toi qu'il me faut l'obtenir,
Et je dois te poursuivre, et non pas te punir.

DON RODRIGUE.

De quoi qu'en ma faveur notre amour t'entretienne,   945
Ta générosité doit répondre à la mienne ;
Et pour venger un père emprunter d'autres bras,
Ma Chimène, crois-moi, c'est n'y répondre pas : [2]
Ma main seule du mien a su venger l'offense,
Ta main seule du tien doit prendre la vengeance.   950

CHIMÈNE.

Cruel ! à quel propos sur ce point t'obstiner ?
Tu t'es vengé sans aide, et tu m'en veux donner ! [3]
Je suivrai ton exemple, et j'ai trop de courage
Pour souffrir qu'avec toi ma gloire se partage.
Mon père et mon honneur ne veulent rien devoir   955
Aux traits de ton amour ni de ton désespoir.

DON RODRIGUE.

Rigoureux point d'honneur ! hélas ! quoi que je fasse,
Ne pourrai-je à la fin obtenir cette grâce ?
Au nom d'un père mort, ou de notre amitié,
Punis-moi par vengeance, ou du moins par pitié.   960
Ton malheureux amant aura bien moins de peine
À mourir par ta main qu'à vivre avec ta haine.

---

1. *i.e.*, fame she will gain for preferring family honor to her lover.
2. The first of a series of subtleties on the "*point d'honneur*" which
seem unnatural in two persons torn by emotions. The *précieux* world
was fond of such subtleties, however.   3. Second subtlety.

CHIMÈNE.

Va, je ne te hais point.[1]

DON RODRIGUE.

Tu le dois.

CHIMÈNE.

Je ne puis.

DON RODRIGUE.

Crains-tu si peu le blâme, et si peu les faux bruits ?
Quand on saura mon crime et que ta flamme dure,　965
Que ne publieront point l'envie et l'imposture !
Force-les au silence, et sans plus discourir,
Sauve ta renommée en me faisant mourir.

CHIMÈNE.

Elle éclate bien mieux en te laissant la vie ;
Et je veux que la voix de la plus noire envie　970
Élève au ciel ma gloire et plaigne mes ennuis,*
Sachant que je t'adore et que je te poursuis.
Va-t'en, ne montre plus à ma douleur extrême
Ce qu'il faut que je perde, encore que je l'aime.
Dans l'ombre de la nuit cache bien ton départ :　975
Si l'on te voit sortir, mon honneur court hasard.
La seule occasion qu'aura la médisance,
C'est de savoir qu'ici j'ai souffert ta présence :
Ne lui donne point lieu d'attaquer ma vertu.[2]

DON RODRIGUE.

Que je meure !

CHIMÈNE.

Va-t'en.

DON RODRIGUE.

À quoi te résous-tu ?　980

CHIMÈNE.

Malgré des feux si beaux, qui troublent ma colère,
Je ferai mon possible à bien venger mon père ;
Mais malgré la rigueur d'un si cruel devoir,
Mon unique souhait est de ne rien pouvoir.

1. A celebrated phrase, but one that Chimène would never have
uttered in public.　　2. In the sense of "fidelity to family honor."

DON RODRIGUE

Ô miracle d'amour !

CHIMÈNE.

Ô comble de misères !   985

DON RODRIGUE.

Que de maux et de pleurs nous coûteront nos pères !

CHIMÈNE.

Rodrigue, qui l'eût cru?

DON RODRIGUE.

Chimène, qui l'eût dit?

CHIMÈNE.

Que notre heur fût si proche et sitôt se perdît?

DON RODRIGUE.

Et que si près du port, contre toute apparence,
Un orage si prompt brisât notre espérance?   990

CHIMÈNE.

Ah ! mortelles douleurs !

DON RODRIGUE.

Ah ! regrets superflus !

CHIMÈNE.

Va-t'en, encore un coup, je ne t'écoute plus.

DON RODRIGUE.

Adieu : je vais traîner une mourante vie,
Tant que par ta poursuite elle me soit ravie.

CHIMÈNE.

Si j'en obtiens l'effet,* je t'engage ma foi*   995
De ne respirer pas un moment après toi.
Adieu : sors, et surtout garde bien qu'on te voie.

ELVIRE.

Madame, quelques maux que le ciel nous envoie . . .

CHIMÈNE.

Ne m'importune plus, laisse-moi soupirer,
Je cherche le silence et la nuit pour pleurer.   1000

SCÈNE V.

DON DIÈGUE.

Jamais nous ne goûtons de parfaite allégresse !
Nos plus heureux succès* sont mêlés de tristesse ;
Toujours quelques soucis en ces événements
Troublent la pureté de nos contentements.
Au milieu du bonheur mon âme en sent l'atteinte :   1005
Je nage dans la joie, et je tremble de crainte.
J'ai vu mort l'ennemi qui m'avait outragé ;
Et je ne saurais voir la main qui m'a vengé.
En vain je m'y travaille, et d'un soin inutile,
Tout cassé que je suis, je cours toute la ville :   1010
Ce peu que mes vieux ans m'ont laissé de vigueur [1]
Se consume sans fruit à chercher ce vainqueur.
À toute heure, en tous lieux, dans une nuit si sombre,[2]
Je pense l'embrasser, et n'embrasse qu'une ombre ;
Et mon amour, déçu par cet objet trompeur,   1015
Se forme des soupçons qui redoublent ma peur.
Je ne découvre point de marques de sa fuite ;
Je crains du Comte mort les amis et la suite ;
Leur nombre m'épouvante et confond ma raison.
Rodrigue ne vit plus, ou respire en prison.   1020
Justes cieux ! me trompé-je encore à l'apparence,
Ou si je vois [3] enfin mon unique espérance ?
C'est lui, n'en doutons plus ; mes vœux sont exaucés,
Ma crainte est dissipée, et mes ennuis cessés.

SCÈNE VI.

DON DIÈGUE, DON RODRIGUE.

DON DIÈGUE.

Rodrigue, enfin le ciel permet que je te voie !   1025

DON RODRIGUE.

Hélas !

---

1. *i.e., Ce peu de vigueur que mes vieux ans m'ont laissé.*   2. Since
Corneille tells us in the *Examen* that his play observes the unity of time,
we must suppose it began around noon. The subsequent events took
place in the afternoon and early evening, and it is now fully dark.
3. *si je vois:* "do I see."

DON DIÈGUE.

Ne mêle point de soupirs à ma joie ;
Laisse-moi prendre haleine afin de te louer.
Ma valeur n'a point lieu [1] de te désavouer : [2]
Tu l'as bien imitée, et ton illustre audace
Fait bien revivre en toi les héros de ma race :
C'est d'eux que tu descends, c'est de moi que tu viens : 1030
Ton premier coup d'épée égale tous les miens ;
Et d'une belle ardeur ta jeunesse animée
Par cette grande épreuve atteint * ma renommée.
Appui de ma vieillesse, et comble de mon heur, 1035
Touche ces cheveux blancs à qui tu rends l'honneur,
Viens baiser cette joue, et reconnais * la place
Où fut empreint l'affront que ton courage efface.

DON RODRIGUE.

L'honneur vous en est dû : je ne pouvais pas moins,
Étant sorti de vous et nourri par vos soins. 1040
Je m'en tiens trop heureux, et mon âme est ravie
Que mon coup d'essai plaise à qui [3] je dois la vie ;
Mais parmi vos plaisirs ne soyez point jaloux
Si je m'ose à mon tour satisfaire après vous.
Souffrez qu'en liberté mon désespoir éclate ; 1045
Assez et trop longtemps votre discours le flatte. *
Je ne me repens point de vous avoir servi ;
Mais rendez-moi le bien * que ce coup m'a ravi.
Mon bras, pour vous venger, armé contre ma flamme,
Par ce coup glorieux m'a privé de mon âme ; 1050
Ne me dites plus rien ; pour vous j'ai tout perdu :
Ce que je vous devais, je vous l'ai bien rendu.

DON DIÈGUE.

Porte, porte plus haut [4] le fruit de ta victoire :
Je t'ai donné la vie, et tu me rends ma gloire ;
Et d'autant que l'honneur m'est plus cher que le jour, 1055
D'autant plus maintenant je te dois de retour.
Mais d'un cœur magnanime éloigne ces faiblesses ;

---

1. *n'a point lieu:* "has no cause." 2. This line seems unduly complacent to the average reader of today : it must be remembered that the characters in a classic tragedy were placed on a very high plane, were possessed of lofty qualities which they fully recognized in themselves. 3. *à qui = à celui à qui.* 4. *porte plus haut:* "glorify still more."

Nous n'avons qu'un honneur, il est tant de maîtresses !
L'amour n'est qu'un plaisir, l'honneur est un devoir.

DON RODRIGUE.

Ah ! que me dites-vous ?

DON DIÈGUE.

Ce que tu dois savoir. 1060

DON RODRIGUE.

Mon honneur offensé sur moi-même se venge ; [1]
Et vous m'osez pousser à la honte du change [2] !
L'infamie est pareille, et suit également
Le guerrier sans courage et le perfide amant.
A ma fidélité ne faites point d'injure ; 1065
Souffrez-moi généreux * sans me rendre parjure :
Mes liens sont trop forts pour être ainsi rompus ;
Ma foi m'engage encor si je n'espère plus ;
Et ne pouvant quitter ni posséder Chimène,
Le trépas que je cherche est ma plus douce peine. 1070

DON DIÈGUE.

Il n'est pas temps encor de chercher le trépas :
Ton prince et ton pays ont besoin de ton bras.
La flotte qu'on craignait, dans ce grand fleuve entrée,
Croit surprendre la ville, et piller la contrée.
Les Mores vont descendre, et le flux et la nuit 1075
Dans une heure à nos murs les amène [3] sans bruit.
La cour est en désordre, et le peuple en alarmes :
On n'entend que des cris, on ne voit que des larmes. [4]
Dans ce malheur public mon bonheur a permis
Que j'ai trouvé chez moi cinq cents de mes amis, 1080
Qui sachant mon affront, poussés d'un même zèle,
Se venaient tous offrir à venger ma querelle.
Tu les as prévenus ; mais leurs vaillantes mains
Se tremperont bien mieux au sang des Africains.

1. In this line R. means that his honor was blemished by the insult offered to his father; he has taken vengeance on himself, since the Count was the father of Chimène and as such almost a part of himself.
2. *change = infidélité.* The idea of fidelity in love as a requisite in a gentleman was a favorite one in the *précieux* society of the period.
3. *le flux et la nuit* . . . *amène:* since it was understood that the flood-tide and night came together, the word "moment" is to be understood as the subject of the singular verb.   4. The use of this word seems artificial here, an evident effort to find a rhyme for *alarmes.*

Va marcher à leur tête où l'honneur te demande :   1085
C'est toi que veut pour chef leur généreuse* bande.
De ces vieux ennemis va soutenir* l'abord :
Là, si tu veux mourir, trouve une belle mort ;
Prends-en l'occasion, puisqu'elle t'est offerte ;
Fais devoir à ton roi son salut à ta perte ;   1090
Mais reviens-en plutôt les palmes sur le front.
Ne borne pas ta gloire à venger un affront ;
Porte-la plus avant : force par ta vaillance
La justice au pardon, et Chimène au silence ;
Si tu l'aimes, apprends que revenir vainqueur,   1095
C'est l'unique moyen de regagner son cœur.
Mais le temps est trop cher pour le perdre en paroles ;
Je t'arrête en discours, et je veux que tu voles.
Viens, suis-moi, va combattre, et montrer à ton roi
Que ce qu'il perd au Comte il le recouvre en toi.   1100

ACTE IV. SCÈNE PREMIÈRE.[1]

Chimène, Elvire.

CHIMÈNE.

N'est-ce point un faux bruit ? le sais-tu bien, Elvire ?

ELVIRE.

Vous ne croiriez jamais comme chacun l'admire,
Et porte jusqu'au ciel,[2] d'une commune voix,
De ce jeune héros les glorieux exploits.
Les Mores devant lui n'ont paru qu'à leur honte ;   1105
Leur abord fut bien prompt, leur fuite encor plus prompte.
Trois heures de combat laissent à nos guerriers
Une victoire entière et deux rois prisonniers.
La valeur de leur chef ne trouvait point d'obstacles.

CHIMÈNE.

Et la main de Rodrigue a fait tous ces miracles ?   1110

---

1. The night has passed, — and we are now in the morning of the
second day. Recall that the play is considered as starting around noon
of the first day and must be concluded by noon of the second.   2. *porte
jusqu'au ciel:* "praises."

ELVIRE.

De ses nobles efforts ces deux rois sont le prix :
Sa main les a vaincus, et sa main les a pris.

CHIMÈNE.

De qui peux-tu savoir ces nouvelles étranges ?

ELVIRE.

Du peuple, qui partout fait sonner* ses louanges,
Le nomme de sa joie et l'objet et l'auteur,   1115
Son ange tutélaire, et son libérateur.

CHIMÈNE.

Et le Roi, de quel œil voit-il tant de vaillance ?

ELVIRE.

Rodrigue n'ose encor paraître en sa présence ;
Mais don Diègue ravi lui présente enchaînés,
Au nom de ce vainqueur, ces captifs couronnés,   1120
Et demande pour grâce à ce généreux prince   (le roi)
Qu'il daigne voir la main qui sauve la province.

CHIMÈNE.

Mais n'est-il point blessé ?

ELVIRE.

                              Je n'en ai rien appris.
Vous changez de couleur ! reprenez vos esprits.[1]

CHIMÈNE.

Reprenons donc aussi ma colère affaiblie :   1125
Pour avoir soin* de lui faut-il que je m'oublie ?
On le vante, on le loue, et mon cœur y consent !
Mon honneur est muet, mon devoir impuissant !
Silence, mon amour, laisse agir ma colère :
S'il a vaincu deux rois, il a tué mon père ;   1130
Ces tristes vêtements,[2] où je lis mon malheur,
Sont les premiers effets* qu'ait produit sa valeur ;
Et quoi qu'on die[3] ailleurs d'un cœur si magnanime,
Ici tous les objets me parlent de son crime.
Vous[4] qui rendez la force à mes ressentiments,   1135

1. "recover your composure."   2. *tristes vêtements:* she is in
mourning.   3. *die = dise.* (An old form of the subjunctive.)
4. *vous* is addressed to all the signs of mourning which remind her of the
Count's death, and her obligation to prosecute Rodrigue.

Voiles, crêpes, habits, lugubres ornements,
Pompe que me prescrit sa première victoire,
Contre ma passion soutenez bien ma gloire ;
Et lorsque mon amour prendra trop de pouvoir,
Parlez à mon esprit de mon triste devoir,   1140
Attaquez sans rien craindre une main triomphante.

ELVIRE.

Modérez ces transports, voici venir l'Infante.[1]

SCÈNE II.[2]

L'Infante, Chimène, Léonor, Elvire.

L'INFANTE.

Je ne viens pas ici consoler tes douleurs ;
Je viens plutôt mêler mes soupirs à tes pleurs.

CHIMÈNE.

Prenez bien plutôt part à la commune joie,   1145
Et goûtez le bonheur que le ciel vous envoie,
Madame : autre que moi n'a droit de soupirer.
Le péril dont Rodrigue a su nous retirer,
Et le salut public que vous rendent ses armes,
À moi seule aujourd'hui souffrent encor les larmes :   1150
Il a sauvé la ville, il a servi son roi ;
Et son bras valeureux n'est funeste qu'à moi.

L'INFANTE.

Ma Chimène, il est vrai qu'il a fait des merveilles.

CHIMÈNE.

Déjà ce bruit fâcheux a frappé mes oreilles ;
Et je l'entends partout publier hautement   1155
Aussi brave guerrier que malheureux amant.

L'INFANTE.

Qu'a de fâcheux pour toi ce discours populaire ?
Ce jeune Mars qu'il loue a su jadis te plaire :

1. *voici l'Infante qui vient* is the modern usage.   2. While this
scene contributes nothing to the development of the plot, it is important psychologically in showing the development of Chimène's attitude
toward Rodrigue.

Il possédait ton âme, il vivait sous tes lois ;
Et vanter sa valeur, c'est honorer ton choix.   1160

CHIMÈNE.

Chacun peut le vanter avec quelque justice ;
Mais pour moi sa louange est un nouveau supplice.
On aigrit* ma douleur en l'élevant si haut :[1]
Je vois ce que je perds quand je vois ce qu'il vaut.
Ah ! cruels déplaisirs à l'esprit d'une amante !   1165
Plus j'apprends son mérite, et plus mon feu s'augmente :
Cependant mon devoir est toujours le plus fort,
Et, malgré mon amour, va poursuivre sa mort.

L'INFANTE.

Hier ce devoir te mit en une haute estime ;
L'effort que tu te fis parut si magnanime,   1170
Si digne d'un grand cœur, que chacun à la cour
Admirait ton courage et plaignait ton amour.
Mais croirais-tu l'avis d'une amitié fidèle ?

CHIMÈNE.

Ne vous obéir pas me rendrait criminelle.

L'INFANTE.

Ce qui fut juste alors ne l'est plus aujourd'hui.   1175
Rodrigue maintenant est notre unique appui,
L'espérance et l'amour d'un peuple qui l'adore,
Le soutien de Castille, et la terreur du More.
Le Roi même est d'accord de cette vérité,
Que ton père en lui seul se voit ressuscité ;   1180
Et si tu veux enfin qu'en deux mots je m'explique,
Tu poursuis en sa mort la ruine publique.
Quoi ! pour venger un père est-il jamais permis
De livrer sa patrie aux mains des ennemis ?
Contre nous ta poursuite est-elle légitime,   1185
Et pour être punis avons-nous part au crime ?
Ce n'est pas qu'après tout tu doives épouser
Celui qu'un père mort[2] t'obligeait d'accuser :
Je te voudrais moi-même en arracher l'envie ;
Ôte-lui ton amour, mais laisse-nous sa vie.   1190

---

1. "by praising him so highly."   2. *un père mort:* compare v. 901, note.

CHIMÈNE.

Ah ! ce n'est pas à moi d'avoir tant de bonté ;
Le devoir qui m'aigrit n'a rien de limité.
Quoique pour ce vainqueur mon âme s'intéresse,
Quoiqu'un peuple l'adore et qu'un roi le caresse,
Qu'il soit environné des plus vaillants guerriers, 1195
J'irai sous mes cyprès accabler ses lauriers.[1]

L'INFANTE.

C'est générosité, quand pour venger un père
Notre devoir attaque une tête si chère ;
Mais c'en est une encor d'un plus illustre rang,
Quand on donne au public les intérêts du sang. 1200
Non, crois-moi, c'est assez que d'éteindre ta flamme ;
Il sera trop puni s'il n'est plus dans ton âme.
Que le bien du pays t'impose cette loi :
Aussi bien, que crois-tu que t'accorde le Roi ?

CHIMÈNE.

Il peut me refuser, mais je ne puis me taire.[2] 1205

L'INFANTE.

Pense bien, ma Chimène, à ce que tu veux faire.
Adieu : tu pourras seule y songer à loisir.

CHIMÈNE.

Après mon père mort, je n'ai point à choisir.

SCÈNE III.

Don Fernand, Don Diègue, Don Arias, Don Rodrigue, Don Sanche.

DON FERNAND.

Généreux* héritier d'une illustre famille,
Qui fut toujours la gloire et l'appui de Castille, 1210
Race de tant d'aïeux en valeur signalés,

1. *cyprès*, symbol of mourning, and *lauriers*, symbol of glory.   2. The delicate code of honor demanded that she ask Rodrigue's death : the King might refuse — as she hoped he would.

Que l'essai de la tienne [1] a sitôt égalés,
Pour te récompenser ma force est trop petite ;
Et j'ai moins de pouvoir que tu n'as de mérite.
Le pays délivré d'un si rude ennemi,   1215
Mon sceptre dans ma main par la tienne affermi,
Et les Mores défaits, avant qu'en ces alarmes
J'eusse pu donner ordre à repousser leurs armes,[2]
Ne sont point des exploits qui laissent à ton roi
Le moyen ni l'espoir de s'acquitter* vers toi.   1220
Mais deux rois tes captifs feront ta récompense.
Ils t'ont nommé tous deux leur Cid en ma présence :
Puisque Cid en leur langue est autant que seigneur,
Je ne t'envierai pas ce beau titre d'honneur.
  Sois désormais le Cid : qu'à ce grand nom tout cède ;   1225
Qu'il comble d'épouvante et Grenade et Tolède,[3]
Et qu'il marque à tous ceux qui vivent sous mes lois
Et ce que tu me vaux, et ce que je te dois.

DON RODRIGUE.

Que Votre Majesté, Sire, épargne ma honte.
D'un si faible service elle fait trop de compte,*   1230
Et me force à rougir devant un si grand roi
De mériter si peu l'honneur que j'en reçoi.[4]
Je sais trop que je dois au bien* de votre empire,
Et le sang qui m'anime, et l'air que je respire ;
Et quand je les perdrai pour un si digne objet,   1235
Je ferai seulement le devoir d'un sujet.

DON FERNAND.

Tous ceux que ce devoir à mon service engage
Ne s'en acquittent* pas avec même courage ;
Et lorsque la valeur ne va point dans l'excès,
Elle ne produit point de si rares succès.   1240
Souffre donc qu'on te loue, et de cette victoire
Apprends-moi plus au long la véritable histoire.

DON RODRIGUE.

Sire, vous avez su qu'en ce danger pressant,
Qui jeta dans la ville un effroi si puissant,

---

1. *la tienne = valeur.*   2. It seems that the King should have provided for the attack of the Moors since he already knew it was imminent
(II, 6, lines 607–609).   3. *Grenade et Tolède:* These were still in
possession of the Moors at the time the action of the play took place.
4. *reçoi = reçois; en = de lui.*

Une troupe d'amis chez mon père assemblée   1245
Sollicita mon âme [1] encor toute troublée. . . .
Mais, Sire, pardonnez à ma témérité,
Si j'osai l'employer sans votre autorité :
Le péril approchait ; leur brigade était prête ;
Me montrant à la cour, je hasardais ma tête ;   1250
Et s'il fallait la perdre, il m'était bien plus doux
De sortir de la vie en combattant pour vous.

DON FERNAND.

J'excuse ta chaleur à venger ton offense ;
Et l'État défendu me parle en ta défense :
Crois que dorénavant Chimène a beau * parler,   1255
Je ne l'écoute plus que pour la consoler.
Mais poursuis.

DON RODRIGUE.

       Sous moi donc cette troupe s'avance,
Et porte sur le front une mâle assurance.
Nous partîmes cinq cents ; mais par un prompt renfort,
Nous nous vîmes trois mille en arrivant au port,   1260
Tant, à nous voir marcher avec un tel visage,
Les plus épouvantés reprenaient de courage ! [2]
J'en cache les deux tiers, aussitôt qu'arrivés,
Dans le fond des vaisseaux qui lors furent trouvés ;
Le reste, dont le nombre augmentait à toute heure,   1265
Brûlant d'impatience autour de moi demeure,
Se couche contre terre, et sans faire aucun bruit,
Passe une bonne part [3] d'une si belle nuit.
Par mon commandement la garde en fait de même,
Et se tenant cachée, aide à mon stratagème ;   1270
Et je feins hardiment d'avoir reçu de vous
L'ordre qu'on me voit suivre et que je donne à tous.
    Cette obscure clarté qui tombe des étoiles
Enfin avec le flux nous fait voir trente voiles ;
L'onde s'enfle dessous, [4] et d'un commun effort [5]   1275
Les Mores et la mer montent jusques au port.
On les laisse passer ; tout leur paraît tranquille ;

---

   1. Translate: "urged me."   2. Translate this couplet : "To such
an extent did the most fearful recover their courage as they saw us
march with such an expression on our faces."   3. In modern French,
one would use *partie*.   4. *i.e.*, as the tide rises.   5. An unreal
figure of speech, since the tide made no "effort."

Point de soldats au port, point aux murs de la ville.
Notre profond silence abusant leurs esprits,
Ils n'osent plus douter de nous avoir surpris ;   1280
Ils abordent sans peur, ils ancrent, ils descendent,
Et courent se livrer aux mains qui les attendent.
Nous nous levons alors, et tous en même temps
Poussons jusques au ciel mille cris éclatants.
Les nôtres à ces cris de nos vaisseaux [1] répondent ;   1285
Ils paraissent armés, les Mores se confondent,*
L'épouvante les prend à demi descendus ;
Avant que de combattre, ils s'estiment perdus.
Ils couraient au pillage, et rencontrent la guerre ;
Nous les pressons sur l'eau, nous les pressons sur terre,   1290
Et nous faisons courir des ruisseaux de leur sang,
Avant qu'aucun résiste, ou reprenne son rang.
Mais bientôt, malgré nous, leurs princes les rallient ;
Leur courage renaît, et leurs terreurs s'oublient :
La honte de mourir sans avoir combattu   1295
Arrête leur désordre, et leur rend la vertu.*
Contre nous de pied ferme ils tirent leurs alfanges,
De notre sang au leur font d'horribles mélanges ;
Et la terre, et le fleuve, et leur flotte, et le port,
Sont des champs de carnage où triomphe la mort.   1300
 Ô combien d'actions, combien d'exploits célèbres
Sont demeurés sans gloire au milieu des ténèbres,
Où chacun, seul témoin des grands coups qu'il donnait,
Ne pouvait discerner où le sort inclinait !
J'allais de tous côtés encourager les nôtres,   1305
Faire avancer les uns, et soutenir les autres,
Ranger ceux qui venaient, les pousser à leur tour,
Et ne l'ai pu savoir jusques au point du jour.
Mais enfin sa clarté montre notre avantage :
Le More voit sa perte, et perd soudain courage ;   1310
Et voyant un renfort qui nous vient secourir,
L'ardeur de vaincre cède à la peur de mourir.
Ils gagnent leurs vaisseaux, ils en coupent les câbles,
Poussent jusques aux cieux des cris épouvantables,
Font retraite en tumulte, et sans considérer   1315
Si leurs rois avec eux peuvent se retirer.
Pour souffrir [2] ce devoir leur frayeur est trop forte :

---

1. Compare lines 1263-4.   2. "make allowance for."

Le flux les apporta ; le reflux les remporte,
Cependant que [1] leurs rois, engagés parmi nous,
Et quelque peu des leurs, tous percés de nos coups,　　　　1320
Disputent vaillamment et vendent bien leur vie.
À se rendre moi-même en vain je les convie :
Le cimeterre au poing ils ne m'écoutent pas ;
Mais voyant à leurs pieds tomber tous leurs soldats,
Et que seuls désormais en vain ils se défendent,　　　　1325
Ils demandent le chef : je me nomme, ils se rendent.
Je vous les envoyai tous deux en même temps ;
Et le combat cessa faute de combattants.[2]
　　　C'est de cette façon que, pour votre service . . .

SCÈNE IV.[3]

Don Fernand, Don Diègue, Don Rodrigue,
Don Arias, Don Alonse, Don Sanche.

DON ALONSE.

Sire, Chimène vient vous demander justice.　　　　1330

DON FERNAND.

La fâcheuse nouvelle, et l'importun devoir !
Va, je ne la veux pas obliger à te voir,
Pour tous remercîments il faut que je te chasse ;
Mais avant que [4] sortir, viens, que ton roi t'embrasse.

　　　　　　　　　　　　　(*Don Rodrigue rentre.*)

DON DIÈGUE.

Chimène le poursuit, et voudrait le sauver.　　　　1335

DON FERNAND.

On m'a dit qu'elle l'aime, et je vais l'éprouver.
Montrez un œil [5] plus triste.

---

　　1. *Cependant que = Pendant que.*　　2. Sainte-Beuve very properly
gives high praise to this speech of Rodrigue.　　3. It is unreasonable
that Chimène should visit the King a second time within twenty-four
hours on the same mission.　　However, the second interview was necessary
to the plot, and the unity of time made it necessary for the second visit
to take place in the limit of twenty-four hours.　　4. *avant que* would
be *avant de* today.　　5. *Montrez un œil = Prenez un air.*

SCÈNE V.

Don Fernand, Don Diègue, Don Arias, Don Sanche, Don Alonse, Chimène, Elvire.

DON FERNAND.

Enfin soyez contente,
Chimène, le succès* répond* à votre attente :
Si de nos ennemis Rodrigue a le dessus,   *avoir le dessus de*
Il est mort à nos yeux des coups qu'il a reçus ;   1340
Rendez grâces au ciel, qui vous en a vengée.
                    (À don Diègue.)
Voyez comme déjà sa couleur est changée.

DON DIÈGUE.

Mais voyez qu'elle pâme, et d'un amour parfait,   *swoon*
Dans cette pâmoison, Sire, admirez l'effet.*
Sa douleur a trahi les secrets de son âme,   *revealed*   1345
Et ne vous permet plus de douter de sa flamme.

CHIMÈNE.

Quoi ! Rodrigue est donc mort ?

DON FERNAND.

Non, non, il voit le jour,[1]
Et te conserve encore un immuable amour :
Calme cette douleur qui pour lui s'intéresse.[2]

CHIMÈNE.

Sire, on pâme de joie, ainsi que de tristesse :   1350
Un excès de plaisir nous rend tous languissants,
Et quand il surprend l'âme, il accable les sens.[3]

DON FERNAND.

Tu veux qu'en ta faveur nous croyions l'impossible ?
Chimène, ta douleur a paru trop visible.

CHIMÈNE.

Eh bien ! Sire, ajoutez ce comble à mon malheur,[4]   1355
Nommez ma pâmoison l'effet de ma douleur :

1. *il voit le jour* = *il vit.*   2. "which is aroused on his account."
3. This quick effort on Chimène's part to explain her faint as a result of joy was especially pleasing to a generation which held repartee in high esteem.   4. "give a finishing touch to my grief."

Je m'enivre si je pâme

Un juste déplaisir* à ce point m'a réduite.
Son trépas dérobait [1] sa tête à ma poursuite ;
S'il meurt des coups reçus pour le bien du pays,
Ma vengeance est perdue, et mes desseins trahis :　　　1360
Une si belle fin m'est trop injurieuse.
Je demande sa mort, mais non pas glorieuse,
Non pas dans un éclat qui l'élève si haut,
Non pas au lit d'honneur, mais sur un échafaud ;
Qu'il meure pour mon père, et non pour la patrie ;　　　1365
Que son nom soit taché, sa mémoire flétrie.
Mourir pour le pays n'est pas un triste sort ;
C'est s'immortaliser par une belle mort.[2]
　　J'aime donc sa victoire, et je le puis sans crime ;
Elle assure l'État, et me rend ma victime,　　　1370
Mais noble, mais fameuse entre tous les guerriers,
Le chef, au lieu de fleurs, couronné de lauriers ;[3]
Et pour dire en un mot ce que j'en considère,
Digne d'être immolée aux mânes [4] de mon père . . .
　　Hélas ! à quel espoir me laissé-je emporter !　　　1375
Rodrigue de ma part n'a rien à redouter :
Que pourraient contre lui des larmes qu'on méprise ?
Pour lui tout votre empire est un lieu de franchise ;[5]
Là, sous votre pouvoir, tout lui devient permis ;
Il triomphe de moi comme des ennemis.　　　1380
Dans leur sang répandu la justice étouffée
Aux crimes du vainqueur sert d'un nouveau trophée :
Nous en croissons la pompe, et le mépris des lois
Nous fait suivre son char [6] au milieu de deux rois.

DON FERNAND.

Ma fille, ces transports ont trop de violence.　　　1385
Quand on rend la justice, on met tout en balance :
On a tué ton père, il était l'agresseur ;

---

1. dérobait = aurait dérobé.　　2. This couplet is possibly inspired by
Horace's *Dulce et decorum est pro patria mori.* This second subtlety
of Chimène to explain her fainting by something other than her love for
Rodrigue would not be appreciated by a modern audience.　　3. Sacrificial victims were regularly crowned with flowers : Rodrigue would be
crowned with laurel in token of his victory.　　4. The ancients held
that proper vengeance must be had for one who had died a violent
death before the shades (*mânes*) of the deceased could rest in peace.
5. *lieu de franchise :* "place of refuge."　　6. In the triumph given a
Roman general after a victory, his most important captives walked
behind his chariot.

Et la même équité [1] m'ordonne la douceur.
Avant que d'accuser * ce que j'en fais paraître,[2]
Consulte bien ton cœur : Rodrigue en est le maître,   1390
Et ta flamme en secret rend grâces à ton roi,
Dont la faveur conserve un tel amant pour toi.

CHIMÈNE.

Pour moi ! mon ennemi ! l'objet de ma colère !
L'auteur de mes malheurs ! l'assassin de mon père !
De ma juste poursuite on fait si peu de cas   1395
Qu'on me croit obliger * en ne m'écoutant pas !
   Puisque vous refusez la justice à mes larmes,
Sire, permettez-moi de recourir aux armes ;
C'est par là seulement qu'il a su m'outrager,
Et c'est aussi par là que je me dois venger.   1400
À tous vos cavaliers je demande sa tête :
Oui, qu'un d'eux me l'apporte, et je suis sa conquête ;
Qu'ils le combattent, Sire ; et le combat fini,
J'épouse le vainqueur, si Rodrigue est puni.
Sous votre autorité souffrez qu'on le publie.   1405

DON FERNAND.

Cette vieille coutume [3] en ces lieux établie,
Sous couleur de punir un injuste attentat,
Des meilleurs combattants affaiblit un État ;
Souvent de cet abus le succès * déplorable
Opprime l'innocent, et soutient le coupable.   1410
J'en dispense Rodrigue : il m'est trop précieux
Pour l'exposer aux coups d'un sort capricieux ;
Et quoi qu'ait pu commettre un cœur si magnanime,
Les Mores en fuyant ont emporté son crime.

DON DIÈGUE.

Quoi ! Sire, pour lui seul, vous renversez des lois   1415
Qu'a vu toute la cour observer tant de fois !
Que croira votre peuple, et que dira l'envie,
Si sous votre défense il ménage * sa vie,
Et s'en fait un prétexte à ne paraître pas
Où tous les gens d'honneur cherchent un beau trépas ? [4]   1420

1. *l'équité même:* "justice itself."   2. *ce que j'en fais paraître:*
"my action in the matter."   3. *i.e.,* the privilege a woman had of
naming a champion to redress her wrongs.   4. Don Diègue resorts to
a subtlety to force the King to let Rodrigue fight : as a man of honor
R. cannot fail to live up to the code of a gentleman.

De pareilles faveurs terniraient trop sa gloire :
Qu'il goûte sans rougir les fruits de sa victoire.
Le Comte eut de l'audace ; il l'en a su punir :
Il l'a fait en brave homme, et le doit maintenir.

DON FERNAND.

Puisque vous le voulez j'accorde qu'il le fasse ;   1425
Mais d'un guerrier vaincu mille prendraient la place,
Et le prix que Chimène au vainqueur a promis
De tous mes cavaliers ferait ses ennemis.
L'opposer seul à tous serait trop d'injustice :
Il suffit qu'une fois il entre dans la lice.   1430
    Choisis qui tu voudras, Chimène, et choisis bien ;
Mais après ce combat ne demande plus rien.

DON DIÈGUE.

N'excusez point par là ceux que son bras étonne :
Laissez un champ ouvert, où n'entrera personne.
Après ce que Rodrigue a fait voir aujourd'hui,   1435
Quel courage assez vain s'oserait prendre* à lui?
Qui se hasarderait contre un tel adversaire?
Qui serait ce vaillant, ou bien ce téméraire?

DON SANCHE.

Faites ouvrir le champ : vous voyez l'assaillant ;
Je suis ce téméraire, ou plutôt ce vaillant.   1440
    Accordez cette grâce à l'ardeur qui me presse,
Madame : vous savez quelle est votre promesse.

DON FERNAND.

Chimène, remets-tu ta querelle en sa main?

CHIMÈNE.

Sire, je l'ai promis.

DON FERNAND.

                    Soyez prêt à demain.

DON DIÈGUE.

Non, Sire, il ne faut pas différer davantage : [1]   1445
On est toujours trop prêt quand on a du courage.

---

    1. The real reason for Don Diègue's haste is explained by the necessity
of terminating the action in 24 hours. The effort demanded of Rodrigue — two duels and an all-night battle in the space of a night and
a day — seems unreasonable to a modern reader : it appealed in an age
that loved superhuman and heroic deeds.

DON FERNAND.

Sortir d'une bataille, et combattre à l'instant !

DON DIÈGUE.

Rodrigue a pris haleine en vous la racontant.

DON FERNAND.

Du moins une heure ou deux [1] je veux qu'il se délasse.
Mais de peur qu'en exemple un tel combat ne passe,　　1450
Pour témoigner à tous qu'à regret je permets
Un sanglant procédé qui ne me plut jamais,[2]
De moi ni de ma cour il n'aura la présence.

(*Il parle à don Arias.*)

Vous seul des combattants jugerez la vaillance :
Ayez soin que tous deux fassent en gens de cœur,　　1455
Et le combat fini, m'amenez le vainqueur.
Quel qu'il soit, même prix est acquis à sa peine :
Je le veux de ma main présenter à Chimène,
Et que pour récompense il reçoive sa foi.*

CHIMÈNE.

Quoi ! Sire, m'imposer une si dure loi !　　1460

DON FERNAND.

Tu t'en plains ; mais ton feu, loin d'avouer ta plainte,[3]
Si Rodrigue est vainqueur, l'accepte sans contrainte.
Cesse de murmurer contre un arrêt si doux ;
Qui que ce soit des deux, j'en ferai ton époux.

ACTE V. SCÈNE PREMIÈRE.[4]

DON RODRIGUE, CHIMÈNE.

CHIMÈNE.

Quoi ! Rodrigue, en plein jour ! d'où te vient cette audace ?
Va, tu me perds d'honneur* ; retire-toi de grâce.　　1466

1. More time than this would have prolonged the play beyond the prescribed limits.　2. A concession on Corneille's part to Richelieu's edicts against duelling.　3. "far from subscribing to your protest." 4. Another awkward scene made necessary by the unity of time. Conditions being what they were it seems unlikely that Rodrigue would visit Chimène twice in 24 hours. Corneille admits this later in his *Examen* to this play.

DON RODRIGUE.

Je vais mourir, Madame, et vous viens en ce lieu,
Avant le coup mortel, dire un dernier adieu :
Cet immuable amour qui sous vos lois m'engage
N'ose accepter ma mort sans vous en faire hommage.[1]   1470

CHIMÈNE.

Tu vas mourir !

DON RODRIGUE.

Je cours à ces heureux moments
Qui vont livrer ma vie à vos ressentiments.

CHIMÈNE.

Tu vas mourir !   Don Sanche est-il si redoutable
Qu'il donne l'épouvante à ce cœur indomptable ?
Qui t'a rendu si faible, ou qui le rend si fort ?   1475
Rodrigue va combattre, et se croit déjà mort !
Celui qui n'a pas craint les Mores, ni mon père,
Va combattre don Sanche, et déjà désespère !
Ainsi donc au besoin ton courage s'abat !

DON RODRIGUE.

Je cours à mon supplice, et non pas au combat ;   1480
Et ma fidèle ardeur sait bien m'ôter l'envie,
Quand vous cherchez ma mort, de défendre ma vie.
J'ai toujours même cœur ; mais je n'ai point de bras
Quand il faut conserver ce qui ne vous plaît pas ;
Et déjà cette nuit m'aurait été mortelle,   1485
Si j'eusse combattu pour ma seule querelle ;
Mais défendant mon roi, son peuple et mon pays,
À me défendre mal je les aurais trahis.
Mon esprit généreux* ne hait pas tant la vie,
Qu'il en veuille sortir par une perfidie.   1490
Maintenant qu'il s'agit de mon seul intérêt,
Vous demandez ma mort, j'en accepte l'arrêt.
Votre ressentiment choisit la main d'un autre
(Je ne méritais pas de mourir de la vôtre) :
On ne me verra point en repousser les coups ;   1495
Je dois plus de respect à qui combat pour vous ;

---

1. *sans vous en faire hommage:* "without telling you it is for you I do so."

Et ravi de penser que c'est de vous qu'ils viennent,
Puisque c'est votre honneur que ses armes soutiennent,
Je vais lui présenter mon estomac* ouvert,
Adorant en sa main la vôtre qui me perd.* 1500

CHIMÈNE.

Si d'un triste devoir la juste violence,
Qui me fait malgré moi poursuivre ta vaillance,[1]
Prescrit à ton amour une si forte loi
Qu'il te rend sans défense à qui combat pour moi,
En cet aveuglement ne perds pas la mémoire 1505
Qu'ainsi que de ta vie il y va de ta gloire,*
Et que dans quelque éclat que [2] Rodrigue ait vécu,
Quand on le saura mort, on le croira vaincu.
    Ton honneur t'est plus cher que je ne te suis chère,
Puisqu'il trempe tes mains dans le sang de mon père, 1510
Et te fait renoncer, malgré ta passion,
À l'espoir le plus doux de ma possession :
Je t'en vois cependant faire [3] si peu de compte,*
Que sans rendre combat tu veux qu'on te surmonte.
Quelle inégalité ravale ta vertu ? 1515
Pourquoi ne l'as-tu plus, ou pourquoi l'avais-tu ?
Quoi ? n'es-tu généreux que pour me faire outrage ?
S'il ne faut m'offenser, n'as-tu point de courage ?
Et traites-tu mon père avec tant de rigueur,
Qu'après l'avoir vaincu tu souffres un vainqueur ? 1520
Va, sans vouloir mourir, laisse-moi te poursuivre,
Et défends ton honneur, si tu ne veux plus vivre.

DON RODRIGUE.

Après la mort du Comte, et les Mores défaits,
Faudrait-il à ma gloire encor d'autres effets* ?
Elle peut dédaigner le soin de me défendre : 1525
On sait que mon courage ose tout entreprendre,
Que ma valeur peut tout, et que dessous les cieux,
Auprès de mon honneur, rien ne m'est précieux.
Non, non, en ce combat, quoi que vous veuilliez croire,
Rodrigue peut mourir sans hasarder sa gloire, 1530
Sans qu'on l'ose accuser d'avoir manqué de cœur,

---

1. *ta vaillance = toi qui es vaillant.*   2. *dans quelque éclat que:* "in whatever glory."   3. Rearrange: *Je te vois en faire.*

Sans passer pour vaincu, sans souffrir un vainqueur.
On dira seulement : " Il adorait Chimène ;
Il n'a pas voulu vivre et mériter sa haine ;
Il a cédé lui-même à la rigueur du sort   1535
Qui forçait sa maîtresse à poursuivre sa mort :
Elle voulait sa tête ; et son cœur magnanime,
S'il l'en eût refusée,[1] eût pensé faire un crime.
Pour venger son honneur il perdit son amour,
Pour venger sa maîtresse il a quitté le jour,[2]   1540
Préférant, quelque espoir qu'eût son âme asservie,[3]
Son honneur à Chimène, et Chimène à sa vie."
Ainsi donc vous verrez ma mort en ce combat,
Loin d'obscurcir * ma gloire, en rehausser l'éclat ;
Et cet honneur suivra mon trépas volontaire   1545
Que tout autre que moi n'eût pu vous satisfaire.

CHIMÈNE.

Puisque, pour t'empêcher de courir au trépas,
Ta vie et ton honneur sont de faibles appas,
Si jamais je t'aimai, cher Rodrigue, en revanche,
Défends-toi maintenant pour m'ôter à don Sanche ;   1550
Combats pour m'affranchir d'une condition
Qui me donne à l'objet de mon aversion.
Te dirai-je encor plus ? va, songe à ta défense,
Pour forcer mon devoir, pour m'imposer silence ;
Et si tu sens pour moi ton cœur encore épris,   1555
Sors vainqueur d'un combat dont Chimène est le prix.
Adieu : ce mot lâché me fait rougir de honte.

DON RODRIGUE.

Est-il quelque ennemi qu'à présent je ne dompte?
Paraissez, Navarrais, Mores et Castillans,
Et tout ce que l'Espagne a nourri de vaillants ;   1560
Unissez-vous ensemble, et faites une armée,
Pour combattre une main de la sorte animée :
Joignez tous vos efforts contre un espoir si doux ;
Pour en venir à bout,* c'est trop peu que de vous.

---

    1. S'il l'en eût refusée = S'il la lui avait refusée.   2. il a quitté le
jour = il est mort.   3."subservient" (to his beloved).

SCÈNE II.[1]

L'Infante.

T'écouterai-je encor, respect de ma naissance,[2]   1565
    Qui fais un crime de mes feux?
T'écouterai-je, amour, dont la douce puissance
Contre ce fier tyran fait révolter mes vœux?
    Pauvre princesse, auquel des deux
    Dois-tu prêter obéissance?   1570
Rodrigue, ta valeur te rend digne de moi;
Mais pour être vaillant,[3] tu n'es pas fils de roi.

Impitoyable sort, dont la rigueur sépare
    Ma gloire d'avec mes désirs!
Est-il dit que le choix d'une vertu si rare   1575
Coûte à ma passion de si grands déplaisirs?
    Ô cieux! à combien de soupirs
    Faut-il que mon cœur se prépare,
Si jamais il n'obtient sur un si long tourment
Ni d'éteindre l'amour, ni d'accepter l'amant?   1580

Mais c'est trop de scrupule, et ma raison s'étonne
    Du mépris d'un si digne choix:
Bien qu'aux monarques seuls ma naissance me donne,
Rodrigue, avec honneur je vivrai sous tes lois.
    Après avoir vaincu deux rois,   1585
    Pourrais-tu manquer de couronne?
Et ce grand nom de Cid que tu viens de gagner
Ne fait-il pas trop voir sur qui tu dois régner?

Il est digne de moi, mais il est à Chimène;
    Le don que j'en ai fait me nuit.   1590
Entre eux la mort d'un père a si peu mis de haine,
Que le devoir du sang à regret le poursuit:
    Ainsi n'espérons aucun fruit
    De son crime, ni de ma peine,
Puisque pour me punir le destin a permis   1595
Que l'amour dure même entre deux ennemis.

1. This monologue in "lyric" verse is apparently meant to balance that of Rodrigue (Acte I, Scène VI; see note).   2. Recall that the Infanta was of royal blood.   Rodrigue, while a noble, was greatly inferior to her in rank.   3. *pour être vaillant = bien que tu sois vaillant.*

SCÈNE III.

L'Infante, Léonor.

L'infante.

Où viens-tu, Léonor?

Léonor.

              Vous applaudir, Madame,
Sur le repos qu'enfin a retrouvé votre âme.

L'infante.

D'où viendrait ce repos dans un comble d'ennui?

Léonor.

Si l'amour vit d'espoir, et s'il meurt avec lui,   1600
Rodrigue ne peut plus charmer votre courage.
Vous savez le combat où Chimène l'engage :
Puisqu'il faut qu'il y meure, ou qu'il soit son mari,
Votre espérance est morte, et votre esprit guéri.

L'infante.

Ah ! qu'il s'en faut encor ! [1]

Léonor.

                Que pouvez-vous prétendre? 1605

L'infante.

Mais plutôt quel espoir me pourrais-tu défendre?
Si Rodrigue combat sous ces conditions,
Pour en rompre l'effet,* j'ai trop d'inventions.
L'amour, ce doux auteur de mes cruels supplices,
Aux esprits des amants apprend trop d'artifices.   1610

Léonor.

Pourrez-vous [2] quelque chose, après qu'un père mort [3]
N'a pu dans leurs esprits allumer de discord?
Car Chimène aisément montre par sa conduite
Que la haine aujourd'hui ne fait pas sa poursuite.

---

1. "how far that is from the truth!"   2. For purposes of translation, read in the verb *faire* at this point.   3. See v. 901, note

Elle obtient un combat, et pour son combattant   1615
C'est le premier offert qu'elle accepte à l'instant :
Elle n'a point recours à ces mains généreuses *
Que tant d'exploits fameux rendent si glorieuses ;
Don Sanche lui suffit, et mérite son choix,
Parce qu'il va s'armer pour la première fois.   1620
Elle aime en ce duel son peu d'expérience ;
Comme il est sans renom, elle est sans défiance ;
Et sa facilité [1] vous doit bien faire voir
Qu'elle cherche un combat qui force son devoir,
Qui livre à son Rodrigue une victoire aisée,   1625
Et l'autorise enfin à paraître apaisée.

L'INFANTE.

Je le remarque assez, et toutefois mon cœur
À l'envi de Chimène adore ce vainqueur.
À quoi me résoudrai-je, amante infortunée ?

LÉONOR.

À vous mieux souvenir de qui vous êtes née :   1630
Le ciel vous doit un roi, vous aimez un sujet !

L'INFANTE.

Mon inclination a bien changé d'objet.
Je n'aime plus Rodrigue, un simple gentilhomme ;
Non, ce n'est plus ainsi que mon amour le nomme :
Si j'aime, c'est l'auteur de tant de beaux exploits,   1635
C'est le valeureux Cid, le maître de deux rois.
Je me vaincrai pourtant, non de peur d'aucun blâme,
Mais pour ne troubler pas une si belle flamme ;
Et quand pour m'obliger on l'aurait couronné,
Je ne veux point reprendre un bien que j'ai donné.   1640
Puisqu'en un tel combat sa victoire est certaine,
Allons encore un coup le donner à Chimène.
Et toi,[2] qui vois les traits [3] dont mon cœur est percé,
Viens me voir achever comme j'ai commencé.

1. *i.e.*, the way she is easily satisfied with a champion who will probably be defeated.   2. This remark is addressed to Léonor. The preceding lines seem to be uttered largely to herself.   3. *traits*: "darts," since the heart of a person in love is supposed to be pierced by Cupid's arrows.

noblesse de sacrifice

SCÈNE IV.

CHIMÈNE, ELVIRE.

CHIMÈNE.

Elvire, que je souffre, et que je suis à plaindre [1] !   1645
Je ne sais qu'espérer, et je vois tout à craindre ;
Aucun vœu ne m'échappe où [2] j'ose consentir ;
Je ne souhaite rien sans un prompt repentir.
À deux rivaux pour moi je fais prendre les armes :
Le plus heureux succès* me coûtera des larmes ;   1650
Et quoi qu'en ma faveur en ordonne le sort,
Mon père est sans vengeance, ou mon amant est mort.

ELVIRE.

D'un et d'autre côté* je vous vois soulagée :
Ou vous avez Rodrigue, ou vous êtes vengée ;
Et quoi que le destin puisse ordonner de vous,   1655
Il soutient votre gloire, et vous donne un époux.

CHIMÈNE.

Quoi ! l'objet de ma haine ou de tant de colère !
L'assassin de Rodrigue ou celui de mon père !
De tous les deux côtés on me donne un mari
Encor tout teint du sang que j'ai le plus chéri :   1660
De tous les deux côtés* mon âme se rebelle ;
Je crains plus que la mort la fin de ma querelle.
Allez, vengeance, amour, qui troublez mes esprits,[3]
Vous n'avez point pour moi de douceurs à ce prix ;
Et toi, puissant moteur [4] du destin qui m'outrage,*   1665
Termine ce combat sans aucun avantage,
Sans faire aucun des deux ni vaincu ni vainqueur.

ELVIRE.

Ce serait vous traiter avec trop de rigueur.
Ce combat pour votre âme est un nouveau supplice,
S'il vous laisse obligée à demander justice,   1670
À témoigner toujours ce haut [5] ressentiment,
Et poursuivre toujours la mort de votre amant.

---

1. "to be pitied."   2. *où* = *auquel.*   3. Translate: "reason."
4. *i.e.,* God.   5. "noble," worthy of a noblewoman.

Madame, il vaut bien mieux que sa rare vaillance,
Lui couronnant le front, vous impose silence ;
Que la loi du combat étouffe vos soupirs,   1675
Et que le Roi vous force à suivre vos desirs.

CHIMÈNE.

Quand il sera vainqueur, crois-tu que je me rende ?
Mon devoir est trop fort, et ma perte trop grande ;
Et ce n'est pas assez pour leur faire la loi,
Que celle du combat et le vouloir du Roi.   1680
Il peut vaincre don Sanche avec fort peu de peine,
Mais non pas avec lui la gloire* de Chimène ;
Et quoi qu'à sa victoire un monarque ait promis,
Mon honneur lui fera mille autres ennemis.

ELVIRE.

Gardez,[1] pour vous punir de cet orgueil étrange,*   1685
Que le ciel à la fin ne souffre qu'on vous venge.
Quoi ! vous voulez encor refuser le bonheur
De pouvoir maintenant vous taire avec honneur ?
Que prétend ce devoir, et qu'est-ce qu'il espère ?
La mort de votre amant vous rendra-t-elle un père ?   1690
Est-ce trop peu pour vous que d'un coup de malheur ?
Faut-il perte sur perte, et douleur sur douleur ?
Allez, dans le caprice où votre humeur s'obstine,
Vous ne méritez pas l'amant qu'on vous destine ;
Et nous verrons du ciel l'équitable courroux   1695
Vous laisser, par sa mort, don Sanche pour époux.

CHIMÈNE.

Elvire, c'est assez des peines que j'endure,
Ne les redouble point de ce funeste augure.
Je veux, si je le puis, les éviter tous deux ;
Sinon, en ce combat Rodrigue a tous mes vœux :   1700
Non qu'une folle ardeur de son côté me penche ;
Mais s'il était vaincu, je serais à don Sanche :
Cette appréhension fait naître mon souhait.
Que vois-je,[2] malheureuse ? Elvire, c'en est fait.*

1. *Gardez = Prenez garde.*   2. She sees Don Sanche enter sword in
hand, and jumps to the conclusion that he has killed Rodrigue.

SCÈNE V.[1]

La Pauvre

DON SANCHE, CHIMÈNE, ELVIRE.

DON SANCHE.

Obligé d'apporter à vos pieds cette épée . . .   1705

CHIMÈNE.

Quoi? du sang de Rodrigue encor toute trempée?
Perfide, oses-tu bien te montrer à mes yeux,
Après m'avoir ôté ce que j'aimais le mieux?
    Éclate, mon amour, tu n'as plus rien à craindre :
Mon père est satisfait, cesse de te contraindre.   1710
Un même coup a mis ma gloire* en sûreté,
Mon âme au désespoir, ma flamme en liberté.

DON SANCHE.

D'un esprit plus rassis . . .

CHIMÈNE.

                Tu me parles encore,
Exécrable assassin d'un héros que j'adore?
Va, tu l'as pris en traître ; un guerrier si vaillant   1715
N'eût jamais succombé sous un tel assaillant.
N'espère rien de moi, tu ne m'as point servie :
En croyant me venger, tu m'as ôté la vie.

DON SANCHE.

Étrange impression, qui loin de m'écouter . .

CHIMÈNE.

Veux-tu que de sa mort je t'écoute vanter,   1720
Que j'entende à loisir avec quelle insolence
Tu peindras son malheur, mon crime et ta vaillance?

---

1. In reading, the misapprehension of Chimène seems too prolonged.
When the play is acted this is not noticeable.

le plus terrible   *critiqué —*

SCÈNE VI.[1]

DON FERNAND, DON DIÈGUE, DON ARIAS, DON SANCHE, DON ALONSE, CHIMÈNE, ELVIRE.

CHIMÈNE.

Sire, il n'est plus besoin de vous dissimuler
Ce que tous mes efforts ne vous ont pu celer.
J'aimais, vous l'avez su ; mais pour venger mon père,   1725
J'ai bien voulu* proscrire une tête si chère :
Votre Majesté, Sire, elle-même a pu voir
Comme j'ai fait céder mon amour au devoir.
Enfin Rodrigue est mort, et sa mort m'a changée
D'implacable ennemie en amante affligée.   1730
J'ai dû cette vengeance à qui m'a mise au jour,
Et je dois maintenant ces pleurs à mon amour.
Don Sanche m'a perdue* en prenant ma défense,[2]
Et du bras qui me perd je suis la récompense !
  Sire, si la pitié peut émouvoir un roi,   1735
De grâce, révoquez une si dure loi ;
Pour prix d'une victoire où je perds ce que j'aime,
Je lui laisse mon bien ; qu'il me laisse à moi-même ;
Qu'en un cloître sacré je pleure incessamment,
Jusqu'au dernier soupir, mon père et mon amant.   1740

DON DIÈGUE.

Enfin elle aime, Sire, et ne croit plus un crime
D'avouer par sa bouche un amour légitime.

DON FERNAND.

Chimène, sors d'erreur, ton amant n'est pas mort,
Et don Sanche vaincu t'a fait un faux rapport.

DON SANCHE.

Sire, un peu trop d'ardeur* malgré moi l'a déçue :   1745
Je venais du combat lui raconter l'issue.

---

1. Corneille confesses in the *Examen* that the unity of place bothered him a lot in *Le Cid*. As a whole the play takes place in Seville. In Acte V, for example, we may suppose Scène I to take place in Chimène's apartment, Scènes II and III in the Infanta's, Scènes IV and V in Chimène's rooms again, and the rest of the act in the throne room of the royal palace. 2. *i.e.*, he had killed Rodrigue (she thinks) and her vengeance was accomplished but her heart stricken.

Ce généreux guerrier, dont son cœur est charmé :
" Ne crains rien, m'a-t-il dit, quand il m'a désarmé ;
Je laisserais plutôt la victoire incertaine,
Que de répandre un sang hasardé pour Chimène ;   1750
Mais puisque mon devoir m'appelle auprès du Roi,
Va de notre combat l'entretenir pour moi,
De la part du vainqueur lui porter ton épée."
Sire, j'y suis venu : cet objet l'a trompée ;
Elle m'a cru vainqueur, me voyant de retour,   1755
Et soudain sa colère a trahi* son amour
Avec tant de transport et tant d'impatience,
Que je n'ai pu gagner un moment d'audience.
    Pour moi, bien que vaincu, je me répute heureux ;
Et malgré l'intérêt de mon cœur amoureux,   1760
Perdant infiniment, j'aime encore ma défaite,
Qui fait le beau succès* d'une amour si parfaite.

DON FERNAND.

Ma fille, il ne faut point rougir d'un si beau feu,
Ni chercher les moyens d'en faire un désaveu.
Une louable honte en vain t'en sollicite :[1]   1765
Ta gloire est dégagée, et ton devoir est quitte ;
Ton père est satisfait, et c'était le venger
Que mettre tant de fois ton Rodrigue en danger.
Tu vois comme le ciel autrement en dispose.
Ayant tant fait pour lui, fais pour toi quelque chose,   1770
Et ne sois point rebelle à mon commandement,
Qui te donne un époux aimé si chèrement.

SCÈNE VII.

DON FERNAND, DON DIÈGUE, DON RODRIGUE, DON ALONSE, DON SANCHE, L'INFANTE, CHIMÈNE, LÉONOR, ELVIRE.

L'INFANTE.

Sèche tes pleurs, Chimène, et reçois sans tristesse
Ce généreux vainqueur des mains de ta princesse.

---

1. *i.e.*, it is her praiseworthy sense of duty to her family which prompts her to deny her love ; but in vain, for this love is too evident.

DON RODRIGUE.

Ne vous offensez point, Sire, si devant vous   1775
Un respect amoureux me jette à ses genoux.
    Je ne viens point ici demander ma conquête :
Je viens tout de nouveau vous apporter ma tête,[1]
Madame ; mon amour n'emploiera point pour moi
Ni la loi du combat, ni le vouloir du Roi.   1780
Si tout ce qui s'est fait est trop peu pour un père,
Dites par quels moyens il vous faut satisfaire.
Faut-il combattre encor mille et mille rivaux,
Aux deux bouts de la terre étendre mes travaux,*
Forcer moi seul un camp, mettre en fuite une armée,   1785
Des héros fabuleux passer la renommée ?
Si mon crime par là se peut enfin laver,
J'ose tout entreprendre, et puis tout achever ;[2]
Mais si ce fier[3] honneur, toujours inexorable,
Ne se peut apaiser sans la mort du coupable,   1790
N'armez plus contre moi le pouvoir des humains :
Ma tête est à vos pieds, vengez-vous par vos mains ;
Vos mains seules ont droit de vaincre un invincible :
Prenez une vengeance à tout autre impossible.
Mais du moins que ma mort suffise à me punir :   1795
Ne me bannissez point de votre souvenir ;
Et puisque mon trépas conserve votre gloire,
Pour vous en revancher conservez ma mémoire,
Et dites quelquefois, en déplorant mon sort :
"S'il ne m'avait aimée, il ne serait pas mort."   1800

CHIMÈNE.

Relève-toi, Rodrigue.[4]   Il faut l'avouer, Sire,
Je vous en ai trop dit pour m'en pouvoir dédire.
Rodrigue a des vertus que je ne puis haïr ;
Et quand un roi commande, on lui doit obéir.
Mais à quoi que déjà vous m'ayez condamnée,   1805
Pourrez-vous à vos yeux souffrir cet hyménée ?

---

    1. This makes the third time Rodrigue has offered his life to Chimène
in the space of 24 hours.   Acte III, Scène IV and Acte V, Scène I.
2. This and the preceding five lines are exaggerated ; the public of 1636
was fond of heroics, however, and we find many passages of this sort in
the works of Corneille.   3. *fier:* "difficult to appease."   4. Only
three words are addressed to Rodrigue.   Chimène then turns and directs
the rest of her speech to the King.

Et quand de mon devoir vous voulez cet effort,
Toute votre justice en est-elle d'accord?
Si Rodrigue à l'État devient si nécessaire,
De ce qu'il fait pour vous dois-je être le salaire,   1810
Et me livrer moi-même au reproche éternel
D'avoir trempé mes mains dans le sang paternel?[1]

DON FERNAND.

Le temps assez souvent a rendu légitime
Ce qui semblait d'abord ne se pouvoir* sans crime:
Rodrigue t'a gagnée, et tu dois être à lui.   1815
Mais quoique sa valeur t'ait conquise aujourd'hui,
Il faudrait que je fusse ennemi de ta gloire,
Pour lui donner sitôt le prix de sa victoire.
Cet hymen différé ne rompt point une loi
Qui, sans marquer de temps, lui destine ta foi.   1820
Prends un an, si tu veux, pour essuyer tes larmes.[2]
  Rodrigue, cependant* il faut prendre les armes.
Après avoir vaincu les Mores sur nos bords,
Renversé leurs desseins, repoussé leurs efforts,
Va jusqu'en leur pays leur reporter la guerre,   1825
Commander mon armée, et ravager leur terre:
À ce seul nom de Cid ils trembleront d'effroi;
Ils t'ont nommé seigneur, et te voudront pour roi.
Mais parmi tes hauts faits sois-lui toujours fidèle:
Reviens-en,[3] s'il se peut, encor plus digne d'elle;   1830
Et par tes grands exploits fais-toi si bien priser,
Qu'il lui soit glorieux alors de t'épouser.

DON RODRIGUE.[4]

Pour posséder Chimène, et pour votre service,
Que peut-on m'ordonner que mon bras n'accomplisse?

1. Figuratively speaking, she would "dip her hands in the paternal
blood" by marrying Rodrigue.   2. It would have shocked the sen-
sibilities of the seventeenth century audience for Chimène to marry Rodrigue so soon after he had killed her father; hence the indefinite delay.
Corneille does not commit himself to this marriage; with the lapse of
time allowed, a determined resistance by Chimène could easily prevent
its ever taking place.   3. *en* = "from your exploits."   4. Note
that Chimène makes no reply to the King's command that she prepare
to marry Rodrigue at some future date.   Chimène has been criticized
for compromising with the demands of honor and consenting by her
silence to the royal decree.   Corneille points out in the *Examen* that the
way to disagree with a king respectfully is to be silent; if one approves
his decree, one applauds.

Quoi qu'absent de ses yeux il me faille endurer, 1835
Sire, ce m'est trop d'heur de pouvoir espérer.

DON FERNAND.

Espère en ton courage, espère en ma promesse ;
Et possédant déjà le cœur de ta maîtresse,
Pour vaincre un point d'honneur qui combat contre toi,
Laisse faire le temps, ta vaillance et ton roi. 1840

POLYEUCTE

The *Cid* brought to Corneille inspiration as a poet and stimulus as an artist. Its success flattered his ambition and elevated his ideals. The attacks and criticisms to which it led spurred him on to make a more careful study of the art of tragic composition. Convinced from the beginning that it is the object of the dramatic poet to please his audience, he considered more anxiously than heretofore how this object could be attained, without offending the taste of the more cultured portion of this audience.

The quarrel of the *Cid* convinced Corneille that an observance of the unities would best suit the temper of the times. He accepted the opinion of the Academy [1] that it was desirable to choose a subject so remote in history that it would give him the most freedom possible in fashioning the details according to the social conventions and the moral standards of his contemporaries. But Corneille was not so sure, it seems, that the Academy's strictures on the crowded action of the *Cid* were justified. It was four years before he confronted the public again and then in 1640 with two tragedies which are in sharp contrast : *Horace*, full of violence and bloodshed ; *Cinna, ou la Clémence d'Auguste*, which contains no bloodshed and is only the stately presentation of a psychological problem. Both were successful and there is no means of knowing what indications he received from these experiments, if experiments they were. However, two years later, the Hôtel de Bourgogne presented *Polyeucte* in which Corneille's art as a dramatist finds its most perfect exemplification. Some twenty-five years later he was pleased to say : *À mon gré, je n'ai point fait de pièce où l'ordre du théâtre soit plus beau et l'enchaînement des scènes mieux ménagé.* Of all his plays it is the one in which violence and tenderness, will-power and sentiment are most happily blended.

1. *Les Sentiments de l'Académie française sur le Cid*, 1637.

The first edition (1643), very humbly dedicated to the Queen Regent, Anne of Austria, contains a summary of the story of Polyeucte as related by Surius in his lives of the saints (*Vitae Sanctorum*, 1570). The poet remarks that his hero is so little known that many have first heard his name from the play, rather than from the Church Catalogue of martyrs to the faith. It is possible that this account, or the gist of it, delivered by the "orator" of the troop, prefaced the representations of the play at the Hôtel de Bourgogne.

Corneille repeated the story in the *Examen*, or *Critique* of *Polyeucte* which he wrote for the collective edition of his works in 1660. *Polyeucte vivait en l'année 250, sous l'empereur Décius. Il était Arménien, ami de Néarque, et gendre de Félix, qui avait la commission de l'Empereur pour faire exécuter ses édits contre les chrétiens. Cet ami l'ayant résolu à se faire chrétien, il déchira ces édits qu'on publiait, arracha les idoles des mains de ceux qui les portaient sur les autels pour les adorer, les brisa contre terre, résista aux larmes de sa femme Pauline, que Félix employa auprès de lui pour le ramener à leur culte, et perdit la vie par l'ordre de son beau-père, sans autre baptême que celui de son sang. Voilà ce que m'a prêté l'histoire; le reste est de mon invention.*

A psychological analysis of the action of a man, led to sacrifice his wordly ambitions and his most intimate sentiments to the pursuit of an ideal, is a theme of universal appeal. To make that ideal a religious one was to appeal especially to the public for which the play was written.

The general dissoluteness in morals and religion which resulted from the civil and religious wars in the last half of the sixteenth century had led to a vigorous reaction. The *Introduction à la vie dévote* (1608) by François de Sales, the great evangelist of the period, ran through forty editions. When he appeared for the second time in Paris (1618), the church in which he was to preach was so crowded with people that he was obliged to make his entrance through a window. Monasteries and convents were " reformed," and new ones established on every side. The order of La Visitation, founded by François de Sales and Madame de Chantal, grew from one to over eighty convents between 1610 and 1641. Societies made up of clergy and laity sprang up everywhere, notably the Compagnie du Saint Sacrement, nicknamed later La Cabale des dévots, which we shall meet in the *Tartuffe* of Molière.

This religious fervor centered largely, in the thirties and

forties of the century, on the question of divine grace and the necessity of this " grace" to bring about a conversion. This doctrine was one of the fundamental tenets of the newly established sect of the Jansenists located in the monastery of Port-Royal des Champs, a religious community situated some thirty miles out of Paris. Its founding had resulted largely from a conversion not so different from that of Polyeucte. The Abbess of Port-Royal de Paris, la Mère Angélique, " touched by grace," decided that life in the convent must be made more austere ; that the old vows of poverty, of seclusion from the world, must be enforced. She stood out against her family, although at the cost of a terrific struggle, and thereby won them over to the order. Other conversions of this sort, that is, from a worldly life to one of the strictest religious austerity, were frequent and amazed the people of the time. Outstanding, for example, was the case of Antoine Le Maître who, already the most celebrated lawyer of his day at the age of twenty-nine, had every reason to hope for the achievement of any possible ambition. In 1637 at the deathbed of his aunt, Mme Arnauld d'Andilly, he was " touched by grace," abandoned his professional career and went to live in the " solitude " of Port-Royal, absolutely detached from the world. His conversion was for a long time the subject of conversation and of speculation ; it was so extreme as to be attributed by many to a *trouble d'esprit*. His friends even went so far as to seek the king's intervention. This conversion was typical of many among men of the highest character and ladies of the greatest social prestige : the Princesse de Guémenée, Marie de Gonzague, future queen of Poland, the Marquise de Sablé. Noteworthy conversions of the same sort were taking place in Rouen, Corneille's native city, during the years when *Polyeucte* was being written and played.

It is said that Corneille, before *Polyeucte* was produced in the theater, read the play at the Hôtel de Rambouillet and received from members of the social *élite* the friendly advice that it should be withdrawn. With some misgivings he persisted, however, in having it presented. The result justified his faith in his art and in his flair for the public taste. The Abbé de Villiers, in an *Entretien sur les tragédies de ce temps*, published in 1675, puts in the mouth of one of his speakers the assertion that the actors of the Hôtel de Bourgogne " have made more money with the *Polyeucte* than with any tragedy they have played since the time when it was first produced." *Il* (Corneille) *s'était emparé, au passage, de cette idée grondante, de ce coup de foudre de la Grâce, pour s'en faire hardiment un tragique flambeau.*[1]

1. Sainte-Beuve, *Port Royal.*

ACTEURS.

FÉLIX,[1] sénateur romain, gouverneur d'Arménie.

POLYEUCTE, seigneur arménien, gendre de Félix.

SÉVÈRE, chevalier romain, favori de l'empereur Décie.

NÉARQUE, seigneur arménien, ami de Polyeucte.

PAULINE, fille de Félix et femme de Polyeucte,

STRATONICE, confidente de Pauline.

ALBIN, confident de Félix.

FABIAN, domestique * de Sévère.

CLÉON, domestique de Félix.

TROIS GARDES.

La scène est à Mélitène, capitale d'Arménie,
dans le palais de Félix.[2]

*apogée de la carrière dramatique
de Corneille*

avant 1643

1. *Pour donner plus de dignité à l'action, j'ai fait Félix gouverneur
d'Arménie.* (*Examen.*) In the source Félix was merely an agent of the
emperor. 2. *Tout s'y passe dans une salle ou antichambre commune
aux appartements de Félix et de sa fille.* (*Examen.*)

1641-1642 (Rigal dit 1911)

ACTE I. SCÈNE PREMIÈRE.[1]

POLYEUCTE, NÉARQUE.

NÉARQUE.

Quoi? vous vous arrêtez* aux songes d'une femme !
De si* faibles sujets troublent cette grande âme !
Et ce cœur tant de fois dans la guerre éprouvé
S'alarme d'un péril qu'une femme a rêvé !

POLYEUCTE.

Je sais ce qu'est un songe, et le peu de croyance   5
Qu'un homme doit donner à son extravagance,
Qui d'un amas confus des vapeurs de la nuit [2]
Forme de vains objets que le réveil détruit ;
Mais vous ne savez pas ce que c'est qu'une femme :
Vous ignorez quels droits elle a sur toute l'âme,   10
Quand après un long temps qu'elle a su nous charmer,
Les flambeaux de l'hymen viennent de s'allumer.
Pauline, sans raison dans la douleur plongée,
Craint et croit déjà voir ma mort qu'elle a songée ;*
Elle oppose ses pleurs au dessein que je fais,   15
Et tâche à m'empêcher de sortir du palais.
Je méprise sa crainte, et je cède à ses larmes ;
Elle me fait pitié sans me donner d'alarmes ;
Et mon cœur, attendri sans être intimidé,
N'ose déplaire aux yeux dont il est possédé.   20
L'occasion, Néarque, est-elle si pressante
Qu'il faille être insensible* aux soupirs d'une amante?

---

1. As the curtain rises, Polyeucte appears with Néarque who has
come to conduct him to the baptism which is to crown his conversion to
the Christian faith.   2. According to the physiology of the period,
mental disorders or hallucinations are caused by "vapors" rising from
the heart to the brain.   Held in check more or less during waking hours
by the will, in sleep they cause dreams.

Par un peu de remise épargnons son ennui,[1]
Pour faire en plein repos ce qu'[2]il trouble aujourd'hui.

NÉARQUE.

Avez-vous cependant une pleine assurance   25
D'avoir assez de vie ou de persévérance?
Et Dieu, qui tient votre âme et vos jours dans sa main,
Promet-il à vos vœux de le pouvoir demain?
Il est toujours tout juste et tout bon ; mais sa grâce
Ne descend pas toujours avec même efficace ;[3]   30
Après certains moments que perdent nos longueurs,
Elle quitte ces traits qui pénètrent les cœurs ;
Le nôtre s'endurcit, la repousse, l'égare :
Le bras qui la versait en devient plus avare,
Et cette sainte ardeur qui doit porter au bien   35
Tombe plus rarement, ou n'opère plus rien.
Celle qui vous pressait de courir au baptême,
Languissante déjà, cesse d'être la même,
Et pour quelques soupirs qu'on vous a fait ouïr,
Sa flamme se dissipe, et va s'évanouir.   40

POLYEUCTE.

Vous me connaissez mal : la même ardeur me brûle,
Et le désir s'accroît quand l'effet * se recule.
Ces pleurs, que je regarde avec un œil d'époux,
Me laissent dans le cœur aussi chrétien que vous ;
Mais pour en recevoir le sacré caractère,*   45
Qui lave nos forfaits dans une eau salutaire,[4]
Et qui purgeant notre âme et dessillant nos yeux,
Nous rend le premier droit [5] que nous avions aux cieux,
Bien que je le préfère aux grandeurs d'un empire,
Comme le bien suprême et le seul où [6] j'aspire,   50

---

1. *ennui* in the seventeenth century was nearer its primitive meaning of "distress," "torment"; a synonym of *douleur*.   2. *ce qu'* refers to the baptism.   3. *efficacité*. Whether it was intentional or not, Corneille's audience must have been inclined to see in this word an allusion to the Jansenists (see Preface, p. 97 f.). The Jansenists held that a special stroke of grace (*une grâce efficace*) was necessary to produce in man a change of heart. The church in general held that man is always endowed with *une grâce suffisante*, or *actuelle*, which enables him to meet spiritual problems. This question of *la grâce efficace* versus *la grâce suffisante* gave rise to much debate. See Pascal, *Lettres provinciales*, IV.   4. *i.e.*, baptism. *salutaire* in the sense of "soul-saving."   5. That is : "restores to us the right" lost by the disobedience of Adam in the garden of Eden.   6. *auquel*.

Je crois, pour satisfaire un juste et saint amour,
Pouvoir un peu remettre, et différer d'un jour.

NÉARQUE.

Ainsi du genre humain l'ennemi vous abuse :
Ce qu'il ne peut* de force, il l'entreprend de ruse.
Jaloux des bons desseins qu'il tâche d'ébranler,   55
Quand il ne les peut rompre, il pousse à reculer ;
D'obstacle sur obstacle il va troubler le vôtre,
Aujourd'hui par des pleurs, chaque jour par quelque autre ;
Et ce songe rempli de noires visions
N'est que le coup* d'essai de ses illusions :   60
Il met tout en usage, et prière, et menace ;
Il attaque toujours, et jamais ne se lasse ;
Il croit pouvoir enfin ce qu'encore il n'a pu,
Et que ce qu'on diffère est à demi rompu.
   Rompez [1] ses premiers coups ; laissez pleurer Pauline.   65
Dieu ne veut* point d'un cœur où le monde domine,
Qui regarde en arrière, et douteux en son choix,
Lorsque sa voix l'appelle, écoute une autre voix.

POLYEUCTE.

Pour se donner à lui faut-il n'aimer personne ?

NÉARQUE.

Nous pouvons tout aimer : il le souffre, il l'ordonne ;   70
Mais à vous dire tout, ce seigneur des seigneurs
Veut le premier amour et les premiers honneurs.
Comme rien n'est égal à sa grandeur suprême,
Il faut ne rien aimer qu'après lui, qu'en lui-même,
Négliger, pour lui plaire, et femme, et biens, et rang,   75
Exposer pour sa gloire et verser tout son sang.
Mais que vous êtes loin de cette ardeur parfaite
Qui vous est nécessaire, et que je vous souhaite !
Je ne puis vous parler que les larmes aux yeux.
Polyeucte, aujourd'hui qu'on [2] nous hait en tous lieux,   80
Qu'on croit servir l'État quand on nous persécute,
Qu'aux plus âpres tourments un chrétien est en butte,
Comment en pourrez-vous surmonter les douleurs,
Si vous ne pouvez pas résister à des pleurs ?

   1. *Rompre* means in fencing to deaden the blow; here "parry."
   2. *qu':* when.

POLYEUCTE.

Vous ne m'étonnez* point : la pitié qui me blesse   85
Sied bien aux plus grands cœurs, et n'a point de faiblesse.
Sur mes pareils,[1] Néarque, un bel œil est bien fort :
Tel craint de le fâcher qui ne craint pas la mort ;
Et s'il faut affronter les plus cruels supplices,
Y trouver des appas, en faire mes délices,   90
Votre Dieu, que je n'ose encor nommer le mien,[2]
M'en donnera la force en me faisant chrétien.

NÉARQUE.

Hâtez-vous donc de l'être.

POLYEUCTE.

                    Oui, j'y cours, cher Néarque,
Je brûle d'en porter la glorieuse marque ;
Mais Pauline s'afflige, et ne peut consentir,   95
Tant ce songe la trouble ! à me laisser sortir.

NÉARQUE.

Votre retour pour elle en aura plus de charmes ;
Dans une heure au plus tard vous essuierez ses larmes ;
Et l'heur de vous revoir lui semblera plus doux,
Plus* elle aura pleuré pour un si cher époux.   100
Allons, on nous attend.

POLYEUCTE.

                    Apaisez donc sa crainte,
Et calmez la douleur dont son âme est atteinte.
Elle revient.

NÉARQUE.

          Fuyez.

POLYEUCTE.

          Je ne puis.

---

    1. "Such as I." Polyeucte seems to imply that he is of higher social
rank than Néarque. It was a doctrine, voiced by Dante, that love is
inseparable from the noble heart. To acquire glory, to keep one's
honor or sense of personal dignity inviolate, to engage in the highly
refined if somewhat artificial love-cult made popular by Dante and
especially by Petrarch, have been represented as the three distinctive
social ideals of the seventeenth century in France.   2. Because he
has not yet received baptism.

NÉARQUE.

Il le faut :
Fuyez un ennemi qui sait votre défaut,
Qui le trouve aisément, qui blesse par la vue,   105
Et dont le coup mortel vous plaît quand il vous tue.

SCÈNE II.

POLYEUCTE, NÉARQUE, PAULINE, STRATONICE.

POLYEUCTE.

Fuyons, puisqu'il le faut.   Adieu, Pauline ; adieu :
Dans une heure au plus tard je reviens en ce lieu.

PAULINE.

Quel sujet si pressant à sortir vous convie ?
Y va-t-il de l'honneur ? y va-t-il de la vie ?   110

POLYEUCTE.

Il y va de bien plus.

PAULINE.

Quel est donc ce secret ?

POLYEUCTE.

Vous le saurez un jour : * je vous quitte à regret ;
Mais enfin il le faut.

PAULINE.

Vous m'aimez ?

POLYEUCTE.

Je vous aime,
Le ciel m'en soit témoin, cent fois plus que moi-même ;
Mais . . .

PAULINE.

Mais mon déplaisir * ne vous peut émouvoir !   115
Vous avez des secrets que je ne puis savoir !
Quelle preuve d'amour !   Au nom de l'hyménée,
Donnez à mes soupirs cette seule journée.

POLYEUCTE.

Un songe vous fait peur !

PAULINE.

Ses présages sont vains,
Je le sais ; mais enfin je vous aime, et je crains. 120
POLYEUCTE.

Ne craignez rien de mal pour une heure d'absence.
Adieu : vos pleurs sur moi prennent trop de puissance ; [1]
Je sens déjà mon cœur prêt à se révolter,
Et ce n'est qu'en fuyant que j'y puis résister.

SCÈNE III.

PAULINE, STRATONICE.

PAULINE. [2]

Va, néglige mes pleurs, cours, et te précipite 125
Au-devant de la mort que les Dieux m'ont prédite ;
Suis cet agent fatal de tes mauvais destins,
Qui peut-être te livre aux mains des assassins.
    Tu vois, ma Stratonice, en quel siècle nous sommes :
Voilà notre pouvoir sur les esprits des hommes ; 130
Voilà ce qui nous reste, et l'ordinaire effet *
De l'amour qu'on nous offre, et des vœux qu'on nous fait.
Tant qu'ils ne sont qu'amants, nous sommes souveraines.
Et jusqu'à la conquête ils nous traitent de reines ;
Mais après l'hyménée ils sont rois à leur tour. 135
STRATONICE. [3]

Polyeucte pour vous ne manque point d'amour ;
S'il ne vous traite ici d'entière confidence, [4]

---

1. This and the following lines are an "aside" as he leaves the stage.
2. Pauline is the daughter of a Roman of sufficiently high rank to be made governor of a conquered country. She has been married, as will appear later, to a man of that country contrary to her own choice. She respects her husband, but he is a man of an inferior race, from the Roman point of view, who has been imposed upon her by an ambitious father. It is natural that she should resent Polyeucte's indifference to her wishes.   3. The confidants in French classic drama took over some of the functions performed by the chorus in Greek tragedy. Like the chorus, they comment upon the action which is in progress or upon the sentiments which are being expressed. They often represent the rational personality of the hero or heroine who, in their speeches, present only their emotional states. They serve incidentally to break up what would otherwise be inordinately long monologues.   4. *avec entière confidence.*

S'il part malgré vos pleurs, c'est un trait de prudence ;
Sans vous en affliger, présumez avec moi
Qu'il est plus à propos qu'il vous cèle pourquoi ;   140
Assurez-vous sur lui qu'il en a juste cause.
Il est bon qu'un mari nous cache quelque chose,
Qu'il soit quelquefois libre, et ne s'abaisse pas
À nous rendre toujours compte de tous ses pas.
On n'a tous deux qu'un cœur qui sent mêmes traverses ;   145
Mais ce cœur a pourtant ses fonctions diverses,
Et la loi de l'hymen qui vous tient assemblés *
N'ordonne pas qu'il tremble alors que vous tremblez.
Ce qui fait vos frayeurs ne peut le mettre en peine : *
Il est Arménien, et vous êtes Romaine,   150
Et vous pouvez savoir que nos deux nations
N'ont pas sur ce sujet mêmes impressions :
Un songe en notre esprit passe pour ridicule,
Il ne nous laisse espoir, ni crainte, ni scrupule ;
Mais il passe dans Rome avec autorité   155
Pour fidèle miroir de la fatalité.

PAULINE.

Quelque peu de crédit que chez vous il obtienne,
Je crois que ta frayeur égalerait la mienne,
Si de telles horreurs t'avaient frappé l'esprit,
Si je t'en avais fait seulement le récit.   160

STRATONICE.

À raconter ses maux souvent on les soulage.

PAULINE.

Écoute ; mais il faut te dire davantage,
Et que pour mieux comprendre un si triste discours,
Tu saches ma faiblesse et mes autres amours :
Une femme d'honneur peut avouer sans honte   165
Ces surprises des sens que la raison surmonte ; [1]
Ce n'est qu'en ces assauts qu'éclate la vertu,
Et l'on doute d'un cœur qui n'a point combattu.
    Dans Rome, où je naquis, ce malheureux visage

[1]. This insistence upon and faith in the power of reason was popular
at the time.   The *Discours de la Méthode* (1637) of Descartes had put it
in vogue : *Notre volonté ne se portant à suivre ni à fuir aucune chose que
selon que notre entendement la lui représente bonne ou mauvaise, il suffit de
bien juger pour bien faire.*

D'un chevalier romain captiva le courage ;   170
Il s'appelait Sévère : excuse les soupirs
Qu'arrache encore un nom trop cher à mes désirs.

STRATONICE.

Est-ce lui qui naguère aux dépens de sa vie
Sauva des ennemis votre empereur Décie,
Qui leur tira mourant la victoire des mains,   175
Et fit tourner le sort des Perses aux Romains ?
Lui qu'entre tant de morts immolés à son maître,
On ne put rencontrer, ou du moins reconnaître ;
À qui Décie enfin, pour des exploits si beaux,
Fit si pompeusement* dresser de vains* tombeaux ?   180

PAULINE.

Hélas ! c'était lui-même, et jamais notre Rome
N'a produit plus grand cœur, ni vu plus honnête homme.[1]
Puisque tu le connais, je ne t'en dirai rien.
Je l'aimai, Stratonice : il le méritait bien ;
Mais que sert le mérite où manque la fortune ?   185
L'un était grand en lui, l'autre faible et commune ;
Trop invincible obstacle, et dont trop rarement
Triomphe auprès d'un père un vertueux amant !

STRATONICE.

La digne occasion d'une rare constance !

PAULINE.

Dis plutôt d'une indigne et folle résistance.   190
Quelque* fruit qu'une fille en puisse recueillir,
Ce n'est une vertu que pour qui veut faillir.
Parmi* ce grand amour que j'avais pour Sévère,
J'attendais un époux de la main de mon père,
Toujours prête à le prendre ; et jamais ma raison   195
N'avoua de mes yeux l'aimable trahison.

---

1. "A more perfect gentleman, a more perfect knight." This quality
of being a perfect gentleman in thought, word and deed was the moral
ideal of the seventeenth century. It carried with it the idea of avoiding
all excess in action, thought and language. Furthermore, according to
the Dictionary of the French Academy (1694), it included *toutes les
qualités agréables qu'un homme peut avoir dans la vie civile.* The phrase
will recur several times in connection with Sévère. It is a determining
factor in the psychology which Corneille "invents" (see *Préface*, p. 97)
for his heroine.

Il possédait mon cœur, mes désirs, ma pensée ;
Je ne lui cachais point combien j'étais blessée :
Nous soupirions ensemble, et pleurions nos malheurs ;
Mais au lieu d'espérance, il n'avait que des pleurs ;   200
Et malgré des soupirs si doux, si favorables,
Mon père et mon devoir étaient inexorables.
Enfin je quittai Rome et ce parfait amant,
Pour suivre ici mon père en son gouvernement ;
Et lui, désespéré, s'en alla dans l'armée   205
Chercher d'un beau trépas l'illustre renommée.
Le reste, tu le sais : mon abord en ces lieux
Me fit voir Polyeucte, et je plus à ses yeux ;
Et comme il est ici le chef de la noblesse,
Mon père fut ravi qu'il me prît pour maîtresse,*   210
Et par son alliance* il se crut assuré
D'être plus redoutable et plus considéré :
Il approuva sa flamme, et conclut l'hyménée ;
Et moi, comme à son lit je me vis destinée,
Je donnai par devoir à son affection   215
Tout ce que l'autre avait par inclination.
Si tu peux en douter, juge-le par la crainte
Dont en ce triste jour tu me vois l'âme atteinte.

STRATONICE.

Elle fait assez voir à quel point vous l'aimez.
Mais quel songe, après tout, tient vos sens alarmés ?   220

PAULINE.

Je l'ai vu cette nuit,* ce malheureux Sévère,
La vengeance à la main, l'œil ardent de colère :
Il n'était point couvert de ces tristes lambeaux [1]
Qu'une ombre désolée emporte des tombeaux ;
Il n'était point percé de ces coups pleins de gloire   225
Qui retranchant sa vie, assurent sa mémoire ;
Il semblait triomphant, et tel que sur son char
Victorieux dans Rome entre notre César.
Après un peu d'effroi que m'a donné sa vue :
" Porte à qui tu voudras la faveur qui m'est due,   230
Ingrate, m'a-t-il dit ; et ce jour expiré,
Pleure à loisir l'époux que tu m'as préféré."
À ces mots, j'ai frémi, mon âme s'est troublée ;

---

1. *i.e.*, "burial robes."

Ensuite des chrétiens une impie assemblée,
Pour avancer l'effet* de ce discours fatal,   235
A jeté Polyeucte aux pieds de son rival.
Soudain à son secours j'ai réclamé mon père ;
Hélas ! c'est de tout point [1] ce qui me désespère,
J'ai vu mon père même, un poignard à la main,
Entrer le bras levé pour lui percer le sein :   240
Là* ma douleur trop forte a brouillé ces images ;
Le sang de Polyeucte a satisfait leurs rages.
Je ne sais ni comment ni quand ils l'ont tué,
Mais je sais qu'à sa mort tous ont contribué :
Voilà quel est mon songe.

STRATONICE.

                Il est vrai qu'il est triste ;   245
Mais il faut que votre âme à ces frayeurs résiste :
La vision, de soi, peut faire quelque horreur,
Mais non pas vous donner une juste terreur.
Pouvez-vous craindre un mort ? pouvez-vous craindre un père
Qui chérit votre époux, que votre époux révère,   250
Et dont le juste choix vous a donnée à lui,
Pour s'en faire en ces lieux un ferme et sûr appui ?

PAULINE.

Il m'en a dit autant, et rit de mes alarmes ;
Mais je crains des chrétiens les complots et les charmes,[2]
Et que sur* mon époux leur troupeau ramassé*   255
Ne venge tant de sang que mon père a versé.

STRATONICE.

Leur secte est insensée, impie, et sacrilège,
Et dans son sacrifice use de sortilège ;
Mais sa fureur ne va qu'à briser nos autels :
Elle n'en veut* qu'aux Dieux, et non pas aux mortels.   260
Quelque* sévérité que sur eux on déploie,
Ils souffrent sans murmure, et meurent avec joie ;
Et depuis qu'on les traite en criminels d'État,
On ne peut les charger d'aucun assassinat.

---

1. "Above all." 2. *charmes*, in its primitive meaning of "incantations," "magic spells." It was a common belief among the pagans that the Christians practiced sorcery. Cf. below v. 258. The name of Stratonice implies that she was Greek or Armenian. Polyeucte's name is Greek.

PAULINE.

Tais-toi, mon père vient.

SCÈNE IV.

FÉLIX, ALBIN, PAULINE, STRATONICE.

FÉLIX.[1]

Ma fille, que ton songe   265
En d'étranges frayeurs ainsi que toi me plonge !
Que j'en crains les effets, qui semblent s'approcher !

PAULINE.

Quelle subite alarme ainsi vous peut toucher ?

FÉLIX.

Sévère n'est point mort.

PAULINE.

Quel mal nous fait sa vie ?

FÉLIX.

Il est le favori de l'empereur Décie.   270

PAULINE.

Après l'avoir sauvé des mains des ennemis,
L'espoir d'un si haut rang lui devenait permis ;
Le destin, aux grands cœurs si souvent mal propice,
Se résout quelquefois à leur faire justice.

FÉLIX.

Il vient ici lui-même.

PAULINE.

Il vient !

FÉLIX.

Tu le vas voir.   275

1. Another part of Corneille's "invention" was his conception of Félix as belonging to the familiar universal type of office-seeking politician. *Si Félix fait périr son gendre Polyeucte, ce n'est pas par cette haine enragée contre les chrétiens, qui nous le rendrait exécrable, mais seulement par une lâche timidité, qui n'ose le sauver en présence de Sévère, dont il craint la haine et la vengeance après les mépris qu'il en a faits durant son peu de fortune,* Corneille, *Discours de la Tragédie.*

PAULINE.

C'en est trop ; mais comment le pouvez-vous savoir ?

FÉLIX.

Albin l'a rencontré dans la proche campagne ;
Un gros de courtisans en foule l'accompagne,
Et montre assez quel est son rang et son crédit ;
Mais, Albin, redis-lui ce que ses gens t'ont dit.   280

ALBIN.

Vous savez quelle fut cette grande journée,
Que sa perte pour nous rendit si fortunée,
Où l'Empereur captif, par sa main dégagé,
Rassura son parti déjà découragé,
Tandis que sa vertu succomba sous le nombre ;   285
Vous savez les honneurs qu'on fit faire à son ombre,
Après qu'entre les morts on ne le put trouver :
Le roi de Perse aussi* l'avait fait enlever.
Témoin de ses hauts faits et de son grand courage,
Ce monarque en[1] voulut connaître le visage ;   290
On le mit dans sa tente, où tout percé de coups,
Tout mort qu'il paraissait, il fit mille jaloux ;
Là bientôt il montra quelque signe de vie :
Ce prince généreux* en eut l'âme ravie,
Et sa joie, en dépit de son dernier malheur,   295
Du bras qui le causait honora la valeur ;
Il en fit prendre soin, la cure en fut secrète ;
Et comme au bout d'un mois sa santé fut parfaite,
Il offrit dignités, alliance,[2] trésors,
Et pour gagner Sévère il fit cent vains efforts.   300
Après avoir comblé ses refus de louange,
Il envoie à Décie en proposer l'échange ;
Et soudain l'Empereur, transporté de plaisir,
Offre au Perse son frère et cent chefs à choisir.
Ainsi revint au camp le valeureux Sévère   305
De sa haute vertu recevoir le salaire ;
La faveur de Décie en fut le digne prix.
De nouveau l'on combat, et nous sommes surpris.
Ce malheur toutefois sert à croître[3] sa gloire :

chevaleresque

---

1. *en*, as frequently in the seventeenth century referring to persons ;
"of him," "his face" ; "wished to become acquainted with him."   See
below, v. 302.   2. "Alliance" with his family through marriage.
3. Used transitively, contrary to modern usage : "to increase."

Lui seul rétablit l'ordre, et gagne la victoire,   310
Mais si belle, et si pleine, et par tant de beaux faits,
Qu'on nous offre tribut, et nous faisons la paix.
L'Empereur, qui lui montre une amour infinie,
Après ce grand succès l'envoie en Arménie ;
Il vient en apporter la nouvelle en ces lieux,   315
Et par un sacrifice en rendre hommage aux Dieux.

FÉLIX.

Ô ciel ! en quel état ma fortune est réduite !

ALBIN.

Voilà ce que j'ai su d'un homme de sa suite,
Et j'ai couru, Seigneur, pour vous y disposer.

FÉLIX.

Ah ! sans doute, ma fille, il vient pour t'épouser :   320
L'ordre d'un sacrifice est pour lui peu de chose ; *
C'est un prétexte faux dont l'amour est la cause.

PAULINE.

Cela pourrait bien être : il m'aimait chèrement.[1]

FÉLIX.

Que ne permettra-t-il à son ressentiment ?
Et jusques à quel point ne porte sa vengeance   325
Une juste colère avec tant de puissance ?
Il nous perdra, ma fille.

PAULINE.

Il est trop généreux. *

FÉLIX.

Tu veux flatter en vain un père malheureux :
Il nous perdra, ma fille.   Ah ! regret qui me tue
De n'avoir pas aimé la vertu toute nue ![2]   330
Ah ! Pauline, en effet, tu m'as trop obéi ;
Ton courage * était bon, ton devoir l'a trahi.
Que ta rébellion m'eût été favorable !
Qu'elle m'eût garanti d'un état déplorable !

---

1. Is it an involuntary confirmation ?   Or does the very "reasonable"
Pauline play upon the terror of her father as a sort of revenge for her
shattered romance ?   However that may be, it is lost upon the politician,
absorbed in his own difficulties.   2. That is, for not having favored
Sévère for his valor irrespective of his fortune.

Si quelque espoir me reste, il n'est plus aujourd'hui   335
Qu'en l'absolu pouvoir qu'il te donnait sur lui ;
Ménage en ma faveur l'amour qui le possède,
Et d'où provient mon mal fais sortir le remède.

PAULINE.

Moi, moi ! que je revoie un si puissant vainqueur,
Et m'expose à des yeux qui me percent le cœur !   340
Mon père, je suis femme, et je sais ma faiblesse ;
Je sens déjà mon cœur qui pour lui s'intéresse,*
Et poussera sans doute, en dépit de ma foi,
Quelque soupir indigne et de vous et de moi.
Je ne le verrai point.

FÉLIX.

                    Rassure un peu ton âme.   345

PAULINE.

Il est toujours aimable, et je suis toujours femme ;
Dans le pouvoir sur moi que ses regards ont eu,
Je n'ose m'assurer de toute ma vertu.
Je ne le verrai point.

FÉLIX.

                    Il faut le voir, ma fille,
Ou tu trahis ton père et toute ta famille.   350

PAULINE.

C'est à moi d'obéir, puisque vous commandez ;
Mais voyez les périls où vous me hasardez.*

FÉLIX.

Ta vertu m'est connue.

PAULINE.

                    Elle vaincra sans doute ;
Ce n'est pas le succès* que mon âme redoute :
Je crains ce dur combat et ces troubles puissants   355
Que fait déjà chez moi la révolte des sens ;
Mais puisqu'il faut combattre un ennemi que j'aime,
Souffrez que je me puisse armer contre moi-même,
Et qu'un peu de loisir me prépare à le voir.

FÉLIX.

Jusqu'au-devant des murs je vais le recevoir ;   360
Rappelle cependant tes forces étonnées,
Et songe qu'en tes mains tu tiens nos destinées.

PAULINE.

Oui, je vais de nouveau dompter mes sentiments,
Pour servir de victime à vos commandements.

ACTE II.   SCÈNE PREMIÈRE.

SÉVÈRE, FABIAN.

SÉVÈRE.

Cependant* que Félix donne ordre* au sacrifice,[1]   365
Pourrai-je prendre un temps à mes vœux si propice?
Pourrai-je voir Pauline, et rendre à ses beaux yeux
L'hommage souverain que l'on va rendre aux Dieux?
Je ne t'ai point celé que c'est ce qui m'amène,
Le reste est un prétexte à soulager ma peine ;   370
Je viens sacrifier, mais c'est à ses beautés
Que je viens immoler toutes mes volontés.

FABIAN.

Vous la verrez, Seigneur.

SÉVÈRE.

                    Ah ! quel comble de joie !
Cette chère beauté consent que je la voie !
Mais ai-je sur son âme encor quelque pouvoir?   375
Quelque reste d'amour s'y fait-il encor voir?

---

1. In the *Examen* of this tragedy, Corneille manifests some uneasiness
in regard to this "sacrifice." His explanation suggests his own attitude
and that of his audience in regard to every detail which affects the
verisimilitude of the play. *Il est hors de doute que si nous appliquons
ce poème à nos coutumes, le sacrifice se fait trop tôt après la venue de Sévère;
et cette précipitation sortira du vraisemblable par la nécessité d'obéir à la
règle. Quand le Roi envoie ses ordres dans les villes pour y faire rendre des
actions de grâces pour ses victoires, ou pour d'autres bénédictions qu'il
reçoit du ciel, on ne les exécute pas dès le jour même; mais aussi il faut du
temps pour assembler le clergé, les magistrats et les corps de ville, et c'est
ce qui en fait différer l'exécution. . . . Il suffisait de la présence de
Sévère et de Félix, et du ministère du grand prêtre: ainsi nous n'avons eu
aucun besoin de remettre ce sacrifice en un autre jour. D'ailleurs, comme
Félix craignait ce favori, qu'il croyait irrité du mariage de sa fille, il était
bien aise de lui donner le moins d'occasion de tarder qu'il lui était possible,
et de tâcher, durant son peu de séjour, à gagner son esprit par une prompte
complaisance, et montrer tout ensemble une impatience d'obéir aux volontés
de l'Empereur.*

Quel trouble, quel transport lui cause ma venue ?
Puis-je tout espérer de cette heureuse vue ? *
Car je voudrais mourir plutôt que d'abuser ¹
Des lettres de faveur que j'ai pour l'épouser ;   380
Elles sont pour Félix, non pour triompher d'elle :
Jamais à ses désirs mon cœur ne fut rebelle ;
Et si mon mauvais sort avait changé le sien,²
Je me vaincrais moi-même, et ne prétendrais rien.

FABIAN.

Vous la verrez, c'est tout ce que je vous puis dire.   385

SÉVÈRE.

D'où vient * que tu frémis, et que ton cœur soupire ?
Ne m'aime-t-elle plus ? éclaircis-moi ce point.

FABIAN.

M'en croirez-vous, Seigneur ? ne la revoyez point ;
Portez en lieu plus haut l'honneur de vos caresses :
Vous trouverez à Rome assez d'autres maîtresses ; *   390
Et dans ce haut degré de puissance et d'honneur,
Les plus grands y tiendront * votre amour à bonheur.*

SÉVÈRE.

Qu'à des pensers si bas mon âme se ravale !
Que je tienne Pauline à mon sort inégale !
Elle en a mieux usé, je la dois imiter ;   395
Je n'aime mon bonheur que pour le mériter.
Voyons-la, Fabian ; ton discours m'importune ;
Allons mettre à ses pieds cette haute fortune :
Je l'ai dans les combats trouvée heureusement,
En cherchant une mort digne de son amant ;   400
Ainsi * ce rang est sien, cette faveur est sienne,
Et je n'ai rien enfin que d'elle je ne tienne.

FABIAN.

Non, mais encore un coup ne la revoyez point.

SÉVÈRE.

Ah ! c'en est trop, enfin éclaircis-moi ce point ;
As-tu vu des froideurs quand tu l'en as priée ?   405

    1. *L'honnête homme,* here and throughout this and the following
scene. See note to v. 182.   2. "hers" : her heart.

FABIAN.

Je tremble à vous le dire ; elle est . . .

SÉVÈRE.

Quoi?

FABIAN.

Mariée.

SÉVÈRE.

Soutiens-moi, Fabian ; ce coup de foudre est grand,
Et frappe d'autant plus que plus il me surprend.

FABIAN.

Seigneur, qu'est devenu ce généreux courage?

SÉVÈRE.

La constance est ici d'un difficile usage :*   410
De pareils déplaisirs* accablent un grand cœur ;
La vertu la plus mâle en perd toute vigueur ;
Et quand d'un feu si beau les âmes sont éprises,
La mort les trouble moins que de telles surprises.
Je ne suis plus à moi [1] quand j'entends ce discours.*   415
Pauline est mariée !

FABIAN.

Oui, depuis quinze jours,
Polyeucte, un seigneur des premiers d'Arménie,
Goûte de son hymen la douceur infinie.

SÉVÈRE.

Je ne la puis du moins blâmer d'un mauvais choix,
Polyeucte a du nom, et sort du sang des rois.   420
Faibles soulagements d'un malheur sans remède !
Pauline, je verrai qu'un autre vous possède !
    Ô ciel, qui malgré moi me renvoyez au jour,*
Ô sort, qui redonniez l'espoir à mon amour,
Reprenez la faveur que vous m'avez prêtée,   425
Et rendez-moi la mort que vous m'avez ôtée.
    Voyons-la toutefois, et dans ce triste lieu
Achevons de mourir en lui disant adieu ;
Que mon cœur, chez les morts emportant son image,
De son dernier soupir puisse lui faire hommage !   430

1. "I am no longer myself."

FABIAN.

Seigneur, considérez . . .

SÉVÈRE.

Tout est considéré.
Quel désordre peut craindre un cœur désespéré?
N'y consent-elle pas?

FABIAN.

Oui, Seigneur, mais . . .

SÉVÈRE.

N'importe.

FABIAN.

Cette vive douleur en deviendra plus forte.

SÉVÈRE.

Et ce n'est pas un mal que je veuille guérir ;   435
Je ne veux que la voir, soupirer, et mourir.

FABIAN.

Vous vous échapperez* sans doute en sa présence :
Un amant qui perd tout n'a plus de complaisance ;
Dans un tel entretien il suit sa passion,
Et ne pousse qu'injure* et qu'imprécation.   440

SÉVÈRE.

Juge autrement de moi : mon respect dure encore ;
Tout violent qu'il est, mon désespoir l'adore.
Quels reproches aussi peuvent m'être permis?
De quoi puis-je accuser qui ne m'a rien promis?
Elle n'est point parjure, elle n'est point légère :   445
Son devoir m'a trahi, mon malheur, et son père.
Mais son devoir fut juste, et son père eut raison :
J'impute à mon malheur toute la trahison ;
Un peu moins de fortune, et plus tôt arrivée,
Eût gagné l'un par l'autre,[1] et me l'eût conservée ;   450
Trop heureux, mais trop tard, je n'ai pu l'acquérir :
Laisse-la[2]-moi donc voir, soupirer, et mourir.

FABIAN.

Oui, je vais l'assurer qu'en ce malheur extrême
Vous êtes assez fort pour vous vaincre vous-même.

---

1. *l'un*, Pauline's sense of duty (*devoir*, v. 443) ; *l'autre*, her father
(v. 443), won over because of the advantages to be gained in an alliance
with an acceptable son-in-law.   2. *la* is object of *voir*.

Elle a craint comme moi ces premiers mouvements   455
Qu'une perte imprévue arrache aux vrais amants,
Et dont la violence excite assez de trouble,
Sans que l'objet présent l'irrite et le redouble.

SÉVÈRE.

Fabian, je la vois.[1]

FABIAN.

Seigneur, souvenez-vous . . .

SÉVÈRE.

Hélas ! elle aime un autre, un autre est son époux.   460

SCÈNE II.

SÉVÈRE, PAULINE, STRATONICE, FABIAN.

PAULINE.[2]

Oui, je l'aime, Seigneur, et n'en fais point d'excuse ;
Que tout autre que moi vous flatte et vous abuse,
Pauline a l'âme noble, et parle à cœur ouvert :
Le bruit de votre mort n'est point ce qui vous perd.
Si le ciel en mon choix eût mis mon hyménée,   465
À vos seuls [3] vertus je me serais donnée,
Et toute la rigueur de votre premier sort
Contre votre mérite eût fait un vain effort.

1. Corneille felt another characteristic scruple over the fact that Pauline comes to meet Sévère, instead of receiving him in her apartment as strict etiquette demanded. *Il semble que la bienséance y soit un peu forcée pour conserver cette unité (de lieu) au second acte, en ce que Pauline vient jusque dans cette antichambre pour trouver Sévère, dont elle devrait attendre la visite dans son cabinet. À quoi je réponds qu'elle a eu deux raisons de venir au-devant de lui : l'une, pour faire plus d'honneur à un homme dont son père redoutait l'indignation, et qu'il lui avait commandé d'adoucir en sa faveur ; l'autre, pour rompre plus aisément la conversation avec lui, en se retirant dans ce cabinet, s'il ne voulait pas la quitter à sa prière, et se délivrer, par cette retraite, d'un entretien dangereux pour elle, ce qu'elle n'eût pu faire, si elle eût reçu sa visite dans son appartement.*
2. It will be recalled that Pauline had asked, at the end of the first act, for a little leisure in which to prepare for the meeting with Sévère. During that period she had prepared her defense. The following speech is the result and should be so taken rather than as the expression of her real feelings. They appear as the scene progresses.   3. In the seventeenth century the position of *seul* did not affect its meaning: "to your virtues alone."

Je découvrais en vous d'assez illustres marques
Pour vous préférer même aux plus heureux monarques ;   470
Mais puisque mon devoir m'imposait d'autres lois,
De quelque amant pour moi que mon père eût fait choix,
Quand [1] à ce grand pouvoir que la valeur vous donne
Vous auriez ajouté l'éclat* d'une couronne,
Quand [1] je vous aurais vu, quand je l'aurais haï,   475
J'en aurais soupiré, mais j'aurais obéi,
Et sur mes passions ma raison souveraine
Eût blâmé mes soupirs et dissipé ma haine.

SÉVÈRE.

Que vous êtes heureuse,[2] et qu'un peu de soupirs
Fait* un aisé remède à tous vos déplaisirs !   480
Ainsi de vos désirs toujours reine absolue,
Les plus grands changements* vous trouvent résolue ;
De la plus forte ardeur* vous portez vos esprits [3]
Jusqu'à l'indifférence et peut-être au mépris ;
Et votre fermeté fait succéder sans peine   485
La faveur au dédain, et l'amour à la haine.
    Qu'un peu de votre humeur ou de votre vertu
Soulagerait les maux de ce cœur abattu !
Un soupir, une larme à regret épandue
M'aurait déjà guéri de vous avoir perdue ;   490
Ma raison pourrait tout [4] sur l'amour affaibli,
Et de l'indifférence irait jusqu'à l'oubli ;
Et mon feu désormais se réglant sur le vôtre,
Je me tiendrais heureux entre les bras d'une autre.
    Ô trop aimable objet, qui m'avez trop charmé,   495
Est-ce là comme on aime, et m'avez-vous aimé ?

PAULINE.

Je vous l'ai trop fait voir, Seigneur ; et si mon âme
Pouvait bien étouffer les restes de sa flamme,
Dieux, que j'éviterais de rigoureux tourments !
Ma raison, il est vrai, dompte mes sentiments ;   500

---

    1. Recall the strong concessive meaning of *quand* when followed by a conditional tense : "even though." See two lines below.   2. *Heureux* in the seventeenth century often meant "fortunate," "lucky." Here it is used with bitter irony. The unexpected attitude of Pauline is, for the moment, too much for the *honnêteté* of Sévère.   3. *esprits:* "faculties"; here perhaps "heart."   4. *pourrait tout:* "would have full power."

Mais quelque autorité que sur eux elle ait prise,
Elle n'y règne pas, elle les tyrannise ;
Et quoique le dehors soit sans émotion,
Le dedans n'est que trouble et que sédition.
Un je ne sais quel charme encor vers vous m'emporte ;   505
Votre mérite est grand, si ma raison est forte :
Je le vois encor tel qu'il alluma mes feux,*
D'autant plus puissamment solliciter mes vœux,
Qu'il est environné de puissance et de gloire,
Qu'en tous lieux après vous il traîne la victoire,   510
Que j'en sais mieux le prix,* et qu'il n'a point déçu
Le généreux espoir que j'en avais conçu.
Mais ce même devoir qui le vainquit dans Rome,
Et qui me range ici dessous les lois d'un homme,
Repousse encor si bien l'effort de tant d'appas,   515
Qu'il déchire mon âme et ne l'ébranle pas.
C'est cette vertu même, à nos désirs cruelle,
Que vous louiez alors en blasphémant contre elle :
Plaignez-vous-en encor ; mais louez sa rigueur,
Qui triomphe à la fois de vous et de mon cœur ;   520
Et voyez qu'un devoir moins ferme et moins sincère
N'aurait pas mérité l'amour du grand [1] Sévère.

SÉVÈRE.

Ah ! Madame, excusez une aveugle douleur,
Qui ne connaît plus rien que l'excès du malheur :
Je nommais inconstance, et prenais pour un crime   525
De ce juste devoir l'effort le plus sublime.
De grâce, montrez moins à mes sens désolés
La grandeur de ma perte et ce que vous valez ;
Et cachant par pitié cette vertu si rare,
Qui redouble mes feux lorsqu'elle nous sépare,   530
Faites voir des défauts qui puissent à leur tour
Affaiblir ma douleur avecque mon amour.

PAULINE.

Hélas ! cette vertu, quoique enfin invincible,
Ne laisse que trop voir une âme trop sensible.*
Ces pleurs en sont témoins, et ces lâches soupirs   535
Qu'arrachent de nos feux les cruels souvenirs :

1. Note the appeal to something beyond and above the *honnêteté*
which she has named as a distinguishing quality in her former lover.

Trop rigoureux effets d'une aimable présence
Contre qui [1] mon devoir a trop peu de défense !
Mais si vous estimez ce vertueux devoir,
Conservez-m'en la gloire, et cessez de me voir.   540
Épargnez-moi des pleurs qui coulent à ma honte ;
Épargnez-moi des feux qu'à regret je surmonte ;
Enfin épargnez-moi ces tristes entretiens,
Qui ne font qu'irriter vos tourments et les miens.

SÉVÈRE.

Que je me prive ainsi du seul bien qui me reste !   545

PAULINE.

Sauvez-vous d'une vue à tous les deux funeste.

SÉVÈRE.

Quel prix de mon amour ! quel fruit de mes travaux !

PAULINE.

C'est le remède seul qui peut guérir nos maux.

SÉVÈRE.

Je veux mourir des miens : aimez-en la mémoire.

PAULINE.

Je veux guérir des miens : ils souilleraient ma gloire.   550

SÉVÈRE.

Ah ! puisque votre gloire en prononce l'arrêt,
Il faut que ma douleur cède à son intérêt.
Est-il rien [2] que sur moi cette gloire n'obtienne?
Elle me rend les soins que je dois à la mienne.
Adieu : je vais chercher au milieu des combats   555
Cette immortalité que donne un beau trépas,
Et remplir dignement, par une mort pompeuse,*
De mes premiers exploits l'attente avantageuse,
Si toutefois, après ce coup mortel du sort,
J'ai de la vie assez pour chercher une mort.   560

PAULINE.

Et moi, dont votre vue augmente le supplice,
Je l'éviterai même en votre sacrifice ;

---

    1. *laquelle:* a usage common in the seventeenth century although condemned by the grammarians.   2. *Est-il* for *Y a-t-il,* as regularly in poetry. *rien* in the seventeenth century was often positive, as here: "is there anything?"

Et seule dans ma chambre enfermant mes regrets,
Je vais pour vous aux Dieux faire des vœux secrets.

SÉVÈRE.

Puisse le juste ciel, content de ma ruine,   565
Combler d'heur et de jours Polyeucte et Pauline !

PAULINE.

Puisse trouver Sévère, après tant de malheur,
Une félicité digne de sa valeur !

SÉVÈRE.

Il la trouvait en vous.

PAULINE.

Je dépendais d'un père.

SÉVÈRE.

Ô devoir qui me perd et qui me désespère !   570
Adieu, trop vertueux objet, et trop charmant.

PAULINE.

Adieu, trop malheureux et trop parfait amant.

SCÈNE III.

PAULINE, STRATONICE.

STRATONICE.

Je vous ai plaints tous deux, j'en verse encor des larmes ;
Mais du moins votre esprit est hors de ses alarmes :
Vous voyez clairement que votre songe est vain ;   575
Sévère ne vient pas la vengeance à la main.

PAULINE.

Laisse-moi respirer du moins, si tu m'as plainte :
Au fort* de ma douleur tu rappelles ma crainte ;
Souffre un peu de relâche à mes esprits troublés,
Et ne m'accable point par des maux redoublés.   580

STRATONICE.

Quoi ? vous craignez encor !

PAULINE.

       Je tremble, Stratonice ⁏
Et bien que je m'effraye avec peu de justice,
Cette injuste frayeur sans cesse reproduit
L'image des malheurs que j'ai vus cette nuit.*

STRATONICE.

Sévère est généreux.*

PAULINE.

      Malgré sa retenue,   585
Polyeucte sanglant frappe toujours ma vue.

STRATONICE.

Vous voyez ce rival faire des vœux pour lui.

PAULINE.

Je crois même au besoin qu'il serait son appui ;
Mais soit cette croyance [1] ou fausse ou véritable,
Son séjour en ce lieu m'est toujours redoutable ; 590
À quoi que sa vertu puisse le disposer,
Il est puissant, il m'aime, et vient pour m'épouser.

SCÈNE IV.

POLYEUCTE, NÉARQUE, PAULINE, STRATONICE.

POLYEUCTE.

C'est trop verser de pleurs : il est temps qu'ils tarissent,
Que votre douleur cesse, et vos craintes finissent :
Malgré les faux avis par vos Dieux envoyés,[2] 595
Je suis vivant, Madame, et vous me revoyez.

PAULINE.

Le jour est encor long, et ce qui plus m'effraie,
La moitié de l'avis* se trouve déjà vraie :
J'ai cru Sévère mort, et je le vois ici.

---

 1. "Whether this belief be either . . . " 2. The *faux avis* and
vos dieux indicate to the audience that the baptism has been completed
and that Polyeucte is now a Christian.

POLYEUCTE.

Je le sais ; mais enfin j'en prends peu de souci.   600
Je suis dans Mélitène, et quel que soit Sévère,
Votre père y commande, et l'on m'y considère ;
Et je ne pense pas qu'on puisse avec raison
D'un cœur tel que le sien craindre une trahison.
On m'avait assuré qu'il vous faisait visite,   605
Et je venais lui rendre un honneur qu'il mérite.

PAULINE.

Il vient de me quitter assez triste et confus ;
Mais j'ai gagné sur lui qu'il ne me verra plus.

POLYEUCTE.

Quoi ! vous me soupçonnez déjà de quelque ombrage ?

PAULINE.

Je ferais à tous trois un trop sensible* outrage.   610
J'assure mon repos, que troublent ses regards.
La vertu la plus ferme évite les hasards :
Qui s'expose au péril veut* bien trouver sa perte ;
Et pour vous en parler avec une âme ouverte,
Depuis qu'un vrai mérite a pu nous enflammer,   615
Sa présence toujours a droit* de nous charmer.
Outre qu'on doit rougir de s'en laisser surprendre,
On souffre à résister, on souffre à s'en défendre ;
Et bien que la vertu triomphe de ces feux,[1]
La victoire est pénible, et le combat honteux.   620

POLYEUCTE.

Ô vertu trop parfaite, et devoir trop sincère,
Que vous devez coûter de regrets à Sévère !
Qu'aux dépens d'un beau feu vous me rendez heureux,
Et que vous êtes doux à mon cœur amoureux !
Plus* je vois mes défauts et plus je vous contemple,   625
Plus j'admire . . .

---

1. This very sincere statement of her sentiments, two weeks after
their marriage (vv. 415–417), clearly nettled Polyeucte, and certainly
with reason.   Was this in Corneille's mind to contribute something to
Polyeucte's conduct in the following scenes ?

SCÈNE V.

Polyeucte, Pauline, Néarque, Stratonice, Cléon.

CLÉON.

Seigneur, Félix vous mande au temple :
La victime est choisie, et le peuple à genoux,
Et pour sacrifier on n'attend plus que vous.

POLYEUCTE.

Va, nous allons te suivre. Y venez-vous, Madame?

PAULINE.

Sévère craint ma vue, elle irrite sa flamme :   63c
Je lui tiendrai parole, et ne veux plus le voir.
Adieu : vous l'y verrez ; pensez à son pouvoir,
Et ressouvenez-vous que sa faveur est grande.

POLYEUCTE.

Allez, tout son crédit n'a rien que j'appréhende ;
Et comme je connais sa générosité,*   635
Nous ne nous combattrons que de civilité.

SCÈNE VI.

Polyeucte, Néarque.

NÉARQUE.

Où pensez-vous aller?

POLYEUCTE.

Au temple, où l'on m'appelle.

NÉARQUE.

Quoi? vous mêler aux vœux d'une troupe infidèle !
Oubliez-vous déjà que vous êtes chrétien?

POLYEUCTE.

Vous par qui je le suis, vous en souvient-il bien ?   640

NÉARQUE.

J'abhorre les faux Dieux.

POLYEUCTE.

Et moi, je les déteste.

NÉARQUE.

Je tiens leur culte impie.

POLYEUCTE.

Et je le tiens funeste.

NÉARQUE.

Fuyez donc leurs autels.

POLYEUCTE.

Je les veux renverser,[1]
Et mourir dans leur temple, ou les y terrasser.
Allons, mon cher Néarque, allons aux yeux des hommes   645
Braver l'idolâtrie, et montrer qui nous sommes :
C'est l'attente du ciel, il nous la faut remplir ;
Je viens de le promettre, et je vais l'accomplir.
Je rends grâces au Dieu que tu[2] m'as fait connaître
De cette occasion qu'il a sitôt fait naître,   650
Où déjà sa bonté, prête à me couronner,
Daigne éprouver la foi qu'il vient de me donner.

NÉARQUE.

Ce zèle est trop ardent, souffrez qu'il se modère.

POLYEUCTE.

On n'en peut avoir trop pour le Dieu qu'on révère.

NÉARQUE.

Vous trouverez la mort.

POLYEUCTE.

Je la cherche pour lui.   655

---

1. It is said that the Hôtel de Rambouillet condemned this act·
On disait que c'est un zèle imprudent, que plusieurs évêques et plusieurs
synodes avaient expressément défendu ces attentats contre l'ordre et contre
les lois. Desjardins replies to this objection : *Ce n'était donc pas seule-*
ment au baptême qu'on se préparait dans ces temps de violence ; c'était au
martyre. Le devoir accompli, la sainteté des âmes, la pureté des cœurs,
n'était rien encore : il fallait que l'homme fût emporté, pour ainsi dire, hors
de lui-même, et qu'un enthousiasme perpétuel le tînt toujours prêt à la mort,
toujours exalté pour le supplice. Ce caractère du nouveau chrétien a été
compris par Corneille dans un temps où tout le monde l'ignorait (*Le grand*
Corneille historien, 1862). Acts of a similar nature, the destruction of
images of the Virgin and relics of the saints, had been frequent in France
during the last fifty years of the sixteenth century. 2. Polyeucte
addresses Néarque with the familiar *tu* for the first time.

NÉARQUE.

Et si ce cœur s'ébranle?

POLYEUCTE.

Il sera mon appui.

NÉARQUE.

Il ne commande point que l'on s'y précipite.

POLYEUCTE.

Plus elle est volontaire, et plus elle mérite.

NÉARQUE.

Il suffit, sans chercher, d'attendre et de souffrir.

POLYEUCTE.

On souffre avec regret quand on n'ose s'offrir.   660

NÉARQUE.

Mais dans ce temple enfin la mort est assurée.

POLYEUCTE.

Mais dans le ciel déjà la palme est préparée.

NÉARQUE.

Par une sainte vie il faut la mériter.

POLYEUCTE.

Mes crimes, en vivant, me la pourraient ôter.
Pourquoi mettre au hasard * ce que la mort assure?   665
Quand elle ouvre le ciel, peut-elle sembler dure?
Je suis chrétien, Néarque, et le suis tout à fait;
La foi que j'ai reçue aspire à son effet.*
Qui fuit croit lâchement, et n'a qu'une foi morte.

NÉARQUE.

Ménagez votre vie, à Dieu même elle importe: 670
Vivez pour protéger les chrétiens en ces lieux.

POLYEUCTE.

L'exemple de ma mort les fortifiera mieux.

NÉARQUE.

Vous voulez donc mourir?

POLYEUCTE.

Vous ¹ aimez donc à vivre?

1. As this difference on the question of zeal becomes more impassioned,
Polyeucte returns to the formal address: *vous.*

NÉARQUE.

Je ne puis déguiser que j'ai peine à vous suivre :
Sous l'horreur des tourments je crains de succomber. 675

POLYEUCTE.

Qui marche assurément n'a point peur de tomber :
Dieu fait part,* au besoin, de sa force infinie.
Qui craint de le nier, dans son âme le nie :
Il croit le pouvoir faire, et doute de sa foi.

NÉARQUE.

Qui n'appréhende rien présume trop de soi. 680

POLYEUCTE.

J'attends tout de sa grâce, et rien de ma faiblesse.
Mais loin de me presser, il faut que je vous presse !
D'où vient cette froideur ?

NÉARQUE.

Dieu même a craint la mort.

POLYEUCTE.

Il s'est offert pourtant : suivons ce saint effort ;
Dressons-lui des autels sur des monceaux d'idoles. 685
Il faut (je me souviens encor de vos paroles)
Négliger, pour lui plaire, et femme, et biens,* et rang,
Exposer pour sa gloire et verser tout son sang.
Hélas ! qu'avez-vous fait de cette amour parfaite
Que vous me souhaitiez, et que je vous souhaite ? 690
S'il vous en reste* encor, n'êtes-vous point jaloux
Qu'à grand'peine chrétien, j'en montre plus que vous ?

NÉARQUE.

Vous sortez du baptême, et ce qui vous anime,
C'est sa grâce qu'en vous n'affaiblit aucun crime ;
Comme encor toute entière, elle agit pleinement, 695
Et tout semble possible à son feu véhément ;
Mais cette même grâce,[1] en moi diminuée,
Et par mille péchés sans cesse exténuée,
Agit aux grands effets* avec tant de langueur,
Que tout semble impossible à son peu de vigueur. 700
Cette indigne mollesse et ces lâches défenses
Sont des punitions qu'attirent mes offenses ;

---

1. See above, v. 30, note.

Mais Dieu, dont on ne doit jamais se défier,
Me donne votre exemple à me fortifier.
　　Allons, cher Polyeucte, allons aux yeux des hommes　　705
Braver l'idolâtrie, et montrer qui nous sommes ;
Puissé-je vous donner l'exemple de souffrir,
Comme vous me donnez celui de vous offrir !

POLYEUCTE.

À cet heureux transport que le ciel vous envoie,
Je reconnais Néarque, et j'en pleure de joie.　　710
　　Ne perdons plus de temps : le sacrifice est prêt ;
Allons-y du vrai Dieu soutenir l'intérêt ;
Allons fouler aux pieds ce foudre ridicule
Dont arme un bois pourri ce peuple trop crédule ;
Allons en éclairer l'aveuglement fatal ;　　715
Allons briser ces Dieux de pierre et de métal :
Abandonnons nos jours à cette ardeur céleste ;
Faisons triompher Dieu : qu'il dispose du reste !

NÉARQUE.

Allons faire éclater sa gloire aux yeux de tous,
Et répondre avec zèle à ce qu'il veut de nous.　　720

ACTE III.　SCÈNE PREMIÈRE.[1]

PAULINE.

Que de soucis flottants, que de confus nuages
Présentent à mes yeux d'inconstantes images !
Douce tranquillité, que je n'ose espérer,
Que ton divin rayon tarde à les éclairer !
Mille agitations, que mes troubles* produisent,　　725
Dans mon cœur ébranlé tour à tour se détruisent :
Aucun espoir n'y coule où j'ose persister ;
Aucun effroi n'y règne où j'ose m'arrêter.

---

　　1. The interval between the acts gives an impression of time elapsed
during which Polyeucte and Néarque may have carried into effect their
resolution. This impression is reënforced by the monologue which,
moreover, furnishes the psychological atmosphere of the play, somewhat
as does the orchestral prelude of an act of grand opera.

Mon esprit, embrassant tout ce qu'il s'imagine,
Voit tantôt mon bonheur, et tantôt ma ruine,   730
Et suit leur vaine idée* avec si peu d'effet,*
Qu'il ne peut espérer ni craindre tout à fait.
Sévère incessamment brouille ma fantaisie :
J'espère en sa vertu, je crains sa jalousie ;
Et je n'ose penser que d'un œil bien égal*   735
Polyeucte en ces lieux puisse voir son rival.
Comme entre deux rivaux la haine est naturelle,
L'entrevue aisément se termine en querelle :
L'un voit aux mains d'autrui ce qu'il croit mériter,
L'autre un désespéré qui peut trop attenter,   740
Quelque haute raison qui [1] règle leur courage,
L'un conçoit de l'envie, et l'autre de l'ombrage ;
La honte d'un affront, que chacun d'eux croit voir
Ou de nouveau reçue, ou prête [2] à recevoir,
Consumant dès l'abord toute leur patience,   745
Forme de la colère et de la défiance,
Et saisissant ensemble et l'époux et l'amant,
En dépit d'eux les livre à leur ressentiment.
Mais que je me figure une étrange chimère,
Et que je traite mal Polyeucte et Sévère !   750
Comme si la vertu de ces fameux rivaux
Ne pouvait s'affranchir de ces communs défauts !
Leurs âmes à tous deux d'elles-mêmes maîtresses
Sont d'un ordre trop haut pour de telles bassesses.
Ils se verront au temple en hommes généreux ;*   755
Mais las ! ils se verront, et c'est beaucoup pour eux.
Que sert à mon époux d'être dans Mélitène,
Si contre lui Sévère arme l'aigle romaine,
Si mon père y commande, et craint ce favori,
Et se repent déjà du choix de mon mari ?   760
Si peu [3] que j'ai d'espoir ne luit qu'avec contrainte ;
En naissant il avorte, et fait place à la crainte ;
Ce qui doit l'affermir sert à le dissiper.
Dieux ! faites* que ma peur puisse enfin se tromper !

---

1. A seventeenth century construction. "However eminent the
reason may be which dominates their hearts . . ."   2. *près d'être
reçue.*   3. *Le peu.*

miscarries

SCÈNE II.

PAULINE, STRATONICE.

PAULINE.

Mais sachons-en l'issue.*   Eh bien ! ma Stratonice,   765
Comment s'est terminé ce pompeux* sacrifice ?
Ces rivaux généreux au temple se sont vus ?

STRATONICE.

Ah ! Pauline !

PAULINE.

Mes vœux ont-ils été déçus ?
J'en vois sur ton visage une mauvaise marque.
Se sont-ils querellés ?

STRATONICE.

Polyeucte, Néarque,   770
Les chrétiens . . .

PAULINE.

Parle donc : les chrétiens . . .

STRATONICE.

Je ne puis.

PAULINE.

Tu prépares mon âme à d'étranges ennuis.*

STRATONICE.

Vous n'en sauriez avoir une plus juste cause.

PAULINE.

L'ont-ils assassiné ?

STRATONICE.

Ce serait peu de chose.
Tout votre songe est vrai, Polyeucte n'est plus . . .   775

PAULINE.

Il est mort !

STRATONICE.

Non, il vit ; mais, ô pleurs superflus !
Ce courage* si grand, cette âme si divine,
N'est plus digne du jour, ni digne de Pauline.
Ce n'est plus cet époux si charmant à vos yeux ;
C'est l'ennemi commun de l'État et des Dieux,   780

Un méchant, un infâme, un rebelle, un perfide,
Un traître, un scélérat, un lâche, un parricide,
Une peste exécrable à tous les gens de bien,
Un sacrilège impie : en un mot, un chrétien.[1]

PAULINE.

Ce mot aurait suffi sans ce torrent d'injures.   785

STRATONICE.

Ces titres aux chrétiens sont-ce des impostures ?

PAULINE.

Il est ce que tu dis, s'il embrasse leur foi ;
Mais il est mon époux, et tu parles à moi.

STRATONICE.

Ne considérez plus que le Dieu qu'il adore.

PAULINE.

Je l'aimai par devoir : ce devoir dure encore.   790

STRATONICE.

Il vous donne à présent sujet de le haïr :
Qui trahit tous nos Dieux aurait pu vous trahir.

PAULINE.

Je l'aimerais encor, quand il m'aurait trahie ;
Et si de tant d'amour tu peux être ébahie,
Apprends que mon devoir ne dépend point du sien :   795
Qu'il y manque, s'il veut ; je dois faire le mien.
Quoi ? s'il aimait ailleurs, serais-je dispensée
À suivre, à son exemple, une ardeur insensée ?
Quelque chrétien qu'il soit, je n'en ai point d'horreur ;
Je chéris sa personne, et je hais son erreur.   800
Mais quel ressentiment* en témoigne mon père ?

STRATONICE.

Une secrète rage, un excès de colère,
Malgré qui toutefois un reste d'amitié

---

1. *Corneille ne s'est pas trompé non plus sur le sentiment qu'inspiraient les chrétiens à la société païenne.   L'État les considérait avec raison comme ses plus dangereux ennemis. . . .   Quant aux particuliers, ils nourrissaient contre les chrétiens, pour les mêmes causes de conservation sociale, une haine que fortifiaient encore les pratiques mystérieuses et les sortilèges qu'on leur attribuait,* Desjardins, *op. cit.*

Montre pour Polyeucte encor quelque pitié.
Il ne veut point sur lui faire agir sa justice,   80'
Que [1] du traître Néarque il n'ait vu le supplice.

PAULINE.

Quoi? Néarque en est donc?

STRATONICE.

Néarque l'a séduit :
De leur vieille amitié c'est là l'indigne fruit.
Ce perfide tantôt, en dépit de lui-même,
L'arrachant de vos bras, le traînait au baptême.   810
Voilà ce grand secret et si mystérieux
Que n'en pouvait tirer votre amour curieux.[2]

PAULINE.

Tu me blâmais alors d'être trop importune.

STRATONICE.

Je ne prévoyais pas une telle infortune.

PAULINE.

Avant qu'[3] abandonner mon âme à mes douleurs,   815
Il me faut essayer la force de mes pleurs :
En qualité de femme ou de fille, j'espère
Qu'ils vaincront un époux, ou fléchiront un père.
Que si sur l'un et l'autre ils manquent de pouvoir,
Je ne prendrai conseil que de mon désespoir.   820
Apprends-moi cependant ce qu'ils ont fait au temple.

STRATONICE.

C'est une impiété qui n'eut jamais d'exemple ;
Je ne puis y penser sans frémir à l'instant,
Et crains de faire un crime en vous la racontant.
Apprenez en deux mots leur brutale insolence.   825
    Le prêtre avait à peine obtenu du silence,
Et devers l'orient assuré son aspect,
Qu'ils ont fait éclater leur manque de respect.
À chaque occasion de la cérémonie,
À l'envi* l'un et l'autre étalait sa manie,   830
Des mystères sacrés hautement* se moquait,
Et traitait de mépris les Dieux qu'on invoquait.
Tout le peuple en murmure, et Félix s'en offense ;
Mais tous deux s'emportant à plus d'irrévérence :

    1. *Jusqu'à ce que.*   2. "anxious."   3. *Avant de.*

" Quoi ? " lui dit Polyeucte en élevant sa voix,   835
" Adorez-vous des Dieux ou de pierre ou de bois ? "
Ici dispensez-moi du récit des blasphèmes
Qu'ils ont vomis tous deux contre Jupiter mêmes.
L'adultère et l'inceste en étaient les plus doux.
" Oyez," [1] dit-il ensuite, " oyez, peuple, oyez tous.   840
Le Dieu de Polyeucte et celui de Néarque
De la terre et du ciel est l'absolu monarque,
Seul être indépendant, seul maître du destin,
Seul principe éternel, et souveraine fin.
C'est ce Dieu des chrétiens qu'il faut qu'on remercie   845
Des victoires qu'il donne à l'empereur Décie ;
Lui seul tient en sa main le succès* des combats ;
Il le veut élever, il le peut mettre à bas ;
Sa bonté, son pouvoir, sa justice est immense ;
C'est lui seul qui punit, lui seul qui récompense.   850
Vous adorez en vain des monstres impuissants."
Se jetant à ces mots sur le vin et l'encens,
Après en avoir mis les saints vases par terre,
Sans crainte de Félix, sans crainte du tonnerre,
D'une fureur pareille ils courent à l'autel.   855
Cieux ! a-t-on vu jamais, a-t-on rien vu de tel ?
Du plus puissant des Dieux nous voyons la statue
Par une main impie à leurs pieds abattue,
Les mystères troublés, le temple profané,
La fuite et les clameurs d'un peuple mutiné,   860
Qui craint d'être accablé sous le courroux céleste.
Félix . . . Mais le voici qui vous dira le reste.

PAULINE.

Que son visage est sombre et plein d'émotion !
Qu'il montre de tristesse et d'indignation !

SCÈNE III.

FÉLIX, PAULINE, STRATONICE.

FÉLIX.

Une telle insolence avoir osé paraître !   865
En public ! à ma vue ! il en mourra, le traître.

---

1. Second person plural imperative of *ouïr:* "hear ye!" Used especially in court or public proclamations by sheriffs or public criers.

PAULINE.

Souffrez que votre fille embrasse vos genoux.

FÉLIX.

Je parle de Néarque, et non de votre époux.
Quelque indigne qu'il soit de ce doux nom de gendre,
Mon âme* lui conserve un sentiment plus tendre :   870
La grandeur de son crime et de mon déplaisir
N'a pas éteint l'amour qui me l'a fait choisir.

PAULINE.

Je n'attendais pas moins de la bonté d'un père.

FÉLIX.

Je pouvais l'immoler à ma juste colère ;
Car vous n'ignorez pas à quel comble d'horreur   875
De son audace impie a monté la fureur ;
Vous l'avez pu savoir du moins de Stratonice.

PAULINE.

Je sais que de Néarque il doit voir le supplice.

FÉLIX.

Du conseil qu'il doit prendre il sera mieux instruit,
Quand il verra punir celui qui l'a séduit.   880
Au spectacle sanglant d'un ami qu'il faut suivre,
La crainte de mourir et le désir de vivre [1]
Ressaisissent une âme avec tant de pouvoir,
Que qui voit le trépas cesse de le vouloir.
L'exemple touche plus que ne fait la menace :   885
Cette indiscrète ardeur tourne bientôt en glace,
Et nous verrons bientôt son cœur inquiété
Me demander pardon de tant d'impiété.

PAULINE.

Vous pouvez espérer qu'il change de courage*?

FÉLIX.

Aux dépens de Néarque il doit se rendre sage.   890

PAULINE.

Il le doit ; mais, hélas ! où me renvoyez-vous,
Et quels tristes hasards ne court point mon époux,

---

1. This and the two verses following are important for the psychology
of Félix

Si de son inconstance il faut qu'enfin j'espère
Le bien que j'espérais de la bonté d'un père ?

FÉLIX.

Je vous en fais trop voir, Pauline, à consentir   895
Qu'il évite la mort par un prompt repentir.
Je devais même peine à des crimes semblables ;
Et mettant différence entre ces deux coupables,
J'ai trahi la justice à l'amour paternel ;
Je me suis fait pour lui moi-même criminel ;   900
Et j'attendais de vous, au milieu de vos craintes,
Plus de remercîments que je n'entends de plaintes.

PAULINE.

De quoi [1] remercier qui ne me donne rien ?
Je sais quelle est l'humeur et l'esprit d'un chrétien :
Dans l'obstination jusqu'au bout il demeure ;   905
Vouloir son repentir, c'est ordonner qu'il meure.

FÉLIX.

Sa grâce* est en sa main, c'est à lui d'y rêver.

PAULINE.

Faites-la toute entière.

FÉLIX.

Il la peut achever.

PAULINE.

Ne l'abandonnez pas aux fureurs de sa secte.

FÉLIX.

Je l'abandonne aux lois, qu'il faut que je respecte.   910

PAULINE.

Est-ce ainsi que d'un gendre un beau-père est l'appui ?

FÉLIX.

Qu'il fasse autant pour soi comme je fais pour lui.

PAULINE.

Mais il est aveuglé.

FÉLIX.

Mais il se plaît à l'être :
Qui chérit son erreur ne la veut pas connaître.*

1. "For what?"   "Why?"

PAULINE.

Mon père, au nom des Dieux . . .

FÉLIX.

Ne les réclamez pas,   915
Ces Dieux dont l'intérêt demande son trépas.

PAULINE.

Ils écoutent nos vœux.

FÉLIX.

Eh bien ! qu'il leur en fasse.

PAULINE.

Au nom de l'Empereur dont vous tenez la place . . .

FÉLIX.

J'ai son pouvoir en main ; mais s'il me l'a commis,
C'est pour le déployer contre ses ennemis.   920

PAULINE.

Polyeucte l'est-il ?

FÉLIX.

Tous chrétiens sont rebelles.

PAULINE.

N'écoutez point pour lui ces maximes cruelles :
En épousant Pauline il s'est fait votre sang.

FÉLIX.

Je regarde sa faute, et ne vois plus son rang.
Quand le crime d'État se mêle au sacrilège,   925
Le sang ni l'amitié n'ont plus de privilège.

PAULINE.

Quel excès de rigueur !

FÉLIX.

Moindre que son forfait.

PAULINE.

Ô de mon songe affreux trop véritable effet * !
Voyez-vous qu'avec lui vous perdez votre fille ?

FÉLIX.

Les Dieux et l'Empereur sont plus que ma famille.   930

PAULINE.

La perte de tous deux ne vous peut arrêter !

FÉLIX.

J'ai les Dieux et Décie ensemble à redouter.
Mais nous n'avons encore à craindre rien de triste :
Dans son aveuglement pensez-vous qu'il persiste ?
S'il nous semblait tantôt courir à son malheur,   935
C'est d'un nouveau chrétien la première chaleur.

PAULINE.

Si vous l'aimez encor, quittez cette espérance,
Que deux fois en un jour il change de croyance :
Outre que les chrétiens ont plus de dureté,
Vous attendez de lui trop de légèreté.   940
Ce n'est point une erreur avec le lait sucée,
Que sans l'examiner son âme ait embrassée :
Polyeucte est chrétien, parce qu'il l'a voulu,
Et vous [1] portait au temple un esprit résolu.
Vous devez présumer de lui comme du reste :   945
Le trépas n'est pour eux ni honteux ni funeste ;
Ils cherchent de la gloire à mépriser nos Dieux ;
Aveugles pour la terre, ils aspirent aux cieux ;
Et croyant que la mort leur en ouvre la porte,
Tourmentés, déchirés, assassinés, n'importe,   950
Les supplices leur sont ce qu'à nous les plaisirs,
Et les mènent au but où tendent leurs désirs :
La mort la plus infâme, ils l'appellent martyre.

FÉLIX.

Eh bien donc ! Polyeucte aura ce qu'il désire :
N'en parlons plus.

PAULINE.

Mon père . . .

SCÈNE IV.

Félix, Albin, Pauline, Stratonice.

FÉLIX.

Albin, en est-ce fait ? 955

ALBIN.

Oui, seigneur, et Néarque a payé son forfait.

1. Omit in translation.

FÉLIX.

Et notre Polyeucte a vu trancher sa vie ?

ALBIN.

Il l'a vu, mais, hélas ! avec un œil d'envie.
Il brûle de le suivre, au lieu de reculer ;
Et son cœur s'affermit, au lieu de s'ébranler.　　　　960

PAULINE.

Je vous le disais bien.　Encore un coup, mon père,
Si jamais mon respect a pu vous satisfaire,
Si vous l'avez prisé, si vous l'avez chéri . . .

FÉLIX.

Vous aimez trop, Pauline, un indigne mari.

PAULINE.

Je l'ai de votre main : mon amour est sans crime ;　　965
Il [1] est de votre choix la glorieuse estime ;
Et j'ai, pour l'accepter, éteint le plus beau feu
Qui d'une âme bien née ait mérité l'aveu.
　　Au nom de cette aveugle et prompte obéissance
Que j'ai toujours rendue aux lois de la naissance,　　970
Si vous avez pu [2] tout sur moi, sur mon amour,
Que je puisse sur vous quelque chose à mon tour !
Par ce juste pouvoir à présent trop à craindre,
Par ces beaux sentiments qu'il m'a fallu contraindre,
Ne m'ôtez pas vos dons : ils sont chers à mes yeux,　　975
Et m'ont assez coûté pour m'être précieux.

FÉLIX.

Vous m'importunez trop : bien que j'aie un cœur tendre,
Je n'aime la pitié qu'au prix [3] que j'en veux prendre ;
Employez mieux l'effort de vos justes douleurs :
Malgré moi m'en toucher, c'est perdre et temps et pleurs ;　　980
J'en veux être le maître, et je veux bien qu'on sache
Que je la désavoue alors qu'on me l'arrache.
Préparez-vous à voir ce malheureux chrétien,

---

1. This verse, often criticized, is less obscure when listened to than when read. *Il*, with its doubtful antecedent, is naturally taken for Polyeucte as one listens ; *estime:* "result." 　2. *avez pu tout:* "have had full power"; in the next line, *Que je puisse . . . quelque chose:* "May I have some power."　Translate *pouvoir*, line following, as "authority."　3. "only in proportion as," "only in as far as . . ."

Et faites votre effort quand j'aurai fait le mien.
Allez : n'irritez plus un père qui vous aime,   985
Et tâchez d'obtenir votre époux de lui-même.
Tantôt jusqu'en ce lieu je le ferai venir :
Cependant quittez-nous, je veux l'entretenir.[1]

PAULINE.

De grâce, permettez . . .

FÉLIX.

          Laissez-nous seuls, vous dis-je :
Votre douleur m'offense autant qu'elle m'afflige.   990
A gagner Polyeucte appliquez tous vos soins ;
Vous avancerez plus en m'importunant moins.

SCÈNE V.

Félix, Albin.

FÉLIX.

Albin, comme est-il mort?[2]

ALBIN.

          En brutal, en impie,
En bravant les tourments, en dédaignant la vie,
Sans regret, sans murmure, et sans étonnement,   995
Dans l'obstination et l'endurcissement,
Comme un chrétien enfin, le blasphème à la bouche.

FÉLIX.

Et l'autre?

ALBIN.

        Je l'ai dit déjà, rien ne le touche.
Loin d'en être abattu, son cœur en est plus haut ;
On l'a violenté pour quitter[3] l'échafaud.   1000
Il est dans la prison où je l'ai vu conduire ;
Mais vous êtes bien loin encor de le réduire.

FÉLIX.

Que je suis malheureux![4]

1. *l':* Albin.   2. This question, full of anxious curiosity: "How did he die?" may be taken as a preparation for psychological developments later in the play.   3. *pour lui faire quitter.*   4. The utter egoism of this exclamation prepares for the long speech which follows with its constant reiteration of the first personal pronoun.

arracher – snatch, tear away
ébranler – shake, disturb

ALBIN.

Tout le monde vous plaint.

FÉLIX.

On ne sait pas les maux dont mon cœur est atteint :
De pensers sur pensers mon âme est agitée,   1005
De soucis sur soucis elle est inquiétée ;
Je sens l'amour, la haine, et la crainte, et l'espoir,
La joie et la douleur tour à tour l'émouvoir ;
J'entre en des sentiments qui ne sont pas croyables :
J'en ai de violents, j'en ai de pitoyables,   1010
J'en ai de généreux qui n'oseraient agir,
J'en ai même de bas, et qui me font rougir.
J'aime ce malheureux que j'ai choisi pour gendre,
Je hais l'aveugle erreur qui le vient de surprendre ;
Je déplore sa perte, et le voulant sauver,   1015
J'ai la gloire des Dieux ensemble à conserver ;
Je redoute leur foudre et celui de Décie ;
Il y va de ma charge, il y va de ma vie :
Ainsi tantôt pour lui je m'expose au trépas,
Et tantôt je le perds pour ne me perdre pas.   1020

ALBIN.

Décie excusera l'amitié d'un beau-père ;
Et d'ailleurs Polyeucte est d'un sang qu'on révère.

FÉLIX.

À punir les chrétiens son ordre est rigoureux ;
Et plus l'exemple est grand, plus il est dangereux.
On ne distingue point quand l'offense est publique ;   1025
Et lorsqu'on dissimule un crime domestique,
Par quelle autorité peut-on, par quelle loi,
Châtier en autrui ce qu'on souffre chez soi ?

ALBIN.

Si vous n'osez avoir d'égard à sa personne,
Écrivez à Décie afin qu'il en ordonne.   1030

FÉLIX.

Sévère me perdrait, si j'en usais* ainsi :
Sa haine et son pouvoir font mon plus grand souci.
Si j'avais différé de punir un tel crime,
Quoiqu'il soit généreux, quoiqu'il soit magnanime,
Il est homme, et sensible, et je l'ai dédaigné ;   1035

Et de tant de mépris son esprit indigné,
Que met au désespoir cet hymen de Pauline,
Du courroux de Décie obtiendrait ma ruine.
Pour venger un affront tout semble être permis,
Et les occasions tentent les plus remis.[1]   1040
Peut-être, et ce soupçon n'est pas sans apparence,*
Il rallume en son cœur déjà quelque espérance ;
Et croyant bientôt voir Polyeucte puni,
Il rappelle un amour à grand'peine banni.
Juge si sa colère, en ce cas implacable,   1045
Me ferait innocent de sauver [2] un coupable,
Et s'il m'épargnerait, voyant par mes bontés
Une seconde fois ses desseins avortés.
    Te dirai-je un penser indigne, bas et lâche ?
Je l'étouffe, il renaît ; il me flatte, et me fâche :   1050
L'ambition toujours me le vient présenter,
Et tout ce que je puis, c'est de le détester.
Polyeucte est ici l'appui de ma famille ;
Mais si, par son trépas, l'autre épousait ma fille,
J'acquerrais bien par là de plus puissants appuis,   1055
Qui me mettraient plus haut cent fois que je ne suis.
Mon cœur en prend par force une maligne joie ;
Mais que plutôt le ciel à tes yeux me foudroie,
Qu'à des pensers si bas je puisse consentir,
Que jusque-là ma gloire ose se démentir !   1060

ALBIN.

Votre cœur est trop bon, et votre âme trop haute.
Mais vous résolvez-vous à punir cette faute ?

FÉLIX.

Je vais dans la prison faire tout mon effort
À vaincre cet esprit par l'effroi de la mort ;
Et nous verrons après ce que pourra Pauline.   1065

ALBIN.

Que ferez-vous enfin, si toujours il s'obstine ?

FÉLIX.

Ne me presse point tant : dans un tel déplaisir
Je ne puis que résoudre, et ne sais que choisir.[3]

---

1. " Tranquil."   2. *si je sauvais.*   3. "I have no power to resolve and know not what to choose."

ALBIN.

Je dois vous avertir, en serviteur fidèle,
Qu'en sa faveur déjà la ville se rebelle,   1070
Et ne peut voir passer par la rigueur des lois
Sa dernière espérance et le sang de ses rois.
Je tiens sa prison même assez mal assurée :
J'ai laissé tout autour une troupe éplorée ;
Je crains qu'on ne la force.

FÉLIX.

      Il faut donc l'en tirer,   1075
Et l'amener ici pour nous en assurer.

ALBIN.

Tirez-l'en donc vous-même, et d'un espoir de grâce
Apaisez la fureur de cette populace.

FÉLIX.

Allons, et s'il persiste à demeurer chrétien,
Nous en disposerons sans qu'elle en sache rien.   1080

ACTE IV. SCÈNE PREMIÈRE.

Polyeucte, Cléon, trois autres gardes.

POLYEUCTE.

Gardes, que me veut-on ?

CLÉON.

     Pauline vous demande.

POLYEUCTE.

Ô présence, ô combat que surtout j'appréhende !
Félix, dans la prison j'ai triomphé de toi,
J'ai ri de ta menace, et t'ai vu sans effroi :
Tu prends pour t'en venger de plus puissantes armes ;   1085
Je craignais beaucoup moins tes bourreaux que ses larmes.
 Seigneur, qui vois ici les périls que je cours,
En ce pressant besoin redouble ton secours ;
Et toi [1] qui, tout sortant encor de la victoire,
Regardes mes travaux du séjour de la gloire,   1090

1. *toi :* Néarque.

Cher Néarque, pour vaincre un si fort ennemi,
Prête du haut du ciel la main à ton ami.
   Gardes, oseriez-vous me rendre un bon office*?
Non pour me dérober aux rigueurs du supplice :
Ce n'est pas mon dessein qu'on me fasse évader ;   1095
Mais comme il suffira* de trois à me garder,
L'autre m'obligerait d'aller querir Sévère ;
Je crois que sans péril on peut me satisfaire :
Si j'avais pu lui dire un secret important,
Il vivrait plus heureux, et je mourrais content.   1100

CLÉON.

Si vous me l'ordonnez, j'y cours en diligence.

POLYEUCTE.

Sévère, à mon défaut,* fera ta récompense.
Va, ne perds point de temps, et reviens promptement.

CLÉON.

Je serai de retour, Seigneur, dans un moment.

SCÈNE II.[1]

(Les gardes se retirent aux coins du théâtre*)

POLYEUCTE.

Source délicieuse, en misères féconde,   1105
Que voulez-vous de moi, flatteuses voluptés?

1. At the time when *Polyeucte* was being played, lyric monologues in stanza form were going out of fashion although they had been frequent in preceding plays (*Le Cid* contains two). Corneille seems to have shared the regret which he attributes to the actors over the passing of this fashion. He makes his position clear in the *Examen* of *Andromède*: . . . *l'usage de France . . . ne souffre que les alexandrins à tenir lieu de prose. Sur quoi je ne puis m'empêcher de demander qui sont les maîtres de cet usage, et qui peut l'établir sur le théâtre, que ceux qui l'ont occupé avec gloire depuis trente ans, dont pas un ne s'est défendu de mêler des stances dans quelques-uns des poèmes qu'ils y ont donnés; je ne dis pas dans tous, car il ne s'en offre pas d'occasions en tous, et elles n'ont pas bonne grâce à exprimer tout: . . . . mais les déplaisirs, les irrésolutions, les inquiétudes, les douces rêveries, et généralement tout ce qui peut souffrir à un acteur de prendre haleine, et de penser à ce qu'il doit dire ou résoudre, s'accommode merveilleusement avec leurs cadences inégales, et avec les pauses qu'elles font faire à la fin de chaque couplet. La surprise agréable que fait à l'oreille ce changement de cadence imprévu, rappelle puissamment les attentions égarées; mais il faut éviter le trop d'affectation.*

Honteux attachements de la chair et du monde,
Que ne me quittez-vous, quand je vous ai quittés?
Allez, honneurs, plaisirs, qui me livrez la guerre :
   Toute votre félicité,   1110
   Sujette à l'instabilité,
   En moins de rien tombe par terre ;*
   Et comme elle a l'éclat du verre,
   Elle en a la fragilité.

Ainsi n'espérez pas qu'après vous je soupire :   1115
Vous étalez en vain vos charmes impuissants ;
Vous me montrez en vain par tout ce vaste empire
Les ennemis de Dieu pompeux* et florissants.
Il étale à son tour des revers équitables
   Par qui les grands sont confondus ;   1120
   Et les glaives qu'il tient pendus
   Sur les plus fortunés coupables
   Sont d'autant plus inévitables,
   Que leurs coups sont moins attendus.

Tigre altéré de sang, Décie impitoyable,   1125
Ce Dieu t'a trop longtemps abandonné les siens ;
De ton heureux destin vois la suite effroyable :
Le Scythe [1] va venger la Perse et les chrétiens ;
Encore un peu plus outre,* et ton heure est venue ;
   Rien ne t'en saurait garantir ;   1130
   Et la foudre qui va partir,*
   Toute prête à crever la nue,
   Ne peut plus être retenue
   Par l'attente du repentir.

Que cependant Félix m'immole à ta colère ;   1135
Qu'un rival plus puissant éblouisse ses yeux ;
Qu'aux dépens de ma vie il s'en fasse beau-père,
Et qu'à titre d'esclave il commande en ces lieux :
Je consens, ou plutôt j'aspire à ma ruine.
   Monde, pour moi tu n'as plus rien :   1140
   Je porte en un cœur tout chrétien

  1. Decius was killed in 251 at the head of his army, fighting against
the invading Goths. "The Scythian" was a name applied generally
to the barbarian nations as opposed to the Greeks and Romans.

Une flamme toute divine ;
Et je ne regarde Pauline
Que comme un obstacle à mon bien.

Saintes douceurs du ciel, adorables idées,   1145
Vous remplissez un cœur qui vous peut recevoir :
De vos sacrés attraits les âmes possédées
Ne conçoivent plus rien qui les puisse émouvoir.
Vous promettez beaucoup, et donnez davantage :
Vos biens ne sont point inconstants ;   1150
Et l'heureux trépas que j'attends
Ne vous sert que d'un doux passage
Pour nous introduire au partage
Qui nous rend à jamais contents.

C'est vous, ô feu divin que rien ne peut éteindre,   1155
Qui m'allez faire voir Pauline sans la craindre.
   Je la vois ; mais mon cœur, d'un saint zèle enflammé,
N'en goûte plus l'appas dont il était charmé ;
Et mes yeux, éclairés des célestes lumières,
Ne trouvent plus aux siens leurs grâces coutumières.   1160

SCÈNE III.

POLYEUCTE, PAULINE, GARDES.

POLYEUCTE.

Madame, quel dessein vous fait me demander ?
Est-ce pour me combattre, ou pour me seconder ?
Cet effort généreux de votre amour parfaite
Vient-il à mon secours, vient-il à ma défaite ?
Apportez-vous ici la haine, ou l'amitié,   1165
Comme mon ennemie, ou ma chère moitié ? *

PAULINE.[1]

Vous n'avez point ici d'ennemi que vous-même :
Seul vous vous haïssez, lorsque chacun vous aime ;
Seul vous exécutez tout ce que j'ai rêvé :

1. Note, in the following argument, the progression from reason to sentiment. Pauline appeals first to her husband's pride and ambition, then to his sense of honor, and finally to his love for herself.

faire grâce à

le style est plus subtile

Ne veuillez pas vous perdre, et vous êtes sauvé.   1170
À quelque extrémité que votre crime passe,
Vous êtes innocent si vous vous faites grâce.*
Daignez considérer le sang dont vous sortez,
Vos grandes actions, vos rares qualités :
Chéri de tout le peuple, estimé chez le prince,   1175
Gendre du gouverneur de toute la province ;
Je ne vous compte à rien le nom de mon époux :
C'est un bonheur pour moi qui n'est pas grand pour vous ;
Mais après vos exploits, après votre naissance,
Après votre pouvoir, voyez notre espérance,   1180
Et n'abandonnez pas à la main d'un bourreau
Ce qu'à nos justes vœux promet un sort si beau.

POLYEUCTE.

Je considère plus ; je sais mes avantages,
Et l'espoir que sur eux forment les grands courages :
Ils n'aspirent enfin qu'à des biens passagers,   1185
Que troublent les soucis, que suivent les dangers ;
La mort nous les ravit, la fortune s'en joue ;
Aujourd'hui dans [1] le trône, et demain dans la boue ;
Et leur plus haut éclat fait tant de mécontents,
Que peu de vos Césars en ont joui longtemps.   1190
  J'ai de l'ambition, mais plus noble et plus belle :
Cette grandeur périt, j'en veux une immortelle,
Un bonheur assuré, sans mesure et sans fin,
Au-dessus de l'envie, au-dessus du destin.
Est-ce trop l'acheter que [2] d'une triste vie   1195
Qui tantôt, qui soudain me peut être ravie,
Qui ne me fait jouir que d'un instant qui fuit,
Et ne peut m'assurer de celui qui le suit ?

PAULINE.

Voilà * de vos chrétiens les ridicules songes ;
Voilà * jusqu'à quel point vous charment * leurs mensonges : 1200
Tout votre sang est peu pour un bonheur si doux !
Mais pour en disposer, ce sang est-il à vous ?
Vous n'avez pas la vie ainsi qu'un héritage ;

---

1. *dans*, because of the balustrade which surrounded the throne.
2. The negative *ne* is implied, as often in the seventeenth century,
by the question implying a negative answer: "Is it paying for it too
dearly (when I give) nothing but (*que*) a sad life which soon (*tantôt*) . . ."

Le jour qui vous la donne en même temps l'engage :
Vous la devez au prince, au public, à l'État.   1205

POLYEUCTE.

Je la voudrais pour eux perdre dans un combat ;
Je sais quel en est l'heur, et quelle en est la gloire.
Des aïeux [1] de Décie on vante la mémoire ;
Et ce nom, précieux encore à vos Romains,
Au bout de six cents ans lui met l'empire aux mains.   1210
Je dois ma vie au peuple, au prince, à sa couronne ;
Mais je la dois bien* plus au Dieu qui me la donne :
Si mourir pour son prince est un illustre sort,
Quand on meurt pour son Dieu, quelle sera la mort !

PAULINE.

Quel Dieu !

POLYEUCTE.

          Tout beau, Pauline : il entend vos paroles,   1215
Et ce n'est pas un Dieu comme vos Dieux frivoles,
Insensibles* et sourds, impuissants, mutilés,
De bois, de marbre, ou d'or, comme vous les voulez :
C'est le Dieu des chrétiens, c'est le mien, c'est le vôtre ;
Et la terre et le ciel n'en connaissent point d'autre.   1220

PAULINE.

Adorez-le dans l'âme, et n'en témoignez rien.

POLYEUCTE.

Que je sois tout ensemble* idolâtre et chrétien !

PAULINE.

Ne feignez qu'un moment, laissez partir Sévère,
Et donnez lieu* d'agir aux bontés de mon père.

POLYEUCTE.

Les bontés de mon Dieu sont bien plus à chérir :   1225
Il m'ôte des périls que j'aurais pu courir,
Et sans me laisser lieu* de tourner en arrière,
Sa faveur me couronne entrant dans la carrière ;
Du premier coup de vent il me conduit au port,
Et sortant du baptême, il m'envoie à la mort.   1230

---

1. Two of whom had died to save the army nearly six hundred years
before

Si vous pouviez comprendre et le peu qu'est la vie,
Et de quelles douceurs cette mort est suivie !
Mais que sert de parler de ces trésors cachés
À des esprits que Dieu n'a pas encor touchés ?

PAULINE.

Cruel, car il est temps que ma douleur éclate,   1235
Et qu'un juste reproche accable une âme ingrate,
Est-ce là ce beau feu ? sont-ce là tes serments ?
Témoignes-tu pour moi les moindres sentiments ?
Je ne te parlais point de l'état déplorable
Où ta mort va laisser ta femme inconsolable ;   1240
Je croyais que l'amour t'en parlerait assez,
Et je ne voulais pas de sentiments forcés ;
Mais cette amour si ferme et si bien méritée
Que tu m'avais promise, et que je t'ai portée,
Quand tu me veux quitter, quand tu me fais mourir,   1245
Te peut-elle arracher une larme, un soupir ?
Tu me quittes, ingrat, et le fais avec joie ;
Tu ne la caches pas, tu veux que je la voie ;
Et ton cœur, insensible * à ces tristes appas,
Se figure un bonheur où je ne serai pas !   1250
C'est donc là le dégoût qu'apporte l'hyménée ?
Je te suis odieuse après m'être donnée !

POLYEUCTE.

Hélas !

PAULINE.

        Que cet hélas a de peine à sortir !
Encor s'il commençait un heureux repentir,
Que tout forcé qu'il est, j'y trouverais de charmes !   1255
Mais courage, il s'émeut, je vois couler des larmes.

POLYEUCTE.

J'en verse, et plût à Dieu qu'à force d'en verser
Ce cœur trop endurci se pût enfin percer !
Le déplorable état où je vous abandonne
Est bien digne des pleurs que mon amour vous donne ;   1260
Et si l'on peut au ciel sentir quelques douleurs,
J'y pleurerai pour vous l'excès de vos malheurs ;
Mais si, dans ce séjour de gloire et de lumière,
Ce Dieu tout juste et bon peut souffrir ma prière,
S'il y daigne écouter un conjugal amour,   1265

Sur votre aveuglement il répandra le jour.*
  Seigneur, de vos bontés il faut que je l'obtienne ;
Elle a trop de vertus pour n'être pas chrétienne :
Avec trop de mérite il vous plut la former,
Pour ne vous pas connaître et ne vous pas aimer,   1270
Pour vivre des enfers esclave infortunée,
Et sous leur triste joug mourir comme elle est née.

PAULINE.

Que dis-tu, malheureux ? qu'oses-tu souhaiter ?

POLYEUCTE.

Ce que de tout mon sang je voudrais acheter.

PAULINE.

Que plutôt . . .

POLYEUCTE.

          C'est en vain qu'on se met * en défense : 1275
Ce Dieu touche les cœurs lorsque moins on y pense.
Ce bienheureux moment n'est pas encor venu ;
Il viendra, mais le temps ne m'en est pas connu.

PAULINE.

Quittez [1] cette chimère, et m'aimez.

POLYEUCTE.

              Je vous aime,   1279
Beaucoup moins que mon Dieu, mais bien plus que moi-même.

PAULINE.

Au nom de cet amour, ne m'abandonnez pas.

POLYEUCTE.

Au nom de cet amour, daignez suivre mes pas.

PAULINE.

C'est peu de me quitter, tu veux donc me séduire ?

POLYEUCTE.

C'est peu d'aller au ciel, je vous y veux conduire.

PAULINE.

Imaginations !

---

1. Note the subtle psychology of this sudden shift back to the formal
vous in this and the line below, in which she makes her most direct appeal
to his love for her.

POLYEUCTE.

Célestes vérités !   1285

PAULINE.

Étrange aveuglement !

POLYEUCTE.

Éternelles clartés !

PAULINE.

Tu préfères la mort à l'amour de Pauline !

POLYEUCTE.

Vous préférez le monde à la bonté divine !

PAULINE.

Va, cruel, va mourir : tu ne m'aimas jamais.

POLYEUCTE.

Vivez heureuse au monde, et me laissez en paix.   1290

PAULINE.

Oui, je t'y vais laisser ; ne t'en mets plus en peine ;
Je vais . . .

SCÈNE IV.

POLYEUCTE, PAULINE, SÉVÈRE, FABIAN, GARDES.

PAULINE.

Mais quel dessein en ce lieu vous amène,
Sévère ? aurait-on cru qu'un cœur si généreux*
Pût venir jusqu'ici braver un malheureux ?

POLYEUCTE.

Vous traitez mal, Pauline, un si rare mérite :   1295
À ma seule prière il rend cette visite.
    Je vous ai fait, Seigneur, une incivilité,
Que vous pardonnerez à ma captivité.
Possesseur d'un trésor dont je n'étais pas digne,
Souffrez avant ma mort que je vous le résigne,   1300
Et laisse la vertu la plus rare à nos yeux
Qu'une femme jamais pût recevoir des cieux

Aux mains du plus vaillant et du plus honnête homme [1]
Qu'ait adoré la terre et qu'ait vu naître Rome.
Vous êtes digne d'elle, elle est digne de vous ;   1305
Ne la refusez pas de la main d'un époux :
S'il vous a désunis, sa mort vous va rejoindre.
Qu'un feu jadis si beau n'en devienne pas moindre :
Rendez-lui votre cœur, et recevez sa foi ;
Vivez heureux ensemble, et mourez comme moi ;   1310
C'est le bien qu'à tous deux Polyeucte désire.
    Qu'on me mène à la mort, je n'ai plus rien à dire.
Allons, gardes, c'est fait.

SCÈNE V.

Sévère, Pauline, Fabian.

SÉVÈRE.

                        Dans mon étonnement,
Je suis confus pour lui de son aveuglement ;
Sa résolution a si peu de pareilles,   1315
Qu'à peine je me fie encore à mes oreilles.
Un cœur qui vous chérit (mais quel cœur assez bas
Aurait pu vous connaître, et ne vous chérir pas ?),
Un homme aimé de vous, sitôt qu'il vous possède,
Sans regret il vous quitte ; il fait plus, il vous cède ;   1320
Et comme si vos feux étaient un don fatal,
Il en fait un présent lui-même à son rival !
Certes ou les chrétiens ont d'étranges manies,
Ou leurs félicités doivent être infinies,
Puisque, pour y prétendre, ils osent rejeter   1325
Ce que de tout l'empire il faudrait acheter.
    Pour moi,[2] si mes destins, un peu plus tôt propices,
Eussent de votre hymen honoré mes services,
Je n'aurais adoré que l'éclat de vos yeux,
J'en aurais fait mes rois, j'en aurais fait mes Dieux ;   1330
On m'aurait mis en poudre, on m'aurait mis en cendre,
Avant que . . .

---

    1. Note again *le plus honnête homme;* cf. note, v. 182.   2. Sévère
unwittingly holds up before Pauline the contrast between the egoism of
his *honnêteté* and the idealism of Polyeucte.

PAULINE.

Brisons* là : je crains de trop entendre,
Et que cette chaleur, qui sent* vos premiers feux,
Ne pousse quelque suite* indigne de tous deux.
Sévère, connaissez Pauline toute entière.[1]   1335
    Mon Polyeucte touche* à son heure dernière ;
Pour achever de vivre il n'a plus qu'un moment :
Vous en êtes la cause encor qu'innocemment.
Je ne sais si votre âme, à vos désirs ouverte,
Aurait osé former quelque espoir sur sa perte ;   1340
Mais sachez qu'il n'est point de si cruels trépas
Où d'un front assuré je ne porte mes pas,
Qu'il n'est point aux enfers d'horreurs que je n'endure,
Plutôt que de souiller une gloire si pure,
Que d'épouser un homme, après son triste sort,   1345
Qui de quelque façon soit cause de sa mort ;
Et si vous me croyiez d'une âme si peu saine,
L'amour que j'eus pour vous tournerait tout en haine.
Vous êtes généreux ; soyez-le jusqu'au bout.
Mon père est en état de vous accorder tout,   1350
Il vous craint ; et j'avance encor cette parole,
Que s'il perd mon époux, c'est à vous qu'il l'immole ;
Sauvez ce malheureux, employez-vous pour lui ;
Faites-vous un effort[2] pour lui servir d'appui.
Je sais que c'est beaucoup que ce que je demande ;   1355
Mais plus l'effort est grand, plus la gloire en est grande.
Conserver un rival dont vous êtes jaloux,
C'est un trait* de vertu qui n'appartient qu'à vous ;
Et si ce n'est assez de votre renommée,[3]
C'est beaucoup qu'une femme autrefois tant aimée,   1360
Et dont l'amour peut-être encor vous peut toucher,
Doive à votre grand cœur ce qu'elle a de plus cher :
Souvenez-vous enfin que vous êtes Sévère.
Adieu : résolvez seul ce que vous voulez faire ;
Si vous n'êtes pas tel que je l'ose espérer,   1365
Pour vous priser encor je le veux ignorer.

---

1. An earthly ideal wanes to give way to a moral exaltation akin to
the mystic fervor which has actuated Polyeucte.   2. *Faites un effort
sur vous-même:* "force yourself."   3. The meaning seems to be:
"if your fame (as an *honnête homme*) is not enough (to make you do
this)" · · ·

SCÈNE VI.

Sévère, Fabian.

SÉVÈRE.

Qu'est-ce-ci,[1] Fabian? quel nouveau coup de foudre
Tombe sur mon bonheur, et le réduit en poudre?
Plus je l'estime près, plus il est éloigné ;
Je trouve tout perdu quand je crois tout gagné ;   1370
Et toujours la fortune, à me nuire obstinée,
Tranche mon espérance aussitôt qu'elle est née :
Avant qu'offrir des vœux je reçois des refus ;
Toujours triste, toujours et honteux et confus
De voir que lâchement elle ait osé renaître,   1375
Qu'encor plus lâchement elle ait osé paraître,
Et qu'une femme enfin dans la calamité
Me fasse des leçons de générosité.*
    Votre belle âme est haute autant que malheureuse,
Mais elle est inhumaine autant que généreuse,[2]   1380
Pauline, et vos douleurs avec trop de rigueur
D'un amant tout à vous tyrannisent le cœur.
C'est donc peu de vous perdre, il faut que je vous donne,
Que je serve un rival lorsqu'il vous abandonne,
Et que par un cruel et généreux effort,   1385
Pour vous rendre en ses mains, je l'arrache à la mort.

FABIAN.[3]

Laissez à son destin cette ingrate famille ;
Qu'il accorde, s'il veut, le père avec la fille,
Polyeucte et Félix, l'épouse avec l'époux.
D'un si cruel effort quel prix espérez-vous ?   1390

SÉVÈRE.

La gloire de montrer à cette âme si belle
Que Sévère l'égale, et qu'il est digne d'elle ;
Qu'elle m'était bien due, et que l'ordre des cieux
En me la refusant m'est trop injurieux.

---

1. The *ci* is the demonstrative suffix as in *cet homme-ci*. It merely
emphasizes *ce*.   2. The reaction of a philosophical man of the world
to ideals which seem to him fanatical.   3. See note on the confidant.
vv. 135–136.

FABIAN.

Sans accuser le sort ni le ciel d'injustice,   1395
Prenez garde au péril qui suit un tel service :
Vous hasardez beaucoup, Seigneur, pensez-y bien.
Quoi ? vous entreprenez de sauver un chrétien !
Pouvez-vous ignorer pour cette secte impie
Quelle est et fut toujours la haine de Décie ?   1400
C'est un crime vers lui si grand, si capital,
Qu'à votre faveur même il peut être fatal.

SÉVÈRE.

Cet avis serait bon pour quelque âme commune.
S'il tient entre ses mains ma vie et ma fortune,
Je suis encor Sévère, et tout ce grand pouvoir   1405
Ne peut rien sur ma gloire, et rien sur mon devoir.
Ici l'honneur m'oblige, et j'y veux satisfaire ;
Qu'après le sort se montre ou propice ou contraire,
Comme son naturel* est toujours inconstant,
Périssant glorieux, je périrai content.   1410
    Je te dirai bien plus, mais avec confidence :
La secte des chrétiens n'est pas ce que l'on pense ;
On les hait ; la raison, je ne la connais point,
Et je ne vois Décie injuste qu'en ce point.
Par curiosité j'ai voulu les connaître :   1415
On les tient pour sorciers dont l'enfer est le maître,
Et sur cette croyance on punit du trépas
Des mystères secrets que nous n'entendons pas ;
Mais Cérès Éleusine et la Bonne Déesse [1]
Ont leurs secrets, comme eux, à Rome et dans la Grèce ;   1420
Encore impunément nous souffrons en tous lieux,
Leur Dieu seul excepté, toutes sortes de Dieux :
Tous les monstres d'Égypte ont leurs temples dans Rome ;
Nos aïeux à leur gré faisaient un Dieu d'un homme ; [2]
Et leur sang parmi nous conservant leurs erreurs,   1425
Nous remplissons le ciel de tous nos empereurs ;
Mais à parler sans fard de tant d'apothéoses,
L'effet* est bien douteux de ces métamorphoses.
    Les chrétiens n'ont qu'un Dieu, maître absolu de tout,

---

1. Ceres, goddess of agriculture. Eleusis was the center of her worship. *la Bonne Déesse:* Rhea, mother of the Olympian gods. 2. Refers to the deification of the emperors after their death. This was done very frequently during the first centuries of the Christian era.

De qui le seul vouloir fait tout ce qu'il résout ;   1430
Mais si j'ose entre nous dire ce qui me semble,
Les nôtres bien souvent s'accordent mal ensemble ;
Et me dût leur colère écraser à tes yeux,
Nous en avons beaucoup pour être [1] de vrais Dieux.
Enfin chez les chrétiens les mœurs sont innocentes.   1435
Les vices détestés, les vertus florissantes ;
Ils font des vœux pour nous qui les persécutons ;
Et depuis tant de temps que nous les tourmentons,
Les a-t-on vus mutins ? les a-t-on vus rebelles ?
Nos princes ont-ils eu des soldats plus fidèles ?   1440
Furieux dans la guerre, ils souffrent nos bourreaux,
Et lions au combat, ils meurent en agneaux.
J'ai trop de pitié d'eux pour ne les pas défendre.
Allons trouver Félix ; commençons par son gendre ;
Et contentons ainsi, d'une seule action,   1445
Et Pauline, et ma gloire, et ma compassion.

ACTE V. SCÈNE PREMIÈRE.

Félix, Albin, Cléon.

FÉLIX.

Albin, as-tu bien vu la fourbe de Sévère ?
As-tu bien vu sa haine ? et vois-tu ma misère * ?

ALBIN.

Je n'ai vu rien en lui qu'un rival généreux,
Et ne vois rien en vous qu'un père rigoureux.   1450

FÉLIX.

Que tu discernes * mal le cœur d'avec * la mine !
Dans l'âme il hait Félix et dédaigne Pauline ;
Et s'il l'aima jadis, il estime aujourd'hui
Les restes * d'un rival trop indignes de lui.
Il parle en sa faveur, il me prie, il me menace,   1455
Et me perdra, dit-il, si je ne lui fais grâce ;
Tranchant * du généreux, il croit m'épouvanter :
L'artifice est trop lourd pour ne pas l'éventer.

---

1. *pour qu'ils soient.*

Je sais des gens de cour quelle est la politique,
J'en connais mieux que lui la plus fine * pratique.   1460
C'est en vain qu'il tempête et feint d'être en fureur :
Je vois ce qu'il prétend * auprès de l'Empereur.
De ce qu'il me demande il m'y ferait un crime :
Épargnant son rival, je serais sa victime ;
Et s'il avait affaire * à quelque maladroit,[1]   1465
Le piège est bien tendu, sans doute il le perdrait ;
Mais un vieux courtisan est un peu moins crédule :
Il voit quand on le joue, et quand on dissimule ;
Et moi j'en [2] ai tant vu de toutes les façons,
Qu'à lui-même au besoin j'en ferais des leçons.   1470

ALBIN.

Dieux ! que vous vous gênez par cette défiance !

FÉLIX.

Pour subsister en cour c'est la haute science :
Quand un homme une fois a droit de nous haïr,
Nous devons présumer qu'il cherche à nous trahir ;
Toute son amitié nous doit être suspecte.   1475
Si Polyeucte enfin n'abandonne sa secte,
Quoi que son protecteur ait pour lui dans l'esprit,
Je suivrai hautement * l'ordre qui m'est prescrit.

ALBIN.

Grâce, grâce, Seigneur ! que Pauline l'obtienne !

FÉLIX.

Celle de l'Empereur ne suivrait pas la mienne,   1480
Et loin de le tirer de ce pas * dangereux,
Ma bonté ne ferait que nous perdre tous deux.

ALBIN.

Mais Sévère promet . . .

FÉLIX.

                    Albin, je m'en défie,
Et connais mieux que lui la haine de Décie :
En faveur des chrétiens s'il choquait son courroux,   1485
Lui-même assurément se perdrait avec nous.

---

1. In the seventeenth century, *oi* was pronounced *è* ; accordingly,
maladroit rhymed with *perdrait* which, moreover, was spelled *perdroit*.
2. *en* refers rather vaguely to the Machiavellian practices implied in the
preceding lines. With *tant* following it could be translated "so many
tricks," "so many wiles."

Je veux tenter pourtant encore une autre voie :
Amenez Polyeucte ; et si je le renvoie,
S'il demeure insensible * à ce dernier effort,
Au sortir de ce lieu qu'on lui donne la mort.   1490

ALBIN.

Votre ordre est rigoureux.

FÉLIX.

                    Il faut que je le suive,
Si je veux empêcher qu'un désordre n'arrive.
Je vois le peuple ému pour prendre son parti ; *
Et toi-même tantôt tu m'en as averti.
Dans ce zèle pour lui qu'il fait déjà paraître,   1495
Je ne sais si longtemps j'en pourrais être maître ;
Peut-être dès * demain, dès la nuit, dès ce soir,
J'en verrais des effets que je ne veux pas voir ;
Et Sévère aussitôt, courant à sa vengeance,
M'irait calomnier de quelque intelligence. *   1500
Il faut rompre ce coup, qui me serait fatal.

ALBIN.

Que tant de prévoyance est un étrange mal !
Tout vous nuit, tout vous perd, tout vous fait de l'ombrage ;
Mais voyez que sa mort mettra ce peuple en rage,
Que c'est mal le guérir que le désespérer.   1505

FÉLIX.

En vain après sa mort il voudra murmurer ;
Et s'il ose venir à quelque violence,
C'est à faire à céder deux jours à l'insolence : [1]
J'aurai fait mon devoir, quoi qu'il puisse arriver.
Mais Polyeucte vient, tâchons à le sauver.   1510
Soldats, retirez-vous, et gardez bien la porte.

SCÈNE II.

Félix, Polyeucte, Albin.

FÉLIX.

As-tu donc pour la vie une haine si forte,
Malheureux Polyeucte ? et la loi des chrétiens
T'ordonne-t-elle ainsi d'abandonner les tiens * ?

---

1. "It will be settled by giving way a few days to its (the people's)
insolence" ; "a few days' yielding to its insolence will be enough."

POLYEUCTE.

Je ne hais point la vie, et j'en aime l'usage,*   1515
Mais sans attachement qui sente l'esclavage,
Toujours prêt à la rendre au Dieu dont je la tiens :
La raison me l'ordonne, et la loi des chrétiens ;
Et je vous montre à tous par là comme il faut vivre,
Si vous avez le cœur assez bon pour me suivre.   1520

FÉLIX.

Te suivre dans l'abîme où tu te veux jeter ?

POLYEUCTE.

Mais plutôt dans la gloire où je m'en vais monter.

FÉLIX.

Donne-moi pour le moins le temps de la connaître :
Pour me faire chrétien, sers-moi de guide à l'être,
Et ne dédaigne pas de m'instruire en ta foi,   1525
Ou toi-même à ton Dieu tu répondras* de moi.

POLYEUCTE.

N'en riez point, Félix, il sera votre juge ;
Vous ne trouverez point devant lui de refuge :
Les rois et les bergers y sont d'un même rang.
De tous les siens sur vous il vengera le sang.   1530

FÉLIX.

Je n'en répandrai plus, et quoi qu'il en arrive,
Dans la foi des chrétiens je souffrirai qu'on vive :
J'en serai protecteur.

POLYEUCTE.

                    Non, non, persécutez,
Et soyez l'instrument de nos félicités :
Celle d'un vrai chrétien n'est que dans les souffrances ;   1535
Les plus cruels tourments lui sont des récompenses.
Dieu, qui rend le centuple aux bonnes actions,
Pour comble donne encor les persécutions.
Mais ces secrets pour vous sont fâcheux à comprendre :
Ce n'est qu'à ses élus que Dieu les fait entendre.   1540

FÉLIX.

Je te parle sans fard, et veux être chrétien.

POLYEUCTE.

Qui [1] peut donc retarder l'effet d'un si grand bien?

FÉLIX.

La présence importune . . .

POLYEUCTE.

Et de qui? de Sévère?

FÉLIX.

Pour lui seul contre toi j'ai feint tant de colère :
Dissimule un moment jusques à son départ.   1545

POLYEUCTE.

Félix, c'est donc ainsi que vous parlez sans fard?
Portez à vos païens, portez à vos idoles
Le sucre empoisonné que sèment vos paroles.
Un chrétien ne craint rien, ne dissimule rien :
Aux yeux de tout le monde il est toujours chrétien.   1550

FÉLIX.

Ce zèle de ta foi ne sert qu'à te séduire,
Si tu cours à la mort plutôt que de m'instruire.

POLYEUCTE.

Je vous en parlerais ici hors de saison :
Elle est un don du ciel, et non de la raison ;
Et c'est là que bientôt, voyant Dieu face à face,   1555
Plus aisément pour vous j'obtiendrai cette grâce.

FÉLIX.

Ta perte cependant me va désespérer.

POLYEUCTE.

Vous avez en vos mains de quoi* la réparer :
En vous ôtant un gendre, on vous en donne un autre,
Dont la condition répond* mieux à la vôtre ;   1560
Ma perte n'est pour vous qu'un change avantageux.

FÉLIX.

Cesse de me tenir ce discours outrageux.
Je t'ai considéré plus que tu ne mérites ;
Mais malgré ma bonté, qui croît plus tu l'irrites,

---

1. As frequently in the seventeenth century, *Qui* stands for *Qu'est-ce qui:* "What?"

Cette insolence enfin te rendrait odieux,   1565
Et je me vengerais aussi bien que nos Dieux.

POLYEUCTE.

Quoi ? vous changez bientôt d'humeur et de langage !
Le zèle de vos Dieux rentre en votre courage !
Celui d'être chrétien s'échappe ! et par hasard
Je vous viens d'obliger à me parler sans fard !   1570

FÉLIX.

Va, ne présume pas que quoi que je te jure,
De tes nouveaux docteurs je suive l'imposture :
Je flattais ta manie, afin de t'arracher
Du honteux précipice où tu vas trébucher ;
Je voulais gagner temps, pour ménager ta vie   1575
Après l'éloignement d'un flatteur de Décie ;
Mais j'ai fait trop d'injure à nos Dieux tout-puissants :
Choisis de leur donner ton sang, ou de l'encens.

POLYEUCTE.

Mon choix n'est point douteux.   Mais j'aperçois Pauline.
Ô ciel !

SCÈNE III.

FÉLIX, POLYEUCTE, PAULINE, ALBIN.

PAULINE.

    Qui de vous deux aujourd'hui m'assassine ?   1580
Sont-ce tous deux ensemble, ou chacun à son tour ?
Ne pourrai-je fléchir la nature ou l'amour ?
Et n'obtiendrai-je rien d'un époux ni d'un père ?

FÉLIX.

Parlez à votre époux.

POLYEUCTE.

    Vivez avec Sévère.

PAULINE.

Tigre, assassine-moi du moins sans m'outrager.   1585

POLYEUCTE.

Mon amour, par pitié, cherche à vous soulager :
Il voit quelle douleur dans l'âme vous possède,

Et sait qu'un autre amour en est le seul remède.
Puisqu'un si grand mérite a pu vous enflammer,
Sa présence toujours a droit de vous charmer :   1590
Vous l'aimiez, il vous aime, et sa gloire augmentée . . .

PAULINE.

Que t'ai-je fait, cruel, pour être ainsi traitée,
Et pour me reprocher, au mépris de ma foi,
Un amour si puissant que j'ai vaincu pour toi ?
Vois, pour te faire vaincre un si fort adversaire,   1595
Quels efforts * à moi-même il a fallu me faire ;
Quels combats j'ai donnés pour te donner un cœur
Si justement acquis à son premier vainqueur ;
Et si l'ingratitude en ton cœur ne domine,
Fais quelque effort sur toi pour te rendre à Pauline :   1600
Apprends d'elle à forcer * ton propre sentiment ;
Prends sa vertu pour guide en ton aveuglement ;
Souffre que de toi même elle obtienne ta vie,
Pour vivre sous tes lois à jamais asservie.
Si tu peux rejeter de si justes désirs,   1605
Regarde au moins ses pleurs, écoute ses soupirs ;
Ne désespère pas une âme qui t'adore.

POLYEUCTE.

Je vous l'ai déjà dit, et vous le dis encore,
Vivez avec Sévère, ou mourez avec moi.
Je ne méprise point vos pleurs ni votre foi ;   1610
Mais de quoi que pour vous notre amour m'entretienne,
Je ne vous connais plus, si vous n'êtes chrétienne.
    C'en est assez, Félix, reprenez ce courroux,
Et sur cet insolent vengez vos Dieux et vous.

PAULINE.

Ah ! mon père, son crime à peine est pardonnable ;   1615
Mais s'il est insensé, vous êtes raisonnable.
La nature est trop forte, et ses aimables traits
Imprimés dans le sang ne s'effacent jamais :
Un père est toujours père, et sur cette assurance
J'ose appuyer encore un reste d'espérance.   1620
    Jetez sur votre fille un regard paternel :
Ma mort suivra la mort de ce cher criminel :
Et les Dieux trouveront sa peine * illégitime,
Puisqu'elle confondra l'innocence et le crime,

Et qu'elle changera, par ce redoublement,[1]   1625
En injuste rigueur un juste châtiment ;
Nos destins, par vos mains rendus inséparables,
Nous doivent rendre heureux ensemble, ou misérables :
Et vous seriez cruel jusques au dernier point,
Si vous désunissiez ce que vous avez joint.   1630
Un cœur à l'autre uni jamais ne se retire,
Et pour l'en séparer il faut qu'on le déchire.
Mais vous êtes sensible à mes justes douleurs,
Et d'un œil paternel vous regardez mes pleurs.

FÉLIX.

Oui, ma fille, il est vrai qu'un père est toujours père ;   1635
Rien n'en peut effacer le sacré caractère :
Je porte* un cœur sensible,* et vous l'avez percé ;
Je me joins avec vous contre cet insensé.
    Malheureux Polyeucte, es-tu seul insensible* ?
Et veux-tu rendre seul ton crime irrémissible ?   1640
Peux-tu voir tant de pleurs d'un œil si détaché* ?
Peux-tu voir tant d'amour sans en être touché ?
Ne reconnais-tu plus ni beau-père, ni femme,
Sans amitié pour l'un, et pour l'autre sans flamme ?
Pour reprendre les noms et de gendre et d'époux,   1645
Veux-tu nous voir tous deux embrasser tes genoux ?

POLYEUCTE.

Que tout cet artifice est de mauvaise grâce !
Après avoir deux fois essayé la menace,
Après m'avoir fait voir Néarque dans la mort,
Après avoir tenté l'amour et son effort,   1650
Après m'avoir montré cette soif du baptême,
Pour opposer à Dieu l'intérêt de Dieu même,
Vous vous joignez ensemble ! Ah ! ruses de l'enfer !
Faut-il tant de fois vaincre avant que triompher ?
Vos résolutions usent* trop de remise ;   1655
Prenez la vôtre enfin, puisque la mienne est prise.
    Je n'adore qu'un Dieu, maître de l'univers,
Sous qui tremblent le ciel, la terre, et les enfers,
Un Dieu qui, nous aimant d'une amour infinie,
Voulut mourir pour nous avec ignominie,   1660
Et qui par un effort de cet excès d'amour,

---

1. "this double penalty."

Veut pour nous en victime être offert chaque jour.[1]
Mais j'ai tort d'en parler à qui ne peut m'entendre.
Voyez l'aveugle erreur que vous osez défendre :
Des crimes les plus noirs vous souillez tous vos Dieux ; 1665
Vous n'en punissez point qui n'ait son maître aux cieux :
La prostitution, l'adultère, l'inceste,
Le vol, l'assassinat, et tout ce qu'on déteste,
C'est l'exemple qu'à suivre offrent vos immortels.
J'ai profané leur temple, et brisé leurs autels ; 1670
Je le ferais encor, si j'avais à le faire,
Même aux yeux de Félix, même aux yeux de Sévère,
Même aux yeux du sénat, aux yeux de l'Empereur.

FÉLIX.

Enfin ma bonté cède à ma juste fureur :
Adore-les, ou meurs.

POLYEUCTE.

Je suis chrétien.

FÉLIX.

Impie ! 1675
Adore-les, te dis-je, ou renonce à la vie.

POLYEUCTE.

Je suis chrétien.

FÉLIX.

Tu l'es ? Ô cœur trop obstiné !
Soldats, exécutez l'ordre que j'ai donné.

PAULINE.

Où le conduisez-vous ?

FÉLIX.

À la mort.

POLYEUCTE.

À la gloire.

Chère Pauline, adieu : conservez ma mémoire. 1680

PAULINE.

Je te suivrai partout, et mourrai si tu meurs.

POLYEUCTE.

Ne suivez point mes pas, ou quittez vos erreurs.

1. That is, in the Mass, or celebration of the holy communion.

FÉLIX.

Qu'on l'ôte de mes yeux, et que l'on m'obéisse :
Puisqu'il aime à périr, je consens qu'il périsse.

SCÈNE IV.

FÉLIX, ALBIN.

FÉLIX.

Je me fais violence,* Albin ; mais je l'ai dû :   1685
Ma bonté naturelle aisément m'eût perdu.
Que la rage du peuple à présent se déploie,
Que Sévère en fureur tonne, éclate, foudroie,   lay low
M'étant fait cet effort, j'ai fait ma sûreté.
Mais n'es-tu point surpris de cette dureté ?   1690
Vois-tu comme le sien des cœurs impénétrables,
Ou des impiétés à ce point exécrables ?
Du moins j'ai satisfait mon esprit affligé :
Pour amollir son cœur je n'ai rien négligé ;
J'ai feint même à tes yeux des lâchetés extrêmes ;   1695
Et certes sans* l'horreur de ses derniers blasphèmes,
Qui m'ont rempli soudain de colère et d'effroi,
J'aurais eu de la peine à triompher de moi.

ALBIN.

Vous maudirez peut-être un jour* cette victoire,
Qui tient je ne sais quoi d'une action trop noire,   1700
Indigne de Félix, indigne d'un Romain,
Répandant votre sang par votre propre main.

FÉLIX.

Ainsi l'ont autrefois versé Brute [1] et Manlie ; [2]
Mais leur gloire en a crû, loin d'en être affaiblie ;
Et quand nos vieux héros avaient de mauvais sang,   1705
Ils eussent, pour le perdre, ouvert leur propre flanc.

---

1. Lucius Junius Brutus (fifth century B.C.) is said to have condemned to death his two sons who were implicated in a conspiracy against
the state.   2. Manlius Torquatus, in his campaign against the Latins,
is said to have had his son beheaded for having fought contrary to his
orders ; he was three times consul and twice dictator of Rome (353–
340 B.C.).

ALBIN.

Votre ardeur vous séduit ; mais quoi qu'elle vous die,
Quand vous la sentirez une fois refroidie,
Quand vous verrez Pauline, et que son désespoir
Par ses pleurs et ses cris saura* vous émouvoir . . .   1710

FÉLIX.

Tu me fais souvenir qu'elle a suivi ce traître,
Et que ce désespoir qu'elle fera paraître
De mes commandements pourra troubler l'effet :
Va donc ; cours y mettre ordre* et voir ce qu'elle fait ;
Romps ce que ses douleurs y donneraient d'obstacle ;   1715
Tire-la, si tu peux, de ce triste spectacle ;
Tâche à la consoler. Va donc : qui te retient ?

ALBIN.

Il n'en est pas besoin, Seigneur, elle revient.

SCÈNE V.

FÉLIX, PAULINE, ALBIN.

PAULINE.

Père barbare, achève, achève ton ouvrage :
Cette seconde hostie est digne de ta rage ;   1720
Joins ta fille à ton gendre ; ose : que tardes-tu ?
Tu vois le même crime, ou la même vertu :
Ta barbarie en elle a les mêmes matières.*
Mon époux en mourant m'a laissé ses lumières ;
Son sang, dont tes bourreaux viennent de me couvrir,   1725
M'a dessillé les yeux, et me les vient d'ouvrir.
   Je vois, je sais, je crois, je suis désabusée :
De ce bienheureux sang tu me vois baptisée ;
Je suis chrétienne enfin, n'est-ce point assez dit ?
Conserve en me perdant ton rang et ton crédit ;   1730
Redoute l'Empereur, appréhende Sévère :
Si tu ne veux périr, ma perte est nécessaire ;
Polyeucte m'appelle à cet heureux trépas ;
Je vois Néarque et lui qui me tendent les bras.
Mène, mène-moi voir tes Dieux que je déteste :   1735
Ils n'en ont brisé qu'un, je briserai le reste ;

On m'y verra braver tout ce que vous craignez,
Ces foudres impuissants qu'en leurs mains vous peignez,
Et saintement rebelle aux lois de la naissance,
Une fois envers toi manquer d'obéissance.   1740
Ce n'est point ma douleur que par là je fais voir ;
C'est la grâce qui parle, et non le désespoir.
Le faut-il dire encor, Félix ? je suis chrétienne !
Affermis par ma mort ta fortune et la mienne :
Le coup à l'un et l'autre en sera précieux,   1745
Puisqu'il t'assure en terre en m'élevant aux cieux.

SCÈNE VI.

FÉLIX, SÉVÈRE, PAULINE, ALBIN, FABIAN.

SÉVÈRE.

Père dénaturé, malheureux politique,
Esclave ambitieux d'une peur chimérique,
Polyeucte est donc mort ! et par vos cruautés
Vous pensez conserver vos tristes dignités !   1750
La faveur que pour lui je vous avais offerte,
Au lieu de le sauver, précipite sa perte !
J'ai prié, menacé, mais sans vous émouvoir ;
Et vous m'avez cru fourbe ou de peu de pouvoir !
Eh bien ! à vos dépens vous verrez que Sévère   1755
Ne se vante jamais que de ce qu'il peut faire ;
Et par votre ruine il vous fera juger
Que qui peut bien vous perdre eût pu vous protéger.
Continuez aux Dieux ce service fidèle ;
Par de telles horreurs montrez-leur votre zèle.   1760
Adieu ; mais quand l'orage éclatera sur vous,
Ne doutez point du bras dont partiront les coups.

FÉLIX.

Arrêtez-vous, Seigneur, et d'une âme apaisée
Souffrez que je vous livre une vengeance aisée.
Ne me reprochez plus que par mes cruautés   1765
Je tâche à conserver mes tristes dignités :
Je dépose à vos pieds l'éclat de leur faux lustre.
Celle où j'ose aspirer est d'un rang plus illustre ;
Je m'y trouve forcé par un secret appas ;

Je cède à des transports que je ne connais pas ; 1770
Et par un mouvement* que je ne puis entendre,
De ma fureur je passe au zèle de mon gendre.
C'est lui, n'en doutez point, dont le sang innocent
Pour son persécuteur prie un Dieu tout-puissant ;
Son amour épandu sur toute la famille 1775
Tire après lui le père aussi bien que la fille.
J'en ai fait un martyr, sa mort me fait chrétien : [1]
J'ai fait tout son bonheur, il veut faire le mien.
C'est ainsi qu'un chrétien se venge et se courrouce.
Heureuse cruauté dont la suite est si douce ! 1780
Donne la main, Pauline. Apportez des liens ;
Immolez à vos Dieux ces deux nouveaux chrétiens :
Je le suis, elle l'est, suivez votre colère.

PAULINE.

Qu'heureusement enfin je retrouve mon père !
Cet heureux changement* rend mon bonheur parfait. 1785

FÉLIX.

Ma fille, il n'appartient qu'à la main qui le fait.

SÉVÈRE.

Qui ne serait touché d'un si tendre spectacle ?
De pareils changements ne vont* point sans miracle.
Sans doute vos chrétiens, qu'on persécute en vain,

1. *Félix son père se convertit après elle ; et ces deux conversions, quoique miraculeuses, sont si ordinaires dans les martyres, qu'elles ne sortent point de la vraisemblance, parce qu'elles ne sont pas de ces événements rares et singuliers qu'on ne peut tirer en exemple ; et elles servent à remettre le calme dans les esprits de Félix, de Sévère et de Pauline, que sans cela j'aurais eu bien de la peine à retirer du théâtre dans un état qui rendît la pièce complète, en ne laissant rien à souhaiter à la curiosité de l'auditeur, (Examen).* The conversion of Félix seems too miraculous to most readers and critics. There is, however, some psychological justification for it. All his life Félix has rested secure in the exercise of his parental authority, and in the self-confidence inspired by his knowledge and practice of a statecraft which in his day dominated the world. The power of Rome vested in the emperor furnished his only conception of omnipotence. He dreaded death. And now he sees all these things set at naught by an ideal and a sentiment which cuts family ties, baffles his worldly wisdom, defies the power of Rome and makes of dreadful death a *doux passage* (v. 1152) to eternal happiness. By his attitudes and facial expressions during the speeches of Pauline and Sévère, a skillful actor is able to suggest much of what is going on in the mind of Félix. Hence this episode is more convincing on the stage than in the study.

Ont quelque chose en eux qui surpasse l'humain :   1790
Ils mènent une vie avec tant d'innocence,
Que le ciel leur en doit quelque reconnaissance :
Se relever plus forts, plus ils sont abattus,
N'est pas aussi l'effet des communes vertus.
Je les aimai toujours, quoi qu'on m'en ait pu dire ;   1795
Je n'en vois point mourir que mon cœur n'en soupire :
Et peut-être qu'un jour je les connaîtrai mieux.
J'approuve cependant que chacun ait ses Dieux,[1]
Qu'il les serve à sa mode, et sans peur de la peine.
Si vous êtes chrétien, ne craignez plus ma haine ;   1800
Je les aime, Félix, et de leur protecteur
Je n'en veux pas sur vous faire un persécuteur.[2]
    Gardez votre pouvoir, reprenez-en la marque ;
Servez bien votre Dieu, servez notre monarque.
Je perdrai mon crédit envers Sa Majesté,   1805
Ou vous verrez finir cette sévérité :
Par cette injuste haine il se fait trop d'outrage.

FÉLIX.

Daigne le ciel en vous achever son ouvrage,
Et pour vous rendre un jour ce que vous méritez,
Vous inspirer bientôt toutes ses vérités !   1810
    Nous autres, bénissons notre heureuse aventure :[3]
Allons à nos martyrs donner la sépulture,
Baiser leurs corps sacrés, les mettre en digne lieu,
Et faire retentir partout le nom de Dieu.

1. "Polyeucte presents the Christian ideal opposed to the philosophy of enlightened good sense (Sévère), to worldly interests (Félix), to family ideas (Pauline). . . . There is perhaps no drama which opens up vaster perspectives, or which penetrates more deeply into the human soul," E. Faguet, *Dix-septième siècle, études littéraires.*   2. "And, their protector, I will not play the part of a persecutor of them by persecuting you."   3. When *Polyeucte* was being played for the first time, *aventure* had not acquired the many trivial connotations which have since become attached to the word. In the seventeenth century it was often used, as here, in the sense of "experience."

LE MENTEUR

It was Corneille who created in France pure comedy as distinct from farce (see general introduction, section on *le théâtre comique*) with six comedies during the period from 1629 to 1636. He then left the field of comedy and produced five tragedies in the next few years, of which four are unquestioned masterpieces of the French drama. His first love was too strong to be completely cast aside, however, and his next effort results in the best French comedy before the days of Molière — *Le Menteur.*

The exact date of the first performance of Corneille's comic masterpiece at the Théâtre du Marais has never been exactly determined. Critics place it variously between the end of 1642 and the first quarter of 1644. It was first printed in 1644.

Le Menteur is an adaptation of a slightly earlier Spanish comedy, *La verdad sospechosa* of Juan Ruiz de Alarcón. At the time that Corneille made his adaptation this was attributed to Lope de Vega, and it was only some fifteen years later that Corneille discovered that Alarcón was actually the author.

This best comic effort of Corneille is classed as a comedy of intrigue, a type in which the Spaniards were most proficient. It might also be noted that this was the period in which adaptations from the Spanish were rivalling in number those from the Italian. The plot of *Le Menteur* consists of the series of embarrassing situations in which the leading character is involved: after he has lied his way out of one predicament, his very lie entangles him in one still worse. The plot is complicated, and many of the situations are highly improbable. However, whatever shortcomings may exist are forgotten by the spectator in his interest in the clever dialogue, quick repartee, and quickness of wit with which the leading character adopts ruse after ruse in order to save himself from a succession of seemingly inevitable fates. We need not look for the penetrating psychological observation which we find later in the character studies of Molière, nor for the close observation of contemporary manners that marks the *comédies de mœurs* of the master

171

of French comedy. In comedy, Corneille falls far short of Molière at his best, but it is to be remembered that Corneille was blazing the trail, and Molière was able to profit by his successes and mistakes.

Le Menteur was most favorably received by the Parisian audience, and Corneille was justly proud of his adaptation of one of the high spots of Spanish comedy. The success of the play was probably enhanced by the interpretation of the rôle of Cliton, the valet. This rôle was taken by one of the public's favorite actors, Jodelet. This actor always appeared on the stage with powdered face (*visage enfariné*) and was comically ugly. Cliton is Corneille's version of the Spanish *gracioso*, the intelligent and impertinent valet, and is his contribution to the long line of this type of servant on the French stage, a line in which the most famous members are Molière's Mascarille and Beaumarchais's Figaro.

A great deal has been said about the "immorality" of *Le Menteur*. Poetic justice demands that the liar suffer some sort of punishment for his vice. It may be that this is a little too much to ask in a comedy of intrigue, where the nature of the play demands that one produce rapid change of situation to keep the audience interested. At any rate, the liar is allowed to escape with but slight punishment: he has to marry another girl than the one he was courting, but Corneille comes to his aid even there, by having him feel, shortly before the end of the play, a rather strong attraction to the girl whom he is ultimately forced to marry.

One of the greatest points of improvement in *Le Menteur* over Corneille's earlier comedies is in the language. Instead of the long, stilted speeches of his earlier works, the characters of this play carry on a sparkling dialogue for the most part. We have not yet arrived at the day of Molière, when servants talk like servants and masters like masters, but we are at least a long way along the road from the stilted artificiality of the long monologues of Renaissance comedy.

It might be noted here that in the year following the appearance of *Le Menteur* Corneille composed a sequel to it, *La Suite du Menteur*. This was likewise taken from a Spanish original, the *Amar sin saber à quien* of Lope de Vega. This sequel is vastly inferior to *Le Menteur*, and is mentioned only because of its historical connection with the first play.

ACTEURS.

GÉRONTE, père de Dorante.

DORANTE, fils de Géronte.

ALCIPPE, ami de Dorante et amant de Clarice.

PHILISTE, ami de Dorante et d'Alcippe.

CLARICE, maîtresse d'Alcippe.

LUCRÈCE, amie de Clarice.

ISABELLE, suivante de Clarice.

SABINE, femme de chambre de Lucrèce.

CLITON, valet de Dorante.

LYCAS, valet d'Alcippe.

La scène est à Paris.

ACTE I. SCÈNE PREMIÈRE.[1]

DORANTE, CLITON.

DORANTE.

À la fin j'ai quitté la robe pour l'épée : [2]
L'attente où j'ai vécu n'a point été trompée ;
Mon père a consenti que je suive mon choix,
Et j'ai fait banqueroute* à ce fatras de lois.
Mais puisque nous voici dedans les Tuileries,   5
Le pays du beau monde et des galanteries,
Dis-moi, me trouves-tu bien fait en cavalier*?
Ne vois-tu rien en moi qui sente l'écolier ?
Comme il est malaisé qu'aux royaumes du *Code* [3]
On apprenne à se faire un visage à la mode,   10
J'ai lieu d'appréhender . . .

CLITON.

                    Ne craignez rien pour vous :
Vous ferez en une heure ici mille jaloux.
Ce visage et ce port n'ont point l'air de l'école,
Et jamais comme vous on ne peignit Bartole : [4]
Je prévois du malheur pour beaucoup de maris.   15
Mais que vous semble [5] encor maintenant de Paris ?

DORANTE.

J'en trouve l'air bien doux, et cette loi bien rude
Qui m'en avait banni sous prétexte d'étude.
Toi qui sais les moyens de s'y bien divertir,
Ayant eu le bonheur de n'en jamais sortir,   20
Dis-moi comme [6] en ce lieu l'on gouverne* les dames.

1. The scene of the whole first act is in the *Jardin des Tuileries.* This was a very fashionable promenade and meeting-place.   2. *la robe pour l'épée: i.e.*, legal studies for the calling of a gentleman-soldier. 3. *royaumes du "Code"*: "law schools." 4. *Bartholus:* a legal authority of the 14th century.   5. *que vous semble ?* = *comment trouvez-vous ?*   6. *comme* = *comment.*

CLITON.

C'est là le plus beau soin qui vienne aux belles âmes,
Disent les beaux esprits. Mais sans faire le fin,*
Vous avez l'appétit ouvert de bon matin :
D'hier au soir seulement vous êtes dans la ville,   25
Et vous vous ennuyez déjà d'être inutile ! [1]
Votre humeur sans emploi ne peut passer un jour,
Et déjà vous cherchez à pratiquer l'amour !
Je suis auprès de vous en fort bonne posture
De passer pour un homme à donner tablature ; [2]   30
J'ai la taille d'un maître en ce noble métier,
Et je suis, tout au moins, l'intendant du quartier.[3]

DORANTE.

Ne t'effarouche point : je ne cherche, à vrai dire,
Que quelque connaissance où l'on se plaise à rire,
Qu'on puisse visiter par divertissement,   35
Où l'on puisse en douceur couler* quelque moment.
Pour me connaître mal,[4] tu prends mon sens à gauche.*

CLITON.

J'entends, vous n'êtes pas un homme de débauche,
Et tenez celles-là trop indignes de vous
Que le son d'un écu rend traitables à tous.   40
Aussi [5] que vous cherchiez de ces sages coquettes
Où peuvent tous venants débiter leurs fleurettes,*
Mais qui ne font l'amour que de babil et d'yeux,
Vous êtes d'encolure à vouloir un peu mieux.
Loin de passer son temps, chacun le perd chez elles ;   45
Et le jeu, comme on dit, n'en vaut pas les chandelles.
Mais ce serait pour vous un bonheur sans égal
Que ces femmes de bien qui se gouvernent mal,
Et de qui la vertu, quand on leur fait service,[6]
N'est pas incompatible avec un peu de vice.   50
Vous en verrez ici de toutes les façons.
Ne me demandez point cependant de leçons :
Ou je me connais mal à voir votre visage,

---

1. *i.e.*, not having any love-affairs.　2. "I am indeed (hardly) in a position to pass as a person who could teach *you* the tricks of the trade."　3. Cliton is ironic because he thinks Dorante is seeking immoral companions.　4. *Parce que tu me connais mal.*　5. Supply here *je ne crois pas*.　6. "when one pays them court."

Ou vous n'en êtes pas à votre apprentissage :
Vos lois ne réglaient pas si bien tous vos desseins   55
Que vous eussiez toujours un portefeuille aux mains.[1]

DORANTE.

À ne rien déguiser, Cliton, je te confesse
Qu'à Poitiers j'ai vécu comme vit la jeunesse ;
J'étais en ces lieux-là de beaucoup de métiers ;
Mais Paris, après tout, est bien loin de Poitiers.   60
Le climat différent veut une autre méthode ;
Ce qu'on admire ailleurs est ici hors de mode :
La diverse façon de parler et d'agir
Donne aux nouveaux venus souvent de quoi rougir.
Chez les provinciaux on prend ce qu'on rencontre ;   65
Et là, faute de mieux, un sot passe à la montre.*
Mais il faut à Paris bien d'autres qualités :
On ne s'éblouit point de ces fausses clartés ;*
Et tant d'honnêtes gens, que l'on y voit ensemble,
Font qu'on est mal reçu, si l'on ne leur ressemble.   70

CLITON.

Connaissez mieux Paris, puisque vous en parlez.
Paris est un grand lieu plein de marchands mêlés ;[2]
On s'y laisse duper autant qu'en lieu de France ;
Et parmi tant d'esprits plus polis et meilleurs,
Il y croît[3] des badauds autant et plus qu'ailleurs.   75
Dans la confusion que ce grand monde* apporte,
Il y vient de tous lieux des gens de toute sorte ;
Et dans toute la France il est fort peu d'endroits
Dont il n'ait le rebut aussi bien que le choix.
Comme on s'y connaît mal, chacun s'y fait de mise,[4]   80
Et vaut communément autant comme il se prise :*
De bien pires que vous s'y font assez valoir.
Mais pour venir au point que vous voulez savoir,
Êtes-vous libéral ?

DORANTE.

Je ne suis point avare.

---

1. *i.e.*, that you never had any time for a little love-making.
2. *marchands mêlés:* "people of all sorts of abilities."   3. *Il y
croît* = *Il y a là.*   4. "As it is hard to tell the difference between
them, each one praises himself."

CLITON.

C'est un secret d'amour et bien grand et bien rare ;　　85
Mais il faut de l'adresse à le bien débiter.[1]
Autrement on s'y perd au lieu d'en profiter.
Tel donne à pleines mains qui n'oblige personne :
La façon de donner vaut mieux que ce qu'on donne.
L'un perd exprès au jeu son présent déguisé ;　　90
L'autre oublie un bijou qu'on aurait refusé.
Un lourdaud libéral auprès d'une maîtresse
Semble donner l'aumône alors qu'il fait largesse ;
Et d'un tel contre-temps * il fait tout ce qu'il fait,
Que quand il tâche à plaire, il offense en effet.　　95

DORANTE.

Laissons là ces lourdauds contre qui tu déclames,
Et me dis seulement si tu connais ces dames.

CLITON.

Non : cette marchandise est de trop bon aloi ;
Ce n'est point là gibier à des gens comme moi ;
Il est aisé pourtant d'en savoir des nouvelles,　　100
Et bientôt leur cocher m'en dira des plus belles.[2]

DORANTE.

Penses-tu qu'il t'en dise ?

CLITON.

　　　　　　　　　　Assez pour en mourir :[3]
Puisque c'est un cocher, il aime à discourir.

SCÈNE II.

Dorante, Clarice, Lucrèce, Isabelle.

CLARICE, *faisant un faux pas, et comme se laissant choir.*
Ay !

DORANTE.

Ce malheur me rend un favorable office,*　　105
Puisqu'il me donne lieu de ce petit service ;
Et c'est pour moi, Madame, un bonheur souverain
Que cette occasion de vous donner la main.

---

　　1. *à le bien débiter* = *à s'en servir.*　　2. supply *choses.*　　3. supply
d'ennui.

CLARICE.

L'occasion ici fort peu vous favorise,
Et ce faible bonheur ne vaut pas qu'on le prise. 110

DORANTE.

Il est vrai, je le dois tout entier au hasard :
Mes soins ni vos désirs n'y prennent point de part ;
Et sa douceur mêlée avec cette amertume
Ne me rend pas le sort plus doux que de coutume,
Puisqu'enfin ce bonheur, que j'ai si fort prisé, 115
À mon peu de mérite eût été refusé.

CLARICE.

S'il a perdu sitôt ce qui pouvait vous plaire,
Je veux être à mon tour d'un sentiment contraire,
Et crois qu'on doit trouver plus de félicité
À posséder un bien sans l'avoir mérité. 120
    J'estime plus un don qu'une reconnaissance :
Qui nous donne fait plus que qui nous récompense ;
Et le plus grand bonheur au mérite rendu
Ne fait que nous payer de ce qui nous est dû.
La faveur qu'on mérite est toujours achetée ; 125
L'heur en croît d'autant plus, moins elle est méritée ;
Et le bien où sans peine elle fait parvenir
Par le mérite à peine aurait pu s'obtenir.

DORANTE.

Aussi ne croyez pas que jamais je prétende
Obtenir par mérite une faveur si grande : 130
J'en sais mieux le haut prix ; et mon cœur amoureux,
Moins il s'en connaît digne, et plus s'en tient heureux.
On me l'a pu toujours dénier sans injure ;*
Et si la recevant ce cœur même en murmure,
Il se plaint du malheur de ses félicités, 135
Que le hasard lui donne, et non vos volontés.
Un amant a fort peu de quoi* se satisfaire
Des faveurs qu'on lui fait sans dessein de les faire :
Comme l'intention seule en forme le prix,
Assez souvent sans elle on les joint au mépris.[1] 140
Jugez par là quel bien peut recevoir ma flamme
D'une main qu'on me donne en me refusant l'âme.

---

1. *on les joint au mépris* = *on les accorde avec mépris.*

Je la tiens, je la touche et je la touche en vain,
Si je ne puis toucher le cœur avec la main.

CLARICE.

Cette flamme, Monsieur, est pour moi fort nouvelle,   145
Puisque j'en viens de voir la première étincelle.
Si votre cœur ainsi s'embrase en un moment,
Le mien ne sut jamais brûler si promptement ;
Mais peut-être, à présent que j'en suis avertie,
Le temps donnera place à plus de sympathie.   150
Confessez cependant qu'à tort vous murmurez
Du mépris de vos feux, que j'avais ignorés.

SCÈNE III.

DORANTE, CLARICE, LUCRÈCE, ISABELLE, CLITON.

DORANTE.

C'est l'effet du malheur qui partout m'accompagne.
Depuis que j'ai quitté les guerres d'Allemagne,[1]
C'est-à-dire du moins depuis un an entier,   155
Je suis et jour et nuit dedans votre quartier ;
Je vous cherche en tous lieux, au bal, aux promenades ;
Vous n'avez que de moi reçu des sérénades ;
Et je n'ai pu trouver que cette occasion
À vous entretenir de mon affection.   160

CLARICE.

Quoi ! vous avez donc vu l'Allemagne et la guerre ?

DORANTE.

Je m'y suis fait quatre ans craindre comme un tonnerre.

CLITON.

Que lui va-t-il conter ?

DORANTE.

                        Et durant ces quatre ans
Il ne s'est fait [2] combats, ni sièges importants,

1. A state of war existed between France and the House of Austria
(Holy Roman Empire and Spain) from 1635 to 1645. There were in-
termittent campaigns throughout this period.   2. *Il ne s'est fait = Il
n'y a eu.*

Nos armes n'ont jamais remporté de victoire,   165
Où cette main n'ait eu bonne part à la gloire :
Et même la gazette [1] a souvent divulgués. . . .

CLITON, *le tirant par la basque.*

Savez-vous bien, Monsieur, que vous extravaguez ?

DORANTE.

Tais-toi.

CLITON.

Vous rêvez, dis-je, ou . . .

DORANTE.

Tais-toi, misérable.

CLITON.

Vous venez de Poitiers, ou je me donne au diable ;   170
Vous en revîntes hier.

DORANTE.

Te tairas-tu, maraud ?
Mon nom dans nos succès s'était mis assez haut [2]
Pour faire quelque bruit sans beaucoup d'injustice ;
Et je suivrais encore un si noble exercice,
N'était que l'autre hiver, faisant ici ma cour,[3]   175
Je vous vis, et je fus retenu par l'amour.
Attaqué par vos yeux, je leur rendis les armes ;*
Je me fis prisonnier de tant d'aimables charmes ;
Je leur livrai mon âme ; et ce cœur généreux
Dès ce premier moment oublia tout pour eux.   180
Vaincre dans les combats, commander dans l'armée,
De mille exploits fameux enfler ma renommée,
Et tous ces nobles soins qui m'avaient su ravir
Cédèrent aussitôt à ceux de vous servir.

ISABELLE, *à Clarice, tout bas.*

Madame, Alcippe [4] vient ; il aura de l'ombrage.*   185

CLARICE.

Nous en saurons, Monsieur, quelque jour davantage.
Adieu.

1. A reference to *La Gazette de France*, the first French newspaper. It was established at Paris in May, 1631.   2. *Je m'étais distingué suffisamment.*   3. *ma cour (au Roi)* : army officers frequently returned to Paris for the winter, so as to be at the source of patronage. 4. Clarice's accepted suitor.

DORANTE.

Quoi? me priver sitôt de tout mon bien !

CLARICE.

Nous n'avons pas loisir d'un plus long entretien ;
Et malgré la douceur de me voir cajolée,
Il faut que nous fassions seules deux tours d'allée.[1]   190

DORANTE.

Cependant accordez à mes vœux innocents
La licence d'aimer des charmes si puissants.

CLARICE.

Un cœur qui veut aimer, et qui sait comme on aime,
N'en demande jamais licence qu'à soi-même.

SCÈNE IV.

DORANTE, CLITON.

DORANTE.

Suis-les, Cliton.

CLITON.

         J'en sais ce qu'on en peut savoir,   195
La langue du cocher a fait tout son devoir.
"La plus belle des deux, dit-il, est ma maîtresse,*
Elle loge à la Place,[2] et son nom est Lucrèce."

DORANTE.

Quelle place?

CLITON.

        Royale, et l'autre y loge aussi.
Il n'en sait pas le nom, mais j'en prendrai souci.[3]   200

DORANTE.

Ne te mets point, Cliton, en peine de l'apprendre.
Celle qui m'a parlé, celle qui m'a su prendre,
C'est Lucrèce, ce l'est sans aucun contredit :
Sa beauté m'en assure, et mon cœur me le dit.[4]

---

1. "We must walk around the promenade twice by ourselves."
2. *La Place Royale* was the fashionable residential section of Paris.
3. = *mais je me charge de le découvrir.*   4. This is Dorante's mistake
on which the action of the rest of the play is based.   Cliton is right.

CLITON.

Quoique mon sentiment doive respect au vôtre,   205
La plus belle des deux, je crois que ce soit l'autre.

DORANTE.

Quoi? celle qui s'est tue, et qui dans nos propos
N'a jamais eu l'esprit de mêler quatre mots.

CLITON.

Monsieur, quand une femme a le don de se taire,
Elle a des qualités au-dessus du vulgaire ;   210
C'est un effort du ciel qu'on a peine à trouver ;
Sans un petit miracle il ne peut l'achever ;
Et la nature souffre extrême violence
Lorsqu'il en [1] fait d'humeur * à garder le silence.
Pour moi, jamais l'amour n'inquiète mes nuits ;   215
Et quand le cœur * m'en dit, j'en prends par où je puis ;
Mais naturellement femme qui se peut taire
A sur moi tel pouvoir et tel droit de me plaire,
Qu'eût-elle [2] en vrai magot tout le corps fagoté,
Je lui voudrais donner le prix de la beauté.   220
C'est elle assurément qui s'appelle Lucrèce :
Cherchez un autre nom pour l'objet qui vous blesse ;
Ce n'est point là le sien : celle qui n'a dit mot,
Monsieur, c'est la plus belle, ou je ne suis qu'un sot.

DORANTE.

Je t'en crois sans jurer avec tes incartades.   225
Mais voici les plus chers de mes vieux camarades :
Ils semblent étonnés, à voir leur action.

SCÈNE V.

DORANTE, ALCIPPE, PHILISTE, CLITON.

PHILISTE, *à Alcippe.*

Quoi? sur l'eau la musique et la collation?

ALCIPPE, *à Philiste.*

Oui, la collation avecque la musique.

---

1. *en = des femmes.*   2. *Qu'eût-elle = Que même si elle avait.*

PHILISTE, *à Alcippe.*

Hier au soir?

ALCIPPE, *à Philiste.*

Hier au soir.

PHILISTE, *à Alcippe.*

Et belle?

ALCIPPE, *à Philiste.*

Magnifique.   230

PHILISTE, *à Alcippe.*

Et par qui?

ALCIPPE, *à Philiste.*

C'est de quoi je suis mal éclairci.

DORANTE, *les saluant.*

Que mon bonheur est grand de vous revoir ici !

ALCIPPE.

Le mien est sans pareil, puisque je vous embrasse.

DORANTE.

J'ai rompu vos discours d'assez mauvaise grâce :
Vous le pardonnerez à l'aise de vous voir.   235

PHILISTE.

Avec nous, de tout temps, vous avez tout pouvoir.

DORANTE.

Mais de quoi parliez-vous?

ALCIPPE.

D'une galanterie.

DORANTE.

D'amour?

ALCIPPE.

Je le présume.

DORANTE.

Achevez, je vous prie,
Et souffrez qu'à ce mot ma curiosité
Vous demande sa part de cette nouveauté.   240

ALCIPPE.

On dit qu'on a donné musique à quelque dame.

DORANTE.

Sur l'eau?

ALCIPPE.

Sur l'eau.

DORANTE.

Souvent l'onde irrite la flamme.[1]

PHILISTE.

Quelquefois.

DORANTE.

Et ce fut hier au soir?

ALCIPPE.

Hier au soir.

DORANTE.

Dans l'ombre de la nuit le feu[2] se fait mieux voir :
Le temps était bien pris.   Cette dame, elle est belle?   245

ALCIPPE.

Aux yeux de bien du monde elle passe pour telle.

DORANTE.

Et la musique?

ALCIPPE.

Assez pour n'en rien dédaigner.

DORANTE.

Quelque collation a pu l'accompagner?

ALCIPPE.

On le dit.

DORANTE.

Fort superbe?

ALCIPPE.

Et fort bien ordonnée.

DORANTE.

Et vous ne savez point celui qui l'a donnée?   250

ALCIPPE.

Vous en riez !

1. Note the pun — somewhat forced.   2. Another pun on the two
meanings of *feu:* "fire" and "love."

DORANTE.

Je ris de vous voir étonné
D'un divertissement que je me suis donné.

ALCIPPE.

Vous?

DORANTE.

Moi-même.

ALCIPPE.

Et déjà vous avez fait maîtresse?

DORANTE.

Si je n'en avais fait, j'aurais bien peu d'adresse,
Moi qui depuis un mois suis ici de retour.   255
Il est vrai que je sors fort peu souvent de jour :
De nuit, *incognito,* je rends quelques visites ;
Ainsi . . .

CLITON, *à Dorante, à l'oreille.*

Vous ne savez, Monsieur, ce que vous dites.

DORANTE.

Tais-toi ; si jamais plus tu me viens avertir . . .

CLITON.

J'enrage de me taire et d'entendre mentir !   260

PHILISTE, *à Alcippe, tout bas.*

Voyez qu'heureusement dedans cette rencontre
Votre rival lui-même à vous-même se montre.

DORANTE, *revenant à eux.*

Comme à mes chers amis je vous veux tout conter.
    J'avais pris cinq bateaux pour mieux tout ajuster ;
Les quatre contenaient quatre chœurs de musique,   265
Capables de charmer le plus mélancolique.
Au premier, violons ; en l'autre, luths et voix ;
Des flûtes, au troisième ; au dernier des hautbois,
Qui tour à tour dans l'air poussaient des harmonies
Dont on pouvait nommer les douceurs infinies.   270
Le cinquième était grand, tapissé tout exprès
De rameaux enlacés pour conserver le frais,
Dont chaque extrémité portait un doux mélange

De bouquets de jasmin, de grenade et d'orange ! [1]
Je fis de ce bateau la salle du festin :   275
Là je menai l'objet qui fait mon seul destin ; [2]
De cinq autres beautés la sienne fut suivie,
Et la collation fut aussitôt servie.
Je ne vous dirai point les différents apprêts,
Le nom de chaque plat, le rang de chaque mets :   280
Vous saurez seulement qu'en ce lieu de délices
On servit douze plats, et qu'on fit six services
Cependant que les eaux, les rochers et les airs
Répondaient aux accents de nos quatre concerts.
Après qu'on eut mangé, mille et mille fusées,   285
S'élançant vers les cieux, ou droites ou croisées,
Firent un nouveau jour, d'où tant de serpenteaux [3]
D'un déluge de flamme attaquèrent les eaux,
Qu'on crut que, pour leur faire une plus rude guerre,
Tout l'élément du feu [4] tombait du ciel en terre.   290
Après ce passe-temps on dansa jusqu'au jour,
Dont le soleil jaloux avançait le retour :
S'il eût pris notre avis, sa lumière importune
N'eût pas sitôt troublé ma petite fortune ;
Mais n'étant pas d'humeur à suivre nos désirs,   295
Il sépara la troupe et finit nos plaisirs.

ALCIPPE.

Certes, vous avez grâce à conter ces merveilles ;
Paris, tout grand qu'il est, en voit peu de pareilles.

DORANTE.

J'avais été surpris ; et l'objet de mes vœux
Ne m'avait tout au plus donné qu'une heure ou deux.   300

PHILISTE.

Cependant l'ordre* est rare, et la dépense belle.

---

1. *grenade* and *orange* really mean the fruits, "pomegranate" and
"orange." Here they mean "pomegranate-blossoms" and "orange-
blossoms."   2. *qui fait mon seul destin = que j'aime de tout mon cœur.*
3. "streaks of flame," which detached themselves from the rocket as it
burst in the air.   4. According to the old notion of physics, matter
was made up of four elements: earth, air, fire, and water. Fire and
water were imagined to be bitter enemies constantly at war.

DORANTE.

Il s'est fallu passer à[1] cette bagatelle.
Alors que le temps presse, on n'a pas à choisir.

ALCIPPE.

Adieu ; nous nous verrons avec plus de loisir.

DORANTE.

Faites état* de moi.

ALCIPPE, *à Philiste, en s'en allant.*

Je meurs de jalousie. 305

PHILISTE, *à Alcippe.*

Sans raison toutefois votre âme en est saisie :
Les signes du festin ne s'accordent* pas bien.

ALCIPPE, *à Philiste.*

Le lieu s'accorde, et l'heure ; et le reste n'est rien.

SCÈNE VI.

DORANTE, CLITON.

CLITON.

Monsieur, puis-je à présent parler sans vous déplaire ?

DORANTE.

Je remets à ton choix de parler ou te taire ; 310
Mais quand tu vois quelqu'un ne fais plus l'insolent.

CLITON.

Votre ordinaire est-il de rêver en parlant ?

DORANTE.

Où me vois-tu rêver ?

CLITON.

J'appelle rêveries
Ce qu'en d'autres qu'un maître on nomme menteries ;
Je parle avec respect.

DORANTE.

Pauvre esprit !

1. *se passer à = se contenter de.*

CLITON.

Je le perds   315
Quand je vous oy ¹ parler de guerre et de concerts.
Vous voyez sans péril nos batailles dernières,²
Et faites des festins qui ne vous coûtent guères.
Pourquoi depuis un an vous feindre de retour ?

DORANTE.

J'en montre plus de flamme,³ et j'en fais mieux ma cour.   320

CLITON.

Qu'a de propre* la guerre à montrer votre flamme ?

DORANTE.

Oh ! le beau compliment à charmer une dame,
De lui dire d'abord : " J'apporte à vos beautés
Un cœur nouveau venu des universités ;
Si vous avez besoin de lois et de rubriques,   325
Je sais le *Code* entier avec les *Authentiques*,
Le *Digeste* nouveau, le vieux, l'*Infortiat*,⁴
Ce qu'en dit Jason, Balde, Accurse, Alciat ! ⁵ "
Qu'un si riche discours nous rend considérables !
Qu'on amollit par là de cœurs ⁶ inexorables !   330
Qu'un homme à paragraphe est un joli galant !
  On s'introduit bien mieux à titre de vaillant :
Tout le secret ne gît ⁷ qu'en un peu de grimace,
À mentir à propos, jurer de bonne grâce,
Étaler force* mots qu'elles n'entendent pas,   335
Faire sonner ⁸ Lamboy, Jean de Vert, et Galas,
Nommer quelques châteaux de qui les noms barbares
Plus ils blessent l'oreille, et plus leur semblent rares,
Avoir toujours en bouche angles, lignes, fossés,
Vedette, contrescarpe, et travaux avancés : ⁹   340

---

1. *oy:* from *ouïr.*   2. Because Dorante wasn't there.   3. *i.e.,* because he is sacrificing his military career to be near his beloved ; *en = par là.*
4. *Code, Authentiques, Digeste nouveau, Infortiat:* legal texts in use
in the 17th century.   5. Jason (13th century), Baldus (14th century),
Accursius (15th century), Alciat (16th century) had written legal commentaries that were accepted as authoritative in the time of Corneille.
6. *Qu'* . . . *de cœurs inexorables:* "what a large number of hard
hearts."   7. See *gésir.*   8. "mention the names of . . . "
These three men were generals of the Holy Roman Emperor, against
whom war was being waged.   9. The six terms given here deal with
technical details of military fortification.

Sans ordre et sans raison, n'importe, on les étonne ;
On leur fait admirer les baies qu'on leur donne,
Et tel, à la faveur d'un semblable débit,
Passe pour homme illustre, et se met en crédit.

CLITON.

À qui vous veut ouïr, vous en faites bien croire ;   345
Mais celle-ci bientôt peut savoir votre histoire.

DORANTE.

J'aurai déjà gagné chez elle quelque accès ;
Et loin d'en redouter un malheureux succès,
Si jamais un fâcheux nous nuit par sa présence,
Nous pourrons sous ces mots être d'intelligence.[1]   350
Voilà traiter* l'amour, Cliton, et comme il faut.

CLITON.

À vous dire le vrai je tombe de bien haut.[2]
Mais parlons du festin : Urgande et Mélusine[3]
N'ont jamais sur-le-champ mieux fourni leur cuisine ;[4]
Vous allez au-delà de leurs enchantements :   355
Vous seriez un grand maître à faire des romans ;
Ayant si bien en main le festin et la guerre,
Vos gens en moins de rien courraient toute la terre ;
Et ce serait pour vous des travaux forts légers
Que d'y mêler partout la pompe et les dangers.   360
Ces hautes fictions vous sont bien naturelles.

DORANTE.

J'aime à braver ainsi les conteurs* de nouvelles ;
Et sitôt que j'en vois quelqu'un s'imaginer
Que ce qu'il veut m'apprendre a de quoi m'étonner,
Je le sers* aussitôt d'un conte imaginaire,   3t
Qui l'étonne lui-même, et le force à se taire.
Si tu pouvais savoir quel plaisir on a lors
De leur faire rentrer leurs nouvelles au corps[5] . . .

---

1. Having once won the lady's heart, she will care little about his bluff. They can then use the technical words referred to above to carry on a conversation a third party would not understand. 2. *je tombe de bien haut:* "I am certainly learning things." 3. Fairies with magic powers who figure in the medieval romances. 4. *i.e.,* than Dorante did in his imaginary banquet. 5. *i.e.,* make their stories seem so flat by comparison that they wish they had never told them.

CLITON.

Je le juge assez grand ; mais enfin ces pratiques
Vous peuvent engager en de fâcheux intriques.[1]   370

DORANTE.

Nous nous en tirerons ; mais tous ces vains discours
M'empêchent de chercher l'objet de mes amours :
Tâchons de le rejoindre, et sache qu'à me suivre
Je t'apprendrai bientôt d'autres façons de vivre.

ACTE II.[2] SCÈNE PREMIÈRE.

Géronte, Clarice, Isabelle.

CLARICE.

Je sais qu'il vaut beaucoup étant sorti de vous ;[3]   375
Mais, Monsieur, sans le voir accepter un époux,
Par quelque haut récit qu'on en soit conviée,
C'est grande avidité de se voir mariée.
D'ailleurs, en [4] recevoir visite et compliment,
Et lui permettre accès en qualité d'amant,   380
À moins qu'à vos projets un plein effet réponde,[5]
Ce serait trop donner à discourir * au monde.
Trouvez donc un moyen de me le faire voir,
Sans m'exposer au blâme et manquer au devoir.

GÉRONTE.

Oui, vous avez raison, belle et sage Clarice :   385
Ce que vous m'ordonnez est la même * justice ;
Et comme c'est à nous à subir votre loi,
Je reviens tout à l'heure, et Dorante avec moi.
Je le tiendrai longtemps dessous votre fenêtre,
Afin qu'avec loisir vous puissiez le connaître,   390
Examiner sa taille, et sa mine, et son air,
Et voir quel est l'époux que je vous veux donner.

---

1. *intrique = intrigue*, for the sake of the rhyme (a popular form excusable in the mouth of Cliton).   2. The scene of this and the following acts is laid in the Place Royale.   3. *étant sorti de vous = puisqu'il est votre fils.*   4. *en = de lui.*   5. "If your plans did not turn out exactly as you expect."

Il vìnt hier de Poitiers, mais il sent peu l'école ;
Et si l'on pouvait croire un père à sa parole,
Quelque écolier qu'il soit, je dirais qu'aujourd'hui   395
Peu de nos gens de cour sont mieux taillés * que lui.
Mais vous en jugerez après la voix publique.
Je cherche à l'arrêter,* parce qu'il m'est unique,*
Et je brûle surtout de le voir sous vos lois.

CLARICE.

Vous m'honorez beaucoup d'un si glorieux choix :   400
Je l'attendrai, Monsieur, avec impatience,
Et je l'aime déjà sur cette confiance.

SCÈNE II.

ISABELLE, CLARICE.

ISABELLE.

Ainsi vous le verrez, et sans vous engager.

CLARICE.

Mais pour le voir ainsi qu'en pourrai-je juger ?
J'en verrai le dehors, la mine, l'apparence ;   405
Mais du reste, Isabelle, où prendre l'assurance ;
Le dedans * paraît mal en ces miroirs flatteurs ;
Les visages souvent sont de doux imposteurs :
Que de [1] défauts d'esprit se couvrent de leurs grâces,
Et que de beaux semblants cachent des âmes basses !   410
Les yeux en ce grand choix ont la première part ;
Mais leur déférer tout, c'est tout mettre au hasard :
Qui veut vivre en repos ne doit pas leur déplaire,
Mais sans leur obéir, il doit les satisfaire,
En croire leur refus, et non pas leur aveu,   415
Et sur d'autres conseils laisser naître son feu.[2]
Cette chaîne, qui dure autant que notre vie,
Et qui devrait donner plus de peur que d'envie,
Si l'on n'y prend bien garde, attache assez souvent
Le contraire au contraire, et le mort au vivant.   420
Et pour moi, puisqu'il faut qu'elle [3] me donne un maître,

---

1. *Que de:* "how many."   2. The meaning of these lines is that
a girl wants a prospective husband to be pleasing to the eyes, but he must
have other good qualities as well.   3. *elle:* refers to *chaîne* (v. 417).

Avant que l'accepter je voudrais le connaître,
Mais connaître dans l'âme.

ISABELLE.

                Eh bien ! qu'il parle à vous.

CLARICE.

Alcippe le sachant en deviendrait jaloux.

ISABELLE.

Qu'importe qu'il le soit, si vous avez Dorante?   425

CLARICE.

Sa perte ne m'est pas encore indifférente ;
Et l'accord de l'hymen entre nous concerté,
Si son père venait, serait exécuté.
Depuis plus de deux ans il promet et diffère :
Tantôt c'est maladie, et tantôt quelque affaire ;   430
Le chemin est mal sûr, ou les jours sont trop courts,
Et le bonhomme enfin ne peut sortir de Tours.
Je prends tous ces délais pour une résistance,[1]
Et ne suis pas d'humeur à mourir de constance.
Chaque moment d'attente ôte de notre prix,   435
Et fille qui vieillit tombe dans le mépris :
C'est un nom glorieux qui se garde avec honte ;[2]
Sa défaite est fâcheuse à moins que d'être prompte.
Le temps n'est pas un dieu qu'elle puisse braver,
Et son honneur se perd à le trop conserver.   440

ISABELLE.

Ainsi vous quitteriez Alcippe pour un autre
De qui l'humeur aurait de quoi plaire à la vôtre?

CLARICE.

Oui, je le quitterais ; mais pour ce changement
Il me faudrait en main avoir un autre amant,
Savoir qu'il me fût propre, et que son hyménée
Dût bientôt à la sienne unir ma destinée.
Mon humeur sans cela ne s'y résout pas bien ;
Car Alcippe, après tout, vaut toujours mieux que rien ;
Son père peut venir, quelque longtemps qu'il tarde.

---

1. *i.e.*, these "reasons" are excuses not to marry her.   2. One is
proud to remain unmarried up to a certain age ; after that, it is a disgrace.

ISABELLE.

Pour en venir à bout sans que rien s'y hasarde,   450
Lucrèce est votre amie, et peut beaucoup pour vous ;
Elle n'a point d'amants qui deviennent jaloux :
Qu'elle écrive à Dorante, et lui fasse paraître *
Qu'elle veut cette nuit le voir par sa fenêtre.
Comme il est jeune encore, on l'y verra voler ;   455
Et là, sous ce faux nom, vous pourrez lui parler,
Sans qu'Alcippe jamais en découvre l'adresse, *
Ni que lui-même [1] pense à d'autres qu'à Lucrèce.

CLARICE.

L'invention est belle, et Lucrèce aisément
Se résoudra pour moi d'écrire un compliment : [2]   460
J'admire ton adresse à trouver cette ruse.

ISABELLE.

Puis-je vous dire encor que si je ne m'abuse,
Tantôt cet inconnu ne vous déplaisait pas ?

CLARICE.

Ah, bon Dieu ! si Dorante avait autant d'appas,
Que d'Alcippe aisément il obtiendrait la place !   465

ISABELLE.

Ne parlez point d'Alcippe ; il vient.

CLARICE.

                          Qu'il m'embarrasse !
Va pour moi chez Lucrèce, et lui dis mon projet,
Et tout ce qu'on peut dire en un pareil sujet.

SCÈNE III.

Clarice, Alcippe.

ALCIPPE.

Ah ! Clarice, ah ! Clarice, inconstante ! volage ! [3]

---

1. *lui-même = Dorante.*   2. *compliment = lettre contenant des paroles engageantes et gracieuses.*   3. Alcippe comes to quarrel with Clarice because he has decided she must be the girl who figured in the imaginary escapade related by Dorante (Acte I, Scène 5).

CLARICE.

Aurait-il deviné déjà ce mariage ? 470
Alcippe, qu'avez-vous ? qui vous fait soupirer ?

ALCIPPE.

Ce que j'ai, déloyale ! et peux-tu l'ignorer ?
Parle à ta conscience, elle devrait t'apprendre. . . .

CLARICE.

Parlez un peu plus bas, mon père va descendre.

ALCIPPE.

Ton père va descendre, âme double et sans foi ! 475
Confesse que tu n'as un père que pour moi.
La nuit, sur la rivière. . . .

CLARICE.

Eh bien ! sur la rivière ?
La nuit ! qu'est-ce enfin ?

ALCIPPE.

Oui, la nuit toute entière.

CLARICE.

Après ?

ALCIPPE.

Quoi ! sans rougir ?

CLARICE.

Rougir ! à quel propos ?

ALCIPPE.

Tu ne meurs pas de honte, entendant ces deux mots ? 480

CLARICE.

Mourir pour les entendre ! et qu'ont-ils de funeste ?

ALCIPPE.

Tu peux donc les ouïr et demander le reste ?
Ne saurais-tu rougir, si je ne te dis tout ?

CLARICE.

Quoi, tout ?

ALCIPPE.

Tes passe-temps de l'un à autre bout.

CLARICE.

Je meure,[1] en vos discours si je puis rien comprendre !   485

ALCIPPE.

Quand je te veux parler, ton père va descendre,
Il t'en souvient alors ; le tour est excellent !
Mais pour passer la nuit auprès de ton galant . . .

CLARICE.

Alcippe, êtes-vous fou ?

ALCIPPE.

                        Je n'ai plus lieu de l'être,[2]
À présent que le ciel me fait te mieux connaître.   490
Oui, pour passer la nuit en danses et festin,
Être avec ton galant du soir jusqu'au matin
(Je ne parle que d'hier), tu n'as point lors de père.

CLARICE.

Rêvez-vous ? raillez-vous ? et quel est ce mystère ?

ALCIPPE.

Ce mystère est nouveau, mais non pas fort secret :   495
Choisis une autre fois un amant plus discret ;
Lui-même il m'a tout dit.

CLARICE.

                    Qui, lui-même ?

ALCIPPE.

                                        Dorante.

CLARICE.

Dorante !

ALCIPPE.

        Continue, et fais bien l'ignorante.

CLARICE.

Si je le vis jamais, et si je le connoi ![3] . . .

ALCIPPE.

Ne viens-je pas de voir son père avecque toi ?   500
Tu passes, infidèle, âme ingrate et légère,
La nuit avec le fils, le jour avec le père !

---

1. *Je meure = Que je meure.*   2. *i.e.*, I was crazy to have faith in
you, but my eyes are now open.   3. She did see him, in the first act,
but she doesn't yet know that it was he : *connoi :* old spelling for *connais.*

CLARICE.

Son père, de vieux temps,[1] est grand ami du mien.

ALCIPPE.

Cette vieille amitié faisait votre entretien ?
Tu te sens convaincue, et tu m'oses répondre !   505
Te faut-il quelque chose encor pour te confondre ?

CLARICE.

Alcippe, si je sais quel visage a le fils . . .

ALCIPPE.

La nuit était fort noire alors que tu le vis.
Il ne t'a pas donné quatre chœurs de musique,
Une collation superbe et magnifique,   510
Six services de rang,* douze plats à chacun ?
Son entretien alors t'était fort importun ?
Quand ses feux d'artifice éclairaient le rivage,
Tu n'eus pas le loisir de le voir au visage ?
Tu n'as pas avec lui dansé jusques au jour,   515
Et tu ne l'as pas vu pour le moins au retour ?
T'en ai-je dit assez ?   Rougis, et meurs de honte.

CLARICE.

Je ne rougirai point pour le récit d'un conte.

ALCIPPE.

Quoi ! je suis donc un fourbe, un bizarre, un jaloux ?

CLARICE.

Quelqu'un a pris plaisir à se jouer* de vous,   520
Alcippe ; croyez-moi.

ALCIPPE.

                    Ne cherche point d'excuses ;
Je connais tes détours,* et devine tes ruses.
Adieu : suis ton Dorante, et l'aime désormais ;
Laisse en repos Alcippe, et n'y pense jamais.

CLARICE.

Écoutez quatre mots.

ALCIPPE.

                    Ton père va descendre.   525

---

1. *de vieux temps* = *depuis un temps très ancien.*

CLARICE.

Non, il ne descend point, et ne peut nous entendre ;
Et j'aurai tout loisir de vous désabuser.

ALCIPPE.

Je ne t'écoute point, à moins * que m'épouser,
À moins qu'en attendant le jour du mariage,
M'en donner ta parole et deux baisers en gage.   530

CLARICE.

Pour me justifier vous demandez de moi,
Alcippe ?

ALCIPPE.

Deux baisers, et ta main, et ta foi.

CLARICE.

Que cela ? [1]

ALCIPPE.

Résous-toi,[2] sans plus me faire attendre.

CLARICE.

Je n'ai pas le loisir, mon père va descendre.

SCÈNE IV.

ALCIPPE.

Va, ris de ma douleur alors que je te perds ;   535
Par ces indignités romps toi-même mes fers ; [3]
Aide mes feux trompés à se tourner en glace ;
Aide un juste courroux à se mettre en leur place.
Je cours à la vengeance, et porte à ton amant
Le vif et prompt effet de mon ressentiment.   540
S'il est homme de cœur, ce jour même nos armes
Régleront par leur sort tes plaisirs ou tes larmes ;
Et plutôt que le voir possesseur de mon bien,[4]
Puissé-je dans son sang voir couler tout le mien !
Le voici, ce rival, que son père t'amène :   545
Ma vieille amitié cède à ma nouvelle haine ;

---

1. *Que cela ?:* "Only that ?" Ironic.   2. "Make up your mind."
3. "break my chains"; *i.e.*, cause me to stop loving you.   4. Alcippe
had been so certain of marrying Clarice that he considered her "his
property."

Sa vue [1] accroît l'ardeur dont je me sens brûler :
Mais ce n'est pas ici qu'il faut le quereller.

SCÈNE V.[2]

GÉRONTE, DORANTE, CLITON.

GÉRONTE.

Dorante, arrêtons-nous ; le trop de promenade
Me mettrait hors d'haleine, et me ferait malade.   550
Que l'ordre est rare et beau de ces grands bâtiments ![3]

DORANTE.

Paris semble à mes yeux un pays de romans.
J'y croyais ce matin voir une île enchantée ;
Je la laissai déserte, et la trouve habitée ;
Quelque Amphion nouveau,[4] sans l'aide des maçons,   555
En superbes palais a changé ses buissons.

GÉRONTE.

Paris voit tous les jours de ces métamorphoses :
Dans tout le Pré-aux-Clercs [5] tu verras mêmes choses ;
Et l'univers entier ne peut rien voir d'égal
Aux superbes dehors du palais Cardinal.   560
Toute une ville entière, avec pompe bâtie,
Semble d'un vieux fossé par miracle sortie,
Et nous fait présumer, à ses superbes toits,
Que tous ses habitants sont des dieux ou des rois.
Mais changeons de discours.*   Tu sais combien je t'aime? 565

DORANTE.

Je chéris cet honneur bien plus que le jour même.

1. *Sa vue:* "the sight of him."   2. The stage showed a room in the
house of Clarice which opened on the Place Royale ; through the win-
dows one saw a portion of this square.   The interview between Alcippe
and Clarice took place in the room ; the present interview between
Géronte and Dorante takes place in the square, just outside.   3. The
Place Royale was lined with magnificent buildings.   4. Legend relates
that Amphion caused Thebes (Greece) to be built by music, making
the stones move into place just by the beautiful notes of his lyre.
5. The Pré-aux-clercs, in the St. Germain suburb, was also lined with
aristocratic residences at this time.

GÉRONTE.

Comme de mon hymen il n'est sorti que toi,
Et que je te vois prendre un périlleux emploi,[1]
Où l'ardeur pour la gloire à tout oser convie,
Et force à tous moments de négliger la vie,   570
Avant qu'aucun malheur te puisse être avenu,
Pour te faire marcher* un peu plus retenu,[2]
Je te veux marier.

DORANTE.

Oh ! ma chère Lucrèce !

GÉRONTE.

Je t'ai voulu choisir moi-même une maîtresse,
Honnête,* belle, riche.

DORANTE.

Ah ! pour la bien choisir,   575
Mon père, donnez-vous un peu plus de loisir.

GÉRONTE.

Je la connais assez : Clarice est belle et sage
Autant que dans Paris il en soit de son âge ;[3]
Son père de tout temps est mon plus grand ami,
Et l'affaire est conclue.

DORANTE.

Ah ! Monsieur, j'en frémi :[4]   580
D'un fardeau si pesant accabler ma jeunesse !

GÉRONTE.

Fais ce que je t'ordonne.

DORANTE.

Il faut jouer* d'adresse.
Quoi ? Monsieur, à présent qu'il faut dans les combats
Acquérir quelque nom, et signaler mon bras . . .

GÉRONTE.

Avant qu'être au hasard qu'un autre bras t'immole,[5]   585
Je veux dans ma maison avoir qui m'en console ;
Je veux qu'un petit-fils puisse y tenir ton rang,

---

1. *i.e.*, that of a soldier.   2. *un peu plus retenu:* "in more moderate
fashion."   3. "As much so as any girl of her age in Paris."   4. *j'en
frémis* is the usual form. However, the *s* is not etymological and was
sometimes omitted in poetry.   5. = *Avant de risquer qu'un autre bras
t'immole.*

Soutenir ma vieillesse, et réparer* mon sang :
En un mot, je le veux.

DORANTE.

Vous êtes inflexible !

GÉRONTE.

Fais ce que je te dis.

DORANTE.

Mais s'il est impossible ?   590

GÉRONTE.

Impossible ! et comment ?

DORANTE.

Souffrez qu'aux yeux de tous
Pour obtenir pardon j'embrasse vos genoux.
Je suis . . .

GÉRONTE.

Quoi ?

DORANTE.

Dans Poitiers . . .

GÉRONTE.

Parle donc, et te lève.

DORANTE.

Je suis donc marié, puisqu'il faut que j'achève.[1]

GÉRONTE.

Sans mon consentement ?

DORANTE.

On m'a violenté :   595
Vous ferez tout casser par votre autorité,
Mais nous fûmes tous deux forcés à l'hyménée
Par la fatalité la plus inopinée . . .
Ah ! si vous le saviez !

GÉRONTE.

Dis, ne me cache rien.

---

1. This further lie is to involve Dorante in embarrassing situations. As in the case of the first falsehood to Alcippe, he is not content to lie about the general fact, but furnishes the most complete imaginary details.

DORANTE.

Elle est de fort bon lieu,[1] mon père ; et pour [2] son bien,   600
S'il n'est du tout si grand que votre humeur souhaite . . .

GÉRONTE.

Sachons,[3] à cela près,* puisque c'est chose faite.
Elle se nomme ?

DORANTE.

Orphise ; et son père, Armédon.

GÉRONTE.

Je n'ai jamais ouï ni l'un ni l'autre nom.
Mais poursuis.

DORANTE.

Je la vis presque à mon arrivée.   605
Une âme de rocher ne s'en fût pas sauvée,[4]
Tant elle avait d'appas, et tant son œil vainqueur
Par une douce force assujettit mon cœur !
Je cherchai donc chez elle à faire connaissance ;
Et les soins obligeants de ma persévérance   610
Surent plaire de sorte à cet objet charmant,
Que j'en fus en six mois autant aimé qu'amant.
J'en reçus des faveurs secrètes, mais honnêtes ;
Et j'étendis si loin mes petites conquêtes,
Qu'en son quartier souvent je me coulais sans bruit,   615
Pour causer avec elle une part de la nuit.
Un soir que je venais de monter dans sa chambre
(Ce fut, s'il m'en souvient, le second de septembre ;
Oui, ce fut ce jour-là que je fus attrapé),
Ce soir même son père en ville avait soupé ;   620
Il monte à son retour, il frappe à la porte : elle [5]
Transit, rougit, pâlit, me cache en sa ruelle,
Ouvre enfin, et d'abord (qu'elle eut d'esprit et d'art !)
Elle se jette au cou de ce pauvre vieillard,
Dérobe* en l'embrassant son désordre à sa vue :   625
Il se sied ; [6] il lui dit qu'il veut la voir pourvue ; [7]
Lui propose un parti qu'on lui venait d'offrir.

1. *i.e.*, *d'une bonne famille.*   2. *pour = quant à.*   3. "Let's
have the facts."   4. "would not have escaped her."   5. It seems
that there should be a pause after this and the three succeeding words,
— to indicate the bewildered actions of the surprised girl. Then, the
next phrase would be spoken rapidly to indicate action based on sudden decision.   6. *Il s'assied* is the form used in modern French.
7. "provided for," in the sense of established in marriage.

Jugez combien mon cœur avait lors à souffrir !
Par sa réponse adroite elle sut si bien faire,
Que sans m'inquiéter elle plut à son père.   630
Ce discours ennuyeux enfin se termina ;
Le bonhomme partait quand ma montre sonna ; [1]
Et lui, se retournant vers sa fille étonnée :
"Depuis quand cette montre? et qui vous l'a donnée?
— Acaste, mon cousin, me la vient d'envoyer,   635
Dit-elle, et veut ici la faire nettoyer,
N'ayant point d'horlogiers au lieu de sa demeure :
Elle a déjà sonné deux fois en un quart d'heure.
— Donnez-la-moi, dit-il, j'en prendrai mieux le soin.
Alors pour me la prendre elle vient en mon coin :   640
Je la lui donne en main ; mais, voyez ma disgrâce,
Avec mon pistolet le cordon [2] s'embarrasse,
Fait marcher* le déclin : le feu prend, le coup part ; [3]
Jugez de notre trouble à ce triste* hasard.
Elle tombe par terre ; et moi, je la crus morte.   645
Le père épouvanté gagne aussitôt la porte ;
Il appelle au secours, il crie à l'assassin :
Son fils et deux valets me coupent le chemin.
Furieux de ma perte,[4] et combattant de rage,
Au milieu de tous trois je me faisais passage,   650
Quand un autre malheur de nouveau me perdit ;
Mon épée en ma main en trois morceaux rompit.
Désarmé, je recule, et rentre ; alors Orphise,
De sa frayeur première aucunement* remise,
Sait prendre un temps si juste en son reste d'effroi,   655
Qu'elle pousse la porte et s'enferme avec moi.
Soudain nous entassons, pour défenses nouvelles,
Bancs, tables, coffres, lits, et jusqu'aux escabelles :
Nous nous barricadons, et dans ce premier feu,*
Nous croyons gagner tout à différer un peu.   660
Mais comme à ce rempart l'un et l'autre travaille,
D'une chambre voisine on perce la muraille :
Alors me voyant pris, il fallut composer.*
(*Ici Clarice les voit de sa fenêtre ; et Lucrèce, avec Isabelle, les*
voit aussi de la sienne.)

1. Watches which sounded the hour were quite common in the 17th
century.   2. A ribbon was used on a watch in the way a chain is today.
3. "the shot goes off."   4. *perte* might mean either the "loss" of his
beloved, or his own "predicament."

GÉRONTE.

C'est-à-dire en français qu'il fallut l'épouser?

DORANTE.

Les siens m'avaient trouvé de nuit seul avec elle,   665
Ils étaient les plus forts, elle me semblait belle,
Le scandale était grand, son honneur se perdait ; [1]
À ne le faire pas ma tête en répondait ; [2]
Ses grands efforts pour moi, son péril, et ses larmes,
À mon cœur amoureux étaient de nouveaux charmes :   670
Donc, pour sauver ma vie ainsi que son honneur,
Et me mettre avec elle au comble du bonheur,
Je changeai d'un seul mot la tempête en bonace,
Et fis ce que tout autre [3] aurait fait en ma place.
Choisissez maintenant de me voir ou mourir,   675
Ou posséder un bien [4] qu'on ne peut trop chérir.

GÉRONTE.

Non, non, je ne suis pas si mauvais que tu penses,
Et trouve en ton malheur de telles circonstances,
Que mon amour t'excuse ; et mon esprit touché
Te blâme seulement de l'avoir trop caché.   680

DORANTE.

Le peu de bien qu'elle a me faisait vous le taire.

GÉRONTE.

Je prends peu garde au bien,[5] afin d'être bon père.
Elle est belle, elle est sage, elle sort de bon lieu,
Tu l'aimes, elle t'aime ; il me suffit.   Adieu :
Je vais me dégager* du père de Clarice.   685

SCÈNE VI.

DORANTE, CLITON.

DORANTE.

Que dis-tu de l'histoire, et de mon artifice?
Le bonhomme en tient-il? m'en suis-je bien tiré?

---

     1. *se perdait = aurait été perdu si je ne l'avais pas épousée.*   2. *i.e.,*
si je ne l'avais pas fait, on m'aurait tué.   3. *tout autre:* "any other."
4. refers to his imaginary wife.   5. *Je me soucie peu du bien.*

Quelque sot en ma place y serait demeuré ; *
Il eût perdu le temps à gémir et se plaindre,
Et malgré son amour, se fût laissé contraindre.   690
Oh ! l'utile secret que mentir à propos !

CLITON.

Quoi ? ce que vous disiez n'est pas vrai ?

DORANTE.

Pas deux mots ;
Et tu ne viens d'ouïr qu'un trait * de gentillesse
Pour conserver mon âme et mon cœur à Lucrèce.

CLITON.

Quoi ? la montre, l'épée, avec le pistolet . . .   695

DORANTE.

Industrie.[1]

CLITON.

Obligez,* Monsieur, votre valet :
Quand vous voudrez jouer * de ces grands coups de maître,
Donnez-lui quelque signe à les pouvoir connaître ; [2]
Quoique bien averti, j'étais dans le panneau.*

DORANTE.

Va, n'appréhende pas d'y tomber de nouveau :   700
Tu seras de mon cœur l'unique secrétaire,*
Et de tous mes secrets le grand dépositaire.

CLITON.

Avec ces qualités j'ose bien espérer
Qu'assez malaisément je pourrai m'en parer.[3]
Mais parlons de vos feux.   Certes cette maîtresse . . .   705

SCÈNE VII.

Dorante, Cliton, Sabine.

SABINE.
(*Elle lui donne un billet.*)

Lisez ceci, Monsieur.

1. "stratagem."   2. *à les pouvoir connaître = pour qu'il puisse les
connaître.*   3. These two verses are ironic.   Cliton means that even
when he is acquainted with the secret he will have difficulty in not being
deceived by Dorante's trickery.

DORANTE.

D'où vient-il?

SABINE.

De Lucrèce.

DORANTE, *après l'avoir lu.*

Dis-lui que j'y viendrai.

(*Sabine rentre, et Dorante continue.*)

Doute encore, Cliton,
À laquelle des deux appartient ce beau nom.
Lucrèce sent sa part des feux qu'elle fait naître,
Et me veut cette nuit parler par sa fenêtre.   710
Dis encor que c'est l'autre, ou que tu n'es qu'un sot.
Qu'aurait l'autre à m'écrire, à qui je n'ai dit mot?

CLITON.

Monsieur, pour ce sujet n'ayons point de querelle :
Cette nuit, à la voix, vous saurez si c'est elle.

DORANTE.

Coule-toi là-dedans,[1] et de quelqu'un des siens [2]   715
Sache subtilement sa famille et ses biens.

SCÈNE VIII.

DORANTE, LYCAS.

LYCAS, *lui présentant un billet.*

Monsieur.

DORANTE.

Autre billet.

(*Il continue, après avoir lu tout bas le billet.*)

J'ignore quelle offense
Peut d'Alcippe avec moi rompre l'intelligence ;*
Mais n'importe, dis-lui que j'irai volontiers.
Je te suis.

(*Lycas rentre, et Dorante continue seul.*)

Je revins hier au soir de Poitiers,   720

1. *là-dedans:* "into Lucrèce's house."   2. *des siens = de ses*
domestiques.

D''aujourd'hui seulement je produis mon visage,[2]
Et j'ai déjà querelle, amour et mariage :
Pour un commencement ce n'est point mal trouvé.
Vienne encore un procès, et je suis achevé.
Se charge qui voudra [3] d'affaires plus pressantes,   725
Plus en nombre à la fois et plus embarrassantes : [4]
Je pardonne à qui mieux s'en pourra démêler.*
Mais allons voir celui qui m'ose quereller.

ACTE III. SCÈNE PREMIÈRE.

DORANTE, ALCIPPE, PHILISTE.

PHILISTE.

Oui, vous faisiez tous deux en [5] hommes de courage,
Et n'aviez l'un ni l'autre aucun désavantage.   730
Je rends grâces au ciel de ce qu'il a permis
Que je sois survenu pour vous refaire amis,
Et que, la chose égale,[6] ainsi je vous sépare :
Mon heur en est extrême, et l'aventure rare.

DORANTE.

L'aventure est encore bien plus rare pour moi,   735
Qui lui faisais raison sans avoir su de quoi.
Mais, Alcippe, à présent tirez-moi hors de peine : [7]
Quel sujet aviez-vous de colère ou de haine ?
Quelque mauvais rapport m'aurait-il pu noircir ?
Dites, que devant lui je vous puisse éclaircir.   740

ALCIPPE.

Vous le savez assez.

DORANTE.

Plus je me considère,
Moins je découvre en moi ce qui vous peut déplaire.

ALCIPPE.

Eh bien ! puisqu'il vous faut parler plus clairement,
Depuis plus de deux ans j'aime secrètement ;

---

1. Omit *d'* in translation.   2. *je produis mon visage = je me laisse voir.*   3. *Que celui qui voudra se charge,* etc.   4. *À la fois plus nombreuses et plus embarrassantes.*   5. *en:* "like."   6. *i.e.,* either one might have won the duel.   7. "relieve my perplexity."

Mon affaire est d'accord,* et la chose vaut faite ;[1]   745
Mais pour quelque raison nous la tenons secrète.
Cependant à l'objet qui me tient sous sa loi,[2]
Et qui sans me trahir ne peut être qu'à moi,
Vous avez donné bal, collation, musique ;
Et vous n'ignorez pas combien cela me pique,   750
Puisque, pour me jouer un si sensible tour,
Vous m'avez à dessein caché votre retour,
Et n'avez aujourd'hui quitté votre embuscade*
Qu'afin de m'en conter l'histoire par bravade.
Ce procédé m'étonne, et j'ai lieu de penser   755
Que vous n'avez rien fait qu'afin de m'offenser.

DORANTE.

Si vous pouviez encor douter de mon courage,
Je ne vous guérirais ni d'erreur ni d'ombrage,
Et nous nous reverrions,[3] si nous étions rivaux ;
Mais comme vous savez tous deux ce que je vaux,   760
Écoutez en deux mots l'histoire démêlée :[4]
    Celle que cette nuit sur l'eau j'ai régalée
N'a pu vous donner lieu de devenir jaloux ;
Car elle est mariée, et ne peut être à vous.
Depuis peu pour affaire elle est ici venue,   765
Et je ne pense pas qu'elle vous soit connue.

ALCIPPE.

Je suis ravi, Dorante, en cette occasion,
De voir finir sitôt notre division.

DORANTE.

Alcippe, une autre fois donnez moins de croyance
Aux premiers mouvements* de votre défiance ;   770
Jusqu'à mieux savoir tout sachez vous retenir,[5]
Et ne commencez plus par où l'on doit finir.
Adieu : je suis à vous.

---

1. *vaut faite:* "is as good as settled."   2. To be in love with a girl required one to be blindly obedient to her.   3. *i.e.*, for a continuation of the duel.   4. *l'histoire démêlée:* "the explanation of the matter." 5. Rephrase : *Sachez retenir votre courroux jusqu'à ce que vous sachiez tous les faits.*

SCÈNE II.

Alcippe, Philiste.

PHILISTE.

Ce cœur encor soupire !

ALCIPPE.

Hélas ! je sors d'un mal pour tomber dans un pire.
Cette collation, qui l'aura pu donner ?   775
À qui puis-je m'en prendre* ? et que m'imaginer ?

PHILISTE.

Que l'ardeur de Clarice est égale à vos flammes.
Cette galanterie était pour d'autres dames.
L'erreur de votre page a causé votre ennui ;
S'étant trompé lui-même, il vous trompe après lui.   780
J'ai tout su de lui-même et des gens [1] de Lucrèce.
　Il avait vu chez elle entrer votre maîtresse ; [2]
Mais il n'avait pas vu qu'Hippolyte* et Daphné
Ce jour-là, par hasard, chez elle avaient dîné.
Il les en voit sortir, mais à coiffe abattue,[3]   785
Et sans les approcher il suit de rue en rue ;
Aux couleurs,[4] au carrosse, il ne doute de rien ;
Tout était à Lucrèce, et le dupe si bien,
Que prenant ces beautés pour Lucrèce et Clarice,
Il rend à votre amour un très mauvais service.   790
Il les voit donc aller jusques au bord de l'eau,
Descendre de carrosse, entrer dans un bateau ;
Il voit porter des plats, entend quelque musique
(À ce que l'on m'a dit, assez mélancolique).[5]
Mais cessez d'en avoir l'esprit inquiété ;   795
Car enfin le carrosse avait été prêté : [6]
L'avis se trouve faux ; et ces deux autres belles
Avaient en plein repos passé la nuit chez elles.

1. *i.e.*, her servants.　　2. *i.e.*, Clarice enter the home of Lucrèce.
3. *à coiffe abattue:* "with hats pulled down over their eyes."
4. Colors of the livery ; each aristocratic family dressed its servants
in clothing with a certain color combination.　5. Dorante had said
that the music at *his* dinner was anything but lugubrious (see 265–266).
6. By Lucrèce to her friends, Hippolyte and Daphné.

ALCIPPE.

Quel malheur est le mien ! Ainsi donc sans sujet
J'ai fait ce grand vacarme à ce charmant objet ?   800

PHILISTE.

Je ferai votre paix.   Mais sachez autre chose :
Celui qui de ce trouble est la seconde cause,
Dorante, qui tantôt nous en a tant conté
De son festin superbe et sur l'heure apprêté,
Lui qui depuis un mois nous cachant sa venue,   805
La nuit, *incognito*, visite une inconnue,
Il vint hier de Poitiers, et sans faire aucun bruit,
Chez lui paisiblement a dormi toute nuit.[1]

ALCIPPE.

Quoi ! sa collation . . .

PHILISTE.

                              N'est rien qu'un pur mensonge ;
Ou, quand il l'a donné, il l'a donné en songe.   810

ALCIPPE.

Dorante, en ce combat si peu prémédité,
M'a fait voir trop de cœur pour tant de lâcheté.
La valeur n'apprend point la fourbe en son école :
Tout homme de courage est homme de parole ;
À des vices si bas il ne peut consentir,   815
Et fuit plus que la mort la honte de mentir.
Cela n'est point.

PHILISTE.

                    Dorante, à ce que [2] je présume,
Est vaillant par nature et menteur par coutume.
Ayez sur ce sujet moins d'incrédulité,
Et vous-même admirez notre simplicité :   820
À nous laisser duper nous sommes bien novices.
Une collation servie à six services,
Quatre concerts entiers, tant de plats, tant de feux,[3]
Tout cela cependant prêt en une heure ou deux,
Comme si l'appareil * d'une telle cuisine   825
Fût descendu du ciel dedans quelque machine.
Quiconque le peut croire ainsi que vous et moi,

---

    1. *toute la nuit.*   2. *à ce que:* translate "as."   3. "fireworks"
here.

S'il a manque de sens, n'a pas manque de foi.[1]
Pour moi, je voyais bien que tout ce badinage
Répondait assez mal aux remarques du page ;   830
Mais vous?

ALCIPPE.

La jalousie aveugle un cœur atteint,
Et sans examiner, croit tout ce qu'elle craint.
Mais laissons là [2] Dorante avecque son audace ;
Allons trouver Clarice et lui demander grâce :
Elle pouvait tantôt m'entendre sans rougir.   835

PHILISTE.

Attendez à demain et me laissez agir :
Je veux par ce récit vous préparer la voie,
Dissiper sa colère et lui rendre sa joie.
Ne vous exposez point, pour gagner un moment,
Aux premières chaleurs de son ressentiment.   840

ALCIPPE.

Si du jour qui s'enfuit la lumière est fidèle,[3]
Je pense l'entrevoir avec son Isabelle.[4]
Je suivrai tes conseils, et fuirai son courroux
Jusqu'à ce qu'elle ait ri de m'avoir vu jaloux.

SCÈNE III.

CLARICE, ISABELLE.

CLARICE.

Isabelle, il est temps, allons trouver Lucrèce.   845

ISABELLE.

Il n'est pas encor tard, et rien ne vous en presse.
Vous avez un pouvoir bien grand sur son esprit :
À peine ai-je parlé, qu'elle a sur l'heure écrit.

---

1. "May be lacking in common sense, but not incredulousness."
2. *laissons là :* "let's stop talking about."   3. A somewhat indirect
statement. Translate : "If the dim light of evening does not deceive
me."   4. The men are in the Place Royale. The women are coming
out of Clarice's house.

CLARICE.

Clarice à la servir ne serait pas moins prompte.
Mais dis, par sa fenêtre as-tu bien vu Géronte? 850
Et sais-tu que ce fils qu'il m'avait tant vanté
Est ce même inconnu qui m'en a tant conté? [1]

ISABELLE.

À Lucrèce avec moi je l'ai fait reconnaître ;
Et sitôt que Géronte a voulu disparaître,[2]
Le voyant resté seul avec un vieux valet, 855
Sabine à nos yeux même a rendu le billet.
Vous parlerez à lui.

CLARICE.

Qu'il est fourbe, Isabelle.

ISABELLE.

Eh bien ! cette pratique est-elle si nouvelle?
Dorante est-il le seul qui, de jeune écolier,
Pour être mieux reçu [3] s'érige en cavalier? 860
Que [4] j'en sais comme lui qui parlent d'Allemagne,
Et si l'on veut les croire, ont vu chaque campagne ;
Sur chaque occasion tranchent* des entendus,
Content quelque défaite, et des chevaux perdus ;
Qui dans une gazette apprenant ce langage, 865
S'ils sortent de Paris, ne vont qu'à leur village,
Et se donnent ici pour témoins approuvés [5]
De tous ces grands combats qu'ils ont lus ou rêvés !
Il aura cru sans doute, ou je suis fort trompée,
Que les filles de cœur aiment les gens d'épée ; 870
Et vous prenant pour telle, il a jugé soudain
Qu'une plume au chapeau vous plaît mieux qu'à la main.[6]
Ainsi donc, pour vous plaire, il a voulu paraître,
Non pas pour ce qu'il est, mais pour ce qu'il veut être,
Et s'est osé promettre un traitement plus doux 875
Dans la condition qu'il veut prendre pour vous.

1. *qui m'en a tant conté:* "who told me such wild yarns."
2. "When Géronte finally decided to leave." 3. *mieux reçu: i.e.*, by
the ladies on whom he bestowed his attentions. 4. *Que:* "how many."
5. *témoins approuvés:* "authoritative witnesses." 6. "That you
would prefer a gallant soldier to a learned student." A play on *plume:*
in the first case, "feather" symbolizing the fashionable gentlemen, and in
the second "pen," for the student.

CLARICE.

En matière de fourbe, il est maître, il y pipe ; [1]
Après m'avoir dupée, il dupe encore Alcippe.
Ce malheureux jaloux s'est blessé le cerveau
D'un festin qu'hier au soir il m'a donné sur l'eau   880
(Juge un peu si la pièce a la moindre apparence [2]).
Alcippe cependant m'accuse d'inconstance,
Me fait une querelle où je ne comprends rien.
J'ai, dit-il, toute nuit souffert son entretien ;
Il me parle de bal, de danse, de musique,   885
D'une collation superbe et magnifique,
Servie à tant de plats, tant de fois redoublés,
Que j'en ai la cervelle et les esprits troublés.

ISABELLE.

Reconnaissez par là que Dorante vous aime,
Et que dans son amour son adresse est extrême ;   890
Il aura su qu'Alcippe était bien avec vous, [3]
Et pour l'en éloigner il l'a rendu jaloux.
Soudain à cet effort il en a joint un autre :
Il a fait que son père est venu voir le vôtre.
Un amant peut-il mieux agir en un moment   895
Que de gagner un père et brouiller l'autre amant ?
Votre père l'agrée, et le sien vous souhaite ;
Il vous aime, il vous plaît : c'est une affaire faite.

CLARICE.

Elle est faite, de vrai, ce qu'elle se fera. [4]

ISABELLE.

Quoi ? votre cœur se change, et désobéira ?   900

CLARICE.

Tu vas sortir de garde, et perdre tes mesures. [5]
Explique, si tu peux, encor ses impostures :

---

1. *il y pipe = il y trompe:* "he's a successful deceiver." 2. *apparence de vérité.* 3. *était bien avec vous:* "was on intimate terms with you." 4. *i.e.,* it is as nearly accomplished as it ever will be. She has no yearning for Dorante. 5. Fencing terms ; *sortir de garde* = "let down your guard" ; *perdre tes mesures* = "lose your accuracy in thrusting and parrying." The general sense is : when I tell you the whole truth, your defence of Dorante will be useless. Fencing was such a popular sport in the 17th century that it is not strange to find fencing expressions even in the speech of a girl.

Il était marié sans que l'on en sût rien ;
Et son père a repris sa parole du mien,
Fort triste de visage et fort confus dans l'âme.   905

ISABELLE.

Ah ! je dis à mon tour : "Qu'il est fourbe, Madame !"
C'est bien aimer la fourbe, et l'avoir bien en main,
Que de prendre plaisir à fourber sans dessein ;
Car pour moi, plus j'y songe, et moins je puis comprendre
Quel fruit auprès de vous il en ose prétendre.*   910
Mais qu'allez-vous donc faire ? et pourquoi lui parler ?
Est-ce à dessein d'en rire, ou de le quereller ?

CLARICE.

Je prendrai du plaisir du moins à le confondre.

ISABELLE.

J'en prendrais davantage à le laisser morfondre.

CLARICE.

Je veux l'entretenir par curiosité.   915
Mais j'entrevois quelqu'un dans cette obscurité,
Et si c'était lui-même, il pourrait me connaître :
Entrons donc chez Lucrèce, allons à sa fenêtre,
Puisque c'est sous son nom que je lui dois parler.
Mon jaloux, après tout, sera mon pis aller : [1]   920
Si sa mauvaise humeur déjà n'est apaisée,
Sachant ce que je sais, la chose est fort aisée.

SCÈNE IV.

DORANTE, CLITON.

DORANTE.

Voici l'heure et le lieu que marque le billet.

CLITON.

J'ai su tout ce détail d'un ancien valet :
Son père est de la robe,[2] et n'a qu'elle de fille ; [3]   925

---

1. Dorante would be preferable ; however, since Clarice thinks he is
actually married, she will have to be content with jealous Alcippe.
2. "is a magistrate." 3. *elle est sa fille unique.*

Je vous ai dit son bien, son âge, et sa famille.
  Mais, Monsieur, ce serait pour me bien divertir,
Si comme vous Lucrèce excellait à mentir :
Le divertissement serait rare, ou je meure ! [1]
Et je voudrais qu'elle eût ce talent pour une heure ;   930
Qu'elle pût un moment vous piper en votre art,
Rendre conte pour conte, et martre pour renard : [2]
D'un et d'autre côté j'en entendrais de bonnes.[3]

DORANTE.

Le ciel fait cette grâce à fort peu de personnes :
Il y faut promptitude,* esprit, mémoire, soins,   935
Ne se brouiller jamais, et rougir encor moins.
Mais la fenêtre s'ouvre, approchons.

SCÈNE V.

CLARICE, LUCRÈCE, ISABELLE, *à la fenêtre.*
DORANTE, CLITON, *en bas.*

CLARICE, *à Isabelle.*

                  Isabelle,
Durant notre entretien demeure en sentinelle.

ISABELLE.

Lorsque votre vieillard* sera prêt à sortir,
Je ne manquerai pas de vous en avertir.   940

(*Isabelle descend de la fenêtre, et ne se montre plus.*)

LUCRÈCE, *à Clarice.*

Il conte assez au long ton histoire à mon père.[4]
Mais parle sous mon nom, c'est à moi de me taire.

CLARICE.

Êtes-vous là, Dorante ?

---

1. "may I die" (if it wouldn't be).   2. The fur of the marten was very expensive — that of the fox very cheap.   Hence, the idea is "give better than she received," or "tell bigger lies than were told her." 3. *choses* is understood.   4. Clarice's father is telling Lucrèce's father about the failure of the plans for marriage of Dorante and Clarice.

DORANTE.

Oui, Madame, c'est moi,
Qui veux vivre et mourir sous votre seule loi.[1]

LUCRÈCE, *à Clarice.*

Sa fleurette pour toi prend encor même style.[2]   945

CLARICE, *à Lucrèce.*

Il devrait s'épargner cette gêne inutile.
Mais m'aurait-il déjà reconnue à la voix?

CLITON, *à Dorante.*

C'est elle ; et je me rends, Monsieur, à cette fois.[3]

DORANTE, *à Clarice.*

Oui, c'est moi qui voudrais effacer de ma vie
Les jours que j'ai vécu sans vous avoir servie.   950
Que vivre sans vous voir est un sort rigoureux !
C'est ou ne vivre point, ou vivre malheureux ;
C'est une longue mort ; et pour moi, je confesse
Que pour vivre il faut être esclave de Lucrèce.

CLARICE, *à Lucrèce.*

Chère amie, il en conte* à chacune à son tour.   955

LUCRÈCE, *à Clarice.*

Il aime à promener* sa fourbe et son amour.

DORANTE.

À vos commandements j'apporte donc ma vie,
Trop heureux si pour vous elle m'était ravie !
Disposez-en,[4] Madame, et me dites en quoi
Vous avez résolu de vous servir de moi.   960

CLARICE.

Je vous voulais tantôt proposer quelque chose ;
Mais il n'est plus besoin que je vous la propose,
Car elle est impossible.

---

1. *sous votre seule loi:* "in love with you alone."   2. *i.e.,* in spite
of his note to me, he is talking to you as he did this morning in the
Tuileries (Acte I, Scène 3).   3. Cliton had disagreed with Dorante
as to the identity of the girls ; he was right, but when he heard the voice
of Clarice under the name of Lucrèce, he seemed to be wrong.   4. *en =
de ma vie.*

DORANTE.

Impossible ! Ah ! pour vous
Je pourrai tout, Madame, en tous lieux, contre tous.

CLARICE.

Jusqu'à vous marier, quand je sais que vous l'êtes ? [1]   965

DORANTE.

Moi, marié ! ce sont pièces [2] qu'on vous a faites ;
Quiconque vous l'a dit s'est voulu divertir.

CLARICE, à Lucrèce.

Est-il plus grand fourbe ?

LUCRÈCE, à Clarice.

Il ne sait que mentir.

DORANTE.

Je ne le fus jamais ; et si par cette voie
On pense . . .

CLARICE.

Et vous pensez encor que je vous croie ?   970

DORANTE.

Que le foudre à vos yeux m'écrase, si je mens !

CLARICE.

Un menteur est toujours prodigue de serments.

DORANTE.

Non, si vous avez eu pour moi quelque pensée
Qui sur ce faux rapport puisse être balancée,
Cessez d'être en balance et de vous défier   975
De ce qu'il m'est aisé de vous justifier.*

CLARICE, à Lucrèce.

On dirait qu'il dit vrai, tant son effronterie
Avec naïveté* pousse une menterie.

DORANTE.

Pour vous ôter* de doute, agréez que demain
En qualité d'époux je vous donne la main.   980

---

1. *Jusqu'à vous marier avec moi, quand je sais que vous êtes déjà marié ?*
2. *pièces:* "nonsense." A term drawn from the theater; *faire pièce
à quelqu'un* = "play a farce on someone."

CLARICE.

Eh ! vous la donneriez en un jour à deux mille.

DORANTE.

Certes, vous m'allez mettre en crédit [1] par la ville,
Mais en crédit si grand, que j'en crains les jaloux.

CLARICE.

C'est tout ce que mérite un homme tel que vous,
Un homme qui se dit un grand foudre de guerre,   985
Et n'en a vu qu'à coups d'écritoire ou de verre ; [2]
Qui vint hier de Poitiers, et conte, à son retour,
Que depuis une année il fait ici sa cour ;
Qui donne toute nuit festin, musique et danse,
Bien qu'il l'ait dans son lit passée en tout silence ;   990
Qui se dit marié, puis soudain s'en dédit :
Sa méthode est jolie à se mettre en crédit !
Vous-même, apprenez-moi comme [3] il faut qu'on le nomme.

CLITON, à *Dorante.*

Si vous vous en tirez, je vous tiens habile homme.

DORANTE, à *Cliton.*

Ne t'épouvante point, tout vient en sa saison.   995

(*À Clarice.*)

De ces inventions chacune a sa raison : [4]
Sur toutes quelque jour je vous rendrai contente ;
Mais à présent je passe à la plus importante :
    J'ai donc feint cet hymen (pourquoi désavouer
Ce qui vous forcera vous-même à me louer ?) ;   1000
Je l'ai feint, et ma feinte à vos mépris m'expose ;
Mais si de ces détours vous seule étiez la cause ?

CLARICE.

Moi ?

DORANTE.

    Vous.   Écoutez-moi.   Ne pouvant consentir . . .

CLITON, à *Dorante.*

De grâce, dites-moi si vous allez mentir.

---

1. *vous m'allez mettre en crédit:* "you will give me a fine reputation."
2. *i.e.,* you have only seen wars among school-boys, who throw their inkstands (*écritoire*) and their glasses at one another.   3. *comme = comment.*   4. *i.e., Il y a une raison pour chacune de ces inventions.*

DORANTE, *à Cliton.*

Ah ! je t'arracherai cette langue importune. 1005
(*À Clarice.*)
Donc, comme à vous servir j'attache ma fortune,
L'amour que j'ai pour vous ne pouvant consentir
Qu'un père à d'autres lois [1] voulût m'assujettir. . . .

CLARICE, *à Lucrèce.*

Il fait pièce* nouvelle, écoutons.

DORANTE.

Cette adresse
A conservé mon âme [2] à la belle Lucrèce ; 1010
Et par ce mariage au besoin inventé,
J'ai su rompre celui qu'on m'avait apprêté.
Blâmez-moi de tomber en des fautes si lourdes,
Appelez-moi grand tourbe et grand donneur de bourdes ;
Mais louez-moi du moins d'aimer si puissamment,* 1015
Et joignez à ces noms celui de votre amant.
Je fais par cet hymen banqueroute à tous autres ;
J'évite tous leurs fers [3] pour mourir dans les vôtres ;
Et libre pour entrer en des liens si doux,
Je me fais [4] marié pour toute autre que vous. 1020

CLARICE.

Votre flamme en naissant a trop de violence,
Et me laisse toujours en juste* défiance.
Le moyen que [5] mes yeux eussent de tels appas
Pour qui [6] m'a si peu vue et ne me connaît pas ?

DORANTE.

Je ne vous connais pas ! Vous n'avez plus de mère ; 1025
Périandre est le nom de Monsieur votre père ;
Il est homme de robe, adroit et retenu ;
Dix mille écus de rente en font le revenu ; [7]
Vous perdîtes un frère aux guerres d'Italie ;
Vous aviez une sœur qui s'appelait Julie. 1030
Vous connais-je à présent ? dites encor que non.

---

1. *à d'autres lois = à une autre femme.*   2. *i.e.*, "kept me free to give my heart."   3. *i.e.*, "the obligations which might attach me to any other woman."   4. *Je me fais = Je me feins.*   5. *Le moyen que :* "how can it be that."   6. *quelqu'un qui.*   7. *en font le revenu :* "constitute his income."

CLARICE, *à Lucrèce.*

Cousine, il te connaît, et t'en veut [1] tout de bon.

LUCRÈCE, *en elle-même.*

Plût à Dieu ! [2]

CLARICE, *à Lucrèce.*

Découvrons le fond de l'artifice.

(*À Dorante.*)

J'avais voulu tantôt vous parler de Clarice,
Quelqu'un de vos amis m'en est venu prier.   1035
Dites-moi, seriez-vous pour elle à marier ? [3]

DORANTE.

Par cette question n'éprouvez* plus ma flamme.
Je vous ai trop fait voir jusqu'au fond de mon âme,
Et vous ne pouvez plus désormais ignorer
Que j'ai feint cet hymen afin de m'en parer.*   1040
Je n'ai ni feux ni vœux que pour votre service,
Et ne puis plus avoir que mépris pour Clarice.

CLARICE.

Vous êtes, à vrai dire, un peu bien dégoûté :*
Clarice est de maison,[4] et n'est pas sans beauté ;
Si Lucrèce à vos yeux paraît un peu plus belle,   1045
De bien mieux faits que vous [5] se contenteraient d'elle.

DORANTE.

Oui, mais un grand défaut ternit tous ses appas.

CLARICE.

Quel est-il, ce défaut ?

DORANTE.

                    Elle ne me plaît pas ;
Et plutôt que l'hymen avec elle me lie,
Je serai marié, si l'on veut, en Turquie.   1050

CLARICE.

Aujourd'hui cependant on m'a dit qu'en plein jour
Vous lui serriez la main, et lui parliez d'amour.

---

1. *t'en veut:* "is interested in you."   2. *Plût à Dieu:* "would to
God" (it were so).   3. *i.e., voudriez-vous l'épouser ?*   4. *de maison:*
"of good family."   5. "much better people than you."

DORANTE.

Quelqu'un auprès de vous m'a fait cette imposture.

CLARICE, *à Lucrèce.*

Écoutez l'imposteur ; c'est hasard s'il n'en jure.

DORANTE.

Que du ciel . . .

CLARICE, *à Lucrèce.*

L'ai-je dit ?

DORANTE.

　　　　　　　J'éprouve le courroux　　1055
Si j'ai parlé, Lucrèce, à personne qu'à vous !

CLARICE.

Je ne puis plus souffrir une telle impudence,
Après ce que j'ai vu moi-même en ma présence :
Vous couchez * d'imposture, et vous osez jurer,
Comme si je pouvais vous croire, ou l'endurer !　　1060
Adieu : retirez-vous, et croyez, je vous prie,
Que souvent je m'égaye ainsi par raillerie,
Et que pour me donner des passe-temps si doux,
J'ai donné cette baye à bien d'autres qu'à vous.

SCÈNE VI.

DORANTE, CLITON.

CLITON.

Eh bien ! vous le voyez, l'histoire est découverte.　　1065

DORANTE.

Ah ! Cliton, je me trouve à deux doigts de [1] ma perte.

CLITON.

Vous en avez sans doute un plus heureux succès,
Et vous avez gagné chez elle un grand accès ;
Mais je suis ce fâcheux qui nuis par ma présence,
Et vous fais sous ces mots être d'intelligence.[2]　　1070

---

1. *à deux doigts de = bien près de.*　2. Compare these lines with
346–350 (and note to the last of these lines).

DORANTE.

Peut-être. Qu'en crois-tu?

CLITON.

Le peut-être est gaillard.

DORANTE.

Penses-tu qu'après tout j'en quitte encor ma part,[1]
Et tienne tout perdu pour un peu de traverse?

CLITON.

Si jamais cette part tombait dans le commerce,
Et qu'il vous vînt marchand pour ce trésor caché,   1075
Je vous conseillerais d'en faire bon marché.[2]

DORANTE.

Mais pourquoi si peu croire[3] un feu si véritable?

CLITON.

À chaque bout de champ[4] vous mentez comme un diable.

DORANTE.

Je disais vérité.

CLITON.

Quand un menteur la dit,
En passant par sa bouche elle perd son crédit.*   1080

DORANTE.

Il faut donc essayer si par quelque autre bouche
Elle pourra trouver un accueil moins farouche.
Allons sur le chevet rêver quelque moyen
D'avoir de l'incrédule un plus doux entretien.
Souvent leur belle humeur suit le cours de la lune :   1085
Telle rend des mépris* qui veut qu'on l'importune ;
Et de quelques effets* que les siens[5] soient suivis,
Il sera demain jour, et la nuit porte avis.*

---

1. "that I will give up my interest." The metaphor is that Dorante and Cliton are partners in the enterprise of winning. Dorante refuses to give up his share. 2. *i.e.*, if this interest (or "share") were ever to have a commercial value, and you had a chance to sell your interest, I'd advise you to sell it cheap. 3. *i.e.*, why does Clarice refuse to believe, etc. 4. *À chaque bout de champ* = *À chaque moment.* 5. *les siens* refers to *mépris.*

ACTE IV. SCÈNE PREMIÈRE.[1]

DORANTE, CLITON.

CLITON.

Mais, Monsieur, pensez-vous qu'il soit jour chez Lucrèce?
Pour sortir si matin elle a trop de paresse.   1090

DORANTE.

On trouve bien souvent plus qu'on ne croit trouver,
Et ce lieu pour ma flamme est plus propre à rêver :
J'en [2] puis voir sa fenêtre, et de sa chère idée [3]
Mon âme à cet aspect sera mieux possédée.[4]

CLITON.

À propos de rêver, n'avez-vous rien trouvé   1095
Pour servir de remède au désordre arrivé?

DORANTE.

Je me suis souvenu d'un secret que toi-même
Me donnais hier pour grand, pour rare, pour suprême :
Un amant obtient tout quand il est libéral.

CLITON.

Le secret est fort beau, mais vous l'appliquez mal :   1100
Il ne fait réussir [5] qu'auprès d'une coquette.

DORANTE.

Je sais ce qu'est Lucrèce, elle est sage et discrète ;
À lui faire présent mes efforts seraient vains :
Elle a le cœur trop bon ; mais ses gens ont des mains ;
Et bien que sur ce point elle les désavoue,   1105
Avec un tel secret leur langue se dénoue :
Ils parlent, et souvent on les daigne écouter.[6]
À tel* prix que ce soit, il m'en faut acheter.

---

1. The scene is laid in the Place Royale. Attention is directed to the
window of Lucrèce's home. It is the morning of the second day.
2. *en = de ce lieu*.   3. *de sa chère idée* depends on *possédée; idée* has
here the sense of "image," "likeness."   4. *possédée* means here
"obsessed," "completely taken up with."   5. *Il fait réussir:* "it
brings success."   6. In days when the lover had few occasions to talk
freely with his sweetheart, he would bribe her intimate attendants to
plead in his favor.

Si celle-ci venait qui m'a rendu sa lettre,
Après ce qu'elle a fait j'ose tout m'en [1] promettre ;*   1110
Et ce sera hasard si sans beaucoup d'effort
Je ne trouve moyen de lui payer le port.*

CLITON.

Certes, vous dites vrai, j'en juge par moi-même :
Ce n'est point mon humeur de refuser [2] qui m'aime ;
Et comme c'est m'aimer que me faire présent,   1115
Je suis toujours alors d'un esprit complaisant.

DORANTE.

Il est beaucoup d'humeurs pareilles à la tienne.

CLITON.

Mais, Monsieur, attendant que Sabine survienne,
Et que sur son esprit vos dons fassent vertu,*
Il court quelque bruit* sourd qu'Alcippe s'est battu.   1120

DORANTE.

Contre qui?

CLITON.

L'on ne sait ; mais ce confus murmure
D'un air pareil au vôtre à peu près le figure ;
Et si de tout le jour je vous avais quitté,
Je vous soupçonnerais de cette nouveauté.

DORANTE.

Tu ne me quittas point pour entrer chez Lucrèce?   1125

CLITON.

Ah ! Monsieur, m'auriez-vous joué ce tour d'adresse?

DORANTE.

Nous nous battîmes hier, et j'avais fait serment
De ne parler jamais de cet événement ;
Mais à toi, de mon cœur l'unique secrétaire,
À toi, de mes secrets le grand dépositaire,   1130
Je ne cèlerai rien, puisque je l'ai promis.
    Depuis cinq ou six mois nous étions ennemis :
Il passa par Poitiers, où nous prîmes querelle ;
Et comme on nous fit lors une paix telle quelle,
Nous sûmes l'un à l'autre en secret protester   1135

---

1. en = d'elle.   2. after refuser, supply quelqu'un.

Qu'à la première vue il en faudrait tâter.[1]
Hier nous nous rencontrons ; cette ardeur se réveille,
Fait de notre embrassade un appel à l'oreille ;
Je me défais de toi, j'y cours, je le rejoins,
Nous vidons sur le pré l'affaire sans témoins ;　　　　1140
Et le perçant à jour de deux coups d'estocade
Je le mets hors d'état d'être jamais malade :
Il tombe dans son sang.[2]

CLITON.

À ce compte il est mort ?

DORANTE.

Je le laissai pour tel.

CLITON.

Certes, je plains son sort :

Il était honnête homme ; et le ciel ne déploie . . .　　　1145

SCÈNE II.

DORANTE, ALCIPPE, CLITON.

ALCIPPE.

Je te veux, cher ami, faire part * de ma joie.
Je suis heureux : mon père . . .

DORANTE.

Eh bien ?

ALCIPPE.

Vient d'arriver.

CLITON, *à Dorante.*

Cette place pour vous est commode à rêver.

DORANTE.

Ta joie est peu commune, et pour revoir un père
Un tel homme que nous ne se réjouit guère.[3]　　　　1150

1. *il en faudrait tâter :* "we should have to come to blows." 2. Note that the circumstances preceding and during the duel are completely changed by Dorante. 3. The relationships between father and son were not generally intimate in the 17th century. However, Dorante's remark seems unnecessarily curt, until we remember he is acting the imagined resentment against Alcippe which he has just been picturing to Cliton.

ALCIPPE.

Un esprit que la joie entièrement saisit
Présume qu'on l'entend au moindre mot qu'il dit.
Sache donc que je touche à l'heureuse journée
Qui doit avec Clarice unir ma destinée :
On attendait mon père afin de tout signer.   1155

DORANTE.

C'est ce que mon esprit ne pouvait deviner ;
Mais je m'en réjouis.   Tu vas entrer chez elle ?

ALCIPPE.

Oui, je lui vais porter cette heureuse nouvelle ;
Et je t'en ai voulu faire part en passant.

DORANTE.

Tu t'acquiers d'autant plus un cœur reconnaissant.   1160
Enfin donc ton amour ne craint plus de disgrâce * ?

ALCIPPE.

Cependant qu'au logis mon père se délasse,
J'ai voulu par devoir prendre l'heure du sien.[1]

CLITON, à Dorante.

Les gens que vous tuez se portent assez bien.

ALCIPPE.

Je n'ai de part ni d'autre [2] aucune défiance. *   1165
Excuse d'un amant la juste impatience :
Adieu.

DORANTE.

Le ciel te donne [3] un hymen sans souci !

SCÈNE III.

DORANTE, CLITON.

CLITON.

Il est mort ! Quoi ? Monsieur, vous m'en donnez aussi.
À moi, de votre cœur l'unique secrétaire,
À moi, de vos secrets le grand dépositaire !   1170

---

1. "set a time with hers (Clarice's father)," for the interview to decide on terms of the marriage contract.   2. *de part ni d'autre:* "in
either direction."   3. *Que le ciel te donne . . .*

Avec ces qualités j'avais lieu d'espérer
Qu'assez malaisément je pourrais m'en parer.[1]

DORANTE.

Quoi ! mon combat te semble un conte imaginaire ?

CLITON.

Je croirai tout, Monsieur, pour ne vous pas déplaire ;
Mais vous en contez tant, à toute heure, en tous lieux,   1175
Qu'il faut bien de l'esprit avec vous, et bons yeux.[2]
More, juif ou chrétien, vous n'épargnez personne.

DORANTE.

Alcippe te surprend, sa guérison t'étonne !
L'état où je le mis était fort périlleux ;
Mais il est [3] à présent des secrets merveilleux :   1180
Ne t'a-t-on point parlé d'une source de vie
Que nomment nos guerriers poudre de sympathie ? [4]
On en voit tous les jours des effets étonnants.

CLITON.

Encor ne sont-ils pas du tout [5] si surprenants ;
Et je n'ai point appris qu'elle eût tant d'efficace,   1185
Qu'un homme que pour mort on laisse sur la place,
Qu'on a de deux grands coups percé de part en part,
Soit dès le lendemain si frais et si gaillard.

DORANTE.

La poudre que tu dis n'est que de la commune,
On n'en fait plus de cas ; mais, Cliton, j'en sais une   1190
Qui rappelle sitôt des portes du trépas,
Qu'en moins d'un tournemain on ne s'en souvient pas ;
Quiconque le sait faire a de grands avantages.

CLITON.

Donnez-m'en le secret, et je vous sers sans gages.

1. These last four verses are an ironic repetition of 701–705.
2. *i.e.*, in order to know when Dorante is lying and when telling
the truth.   3. *il est = il y a.*   4. This treatment of wounds, a com-
pound with a sulphur base, was quite fashionable in the 1640's. It
was pretended that the remedy would work at a distance if applied to
blood that came from the wound. Hence the name *poudre de sympathie.*
5. *du tout = tout à fait.*

DORANTE.

Je te le donnerais,[1] et tu serais heureux ;   1195
Mais le secret consiste en quelques mots hébreux,
Qui tous à prononcer sont si fort difficiles,
Que ce seraient pour toi des trésors inutiles.

CLITON.

Vous savez donc l'hébreu ?

DORANTE.

                              L'hébreu ? parfaitement :
J'ai dix langues, Cliton, à mon commandement.   1200

CLITON.

Vous auriez bien besoin de dix des mieux nourries,*
Pour fournir tour à tour à tant de menteries ;
Vous les hachez* menu comme chair* à pâtés.[2]
Vous avez tout le corps bien plein de vérités,
Il n'en sort jamais une.

DORANTE.

                          Ah ! cervelle ignorante !   1205
Mais mon père survient.

SCÈNE IV.

Géronte, Dorante, Cliton.

GÉRONTE.

                    Je vous cherchais, Dorante.

DORANTE.

Je ne vous cherchais pas, moi.[3]   Que mal à propos
Son abord importun vient troubler mon repos !
Et qu'un père incommode un homme de mon âge !

GÉRONTE.

Vu l'étroite union que fait le mariage,   1210
J'estime qu'en effet c'est n'y consentir point,

---

    1. Read : *Si je te le donnais, tu* . . .   2. *i.e.*, you manufacture lies
in wholesale quantities.   3. This speech is naturally not addressed to
Géronte audibly.   It is an aside remark to Cliton.

Que laisser désunis ceux que le ciel a joint.[1]
La raison le défend, et je sens dans mon âme
Un violent désir de voir ici ta femme.
   J'écris donc à son père ; écris-lui comme moi :   1215
Je lui mande qu'après ce que j'ai su [2] de toi,
Je me tiens trop heureux qu'une si belle fille,
Si sage, et si bien née, entre dans ma famille.
J'ajoute à ce discours que je brûle* de voir
Celle qui de mes ans devient l'unique espoir ;   1220
Que pour me l'amener tu t'en vas en personne ;
Car enfin il le faut, et le devoir l'ordonne :
N'envoyer qu'un valet sentirait son mépris.[3]

DORANTE.

De vos civilités il sera bien surpris,
Et pour moi, je suis prêt ; mais je perdrai ma peine :*   1225
Il ne souffrira pas encor qu'on vous l'amène ;
Elle est grosse.[4]

GÉRONTE.

    Elle est grosse !

DORANTE.

        Et de plus de six mois.

GÉRONTE.

Que de ravissements je sens à cette fois.

DORANTE.

Vous ne voudriez pas hasarder sa grossesse ?

GÉRONTE.

Non, j'aurai patience autant que d'allégresse ;   1230
Pour hasarder ce gage [5] il m'est trop précieux.
À ce coup* ma prière a pénétré les cieux :
Je pense en le voyant que je mourrai de joie.

---

1. The rule about the agreement of participles was not universally adopted until somewhat later than the date of *Le Menteur* (Vaugelas: *Remarques sur la Langue Française,* 1647).   2. *j'ai su* = "I have learned."   3. "To send only a servant would seem to indicate but little respect for the bride."   4. A further imagination of Dorante to prevent his father from sending for the wife he had falsely pretended to have.   5. "pledge "or "security" for the continuation of his family line.

Adieu : je vais changer la lettre que j'envoie,
En écrire à son père un nouveau compliment,   1235
Le prier d'avoir soin de son accouchement,
Comme du seul espoir où mon bonheur se fonde.

DORANTE, *à Cliton.*

Le bonhomme s'en va le plus content du monde.

GÉRONTE, *se retournant.*

Écris-lui comme moi.

DORANTE.

Je n'y manquerai pas.

Qu'il est bon ! [1]

CLITON.

Taisez-vous, il revient sur ses pas.   1240

GÉRONTE.

Il ne me souvient plus [2] du nom de ton beau-père.
Comment s'appelle-t-il ?

DORANTE.

Il n'est pas nécessaire ;
Sans que vous vous donniez ces soucis superflus,
En fermant le paquet j'écrirai le dessus.[3]

GÉRONTE.

Étant tout d'une main,[4] il sera plus honnête.   1245

DORANTE.

Ne lui pourrai-je ôter ce souci de la tête ? [5]
Votre main ou la mienne, il n'importe des deux.

GÉRONTE.

Ces nobles de province y [6] sont un peu fâcheux.*

DORANTE.

Son père sait la cour.[7]

GÉRONTE.

Ne me fais plus attendre,
Dis-moi . . .   1250

---

1. The sense is ironic : *bon* = "credulous," "easy to fool."   2. *Il
ne me souvient plus* = *Je ne me souviens plus.*   3. *le dessus:* "the
address," here.   4. "If it is all in one handwriting."   5. This line
is not supposed to be heard by Géronte, of course.   6. *y* = "on that
subject."   7. *i.e.*, is not a countryman ; he knows polite usage.

DORANTE.

Que lui dirai-je?[1]

GÉRONTE.

Il s'appelle?

DORANTE.

Pyrandre.

GÉRONTE.

Pyrandre ! tu m'as dit tantôt un autre nom :
C'était, je m'en souviens, oui, c'était Armédon.

DORANTE.

Oui, c'est là son nom propre, et l'autre d'une terre ;
Il portait ce dernier quand il fut à la guerre,
Et se sert si souvent de l'un et l'autre nom,   1255
Que tantôt c'est Pyrandre, et tantôt Armédon.

GÉRONTE.

C'est un abus commun qu'autorise l'usage,
Et j'en usais * ainsi du temps * de mon jeune âge.
Adieu : je vais écrire.

SCÈNE V.

DORANTE, CLITON.

DORANTE.

Enfin j'en suis sorti.[2]

CLITON.

Il faut bonne mémoire après qu'on a menti.   1260

DORANTE.

L'esprit a secouru le défaut de mémoire.

CLITON.

Mais on éclaircira bientôt toute l'histoire.
Après ce mauvais pas où vous avez bronché,
Le reste encor longtemps ne peut être caché :
On le sait chez Lucrèce, et chez cette Clarice,   1265

1. A side remark.   2. cf. English slang "I got out of that."

Qui d'un mépris si grand piquée avec justice,
Dans son ressentiment prendra l'occasion
De vous couvrir de honte et de confusion.

DORANTE.

Ta crainte est bien fondée, et puisque le temps presse,
Il faut tâcher en hâte à m'engager* Lucrèce.   1270
Voici tout à propos* ce que j'ai souhaité.

SCÈNE VI.

DORANTE, CLITON, SABINE.

DORANTE.

Chère amie, hier au soir j'étais si transporté,
Qu'en ce ravissement je ne pus me permettre
De bien penser à toi quand j'eus lu cette lettre ;
Mais tu n'y perdras rien, et voici pour le port.[1]   1275

SABINE.

Ne croyez pas, Monsieur . . .

DORANTE.

Tiens.*

SABINE.

Vous me faites tort.

Je ne suis pas de . . .

DORANTE.
Prends.

SABINE.

Eh ! Monsieur.

DORANTE.

Prends, te dis-je :
Je ne suis point ingrat alors que l'on m'oblige ;*
Dépêche, tends la main.

CLITON.

Qu'elle y fait de façons* !
Je lui veux par pitié donner quelques leçons.   1280

1. Dorante hands her a coin.

  Chère amie, entre nous, toutes tes révérences *
En ces occasions ne sont qu'impertinences ; *
Si ce n'est assez d'une, ouvre toutes les deux : [1]
Le métier que tu fais ne veut point de honteux.[2]
Sans te piquer d'honneur, crois qu'il n'est que de prendre, 128*
Et que tenir vaut mieux mille fois que d'attendre.
Cette pluie [3] est fort douce ; et quand j'en vois pleuvoir,
J'ouvrirais jusqu'au cœur pour la mieux recevoir.
On prend à toutes mains * dans le siècle où nous sommes,
Et refuser n'est plus le vice des grands hommes.   129*
Retiens bien ma doctrine ; et pour faire amitié,
Si tu veux, avec toi je serai de moitié. *

SABINE.

Cet article est de trop.

DORANTE.

Vois-tu, je me propose

De faire avec le temps pour toi toute autre chose.
Mais comme j'ai reçu cette lettre de toi,   1295
En voudrais-tu donner la réponse pour moi ?

SABINE.

Je la donnerai bien, mais je n'ose vous dire
Que ma maîtresse daigne ou la prendre, ou la lire :
J'y ferai mon effort.

CLITON.

Voyez, elle se rend [4]

Plus douce qu'une épouse, et plus souple qu'un gant.   1300

DORANTE.

Le secret a joué.[5]   Présente-la, n'importe ;
Elle n'a pas pour moi d'aversion si forte.
Je reviens dans une heure en apprendre l'effet.

SABINE.

Je vous conterai lors tout ce que j'aurai fait.

---

   1. *une, deux* refer to *mains*.   2. *i.e.*, in the trade you are following
bashful people don't succeed.   3. *i.e.*, "rain" of gold.   4. *elle se*
rend = elle devient.   5. *a joué:* "worked."

SCÈNE VII.

Cliton, Sabine.

CLITON.

Tu vois que les effets préviennent les paroles ; [1]   1305
C'est un homme qui fait litière* de pistoles ;
Mais comme auprès de lui je puis beaucoup pour toi. . . .

SABINE.

Fais tomber de la pluie, et laisse faire à moi.

CLITON.

Tu viens d'entrer en goût.

SABINE.

               Avec mes révérences,
Je ne suis pas encor si dupe que tu penses.   1310
Je sais bien mon métier, et ma simplicité
Joue aussi bien son jeu que ton avidité.

CLITON.

Si tu sais ton métier, dis-moi quelle espérance
Doit obstiner mon maître à la persévérance.
Sera-t-elle insensible ? en viendrons-nous à bout* ?   1315

SABINE.

Puisqu'il est si brave homme, il faut te dire tout.
Pour te désabuser, sache donc que Lucrèce
N'est rien moins qu'insensible à l'ardeur qui le presse ;
Durant toute la nuit elle n'a point dormi ;
Et si je ne me trompe, elle l'aime à demi.   1320

CLITON.

Mais sur quel privilège est-ce qu'elle se fonde,
Quand elle aime à demi, de maltraiter le monde ?
Il n'en [2] a cette nuit reçu que des mépris.
Chère amie, après tout, mon maître vaut son prix.[3]
Ces amours à demi sont d'une étrange espèce ;   1325
Et s'il voulait me croire, il quitterait Lucrèce.

---

1. "results precede words"; *i.e.*, Dorante gives presents before they are asked for.   2. *en = d'elle.*   3. *vaut son prix* = "has his value."

SABINE.

Qu'il ne se hâte point, on l'aime assurément.

CLITON.

Mais on le lui témoigne un peu bien rudement ;
Et je ne vis jamais de méthodes pareilles.

SABINE.

Elle tient, comme on dit, le loup par les oreilles ; [1]   1330
Elle l'aime, et son cœur n'y saurait [2] consentir,
Parce que d'ordinaire il ne fait que mentir,
Hier même elle le vit dedans les Tuileries,
Où tout ce qu'il conta n'était que menteries.
Il en a fait autant depuis à deux ou trois.   1335

CLITON.

Les menteurs les plus grands disent vrai quelquefois.

SABINE.

Elle a lieu de douter et d'être en défiance.

CLITON.

Qu'elle donne à ses feux un peu plus de croyance :
Il n'a fait toute nuit que soupirer d'ennui.

SABINE.

Peut-être que tu mens aussi bien comme lui.   1340

CLITON.

Je suis homme d'honneur ; tu me fais injustice.

SABINE.

Mais dis-moi, sais-tu bien qu'il n'aime plus Clarice?

CLITON.

Il ne l'aima jamais.

SABINE.

Pour certain?

CLITON.

Pour certain.

---

1. Today this proverb means that one is in control of the situation. In Corneille's day, however, it had the opposite meaning (one has the wolf by the ears, but is afraid to loose him for fear of being eaten). Translate: "she is in a state of great embarrassment."   2. *saurait:* "cannot."

SABINE.

Qu'il ne craigne donc plus de soupirer en vain.
Aussitôt que Lucrèce a pu le reconnaître, 1345
Elle a voulu qu'exprès je me sois fait paraître,[1]
Pour voir si par hasard il ne me dirait rien ;
Et s'il l'aime en effet, tout le reste ira bien.
Va-t'en ; et sans te mettre en peine de m'instruire,
Crois que je lui dirai tout ce qu'il lui faut dire. 1350

CLITON.

Adieu : de ton côté si tu fais ton devoir,
Tu dois croire du mien que je ferai pleuvoir.[2]

SCÈNE VIII.

Lucrèce, Sabine.

SABINE.

Que je vais bientôt voir une fille contente !
Mais la voici déjà ; qu'elle est impatiente !
Comme elle a les yeux fins, elle a vu le poulet.[3] 1355

LUCRÈCE.

Eh bien ! que t'ont conté le maître et le valet ?

SABINE.

Le maître et le valet m'ont dit la même chose.
Le maître est tout à vous, et voici de sa prose.

LUCRÈCE, *après avoir lu.*

Dorante avec chaleur fait le passionné ; *
Mais le fourbe qu'il est nous en a trop donné,* 1360
Et je ne suis pas fille à croire ses paroles.

SABINE.

Je ne les crois non plus ; mais j'en crois ses pistoles.

1. *fait paraître = montré.* This line and the preceding one explain
why Sabine was so conveniently present (v. 1272). 2. On the sense
of *pleuvoir* compare vv. 1287, 1303. 3. This name was applied to a
love-note because, in the time of Corneille, it was the mode to fold such
letters in a way that produced two projecting ends ; these ends faintly
resembled a chicken's wings.

LUCRÈCE.

Il t'a donc fait présent?

SABINE.

Voyez.

LUCRÈCE.

Et tu l'as pris?

SABINE.

Pour vous ôter du trouble où flottent vos esprits,
Et vous mieux témoigner ses flammes véritables,   1365
J'en ai pris les témoins les plus indubitables ;
Et je remets, Madame, au jugement de tous
Si qui [1] donne à vos gens est sans amour pour vous,
Et si ce traitement marque une âme commune.

LUCRÈCE.

Je ne m'oppose pas à ta bonne fortune ;   1370
Mais comme en l'acceptant tu sors de [2] ton devoir,
Du moins une autre fois ne m'en fais rien savoir.

SABINE.

Mais à ce libéral que pourrai-je promettre?

LUCRÈCE.

Dis-lui que sans la voir, j'ai déchiré sa lettre.

SABINE.

Ô ma bonne fortune, où vous enfuyez-vous !   137½

LUCRÈCE.

Mêles-y de ta part deux ou trois mots plus doux ;
Conte-lui dextrement le naturel des femmes ;
Dis-lui qu'avec le temps on amollit leurs âmes ;
Et l'avertis surtout des heures et des lieux
Où par rencontre [3] il peut se montrer à mes yeux.   1380
Parce qu'il est grand fourbe, il faut que je m'assure.*

SABINE.

Ah ! si vous connaissiez les peines qu'il endure,
Vous ne douteriez plus si son cœur est atteint ;
Toute nuit il soupire, il gémit, il se plaint.

1. *qui = celui qui.*   2. *sors de:* "depart" or " deviate from."
3. *par rencontre = par hasard.*

LUCRÈCE.

Pour apaiser les maux que cause cette plainte,　　　　1385
Donne-lui de l'espoir avec beaucoup de crainte ;
Et sache entre les deux toujours le modérer,
Sans m'engager à lui ni le désespérer.

SCÈNE IX.

CLARICE, LUCRÈCE, SABINE.

CLARICE.

Il t'en veut [1] tout de bon, et m'en voilà défaite ; [2]
Mais je souffre aisément la perte que j'ai faite :　　　　1390
Alcippe la répare, et son père est ici.

LUCRÈCE.

Te voilà donc bientôt quitte d'un grand souci ?

CLARICE.

M'en voilà bientôt quitte ; et toi, te voilà prête
À t'enrichir bientôt d'une étrange conquête.
Tu sais ce qu'il m'a dit.

SABINE.

　　　　　　　　　　S'il vous mentait alors,　　　　1395
À présent il dit vrai ; j'en réponds* corps pour corps. [3]

CLARICE.

Peut-être qu'il le dit ; mais c'est un grand peut-être. [4]

LUCRÈCE.

Dorante est un grand fourbe, et nous l'a fait connaître ;
Mais s'il continuait encore à m'en conter,*
Peut-être avec le temps il me ferait douter.　　　　1400

CLARICE.

Si tu l'aimes, du moins, étant bien avertie,
Prends bien garde à ton fait, et fais bien ta partie. [5]

---

1. *Il t'en veut:* "he is interested in you." 　2. *m'en voilà défaite:* "I am rejected." 　3. "I'll guarantee it absolutely." 　4. *i.e.,* the fact that Dorante says so is far from making it so. 5. "Watch your step, play your rôle properly."

LUCRÈCE.

C'en est trop ; et tu dois seulement présumer
Que je penche à le croire, et non pas à l'aimer.

CLARICE.

De le croire à l'aimer la distance est petite :   1405
Qui fait croire ses feux fait croire son mérite ;
Ces deux points en amour se suivent de si près,
Que qui se croit aimée aime bientôt après.

LUCRÈCE.

La curiosité souvent dans quelques âmes
Produit le même effet que produiraient des flammes.[1]   1410

CLARICE.

Je suis prête à le croire afin de t'obliger.[2]

SABINE.

Vous me feriez ici toutes deux enrager.
Voyez, qu'il est besoin de tout ce badinage !
Faites moins la sucrée,[3] et changez de langage,
Ou vous n'en casserez, ma foi, que d'une dent.[4]   1415

LUCRÈCE.

Laissons là cette folle, et dis-moi cependant,
Quand nous le vîmes hier dedans les Tuileries,
Qu'il te conta d'abord tant de galanteries,*
Il fut, ou je me trompe, assez bien écouté.
Était-ce amour alors, ou curiosité ?   1420

CLARICE.

Curiosité pure, avec dessein de rire
De tous les compliments qu'il aurait pu me dire.

LUCRÈCE.

Je fais de cc billet même chose à mon tour ;
Je l'ai pris, je l'ai lu, mais le tout sans amour :
Curiosité pure, avec dessein de rire   1425
De tous les compliments qu'il aurait pu m'écrire.

---

1. *i.e.*, Lucrèce says her actions are the result of curiosity as to what Dorante will do next, not of love for him.   2. *obliger* = "please" here.
3. *Faites moins la sucrée :* "stop pretending to be so modest."   4. "Or you will bite with only one tooth"; *i.e.*, you will not derive full profit from the situation.

CLARICE.

Ce sont deux [1] que de lire, et d'avoir écouté :
L'un est grande faveur ; l'autre, civilité ;
Mais trouves-y ton compte,* et j'en serai ravie ;
En l'état où je suis j'en parle sans envie.[2]   1430

LUCRÈCE.

Sabine lui dira que je l'ai déchiré.

CLARICE.

Nul avantage ainsi n'en peut être tiré.
Tu n'es que curieuse.

LUCRÈCE.

Ajoute : à ton exemple.

CLARICE.

Soit.   Mais il est saison que nous allions au temple.[3]

LUCRÈCE, *à Clarice.*

Allons.

(*À Sabine.*)

Si tu le vois, agis comme tu sais.   1435

SABINE.

Ce n'est pas sur ce coup* que je fais mes essais :*
Je connais à tous deux où tient la maladie,[4]
Et le mal sera grand si je n'y remédie ;
Mais sachez qu'il est homme à prendre sur le vert.[5]

LUCRÈCE.

Je te croirai.

SABINE.

Mettons cette pluie [6] à couvert.   1440

---

1. Read : *deux choses différentes.*   2. Note that the two friends are
madly jealous, but try to cover it up.   3. In the 17th century, some
writers were careful not to introduce things religious into dramatic
works.   Hence the use of *temple* instead of *église,* the usual word for a
Catholic church.   4. "I know what's wrong with both of them."
5. *homme à prendre,* etc. : "a man to be grabbed while the time is ripe."
6. The "rain of gold," so often referred to in the preceding scenes.

ACTE V. SCÈNE PREMIÈRE.

Géronte, Philiste.

GÉRONTE.

Je ne pouvais avoir rencontre plus heureuse
Pour satisfaire ici mon humeur curieuse.
Vous avez feuilleté le *Digeste*[1] à Poitiers,
Et vu, comme mon fils, les gens de ces quartiers :
Ainsi vous me pouvez facilement apprendre   1445
Quelle est et la famille et le bien de Pyrandre.

PHILISTE.

Quel[2] est-il, ce Pyrandre?

GÉRONTE.

         Un de leurs citoyens :
Noble, à ce qu'on m'a dit, mais un peu mal* en biens.

PHILISTE.

Il n'est dans tout Poitiers bourgeois ni gentilhomme
Qui, si je m'en souviens, de la sorte se nomme.   1450

GÉRONTE.

Vous le connaîtrez mieux peut-être à l'autre nom ;
Ce Pyrandre s'appelle autrement Armédon.

PHILISTE.

Aussi peu l'un que l'autre.

GÉRONTE.

         Et le père d'Orphise,
Cette rare beauté qu'en ces lieux même on prise?
Vous connaissez le nom de cet objet charmant   1455
Qui fait de ces cantons le plus digne ornement?

PHILISTE.

Croyez que cette Orphise, Armédon, et Pyrandre,
Sont gens dont à Poitiers on ne peut rien apprendre.
S'il vous faut sur ce point encor quelque garant . . .

---

1. *feuilleté le Digeste:* "studied law."   2. *Quel?:* "What manner
of man . . .?"

GÉRONTE.

En faveur de mon fils vous faites l'ignorant ;   1460
Mais je ne sais que trop qu'il aime cette Orphise,
Et qu'après les douceurs d'une longue hantise,
On l'a seul dans sa chambre avec elle trouvé ;
Que par son pistolet un désordre arrivé
L'a forcé sur-le-champ d'épouser cette belle.   1465
Je sais tout ; et de plus ma bonté paternelle
M'a fait y consentir ; et votre esprit discret
N'a plus d'occasion de m'en faire un secret.

PHILISTE.

Quoi ! Dorante a fait donc un secret mariage ?

GÉRONTE.

Et comme je suis bon, je pardonne à son âge.   1470

PHILISTE.

Qui vous l'a dit ?

GÉRONTE.

Lui-même.

PHILISTE.

Ah ! puisqu'il vous l'a dit,
Il vous fera du reste un fidèle récit ;
Il en sait mieux que moi toutes les circonstances :
Non qu'il vous faille en prendre aucunes défiances ;
Mais il a le talent de bien imaginer,[1]   1475
Et moi je n'eus jamais celui de deviner.

GÉRONTE.

Vous me feriez par là soupçonner son histoire.

PHILISTE.

Non, sa parole est sûre, et vous pouvez l'en croire ;
Mais il nous servit hier d'une collation
Qui partait[2] d'un esprit de grande invention ;*   1480
Et si ce mariage est de même méthode,[3]
La pièce est fort complète et des plus à la mode.[4]

---

1. *imaginer* has the sense here "to tell impossible yarns."   2. *partait:* "came from."   3. Read : *est quelque chose dans le même genre.*
4. *i.e.,* Dorante is an artistic liar ; translate : " the lie (trick) is very elegant, and most fashionable."

GÉRONTE.

Prenez-vous du plaisir à me mettre en courroux?

PHILISTE.

Ma foi, vous en tenez * aussi bien comme nous ;
Et pour vous en parler avec toute franchise, 1485
Si vous n'avez jamais pour bru que cette Orphise,
Vos chers collatéraux * s'en trouveront fort bien.
Vous m'entendez? adieu : je ne vous dis plus rien.

SCÈNE II.

GÉRONTE.

Ô vieillesse facile * !   Ô jeunesse impudente !
Ô de mes cheveux gris honte trop évidente ! 1490
Est-il dessous le ciel père plus malheureux ?
Est-il affront plus grand pour un cœur généreux ?
Dorante n'est qu'un fourbe ; et cet ingrat que j'aime,
Après m'avoir fourbé, me fait fourber moi-même ; [1]
Et d'un discours * en l'air, qu'il forge en imposteur, 1495
Il me fait le trompette et le second auteur !
Comme si c'était peu pour mon reste de vie
De n'avoir à rougir que de son infamie,
L'infâme, se jouant * de mon trop de bonté,
Me fait encor rougir de ma crédulité ! 1500

SCÈNE III.

GÉRONTE, DORANTE, CLITON.

GÉRONTE.

Êtes-vous gentilhomme?

DORANTE.

Ah ! rencontre fâcheusé !
Étant sorti de vous,[2] la chose est peu douteuse.

GÉRONTE.

Croyez-vous qu'il suffit d'être sorti de moi ?

1. *i.e.*, the credulous Géronte repeats Dorante's lies to others.
2. "Since I am your son."

DORANTE.

Avec toute la France aisément je le croi.

GÉRONTE.

Et ne savez-vous point avec toute la France,   1505
D'où ce titre d'honneur a tiré sa naissance,
Et que la vertu seule a mis en ce haut rang
Ceux qui l'ont jusqu'à moi fait passer dans leur sang?

DORANTE.

J'ignorerais un point que n'ignore personne,
Que la vertu l'acquiert, comme le sang le donne?   1510

GÉRONTE.

Où le sang a manqué, si la vertu l'acquiert,
Où le sang l'a donné, le vice aussi le perd.[1]
Ce qui naît d'un moyen périt par son contraire ;
Tout ce que l'un a fait, l'autre peut le défaire ;
Et dans la lâcheté* du vice où je te voi,   1515
Tu n'es plus gentilhomme, étant sorti de moi.

DORANTE.

Moi?

GÉRONTE.

          Laisse-moi parler, toi de qui l'imposture
Souille honteusement ce don de la nature :[2]
Qui se dit gentilhomme, et ment comme tu fais,
Il ment quand il le dit, et ne le fut jamais.   1520
Est-il vice plus bas, est-il tache plus noire,
Plus indigne d'un homme élevé pour la gloire?
Est-il quelque faiblesse, est-il quelque action
Dont un cœur vraiment noble ait plus d'aversion,
Puisqu'un seul démenti lui porte une infamie   1525
Qu'il ne peut effacer s'il n'expose sa vie,
Et si dedans le sang il ne lave l'affront
Qu'un si honteux outrage imprime sur son front?

DORANTE.

Qui vous dit que je mens?

1. *i.e.*, Nobility (the true variety) is acquired by virtue and trans-
mitted in the family as long as its members live up to family tradition.
However, as soon as one member of the family proves to be base, the
nobility is lost. (Compare Molière, *Dom Juan*, Acte IV, Scène VI).
2. *don de la nature :* *i.e.*, the nobility of which they have been talking.

GÉRONTE.

Qui me le dit, infâme ?
Dis-moi, si tu le peux, dis le nom de ta femme.   1530
Le conte qu'hier au soir tu m'en fis publier [1]. . .

CLITON, *à Dorante.*

Dites que le sommeil vous l'a fait oublier.

GÉRONTE.

Ajoute, ajoute encore avec effronterie
Le nom de ton beau-père et de sa seigneurie ;
Invente à m'éblouir quelques nouveaux détours.   1535

CLITON, *à Dorante.*

Appelez la mémoire ou l'esprit au secours.

GÉRONTE.

De quel front [*] cependant faut-il que je confesse
Que ton effronterie a surpris ma vieillesse,
Qu'un homme de mon âge a cru légèrement
Ce qu'un homme du tien débite impudemment ?   1540
Tu me fais donc servir de fable et de risée,
Passer pour esprit [*] faible, et pour cervelle [*] usée !
Mais dis-moi, te portais-je à la gorge un poignard ?
Voyais-tu violence ou courroux de ma part ?
Si quelque aversion t'éloignait de Clarice, [2]   1545
Quel besoin avais-tu d'un si lâche artifice ?
Et pouvais-tu douter que mon consentement
Ne dût [3] tout accorder à ton contentement,
Puisque mon indulgence, au dernier point venue,
Consentait à tes yeux l'hymen d'une inconnue ? [4]   1550
Ce grand excès d'amour que je t'ai témoigné
N'a point touché ton cœur, ou ne l'a point gagné :
Ingrat, tu m'as payé d'une impudente feinte,
Et tu n'as eu pour moi respect, amour, ni crainte.
Va, je te désavoue. [5]

DORANTE.

Eh ! mon père, écoutez.   1555

---

1. *tu m'en fis publier:* "you caused me to tell my friends."
2. *t'éloignait de Clarice:* "kept you from being attracted to Clarice."
3. *dût:* "would."   4. *i.e.*, since you saw me with your own eyes
accept this unknown woman for a daughter-in-law.   5. It is to be
noted that the feeling of these lines of Géronte is far above the level of the
comedy.   Only Cliton's impertinences serve to preserve the comic tone.

GÉRONTE.

Quoi? des contes en l'air et sur l'heure inventés?

DORANTE.

Non, la vérité pure.

GÉRONTE.

En est-il dans ta bouche?

CLITON, *à Dorante.*

Voici pour votre adresse une assez rude touche.

DORANTE.

Épris d'une beauté qu'à peine j'ai pu voir
Qu'elle a pris sur mon âme un absolu pouvoir,   1560
De Lucrèce, en un mot, vous la pouvez connaître. . . .

GÉRONTE.

Dis vrai : je la connais, et ceux qui l'ont fait naître ;
Son père est mon ami.

DORANTE.

Mon cœur en un moment
Étant de ses regards charmé si puissamment,
Le choix que vos bontés avaient fait de Clarice,   1565
Sitôt que je le sus, me parut un supplice ;
Mais comme j'ignorais si Lucrèce et son sort
Pouvaient avec le vôtre avoir quelque rapport,[1]
Je n'osai pas encor vous découvrir la flamme
Que venaient ses beautés d'allumer dans mon âme ;   1570
Et j'avais ignoré, Monsieur, jusqu'à ce jour
Que l'adresse d'esprit fût un crime en amour.
Mais si je vous osais demander quelque grâce,
À présent que je sais et son bien et sa race,
Je vous conjurerais, par les nœuds les plus doux   1575
Dont l'amour et le sang puissent m'unir à vous,
De seconder mes vœux auprès de cette belle :
Obtenez-la d'un père, et je l'obtiendrai d'elle.

GÉRONTE.

Tu me fourbes encor.

---

1. *i.e.*, I didn't know whether the family and fortune of Luc*r*èce would match yours nearly enough for you to approve of my marrying her.

DORANTE.

Si vous ne m'en croyez,
Croyez-en pour le moins Cliton que vous voyez :   1580
Il sait tout mon secret.

GÉRONTE.

Tu ne meurs pas de honte
Qu'il faille que de lui je fasse plus de conte,[1]
Et que ton père même, en doute de ta foi,*
Donne plus de croyance à ton valet qu'à toi !
Écoute ; je suis bon, et malgré ma colère,   1585
Je veux encore un coup* montrer un cœur de père,
Je veux encore un coup pour toi me hasarder.
Je connais ta Lucrèce, et la vais demander ;
Mais si de ton côté le moindre obstacle arrive . . .

DORANTE.

Pour vous mieux assurer, souffrez que je vous suive.   1590

GÉRONTE.

Demeure ici, demeure, et ne suis point mes pas :
Je doute, je hasarde, et je ne te crois pas.
Mais sache que tantôt si pour cette Lucrèce
Tu fais la moindre fourbe ou la moindre finesse,
Tu peux bien fuir mes yeux et ne me voir jamais ;   1595
Autrement souviens-toi du serment que je fais :
Je jure les rayons du jour qui nous éclaire
Que tu ne mourras point que de la main d'un père,
Et que ton sang indigne à mes pieds répandu
Rendra prompte justice à mon honneur perdu.   1600

SCÈNE IV

Dorante, Cliton.

DORANTE.

Je crains peu les effets d'une telle menace.

CLITON.

Vous vous rendez trop tôt et de mauvaise grâce ;
Et cet esprit adroit, qui l'a dupé deux fois,

1. *conte* = *compte :* translate : "that I must put more reliance on his word than on yours."

Devait en galant homme [1] aller jusques à trois :
Toutes tierces, dit-on, sont bonnes ou mauvaises.[2]   1605

DORANTE.

Cliton, ne raille point, que [3] tu ne me déplaises :
D'un trouble tout nouveau j'ai l'esprit agité.

CLITON.

N'est-ce point du remords d'avoir dit vérité ?
Si pourtant ce n'est point quelque nouvelle adresse ; *
Car je doute à présent si vous aimez Lucrèce,   1610
Et vous vois si fertile en semblables détours, *
Que, quoi que vous disiez, je l'entends au rebours.

DORANTE.

Je l'aime, et sur ce point ta défiance est vaine ;
Mais je hasarde trop, et c'est ce qui me gêne.
Si son père et le mien ne tombent point d'accord,   1615
Tout commerce est rompu, je fais naufrage au port.
Et d'ailleurs, quand l'affaire entre eux serait conclue,
Suis-je sûr que la fille y soit bien résolue ?
J'ai tantôt vu passer cet objet si charmant :
Sa compagne, ou je meure ! a beaucoup d'agrément.   1620
Aujourd'hui que mes yeux l'ont mieux examinée,
De mon premier amour j'ai l'âme un peu gênée :
Mon cœur entre les deux est presque partagé,
Et celle-ci l'aurait s'il n'était engagé.[4]

CLITON.

Mais pourquoi donc montrer une flamme si grande,   1625
Et porter votre père à faire une demande [5] ?

DORANTE.

Il ne m'aurait pas cru, si je ne l'avais fait.

---

1. *en galant homme :* "like a decent fellow." 2. *tiers, tierce =
troisième ; fièvre tierce* is the base of the expression used here ; in several
fevers the third attack was considered decisive, either death or cure
following it. Cliton means that a third lie to Géronte would have
either arranged everything perfectly or spoiled everything completely
for Dorante. 3. *que = de peur que.* 4. Lines 1620–24 prepare the
end of the play, when Dorante discovers that Lucrèce is really *sa
compagne.* He would have had to accept her anyway, so it is better
to have him not unwilling to do so. However, this indecision is not in
harmony with the usually decisive character of Dorante. 5. *demande
(en mariage).*

CLITON.

Quoi? même en disant vrai, vous mentiez en effet!

DORANTE.

C'était le seul moyen d'apaiser sa colère.
Que maudit soit quiconque a détrompé mon père !   1630
Avec ce faux hymen j'aurais eu le loisir
De consulter mon cœur, et je pourrais choisir.

CLITON.

Mais sa compagne enfin n'est autre que Clarice.

DORANTE.

Je me suis donc rendu moi-même un bon office.*
Oh ! qu'Alcippe est heureux, et que je suis confus !   1635
Mais Alcippe, après tout, n'aura que mon refus.[1]
N'y pensons plus, Cliton, puisque la place [2] est prise.

CLITON.

Vous en voilà défait* aussi bien que d'Orphise.

DORANTE.

Reportons à Lucrèce un esprit ébranlé,
Que l'autre à ses yeux même avait presque volé.   1640
Mais Sabine survient.

SCÈNE V.

DORANTE, SABINE, CLITON.

DORANTE.

          Qu'as-tu fait de ma lettre?
En de si belles mains as-tu su la remettre?

SABINE.

Oui, Monsieur, mais . . .

DORANTE.

          Quoi? mais !

SABINE.

          Elle a tout déchiré.

1. *mon refus = celle que je refuse.*   2. *place = place forte,* "citadel."

DORANTE.

Sans lire ?

SABINE.

Sans rien lire.

DORANTE.

Et tu l'as enduré ?

SABINE.

Ah, si vous aviez vu comme elle m'a grondée !   2645
Elle me va chasser, l'affaire en est vidée.*

DORANTE.

Elle s'apaisera ; mais pour t'en consoler,
Tends la main.

SABINE.

Eh ! Monsieur.

DORANTE.

Ose encor lui parler.
Je ne perds pas sitôt toutes mes espérances.

CLITON.

Voyez la bonne pièce* avec ses révérences* !   1650
Comme ses déplaisirs sont déjà consolés,
Elle vous en dira plus que vous n'en voulez.

DORANTE.

Elle a donc déchiré mon billet sans le lire ?

SABINE.

Elle m'avait donné charge de vous le dire ;
Mais à parler sans fard . . .

CLITON.

Sait-elle son métier ?   1655

SABINE.

Elle n'en a rien fait et l'a lu tout entier.
Je ne puis si longtemps abuser un brave homme.

CLITON.

Si quelqu'un l'¹entend mieux, je l'irai dire à Rome.²

1. *l'* = *son métier.*   2. This expression has become proverbial;
when the condition set down is impossible, one pledges a trip to Rome in
case one is wrong.

DORANTE.

Elle ne me hait pas, à ce compte?

SABINE.

Elle? non.

DORANTE.

M'aime-t-elle?

SABINE.

Non plus.

DORANTE.

Tout de bon?

SABINE.

Tout de bon. 1660

DORANTE.

Aime-t-elle quelque autre?

SABINE.

Encor moins.

DORANTE.

Qu'obtiendrai-je?

SABINE.

Je ne sais.

DORANTE.

Mais enfin, dis-moi.

SABINE.

Que vous dirai-je?

DORANTE.

Vérité.

SABINE.

Je la dis.

DORANTE.

Mais elle m'aimera?

SABINE.

Peut-être.

DORANTE.

Et quand encor?

SABINE.

Quand elle vous croira.

DORANTE.

Quand elle me croira ?   Que ma joie est extrême !   1665

SABINE.

Quand elle vous croira, dites qu'elle vous aime.

DORANTE.

Je le dis déjà donc, et m'en ose vanter,
Puisque ce cher objet n'en saurait plus [1] douter :
Mon père . . .

SABINE.

La voici qui vient avec Clarice.

SCÈNE VI.

CLARICE, LUCRÈCE, DORANTE, SABINE, CLITON.

CLARICE, *à Lucrèce.*

Il peut te dire vrai, mais ce n'est pas son vice.[2]   1670
Comme tu le connais, ne précipite rien.

DORANTE, *à Clarice.*

Beauté qui pouvez seule [3] et mon mal et mon bien . . .

CLARICE, *à Lucrèce.*

On dirait qu'il m'en veut,[4] et c'est moi qu'il regarde.

LUCRÈCE, *à Clarice.*

Quelques regards sur toi sont tombés par mégarde.
Voyons s'il continue.

DORANTE, *à Clarice.*

Ah ! que loin de vos yeux   1675
Les moments à mon cœur deviennent ennuyeux !
Et que je reconnais par mon expérience
Quel supplice aux amants est une heure d'absence !

CLARICE, *à Lucrèce.*

Il continue encor.

LUCRÈCE, *à Clarice.*

Mais vois ce qu'il m'écrit.

---

1. *ne saurait plus :* "can no longer."   2. *i.e.,* that is his slightest
defect. Ironic.   3. Read: *pouvez seule accomplir.*   4. *m'en veut :*
"is interested in me."

CLARICE. à Lucrèce.

Mais écoute.

LUCRÈCE, à Clarice.

Tu prends pour toi ce qu'il me dit.   1680

CLARICE.

Éclaircissons*-nous-en. Vous m'aimez donc, Dorante?

DORANTE, à Clarice.

Hélas ! que cette amour vous est indifférente * !
Depuis que vos regards m'ont mis sous votre loi [1]. . .

CLARICE, à Lucrèce.

Crois-tu que le discours s'adresse encore à toi?

LUCRÈCE, à Clarice.

Je ne sais où j'en suis.

CLARICE, à Lucrèce.

Oyons [2] la fourbe entière.   1685

LUCRÈCE, à Clarice.

Vu * ce que nous savons, elle est un peu grossière.

CLARICE, à Lucrèce.

C'est ainsi qu'il partage entre nous son amour :
Il te flatte de nuit, et m'en conte de jour.

DORANTE, à Clarice.

Vous consultez ensemble ! Ah ! quoi qu'elle vous die,[3]
Sur de meilleurs conseils disposez de ma vie : 1690
Le sien auprès de vous me serait trop fatal :
Elle a quelque sujet * de me vouloir du mal.

LUCRÈCE, en elle-même.

Ah ! je n'en ai que trop, et si je ne me venge . . .

CLARICE, à Dorante.

Ce qu'elle me disait est de vrai fort étrange.

DORANTE.

C'est quelque invention de son esprit jaloux. 1695

CLARICE.

Je le crois ; mais enfin me reconnaissez-vous?

---

1. "Since, merely by looking at me, you have caused me to fall in love with you." 2. imperative of *ouïr*. 3. *die = dise.*

DORANTE.

Si je vous reconnais ! quittez ces railleries,
Vous que j'entretins hier dedans les Tuileries,
Que je fis aussitôt maîtresse de mon sort.

CLARICE.

Si je veux toutefois en croire son [1] rapport,   1700
Pour une autre déjà votre âme inquiétée . . .

DORANTE.

Pour une autre déjà je vous aurais quittée ?
Que plutôt à vos pieds mon cœur sacrifié. . . .

CLARICE.

Bien plus, si je la crois, vous êtes marié.

DORANTE.

Vous me jouez,[2] Madame, et sans doute pour rire,   1705
Vous prenez du plaisir à m'entendre redire
Qu'à dessein de mourir en des liens si doux
Je me fais marié pour toute autre que vous.[3]

CLARICE.

Mais avant qu'avec moi le nœud d'hymen vous **lie**,
Vous serez marié, si l'on veut, en Turquie.   1710

DORANTE.

Avant qu'avec toute autre on me puisse engager,
Je serai marié, si l'on veut, en Alger.

CLARICE.

Mais enfin vous n'avez que mépris pour Clarice ?

DORANTE.

Mais enfin vous savez le nœud de l'artifice,
Et que pour être à vous je fais ce que je puis.   1715

CLARICE.

Je ne sais plus moi-même, à mon tour, où j'en suis.
Lucrèce, écoute un mot.

DORANTE, *à Cliton.*

Lucrèce ! que dit-elle ?

1. *son = de Lucrèce.*   2. *Vous me jouez = Vous vous moquez de moi.*
3. *i.e.,* whenever it seems I shall have to marry another than yourself,
I say I am already married.

CLITON, *à Dorante.*

Vous en tenez,* Monsieur : Lucrèce est la plus belle
Mais laquelle des deux ? J'en ai le mieux jugé,
Et vous auriez perdu si vous aviez gagé.   1720

DORANTE, *à Cliton.*

Cette nuit à la voix j'ai cru la reconnaître.

CLITON, *à Dorante.*

Clarice sous son nom parlait à sa fenêtre ;
Sabine m'en a fait un secret entretien.

DORANTE.

Bonne bouche,[1] j'en tiens ; mais l'autre la vaut bien
Et comme dès tantôt je la trouvais bien faite,[2]   1725
Mon cœur déjà penchait où mon erreur le [3] jette.
Ne me découvre* point ; et dans ce nouveau feu
Tu me vas voir, Cliton, jouer un nouveau jeu.
Sans changer de discours changeons de batterie.[4]

LUCRÈCE, *à Clarice.*

Voyons le dernier point de son effronterie ;   1730
Quand tu lui diras tout, il sera bien surpris.

CLARICE, *à Dorante.*

Comme elle est mon amie, elle m'a tout appris :
Cette nuit vous l'aimiez, et m'avez méprisée.
Laquelle de nous deux avez-vous abusée ?
Vous lui parliez d'amour en termes assez doux.   1735

DORANTE.

Moi ! depuis mon retour je n'ai parlé qu'à vous.

CLARICE.

Vous n'avez point parlé cette nuit à Lucrèce ?

DORANTE.

Vous n'avez point voulu me faire un tour d'adresse ?
Et je ne vous ai point reconnue à la voix ?

CLARICE.

Nous dirait-il bien vrai pour la première fois ?   1740

---

1. *Bonne bouche = Tais-toi.*   2. *bien faite :* "good-looking."   3. *le = mon cœur.*   4. *changeons de batterie :* i.e., he will continue to use the same method of approach, but will now direct it to the other girl.

DORANTE.

Pour me venger de vous j'eus assez de malice
Pour vous laisser jouir d'un si lourd artifice,
Et vous laissant passer pour ce que vous vouliez,
Je vous en donnai* plus que vous ne m'en donniez.
Je vous embarrassai, n'en faites point la fine : [1]   1745
Choisissez un peu mieux vos dupes à la mine. [2]
Vous pensiez me jouer ; et moi je vous jouais,
Mais par de faux mépris que je désavouais ;
Car enfin je vous aime, et je hais de ma vie
Les jours que j'ai vécu sans vous avoir servie.   1750

CLARICE.

Pourquoi, si vous m'aimez, feindre un hymen en l'air,
Quand un père pour vous est venu me parler ?
Quel fruit de cette fourbe osez-vous vous promettre ?

LUCRÈCE, à Dorante.

Pourquoi, si vous l'aimez, m'écrire cette lettre ?

DORANTE, a Lucrèce.

J'aime de ce courroux les principes* cachés :   1755
Je ne vous déplais pas, puisque vous vous fâchez.
Mais j'ai moi-même enfin assez joué d'adresse :
Il faut vous dire vrai, je n'aime que Lucrèce.

CLARICE, à Lucrèce.

Est-il un plus grand fourbe ? et peux-tu l'écouter ?

DORANTE, à Lucrèce.

Quand vous m'aurez ouï, vous n'en pourrez douter.   1760
Sous votre nom, Lucrèce, et par votre fenêtre,
Clarice m'a fait pièce, [3] et je l'ai su connaître ;
Comme en y consentant vous m'avez affligé,
Je vous ai mise en peine, [4] et je m'en suis vengé.

LUCRÈCE.

Mais que disiez-vous hier dedans les Tuileries ?   1765

DORANTE.

Clarice fut l'objet de mes galanteries. . . .

---

1. *n'en faites point la fine:* "don't try to pretend I didn't."   2. *i.e.,*
Learn to recognize a dupe when you see one.   3. See v. 966, note.
4. "I have troubled you."

CLARICE, *à Lucrèce.*

Veux-tu longtemps encore écouter ce moqueur ?

DORANTE, *à Lucrèce.*

Elle avait mes discours, mais vous aviez mon cœur,
Où vos yeux faisaient naître un feu que j'ai fait taire,
Jusqu'à ce que ma flamme ait eu l'aveu* d'un père :   1770
Comme tout ce discours n'était que fiction,
Je cachais mon retour et ma condition.

CLARICE, *à Lucrèce.*

Vois que fourbe sur fourbe à nos yeux il entasse,
Et ne fait que jouer des tours de passe-passe.*

DORANTE, *à Lucrèce.*

Vous seule êtes l'objet dont mon cœur est charmé.   1775

LUCRÈCE, *à Dorante.*

C'est ce que les effets m'ont fort mal confirmé.

DORANTE.

Si mon père à présent porte parole au vôtre,
Après son témoignage, en voudrez-vous quelque autre ?

LUCRÈCE.

Après son témoignage il faudra consulter
Si nous aurons encor quelque lieu d'en douter.   1780

DORANTE, *à Lucrèce.*

Qu'à de telles clartés votre erreur se dissipe.

(*À Clarice.*)

Et vous, belle Clarice, aimez toujours Alcippe ;
Sans l'hymen de Poitiers il ne tenait plus rien ; [1]
Je ne lui ferai pas ce mauvais entretien ; [2]
Mais entre vous et moi vous savez le mystère.*   1785
Le voici qui s'avance, et j'aperçois mon père.

---

1. *i.e.*, Unless I had pretended to be already married, I should have
had to marry you, and Alcippe would not have gotten you.   2. *i.e.*,
I shan't tell Alcippe about this little detail, which would be embarrassing
to you.

SCÈNE VII.

GÉRONTE, DORANTE, ALCIPPE, CLARICE,
LUCRÈCE, ISABELLE, SABINE, CLITON.

ALCIPPE, *sortant de chez Clarice et parlant à elle.*

Nos parents sont d'accord, et vous êtes à moi.

GÉRONTE, *sortant de chez Lucrèce et parlant à elle.*

Votre père à Dorante engage votre foi

ALCIPPE, *à Clarice.*

Un mot de votre main, l'affaire est terminée.

GÉRONTE, *à Lucrèce.*

Un mot de votre bouche achève l'hyménée.　　　　1790

DORANTE, *à Lucrèce.*

Ne soyez pas rebelle à seconder mes vœux.

ALCIPPE.

Êtes-vous aujourd'hui muettes toutes deux?

CLARICE.

Mon père a sur mes vœux une entière puissance.

LUCRÈCE.

Le devoir d'une fille est dans l'obéissance.

GÉRONTE, *à Lucrèce.*

Venez donc recevoir ce doux commandement.　　　1795

ALCIPPE, *à Clarice.*

Venez donc ajouter ce doux consentement.

(*Alcippe rentre chez Clarice avec elle et Isabelle, et le reste rentre
chez Lucrèce*)

SABINE, *à Dorante, comme il rentre.*

Si vous vous mariez, il ne pleuvra plus guères.

DORANTE.

Je changerai pour toi cette pluie en rivières.

SABINE.

Vous n'aurez pas loisir seulement d'y penser.

Mon métier ne vaut rien quand on s'en peut passer.　　1800

CLITON, *seul.*

Comme en sa propre fourbe un menteur s'embarrasse !
Peu sauraient comme lui s'en tirer avec grâce.
  Vous autres qui doutiez s'il en pourrait sortir,
Par un si rare exemple apprenez à mentir.[1]

1. These last two lines are addressed to the audience. It frequently happened in 17th century comedies that one of the characters summarized thus the moral of the play for the audience.

see p. 8

PART II

MOLIÈRE

Jean-Baptiste Poquelin, who adopted the stage name of Molière out of consideration no doubt for the feelings of his family, was born in Paris in 1622. His father Jean Poquelin was a very successful merchant, *tapissier ordinaire de la maison du roi* and *valet de chambre du roi*. He felt the universal paternal desire to see his son follow in his footsteps. To that end Jean-Baptiste was sent to the fashionable and expensive Collège de Clermont where he received an excellent education which was supplemented it seems by some smatterings of law. However, the lure of the stage had already taken an early hold upon the young Poquelin. Before his education was fully completed he is said to have been one of a group of amateur and professional actors who gave more or less private and occasional performances. In this group was a family of actors, the Béjarts, with whom Molière was to be associated throughout his career.

In 1643 ten or eleven members of this group decided to form a professional company. They drew up a contract, leased a theater and adopted a pretentious name: *L'Illustre Théâtre.* However the Illustrious Theater soon found that it could not compete with its more seasoned rivals, the Hôtel de Bourgogne and the Théâtre du Marais. The troupe made a second attempt in what it hoped would be a more favorable location but with no greater success than before. Jean Poquelin furnished the money necessary to release his son from the prison in which he had been incarcerated for debts incurred by the company. In spite of these failures, Molière persisted in following the profession which he had chosen and set out in 1646 with some of his equally resolute companions upon a tour of the provinces which lasted for twelve years.

The conditions under which Molière and his associates lived during this long apprenticeship are quite fairly reflected in the lives of travelling " tent show " players of our day. Transportation by automobiles instead of oxcarts is the most conspicuous difference.[1] However, success came gradually to Molière and the Béjarts who formed the abiding nucleus of his company. By 1653 we find them located in Lyon as a center from which their trips radiated, and evidently prosperous. Molière had won the favor of the Prince de Conti, governor of the États du Languedoc and this brought him many profitable opportunities. His activities for a long time seem to have been simply those of actor and manager. He is reputed to have written a number of farces, of which only two have been preserved : *La Jalousie du Barbouillé* and *Le Médecin volant* but their authorship is not absolutely certain. Both are crude farces with some traces of Italian comedy influence. By 1655 the company was at the height of its prosperity in Lyon. This prosperity no doubt aroused new ambitions. In 1655 and 1656 Molière wrote his first five-act comedies in verse, *L'Étourdi* and *Le Dépit amoureux*. Both are comedies of situation, full of gayety and life but showing only traces of the prodigious human insight which was to distinguish the poet's later works.

By 1657 the situation seems to have changed. The Prince de Conti had become converted and was renouncing his interest in the theater. His patronage could no longer be counted upon ; in fact his hostility was rather to be feared. For this reason perhaps, perhaps because of the urge to return to the capital, Molière and his troupe abandoned Lyon where they had succeeded so well. After a preliminary tour and a considerable sojourn in Rouen where the privilege of figuring as the troupe of Monsieur, brother of the king, was secured, the company gave its first performance before the king and his court on the second of November, 1658. The company consisted of six actors, Molière, Joseph Béjart, Louis Béjart, du Parc, du Fresne and de Brie, four actresses, Madeleine Béjart, du Parc, de Brie, Hervé (Geneviève Béjart) and a *gagiste* or " extra," Croisac. Their first theater was a hall in the Palais Bourbon which they shared with a troupe of Italian actors. In 1661 they acquired the theater of the Palais Royal which had been constructed by Richelieu.

---

1. For a realistic contemporary description of strolling players in the provinces see Scarron, *Le Roman comique*, 1651.

The company had but little success at first in the serious plays which it attempted to give, but Molière's farces and his two comedies, *L'Étourdi* and *Le Dépit amoureux*, tided the troupe over the beginning of its difficult enterprise. Molière's first play written in Paris, *Les Précieuses ridicules* (1659), was an enormous success, which seems to have surprised Molière at first and then to have opened his eyes as to the kind of comedy which would most please his contemporaries. Thereafter the company lived and flourished on his genius. He constantly leavened their repertoire with new plays ; whenever the company's receipts fell off he furnished a new play which very rarely failed to stimulate patronage. This pressure accounts in part for the prodigious feat which he accomplished of writing over thirty plays in fifteen years while acting constantly and directing his troupe and dancing attendance upon the king, whom he served as valet de chambre and court entertainer.

After *Les Précieuses ridicules*, Molière, the poet, made his way gropingly with a farce, *Sganarelle*, an unsuccessful tragicomedy, *Dom Garcie de Navarre*, a ballet-comedy, *Les Fâcheux*, to his first great artistic achievements, *L'École des Maris* (1661) and *L'École des Femmes* (1662). The latter play especially aroused a storm of protest and criticism, quite comparable to the Quarrel of the *Cid* a quarter of a century earlier. The play was assailed on the grounds of its immorality and its violations of good taste and the dramatic rules. A whole series of critical dramatic skits were composed against it by poets, more or less in the service of the actors of the Hôtel de Bourgogne, who had been first nettled by Molière's criticism in *Les Précieuses ridicules* of their acting, and then alarmed by his successes and consequent favor with town and court. They even cast vile aspersion upon the poet's recent marriage with Armande Béjart who was many years his junior. Molière replied in kind, as far as the form was concerned, with *La Critique de l'École des Femmes* where he makes many interesting observations upon the function and nature of comedy. *Mais lorsque vous peignez les hommes, il faut peindre d'après nature. On veut que ces portraits ressemblent; et vous n'avez rien fait, si vous n'y faites reconnaître les gens de votre siècle. . . . Je voudrais bien savoir si la grande règle de toutes les règles n'est pas de plaire, et si une pièce de théâtre qui a attrapé son but, n'a pas suivi un bon chemin.* He returned to the charge again the same year in *L'Impromptu de Versailles*, written at the behest of the king. Under the guise of conducting a rehearsal, Molière gives his ideas on " the business of comedy " which is " to represent the failings of men in general and in particular the failings of men of our century." He reveals at the same time his methods as actor and stage director. He closes with a plea to his critics to respect his private life and declares his intention of making no further reply to their attacks. Thus ends the period of his *débuts* in Paris.

The quarrel of *l'École des Femmes* left Molière thoroughly oriented in his art as actor and writer of comedies. The period which follows from 1664 to 1669 is frequently called the period of combat: a combat directed not against personal enemies but against vices and popular aberrations. Most of his greatest plays belong to this epoch : *Tartuffe* (1664–1669), *Dom Juan* (1665), *Le Misanthrope, Le Médecin malgré lui* (1666), *Amphitryon, George Dandin, L'Avare* (1668).

Having won his long battle for the right to present upon his theater *Tartuffe* (see our foreword to the play, p. 305) in 1669, Molière devoted the last years of his life to the composition and acting of plays of a lighter character: *Monsieur de Pourceaugnac* (1669), *Le Bourgeois gentilhomme* (1670), *Les Fourberies de Scapin* (1671), *Les Femmes savantes* (1672), *Le Malade imaginaire* (1673). Worn out by fifteen years of prodigious labor and mortally ill with a pulmonary trouble, which he utilized in his last plays for comic effect, he persisted in acting to the very end. He survived by only two or three hours the final curtain to his fourth performance of the chief rôle in *Le Malade imaginaire*.

LES PRÉCIEUSES RIDICULES

On November 18, 1659, Molière's troupe offered for the approval of the public, in the Salle du Petit Bourbon, a novelty specially created for the fall season, *Les Précieuses ridicules*. The comedy, or farce, was very short and thus was given on the same program with some tragedy : *Cinna*, of Corneille, was the tragedy chosen for the opening day. The immediate success of the play was beyond the wildest hopes of the author himself. The receipts on opening day were almost double the average earnings of the troupe, and at succeeding performances receipts were more than double those of the first representation of the play. Thus, Molière's great farce was given an enthusiastic popular reception from the very beginning.

Molière and his troupe had come to Paris in October of the preceding year, had won favor in a performance before the king, and been allowed to alternate with the troupe of Italian players then in Paris, at the Salle du Petit Bourbon. They had entertained their audiences with performances of the current plays of the day, together with skits of their own, written in imitation of the Italians; in short, they had continued the same sort of program that had brought them success in the provinces. But Molière apparently thought that in his second season in the capital he should present something new, something specially designed for the amusement of Parisians; the result was *Les Précieuses ridicules*.

This play belongs to the type known as "comedy of manners"; to understand it, one must know something of the *précieux* movement. The first half of the 17th century was a period of intense social life among the aristocratic classes. The most famous of the many centers of fashionable gatherings was the Hôtel de Rambouillet. In the celebrated *chambre bleue*, presided over by the extremely refined and most intelligent Marquise, poets, scholars, diplomats, and noblemen vied with one another in witty sallies and elegance of dress. Refinement was the great social virtue of the age, — refinement of language, refinement of dress, refinement of conduct, and refinement of love and one's conception of the beloved. It is easy to see how such competitive refinement, especially when taken up by persons of little taste, led eventually to exaggeration and absurd artificiality. In the 1650's the movement was on the wane: people of common sense were snickering at the ridiculousness of the attempts of the *précieux* and *précieuses* to develop still further the existing artificiality. In 1654 there appeared in the *Clélie* of Mlle de Scudéry a "map of the land of love," or *Carte de Tendre:* this map (reproduced with brief explanation on p. 274) was received with squeals of delight by the *précieux* and with snorts of disdain by people of common sense. It became the symbol of absurd exaggeration. Such was, in brief, the status of the *précieux* movement at the time when Molière brought forth his penetrating satire.

It has often been stated that Molière was satirizing, not the real *précieuses*, but their stupid imitators, socially ambitious bourgeois who did not appreciate the fine line between refinement and absurdity : it is indicated in the play that such imitators were to be found especially in the provinces. Such was the statement made by Molière himself in the preface to the first edition of the play. However, critics are inclined to see in this statement simply a desire on the part of the author to give the least possible offense to Mme de Rambouillet and other prominent social leaders in Paris who were associated with the *précieux* movement. Their enmity would have done the troupe a great deal of harm, and he was dependent on the approval of the vast majority for the success of his theatrical venture.

Les Précieuses ridicules is essentially a farce. Several of the characters have in the play the names which they had in real life; Jodelet, a stock farce character, plays his usual rôle in the play; Mascarille was played by Molière with a mask on his face, in keeping with the custom in the farces given by the Italian troupe; and throughout the play incidents worthy of the farce are introduced to delight the less delicate element in the audience. In the first printed version Molière styled his play a *comédie:* it is a comedy in that it is definitely designed to satirize a contemporary social absurdity. It is to be noted further that Molière's play is in one act and in prose: a " comedy," according to the 17th century definition, had to be in five acts and in verse.

It is not to be expected that the adherents of the *précieuses* would accept Molière's satire without comment. Fashionable authors, and those who were merely enemies of his new-born success, made common cause against him. The ensuing literary quarrel has become known as the *Querelle des Précieuses.*[1] However, the opposition to Molière was destined to fade away, for he was of the new generation whose sound common sense determined the intellectual atmosphere of the second half of the 17th century in France. In *Les Précieuses ridicules* Molière gave ample proof of the talent that was his, and which he was to use in future plays to set forth the essentially ridiculous aspects of the numerous foibles of his age.

1. See G. Michaut: *Les Débuts de Molière à Paris.* Paris, 1923. Chap. IV.

LES PERSONNAGES.

LA GRANGE, \
DU CROISY, } amants rebutés.

GORGIBUS, bon bourgeois.

MAGDELON, fille de Gorgibus, \
CATHOS, nièce de Gorgibus, } Précieuses ridicules.

MAROTTE, servante des Précieuses ridicules.

ALMANZOR, laquais des Précieuses ridicules.

Le Marquis de MASCARILLE, valet de la Grange.

Le Vicomte de JODELET, valet de Du Croisy.

DEUX PORTEURS DE CHAISE.

VOISINES.

VIOLONS.

La scène est à Paris dans la maison de Gorgibus.

LES PRÉCIEUSES RIDICULES

SCÈNE PREMIÈRE

LA GRANGE, DU CROISY.

DU CROISY.

Seigneur [1] la Grange . . .

LA GRANGE.

Quoi?

DU CROISY.

Regardez-moi un peu sans rire.

LA GRANGE.

Eh bien?

DU CROISY.

Que dites-vous de notre visite? en êtes-vous fort satis- 5
fait?

LA GRANGE.

À votre avis, avons-nous sujet* de l'être tous deux?

DU CROISY.

Pas tout à fait, à dire vrai.

LA GRANGE.

Pour moi, je vous avoue que j'en suis tout scandalisé
A-t-on jamais vu, dites-moi, deux pecques provinciales 10
faire plus les renchéries [2] que celles-là, et deux hommes
traités avec plus de mépris que nous? À peine ont-elles
pu se résoudre à nous faire donner des sièges. Je n'ai jamais
vu tant parler à l'oreille qu'elles ont fait entre elles, tant
bâiller, tant se frotter les yeux, et demander tant de fois: 15
"Quelle heure est-il?" Ont-elles répondu que oui et non à
tout ce que nous avons pu leur dire? Et ne m'avouerez-

---

1. *seigneur = monsieur.*   2. "put on more airs."

269

vous pas enfin que, quand nous aurions été les dernières
personnes du monde, on ne pouvait nous faire pis qu'elles
ont fait?

DU CROISY.

Il me semble que vous prenez la chose fort à cœur.

LA GRANGE.

Sans doute, je l'y prends, et de telle façon, que je veux 5
me venger de cette impertinence.   Je connais ce qui nous a
fait mépriser.   L'air* précieux n'a pas seulement infecté
Paris, il s'est aussi répandu dans les provinces, et nos don-
zelles ridicules en ont humé leur bonne part.   En un mot,
c'est un ambigu de précieuse et de coquette que leur per- 10
sonne.[1]   Je vois ce qu'il faut être pour en [2] être bien reçu ;
et si vous m'en croyez, nous leur jouerons tous deux une
pièce qui leur fera voir leur sottise, et pourra leur apprendre
à connaître un peu mieux leur monde.*

DU CROISY.

Et comment encore?   15

LA GRANGE.

J'ai un certain valet, nommé Mascarille, qui passe, au
sentiment* de beaucoup de gens, pour une manière de bel
esprit ;* car il n'y a rien à meilleur marché que le bel esprit
maintenant.   C'est un extravagant, qui s'est mis dans la
tête* de vouloir faire l'homme de condition.[3]   Il se pique* 20
ordinairement de galanterie et de vers, et dédaigne les autres
valets, jusqu'à les appeler brutaux.

DU CROISY.

Eh bien, qu'en [4] prétendez-vous faire?

LA GRANGE.

Ce que j'en prétends faire?   Il faut . . . Mais sortons
d'ici auparavant.   25

---

1. "their conduct is a mixture of affectation and coquetry."
2. *en = par elles.*   3. "man of position."   4. *en = de lui*
(*i.e.*, Mascarille).

SCÈNE II.

Gorgibus, Du Croisy, La Grange.

GORGIBUS.

Eh bien, vous avez vu ma nièce et ma fille : les affaires
iront-elles bien ?   Quel est le résultat de cette visite?

LA GRANGE.

C'est une chose que vous pourrez mieux apprendre
d'elles que de nous.   Tout ce que nous pouvons vous dire,
c'est que nous vous rendons grâce de la faveur que vous nous 5
avez faite, et demeurons vos très humbles serviteurs.

GORGIBUS.

Ouais ! il semble qu'ils sortent mal satisfaits d'ici.   D'où
pourrait venir leur mécontentement ?   Il faut savoir un peu
ce que c'est.   Holà !

SCÈNE III.

Marotte, Gorgibus.

MAROTTE.

Que désirez-vous, Monsieur?   10

GORGIBUS.

Où sont vos maîtresses?

MAROTTE.

Dans leur cabinet.

GORGIBUS.

Que font-elles?

MAROTTE.

De la pommade pour les lèvres.

GORGIBUS.

C'est trop pommadé.   Dites-leur qu'elles descendent. 15
(*Seul.*) Ces pendardes-là, avec leur pommade, ont, je
pense, envie de me ruiner.   Je ne vois partout que blancs
d'œufs, lait virginal,[1] et mille autres brimborions que je ne

1. A liquid used to whiten and smooth the skin of hands and face.
The use of cosmetics was in high favor in France at this period.

connais point. Elles ont usé, depuis que nous sommes ici,
le lard d'une douzaine de cochons, pour le moins, et quatre
valets vivraient tous les jours des pieds de mouton qu'elles
emploient.

SCÈNE IV.

MAGDELON, CATHOS, GORGIBUS.

GORGIBUS.

Il est bien nécessaire vraiment de faire tant de dépense
pour vous graisser le museau. Dites-moi un peu ce que
vous avez fait à ces Messieurs, que je les vois sortir avec
tant de froideur? Vous avais-je pas commandé de les
recevoir comme des personnes que je voulais vous donner
pour maris?   10

MAGDELON.

Et quelle estime, mon père, voulez-vous que nous fassions
du procédé irrégulier * de ces gens-là?

CATHOS.

Le moyen, mon oncle, qu'une fille un peu raisonnable
se pût accommoder * de leur personne?

GORGIBUS.

Et qu'y trouvez-vous à redire?   15

MAGDELON.

La belle galanterie que la leur! Quoi? débuter d'abord
par le mariage!

GORGIBUS.

Et par où veux-tu donc qu'ils débutent? . . . N'est-ce
pas un procédé dont vous avez sujet de vous louer toutes
deux aussi bien que moi? Est-il rien de plus obligeant que 20
cela? Et ce lien sacré où ils aspirent, n'est-il pas un témoignage de l'honnêteté de leurs intentions?

MAGDELON.

Ah! mon père, ce que vous dites là est du dernier bourgeois.[1] Cela me fait honte de vous ouïr parler de la sorte,

---

1. "highly vulgar," "common."

et vous devriez un peu vous faire apprendre le bel air des
choses.

GORGIBUS.

Je n'ai que faire ni d'air ni de chanson.[1]   Je te dis que
le mariage est une chose sainte et sacrée, et que c'est faire
en honnêtes gens que de débuter par là.   5

MAGDELON.

Mon Dieu, que, si tout le monde vous ressemblait, un
roman serait bientôt fini !   La belle chose que ce serait, si
d'abord Cyrus épousait Mandane, et qu'Aronce de plain-
pied * fût marié à Clélie ! [2]

GORGIBUS.

Que me vient conter celle-ci ?   10

MAGDELON.

Mon père, voilà ma cousine, qui vous dira, aussi bien
que moi, que le mariage ne doit jamais arriver qu'après les
autres aventures.   Il faut qu'un amant, pour être agréable,
sache débiter les beaux sentiments, pousser * le doux, le
tendre et le passionné,[3] et que sa recherche soit dans les 15
formes.   Premièrement, il doit voir au temple, ou à la
promenade, ou dans quelque cérémonie publique, la personne dont il devient amoureux ; ou bien être conduit
fatalement chez elle par un parent ou un ami, et sortir de
là tout rêveur et mélancolique.[4]   Il cache un temps sa 20
passion à l'objet aimé, et cependant lui rend plusieurs visites,
où l'on ne manque jamais de mettre sur le tapis * une question galante [5] qui exerce les esprits de l'assemblée.[6]   Le jour
de la déclaration arrive, qui se doit faire ordinairement dans
une allée de quelque jardin, tandis que la compagnie s'est 25

---

1. A pun not translatable into English : *air* = manner or tune;
chanson = rubbish or song.   2. These were the names of characters in
two of the *précieux* novels of Mlle de Scudéry, *Artamène, ou le Grand
Cyrus* and *Clélie.*   Their love affairs were pursued through many adventures and numerous volumes.   The hero won the heroine only after she
had tested him in every conceivable way.   These novels were manuals
of conduct for the socially ambitious.   3. *i.e.,* pass through the conventional developments of love : adoration (*doux*), affection (*tendre*),
passion (*passionné*).   4. According to the *précieux* code a lover was
melancholy and distracted.   5. "proper and refined."   The subject
would usually treat of some phase of love.   6. The object of his
affection would of course have in attendance a number of visitors, who
composed her *salon.*

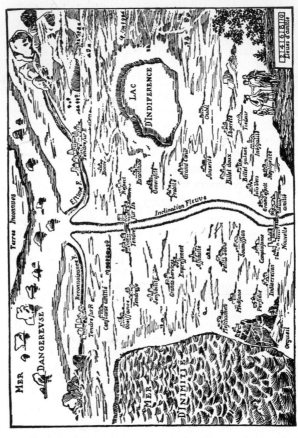

La Carte de Tendre is a bit of refined foolishness characteristic of the later days of the *précieux* movement. Drawn from the *Clélie* of Mlle de Scudéry, it pretends to chart the " country of affection " in the same way that a map sets forth the geographical details of a country.

The starting point of the relationship between man and woman is the city of *Nouvelle Amitié* represented at the bottom center of the map. The three kinds of affection that the man may inspire in the admired lady (*i.e.*, the three main highways in the *pays de tendre*) are:

1) affection due to natural inclination. This is the easiest road, — all one has to do is coast down *Inclination Fleuve* and stop one's boat at the town of *Tendre-sur-Inclination*. The only danger is that the rapid cur-

un peu éloignée ; et cette déclaration est suivie d'un prompt courroux, qui paraît à notre rougeur, et qui, pour un temps, bannit l'amant de notre présence. Ensuite il trouve moyen de nous apaiser, de nous accoutumer insensiblement au discours de sa passion, et de tirer de nous cet aveu qui fait 5 tant de peine.[1] Après cela viennent les aventures, les rivaux qui se jettent à la traverse d'une inclination établie, les persécutions des pères, les jalousies conçues sur de fausses apparences, les plaintes, les désespoirs, les enlèvements,[2] et ce qui s'ensuit. Voilà comme les choses se traitent dans les 10 belles manières, et ce sont des règles dont, en bonne galanterie, on ne saurait se dispenser. Mais en venir de but* en blanc à l'union conjugale, ne faire l'amour qu'en faisant le contrat du mariage, et prendre justement le roman par la queue ! encore un coup, mon père, il ne se peut* rien de 15 plus marchand* que ce procédé ; et j'ai mal au cœur* de la seule vision que cela me fait.

GORGIBUS.

Quel diable de jargon entends-je ici ? Voici bien du haut style.

CATHOS.

En effet, mon oncle, ma cousine donne dans le vrai de la 20 chose.[4] Le moyen de bien recevoir des gens qui sont tout à

rent of this river will carry the boat beyond the town of affection, and that one will be wrecked in the *Mer Dangereuse* or stranded in the uncharted lands beyond. By this Mlle de Scudéry meant that she did not know what lay beyond affection, as she was proud of never having been deeply in love. Such a violent emotion was unbecoming in a *précieuse*.

2) affection due to respect (*Tendre-sur-Estime*). To arrive at this town one took the road to the right and passed through the villages of gallant attentiveness, nobility, kindness, etc. The danger was that the lover might be negligent or his attentions might become sporadic, and the love affair would then slip into the *Lac d'Indifférence*.

3) affection based on appreciation of effort (*Tendre-sur-Reconnaissance*). To arrive at this village one took the road to the left and passed through the stages (or villages) of obedience, submission, attention to the lady's slightest whim, etc. The slightest indiscretion might cause the relationship to be submerged in the *Mer d'Inimitié*.

1. The fashionable *précieuse*, like the heroines of her favorite novels, admitted she was in love only after long persuasion. 2. Incidents such as these composed the plots of popular novels of the day. 3. "nothing more vulgar." 4. *donne dans le vrai de la chose :* "is stating things correctly." *Précieux* jargon.

fait incongrus en galanterie?[1] Je m'en vais gager qu'ils
n'ont jamais vu la carte de Tendre,[2] et que Billets-Doux,
Petits-Soins, Billets-Galants et Jolis-Vers sont des terres
inconnues pour eux. Ne voyez-vous pas que toute leur
personne marque cela, et qu'ils n'ont point cet air qui[5]
donne d'abord bonne opinion des gens? Venir en visite
amoureuse avec une jambe toute unie,[3]* un chapeau désarmé* de plumes, une tête irrégulière* en cheveux, et un
habit qui souffre une indigence de rubans![4] mon Dieu,
quels amants sont-ce là! Quelle frugalité d'ajustement et[10]
quelle sécheresse de conversation! On n'y dure* point, on
n'y tient* pas. J'ai remarqué encore que leurs rabats ne
sont pas de la bonne faiseuse, et qu'il s'en faut plus d'un
grand demi-pied que leurs hauts-de-chausses ne soient assez
larges.[5]   [15]

GORGIBUS.

Je pense qu'elles sont folles toutes deux, et je ne puis rien
comprendre à ce baragouin. Cathos, et vous, Magdelon . . .

MAGDELON.

Eh! de grâce, mon père, défaites*-vous de ces noms
étranges, et nous appelez autrement.

GORGIBUS.

Comment, ces noms étranges! Ne sont-ce pas vos noms[20]
de baptême?

MAGDELON.

Mon Dieu, que vous êtes vulgaire! Pour moi, un de
mes étonnements, c'est que vous ayez pu faire une fille si
spirituelle[6] que moi. A-t-on jamais parlé dans le beau
style* de Cathos ni de Magdelon? et ne m'avouerez-vous[25]
pas que ce serait assez d'un de ces noms pour décrier le plus
beau roman du monde?

1. *sont incongrus en galanterie = ne savent pas du tout le bon ton des
choses.* 2. "The Map of the Land of Love" appeared in the first
edition of Mlle de Scudéry's *Clélie* (1654). See p. 274. 3. Seventeenth
century dandies wore lace frills which hung from the knee down to
the calf of the leg. 4. Fashionable gentlemen wore a profusion of ribbons on all parts of their clothing and hair. 5. Immensely baggy
knee-breeches (*hauts-de-chausses*), originally introduced from Germany,
were fashionable in 1659. 6. "be the father of such a clever daughter."

CATHOS.

Il est vrai, mon oncle, qu'une oreille un peu délicate
pâtit furieusement [1] à entendre prononcer ces mots-là ;
et le nom de Polyxène que ma cousine a choisi, et celui
d'Aminte que je me suis donné, ont une grâce dont il faut
que vous demeuriez d'accord.*   5

GORGIBUS.

Écoutez, il n'y a qu'un mot qui serve : je n'entends
point que vous ayez d'autres noms que ceux qui vous ont
été donnés par vos parrains et marraines ; et pour ces
Messieurs dont il est question, je connais leurs familles et
leurs biens, et je veux résolûment que vous vous disposiez à 10
les recevoir pour maris.   Je me lasse de vous avoir sur les
bras, et la garde de deux filles est une charge un peu trop
pesante pour un homme de mon âge.

CATHOS.

Pour moi, mon oncle, tout ce que je vous puis dire, c'est
que je trouve le mariage une chose tout à fait choquante. 15
Comment est-ce qu'on en peut souffrir la pensée ? . . .

MAGDELON.

Souffrez que nous prenions un peu haleine parmi le
beau monde de Paris, où nous ne faisons que d'arriver.
Laissez-nous faire à loisir le tissu de notre roman, et n'en
pressez point tant la conclusion.   20

GORGIBUS.

Il n'en faut point douter, elles sont achevées.[2]   Encore
un coup, je n'entends rien à toutes ces balivernes ; je veux
être maître absolu ; et pour trancher toutes sortes de discours, ou vous serez mariées toutes deux avant qu'il soit
peu,* ou, ma foi ! vous serez religieuses ; j'en fais un bon 25
serment.

---

1. Exaggerated adverbs were a characteristic of *précieux* language :
terriblement, horriblement, épouvantablement.   2. *achevées = complète-
ment folles.*

SCÈNE V.

CATHOS, MAGDELON.

CATHOS.

Mon Dieu! ma chère, que ton père a la forme enfoncée dans la matière![1] que son intelligence est épaisse, et qu'il fait sombre dans son âme!

MAGDELON.

Que veux-tu, ma chère? J'en suis en confusion pour lui. J'ai peine à me persuader que je puisse être véri- 5 tablement sa fille, et je crois que quelque aventure,[2] un jour, me viendra développer une naissance plus illustre.

CATHOS.

Je le croirais bien; oui, il y a toutes les apparences du monde; et pour moi, quand je me regarde aussi . . .

SCÈNE VI.

MAROTTE, CATHOS, MAGDELON.

MAROTTE.

Voilà un laquais qui demande si vous êtes au logis, et dit 10 que son maître vous veut venir voir.

MAGDELON.

Apprenez, sotte, à vous énoncer moins vulgairement. Dites: "Voilà un nécessaire qui demande si vous êtes en commodité d'être visibles."

MAROTTE.

Dame! je n'entends point le latin, et je n'ai pas appris, 15 comme vous, la filofie[3] dans *le Grand Cyre*.[4]

MAGDELON.

L'impertinente! Le moyen de souffrir cela? Et qui est-il, le maître de ce laquais?

---

1. *forme:* "soul"; *matière:* "body"; terms of scholastic philosophy. Translate: "your father is certainly materialistic." 2. In the fiction of the day, humble characters often found they were really the lost children of kings or nobles. 3. An ignorant corruption of *philosophie.* 4. See p. 273, note 2.

MAROTTE.

Il me l'a nommé le marquis [1] de Mascarille.

MAGDELON.

Ah! ma chère, un marquis! Oui, allez dire qu'on nous peut voir. C'est sans doute un bel esprit qui aura ouï parler de nous.

CATHOS.

Assurément, ma chère.   5

MAGDELON.

Il faut le recevoir dans cette salle basse,[2] plutôt qu'en notre chambre. Ajustons un peu nos cheveux au moins, et soutenons notre réputation. Vite, venez nous tendre ici dedans le conseiller des grâces.[3]

MAROTTE.

Par ma foi, je ne sais point quelle bête c'est là : il faut 10 parler chrétien,* si vous voulez que je vous entende.

CATHOS.

Apportez-nous le miroir, ignorante que vous êtes, et gardez-vous bien d'en salir la glace par la communication de votre image.

SCÈNE VII.

Mascarille, Deux Porteurs.[4]

MASCARILLE.

Holà, porteurs, holà! Là, là, là, là, là, là. Je pense 15 que ces marauds-là ont dessein de me briser à force de heurter contre les murailles et les pavés.

1. The foppish nobleman is an object of Molière's satire as much as the *précieuse*.   2. The fashionable hostess received her guests in the elaborately decorated bedroom (*chambre à coucher*).   3. "mirror"; a *précieux* term. Note also *un bain intérieur* for "glass of water," *commodité de conversation* for "chair," etc.   4. Since many of the smaller streets of Paris were too narrow to allow a coach and horses to pass, the *chaise à porteurs* was in great vogue.

I. PORTEUR.

Dame ! c'est que la porte est étroite : vous avez voulu
aussi que nous soyons entrés jusqu'ici.[1]

MASCARILLE.

Je le crois bien.   Voudriez-vous, faquins, que j'exposasse
l'embonpoint de mes plumes [2] aux inclémences de la saison
pluvieuse, et que j'allasse imprimer mes souliers en boue? [5]
Allez, ôtez votre chaise d'ici.

2. PORTEUR.

Payez-nous donc, s'il vous plaît, Monsieur.

MASCARILLE.

Hem?

2. PORTEUR.

Je dis, Monsieur, que vous nous donniez de l'argent, s'il
vous plaît.   10

MASCARILLE, *lui donnant un soufflet.*

Comment, coquin, demander de l'argent à une personne
de ma qualité !

2. PORTEUR.

Est-ce ainsi qu'on paye les pauvres gens? et votre qualité nous donne-t-elle à dîner?

MASCARILLE.

Ah ! ah ! ah ! je vous apprendrai à vous connaître ! [15]
Ces canailles-là s'osent jouer à moi.[3]

I. PORTEUR, *prenant un des bâtons* [4] *de sa chaise.*

Çà payez-nous vitement !

MASCARILLE.

Quoi?

I. PORTEUR.

Je dis que je veux avoir de l'argent tout à l'heure.[5]

---

1. To bring the sedan-chair into the house is as ludicrous as to ride
a horse there.   2. Mascarille was extravagantly dressed: long hair
which touched the floor when he bowed, bedecked with ribbons and
laces, perfumed gloves, and shoes with ludicrously high and slender
heels.   3. *s'osent jouer à moi = osent se jouer de moi.*   4. *i.e.,* the poles
by which the chair was carried.   5. *tout à l'heure = tout de suite.*

MASCARILLE.

Il est raisonnable.

I. PORTEUR.

Vite donc !

MASCARILLE.

Oui-da. Tu parles comme il faut, toi ; mais l'autre
est un coquin qui ne sait ce qu'il dit. Tiens : es-tu content ?

I. PORTEUR.

Non, je ne suis pas content : vous avez donné un soufflet 5
à mon camarade, et . . .

MASCARILLE.

Doucement. Tiens, voilà pour le soufflet. On obtient
tout de moi quand on s'y prend * de la bonne façon.* Allez,
venez me reprendre tantôt pour aller au Louvre,[1] au petit
coucher.[2]   10

SCÈNE VIII.

MAROTTE, MASCARILLE.

MAROTTE.

Monsieur, voilà mes maîtresses qui vont venir tout à
l'heure.

MASCARILLE.

Qu'elles ne se pressent point : je suis ici posté commodément pour attendre.

MAROTTE.

Les voici.   15

SCÈNE IX.

MAGDELON, CATHOS, MASCARILLE, ALMANZOR.

MASCARILLE, *après avoir salué.*

Mesdames, vous serez surprises, sans doute, de l'audace
de ma visite ; mais votre réputation vous attire cette mé-

---

1. The royal palace.   2. Only a small number of special favorites
were present in the royal bedroom at the intimate reception which preceded the king's retirement. The *petit coucher* was much more private
than the *grand coucher* which preceded it.

chante affaire, et le mérite a pour moi des charmes si puissants, que je cours partout après lui.

MAGDELON.

Si vous poursuivez le mérite, ce n'est pas sur nos terres que vous devez chasser.

CATHOS.

Pour voir chez nous le mérite, il a fallu que vous l'y ayez amené.

MASCARILLE.

Ah ! je m'inscris* en faux contre vos paroles. La renommée accuse* juste en contant ce que vous valez ; et vous allez faire pic, repic et capot[1] tout ce qu'il y a de galant dans Paris.

MAGDELON.

Votre complaisance pousse un peu trop avant la libéralité de ses louanges ; et nous n'avons garde, ma cousine et moi, de donner de notre sérieux dans le doux de votre flatterie.[2]

CATHOS.

Ma chère, il faudrait faire donner des sièges.

MAGDELON.

Holà, Almanzor !

ALMANZOR.

Madame.

MAGDELON.

Vite, voiturez-nous ici les commodités de la conversation.[3]

MASCARILLE.

Mais au moins, y a-t-il sûreté ici pour moi ?

CATHOS.

Que craignez-vous ?

MASCARILLE.

Quelque vol de mon cœur, quelque assassinat de ma franchise. Je vois ici des yeux qui ont la mine d'être de fort mauvais garçons, de faire insulte aux libertés, et de

---

1. *pic, repic et capot* are terms which indicate successful plays in the card game of *piquet*. Translate: "you are going to sweep before you the polite society of Paris." 2. *donner . . . flatterie:* "to take your pleasant flattery seriously." 3. *Précieux* language: *apportez-nous des chaises.*

traiter une âme de Turc à More.[1] Comment diable, d'abord * qu'on les approche, ils se mettent sur leur garde meurtrière ?[2] Ah ! par ma foi, je m'en défie, et je m'en vais gagner * au pied, ou je veux caution bourgeoise [3] qu'ils ne me feront point de mal.   5

MAGDELON.

Ma chère, c'est le caractère enjoué.

CATHOS.

Je vois bien que c'est un Amilcar.[4]   — le galant d'un roman

MAGDELON.

Ne craignez rien : nos yeux n'ont point de mauvais desseins, et votre cœur peut dormir en assurance sur leur prud'homie.   10

CATHOS.

Mais de grâce, Monsieur, ne soyez pas inexorable à ce fauteuil qui vous tend les bras il y a un quart d'heure ; contentez un peu l'envie qu'il a de vous embrasser.

MASCARILLE, *après s'être peigné et avoir ajusté ses canons.*

Eh bien, Mesdames, que dites-vous de Paris ?

MAGDELON.

Hélas ! qu'en pourrions-nous dire ? Il faudrait être 15 l'antipode de la raison, pour ne pas confesser que Paris est le grand bureau * des merveilles, le centre du bon goût, du bel esprit et de la galanterie.

MASCARILLE.

Pour moi, je tiens que hors de Paris, il n'y a point de salut pour les honnêtes gens.[5]   20

CATHOS.

C'est une vérité incontestable.

MASCARILLE.

Il y fait un peu crotté ; mais nous avons la chaise.

---

1. "cruelly," as the Turks treated the Moors in Africa.   2. A fencing term; translate: "they become menacing."   3. "good security" such as a wealthy middle-class man (*bourgeois*) could offer.   4. One of the characters in Mlle de Scudéry's *Clélie*: a model of gallantry.   5. *honnêtes gens:* "respectable (or educated) people."

run away   spiritual welfare

MAGDELON.

Il est vrai que la chaise est un retranchement merveilleux contre les insultes de la boue et du mauvais temps.

MASCARILLE.

Vous recevez beaucoup de visites : quel bel esprit est des vôtres ? [1]

MAGDELON.

Hélas ! nous ne sommes pas encore connues ; mais 5 nous sommes en passe de l'être, et nous avons une amie particulière qui nous a promis d'amener ici tous ces Messieurs du *Recueil des pièces choisies*.[2]

CATHOS.

Et certains autres qu'on nous a nommés aussi pour être les arbitres souverains des belles choses.   10

MASCARILLE.

C'est moi qui ferai votre affaire mieux que personne : ils me rendent tous visite ; et je puis dire que je ne me lève jamais sans une demi-douzaine de beaux esprits.[3]

MAGDELON.

Eh ! mon Dieu, nous vous serons obligées de la dernière* obligation, si vous nous faites cette amitié ; car enfin il faut 15 avoir la connaissance de tous ces Messieurs-là, si l'on veut être du beau monde.   Ce sont ceux qui donnent le branle à la réputation dans Paris, et vous savez qu'il y en a tel dont il ne faut que la seule fréquentation pour vous donner bruit* de connaisseuse, quand il n'y aurait rien autre chose que 20 cela.   Mais pour moi, ce que je considère particulièrement, c'est que, par le moyen de ces visites spirituelles,* on est instruite de cent choses qu'il faut savoir de nécessité, et qui sont de l'essence d'un bel esprit. On apprend par là chaque jour les petites nouvelles galantes, les jolis commerces 25 de prose et de vers.   On sait à point* nommé : "Un tel a composé la plus jolie pièce du monde sur un tel sujet ; une

---

1. *est des vôtres :* "belongs to your circle of visitors."   2. Collections of bits of prose and verse of various authors were frequent in the 17th century.   The reference here is to such a collection published in 1653, to which twenty different authors contributed.   3. The inference is that as the king had a rising ceremony (*petit lever*) at which a few chosen nobles were present, so Mascarille had a number of *beaux esprits* in attendance at his rising.

telle a fait des paroles sur un tel air ; celui-ci a fait un
madrigal sur une jouissance ; celui-là a composé des stances
sur une infidélité ; Monsieur un tel écrivit hier au soir un
sixain à Mademoiselle une telle, dont elle lui a envoyé la
réponse ce matin sur les huit heures ; [1] un tel auteur a fait 5
un tel dessein ; celui-là en est à la troisième partie de son
roman ; cet autre met ses ouvrages sous la presse.'' C'est
là ce qui vous fait valoir dans les compagnies ; et si l'on
ignore ces choses, je ne donnerais pas un clou * de tout l'esprit
qu'on peut [2] avoir. 10

CATHOS.

En effet, je trouve que c'est renchérir * sur le ridicule,
qu'une personne se pique d'esprit et ne sache pas jusqu'au
moindre petit quatrain qui se fait chaque jour ; et pour
moi, j'aurais toutes les hontes du monde s'il fallait qu'on
vînt à me demander si j'aurais vu quelque chose de nouveau 15
que je n'aurais pas vu.

MASCARILLE.

Il est vrai qu'il est honteux de n'avoir pas des premiers [3]
tout ce qui se fait ; mais ne vous mettez pas en peine : je
veux établir chez vous une Académie de beaux esprits, et je
vous promets qu'il ne se fera pas un bout de vers dans Paris 20
que vous ne sachiez par cœur avant tous les autres. Pour
moi, tel que vous me voyez, je m'en escrime * un peu quand
je veux ; et vous verrez courir de ma façon, * dans les belles
ruelles de Paris, deux cents chansons, autant de sonnets,
quatre cents épigrammes et plus de mille madrigaux, sans 25
compter les énigmes et les portraits. [4]

MAGDELON.

Je vous avoue que je suis furieusement pour les portraits ;
je ne vois rien de si galant que cela.

MASCARILLE.

Les portraits sont difficiles et demandent un esprit profond ; vous en verrez de ma manière qui ne vous déplairont 30
pas.

1. *sur les huit heures = vers huit heures.* 2. *peut:* "may."
3. *des premiers:* "among the first." 4. A game in fashion in certain
salons. It was a clever word-picture of some well-known individual,
leaving the company to guess the name from the description.

CATHOS.

Pour moi, j'aime terriblement les énigmes.

MASCARILLE.

Cela exerce l'esprit, et j'en ai fait quatre encore ce matin,
que je vous donnerai à deviner.

MAGDELON.

Les madrigaux sont agréables, quand ils sont bien tournés.

MASCARILLE.

C'est mon talent particulier ; et je travaille à mettre en 5
madrigaux toute l'histoire romaine.[1]

MAGDELON.

Ah ! certes, cela sera du dernier beau.[2] J'en retiens*
un exemplaire au moins, si vous le faites imprimer.

MASCARILLE.

Je vous en promets à chacune un, et des mieux reliés.
Cela est au-dessous de ma condition ; mais je le fais seule- 10
ment pour donner à gagner* aux libraires qui me persécutent.

MAGDELON.

Je m'imagine que le plaisir est grand de se voir imprimé.

MASCARILLE.

Sans doute.   Mais à propos, il faut que je vous dise un
impromptu* que je fis hier chez une duchesse de mes amies 15
que je fus[3] visiter ; car je suis diablement fort sur les im-
promptus.

CATHOS.

L'impromptu est justement la pierre* de touche de
l'esprit.

MASCARILLE.

Écoutez donc.   20

MAGDELON.

Nous y sommes de toutes nos oreilles.

1. An absurd idea : to put Roman history into light love lyrics.
2. *du dernier beau:* "marvellous."   3. *je fus = j'allai.*

MASCARILLE.

Oh, oh! je n'y prenais pas garde :
Tandis que, sans songer à mal, je vous regarde,
Votre œil en tapinois me dérobe mon cœur ;
Au voleur, au voleur, au voleur, au voleur !

CATHOS.

Ah ! mon Dieu ! voilà qui est poussé* dans le dernier 5
galant.[1]

MASCARILLE.

Tout ce que je fais a l'air cavalier ; cela ne sent point le
pédant.

MAGDELON.

Il en est éloigné de plus de deux mille lieues.

MASCARILLE.

Avez-vous remarqué ce commencement. *Oh, oh !* Voilà 10
qui est extraordinaire : *oh, oh !* Comme un homme qui
s'avise tout d'un coup : *oh, oh !* La surprise : *oh, oh !*

MAGDELON.

Oui, je trouve ce *oh, oh !* admirable.

MASCARILLE.

Il semble que cela ne soit rien.

CATHOS.

Ah ! mon Dieu, que dites-vous ? Ce sont là de ces sortes 15
de choses qui ne se peuvent payer.[2]

MAGDELON.

Sans doute ; et j'aimerais mieux avoir fait ce *oh, oh !*
qu'un poème épique.[3]

MASCARILLE.

Tudieu ! vous avez le goût bon.

MAGDELON.

Eh ! je ne l'ai pas tout à fait mauvais. 20

---

1. "with the greatest elegance." 2. *i.e.*, are of a value that
money cannot purchase. 3. The epic poem was considered the
supreme test of a poet.

MASCARILLE.

Mais n'admirez-vous pas aussi *je n'y prenais pas garde ?*
Je n'y prenais pas garde, je ne m'apercevais pas de cela :
façon de parler naturelle : *je n'y prenais pas garde.* *Tandis
que, sans songer à mal*, tandis qu'innocemment, sans malice,
comme un pauvre mouton ; *je vous regarde*, c'est-à-dire, je 5
m'amuse à vous considérer, je vous observe, je vous contemple ; *Votre œil en tapinois* . . . Que vous semble de ce
mot *tapinois ?* n'est-il pas bien choisi ?

CATHOS.

Tout à fait bien.

MASCARILLE.

Tapinois, en cachette : il semble que ce soit un chat qui 10
vienne de prendre une souris : *tapinois.*

MAGDELON.

Il ne se peut rien de mieux.

MASCARILLE.

Me dérobe mon cœur, me l'emporte, me le ravit. *Au voleur,
au voleur, au voleur, au voleur !* Ne diriez-vous pas que
c'est un homme qui crie et court après un voleur pour le 15
faire arrêter ? *Au voleur, au voleur, au voleur, au voleur !*

MAGDELON.

Il faut avouer que cela a un tour spirituel et galant.

MASCARILLE.

Je veux vous dire l'air que j'ai fait dessus.

CATHOS.

Vous avez appris la musique ?

MASCARILLE.

Moi ? Point du tout. 20

CATHOS.

Et comment donc cela se peut-il ?

MASCARILLE.

Les gens de qualité savent tout sans avoir jamais rien
appris.[1]

---

1. It was a regular pretense of the noblemen that they possessed
"inherent" talents.

MAGDELON.

Assurément, ma chère.

MASCARILLE.

Écoutez si vous trouverez l'air à votre goût. *Hem, hem.
La, la, la, la, la.* La brutalité de la saison a furieusement
outragé la délicatesse de ma voix ; mais il n'importe, c'est
à la cavalière.   5

(*Il chante :*) *Oh, oh ! je n'y prenais pas* . . .

CATHOS.

Ah ! que voilà un air qui est passionné ! Est-ce qu'on
n'en meurt point ? [1]

MAGDELON.

Il y a de la chromatique [2] là dedans.

MASCARILLE.

Ne trouvez-vous pas la chanson bien exprimée dans le
chant? *Au voleur!* . . . Et puis, comme si l'on criait
bien fort : *au, au, au, au, au, au voleur !* Et tout d'un coup,
comme une personne essoufflée : *au voleur !*

MAGDELON.

C'est là savoir le fin des choses, le grand fin, le fin du
fin. [3] Tout est merveilleux, je vous assure ; je suis enthou- 15
siasmée de l'air et des paroles.

CATHOS.

Je n'ai encore rien vu de cette force-là.

MASCARILLE.

Tout ce que je fais me vient naturellement, c'est sans
étude.

MAGDELON.

La nature vous a traité en vraie mère passionnée, et vous 20
en êtes l'enfant gâté.

MASCARILLE.

À quoi donc passez-vous le temps?

CATHOS.

À rien du tout.

1. *i.e.*, because of ecstasy.   2. A technical musical term Magdelon
uses for effect without any real knowledge of its meaning. Translate:
"plaintiveness."   3. *le fin du fin:* "the essence of elegance."

Magdelon — imite
pas de jugement — apprend vite
peutêtre —

MAGDELON.

Nous avons été jusqu'ici dans un jeûne effroyable de divertissements.

MASCARILLE.

Je m'offre à vous mener l'un de ces jours à la comédie,[1] si vous voulez ; aussi bien on en doit jouer une nouvelle que je serai bien aise que nous voyions ensemble.   5

MAGDELON.

Cela n'est pas de refus.

MASCARILLE.

Mais je vous demande d'applaudir comme il faut, quand nous serons là ; car je me suis engagé de faire valoir la pièce, et l'auteur m'en est venu prier encore ce matin. C'est la coutume ici qu'à nous autres gens de condition les 10 auteurs viennent lire leurs pièces nouvelles, pour nous engager à les trouver belles, et leur donner de la réputation ; et je vous laisse à penser si, quand nous disons quelque chose, le parterre [2] ose nous contredire.   Pour moi, j'y suis fort exact ; et quand j'ai promis à quelque poète, je crie tou- 15 jours : "Voilà qui est beau," devant que les chandelles [3] soient allumées.

MAGDELON.

Ne m'en parlez point : c'est un admirable lieu que Paris ; il s'y passe cent choses tous les jours qu'on ignore dans les provinces, quelque spirituelle qu'on puisse être.   20

CATHOS.

C'est assez : puisque nous sommes instruites, nous ferons notre devoir de nous écrier comme il faut sur tout ce qu'on dira.

MASCARILLE.

Je ne sais si je me trompe, mais vous avez toute la mine d'avoir fait quelque comédie.   25

MAGDELON.

Eh ! il pourrait être quelque chose de ce que vous dites.

---

1. *i.e., au théâtre.*   2. The people of the lower classes stood in the pit of the theater.   Noblemen sat either in the *loges* of the galleries, or on the stage itself.   3. The footlights were candles in Molière's day.

MASCARILLE.

Ah ! ma foi, il faudra que nous la voyions.   Entre nous, j'en ai composé une que je veux faire représenter.

CATHOS.

Hé, à quels comédiens la donnerez-vous?

MASCARILLE.

Belle demande !   Aux grands comédiens.[1]   Il n'y a qu'eux qui soient capables de faire valoir les choses ; les autres sont 5 des ignorants qui récitent comme l'on parle ; ils ne savent pas faire ronfler* les vers, et s'arrêter au bel endroit : et le moyen de connaître où est le beau vers, si le comédien ne s'y arrête, et ne vous avertit par là qu'il faut faire le brouhaha ?   10

CATHOS.

En effet, il y a manière de faire sentir aux auditeurs les beautés d'un ouvrage ; et les choses ne valent que ce qu'on les fait valoir.

MASCARILLE.

Que vous semble de ma petite-oie?[2]   La trouvez-vous congruante à l'habit?   15

CATHOS.

Tout à fait.

MASCARILLE.

Le ruban est bien choisi.

MAGDELON.

Furieusement bien.   C'est Perdrigeon[3] tout pur.

MASCARILLE.

Que dites-vous de mes canons?

MAGDELON.

Ils ont tout à fait bon air.   20

1. Molière refers here to the troupe of the Hôtel de Bourgogne. They were officially the *troupe royale*, and Molière's chief rivals in Paris. In the following lines Molière satirizes the exaggerated mannerisms they affected.   2. "toilet accessories": gloves, hat, decorative ribbons, etc.   3. Perdrigeon was the fashionable haberdasher of the day.

MASCARILLE.

Je puis me vanter au moins qu'ils ont un grand quartier [1] plus que tous ceux qu'on fait.

MAGDELON.

Il faut avouer que je n'ai jamais vu porter si haut l'élégance de l'ajustement.

MASCARILLE.

Attachez un peu sur ces gants la réflexion de votre odorat.[2] [5]

MAGDELON.

Ils sentent terriblement bon.

CATHOS.

Je n'ai jamais respiré une odeur mieux conditionnée.[3]

MASCARILLE.

Et celle-là ?

(*Il donne à sentir les cheveux poudrés de sa perruque.*)

MAGDELON.

Elle est tout à fait de qualité : le sublime [4] en est touché délicieusement.   [10]

MASCARILLE.

Vous ne me dites rien de mes plumes ; comment les trouvez-vous ?

CATHOS.

Effroyablement belles.

MASCARILLE.

Savez-vous que le brin me coûte un louis d'or ? [5]   Pour moi, j'ai cette manie de vouloir donner * généralement sur tout [15] ce qu'il y a de plus beau.

MAGDELON.

Je vous assure que nous sympathisons, vous et moi : j'ai une délicatesse furieuse pour [6] tout ce que je porte ; et jusqu'à mes chaussettes, je ne puis rien souffrir qui ne soit de la bonne ouvrière.   [20]

---

1. "a fourth of an *aune*," about eleven inches.   2. *Sentez un peu ces gants-là.*   3. *mieux conditionnée = meilleure.*   4. *le sublime = le cerveau.*   5. The gold *louis* was worth about $2.20, but would buy four times as much as that sum will today.   6. "I am extremely particular about . . ."

sense of smell

Precieuses - start with exterior -

MASCARILLE, *s'écriant brusquement.*

Ahi, ahi, ahi, doucement ! Dieu me damne, Mesdames, c'est fort mal en user ; j'ai à me plaindre de votre procédé ; cela n'est pas honnête.

CATHOS.

Qu'est-ce donc ? qu'avez-vous ?

MASCARILLE.

Quoi ? toutes deux contre mon cœur, en même temps ! 5 m'attaquer à droit et à gauche ! Ah ! c'est contre le droit des gens ; la partie n'est pas égale ; et je m'en vais crier au meurtre.

CATHOS.

Il faut avouer qu'il dit les choses d'une manière particu-lière.   10

MAGDELON.

Il a un tour admirable dans l'esprit.

CATHOS.

Vous avez plus de peur que de mal, et votre cœur crie avant qu'on l'écorche.

MASCARILLE.

Comment diable ! il est écorché depuis la tête jusqu'aux pieds.   15

SCÈNE X.

Marotte, Mascarille, Cathos, Magdelon.

MAROTTE.

Madame, on demande à vous voir.

MAGDELON.

Qui ?

MAROTTE.

Le vicomte de Jodelet.

MASCARILLE.

Le vicomte de Jodelet ?

MAROTTE.

Oui, Monsieur.   20

CATHOS.

Le connaissez-vous?

MASCARILLE.

C'est mon meilleur ami.

MAGDELON.

Faites entrer vitement.

MASCARILLE.

Il y a quelque temps que nous ne nous sommes vus, et je
suis ravi de cette aventure.   5

CATHOS.

Le voici.

SCÈNE XI.

JODELET, MASCARILLE, CATHOS, MAGDELON,
MAROTTE.

MASCARILLE.

Ah ! vicomte !

JODELET, *s'embrassant l'un l'autre*.

Ah ! marquis !

MASCARILLE.

Que je suis aise de te rencontrer !

JODELET.

Que j'ai de joie de te voir ici !   10

MASCARILLE.

Baise-moi donc encore un peu,[1] je te prie.

MAGDELON.

Ma toute bonne, nous commençons d'être connues ; voilà
le beau monde qui prend le chemin de nous venir voir.

MASCARILLE.

Mesdames, agréez que je vous présente ce gentilhomme-
ci : sur ma parole, il est digne d'être connu de vous.   15

---

1. Extravagant salutations were the rule in the 17th century, especially in *précieux* circles.

JODELET.

Il est juste de venir vous rendre ce qu'on vous doit ; et vos attraits exigent leurs droits seigneuriaux[1] sur toutes sortes de personnes.

MAGDELON.

C'est pousser vos civilités jusqu'aux derniers confins de la flatterie.   5

CATHOS.

Cette journée doit être marquée dans notre almanach comme une journée bienheureuse.

MAGDELON.

Allons, petit garçon, faut-il toujours vous répéter les choses ? Voyez-vous pas qu'il faut le surcroît d'un fauteuil ?[2]   10

MASCARILLE.

Ne vous étonnez pas de voir le Vicomte de la sorte : Il ne fait que sortir d'une maladie qui lui a rendu le visage pâle[3] comme vous le voyez.

JODELET.

Ce sont fruits des veilles* de la cour et des fatigues de la guerre.   15

MASCARILLE.

Savez-vous, Mesdames, que vous voyez dans le Vicomte un des vaillants hommes du siècle ? C'est un brave à trois poils.[4]

JODELET.

Vous ne m'en devez* rien, Marquis ; et nous savons ce que vous savez faire aussi.   20

MASCARILLE.

Il est vrai que nous nous sommes vus tous deux dans l'occasion.*

1. Rights such as the feudal lords (*seigneurs*) had over their vassals. 2. *le surcroît d'un fauteuil = encore un fauteuil.* 3. Jodelet was the stage name of Julien Bedeau. His brother, François, played the rôle of Gorgibus. Jodelet was a favorite of the Parisian theatrical public. He always played in farces and one of his stage characteristics was a powdered face (*visage enfariné*) : it is to this that Molière refers here. The Bedeau brothers had played with both of Molière's rivals, the Hôtel de Bourgogne and the Troupe du Marais. 4. *brave à trois poils = un soldat supérieur.*

under fire

JODELET.

Et dans des lieux où il faisait fort chaud.[1]

MASCARILLE, *les regardant toutes deux.*

Oui ; mais non pas si chaud qu'ici.   Hai, hai, hai !

JODELET.

Notre connaissance s'est faite à l'armée ; et la première fois que nous nous vîmes, il commandait un régiment de cavalerie sur les galères de Malte.[2]   5

MASCARILLE.

Il est vrai ; mais vous étiez pourtant dans l'emploi avant que j'y fusse ; et je me souviens que je n'étais que petit officier encore, que vous commandiez deux mille chevaux.

JODELET.

La guerre est une belle chose ;   mais, ma foi, la cour récompense bien mal aujourd'hui les gens de service comme 10 nous.

MASCARILLE.

C'est ce qui fait que je veux pendre l'épée au croc.

CATHOS.

Pour moi, j'ai un furieux tendre [3] pour les hommes d'épée.

MAGDELON.

Je les aime aussi ; mais je veux que l'esprit assaisonne la bravoure.   15

MASCARILLE.

Te souvient-il, Vicomte, de cette demi-lune que nous emportâmes sur les ennemis au siège d'Arras ? [4]

JODELET.

Que veux-tu dire avec ta demi-lune ?   C'était bien une lune toute entière.[5]

1. To the valets this means "in the kitchen"; to the *précieuses* it meant "in the heat of battle."   2. "Cavalry on a ship" is an absurdity that does not seem to arouse the suspicion of the charmed ladies. The Knights of Malta still had a fleet of warships (*galères*) for service against the Mediterranean pirates.   3. *furieux tendre:* "great affection."   4. Probably the siege of 1640, when the city was captured from the Spanish.   5. A *demi-lune* was the military term for a semicircular fortification thrown out from a stronghold.   There is no such thing as a *lune entière*, but Jodelet, ignorant of what the term means, refuses to do things by halves.

précieuses - affected women

MASCARILLE.

Je pense que tu as raison.

JODELET.

Il m'en doit bien souvenir, ma foi : j'y fus blessé à la jambe d'un coup de grenade, dont je porte encore les marques. Tâtez un peu, de grâce ; vous sentirez quelque coup, c'était là.   5

CATHOS.

Il est vrai que la cicatrice est grande.

MASCARILLE.

Donnez-moi un peu votre main, et tâtez celui-ci, là, justement au derrière de la tête : y êtes-vous ?

MAGDELON.

Oui, je sens quelque chose.

MASCARILLE.

C'est un coup de mousquet que je reçus la dernière 10 campagne que j'ai faite.

JODELET.

Voici un autre coup qui me perça de part en part à l'attaque de Gravelines.

MASCARILLE, *mettant la main sur le bouton de son haut-de-chausses.*

Je vais vous montrer une furieuse plaie.

MAGDELON.

Il n'est pas nécessaire : nous le croyons sans y regarder. 15

MASCARILLE.

Ce sont des marques honorables, qui font voir ce qu'o, est.

CATHOS.

Nous ne doutons point de ce que vous êtes.

MASCARILLE.

Vicomte, as-tu là ton carrosse ?

JODELET.

Pourquoi ?   20

MASCARILLE.

Nous mènerions promener ces dames hors des portes, et
leur donnerions un cadeau.[1]

MAGDELON.

Nous ne saurions * sortir aujourd'hui.

MASCARILLE.

Ayons donc les violons pour danser.

JODELET.

Ma foi, c'est bien avisé.   5

MAGDELON.

Pour cela, nous y consentons ; mais il faut donc quelque
surcroît de compagnie.

MASCARILLE.

Holà ! Champagne, Picard, Bourguignon, Casquaret,
Basque, la Verdure, Lorrain, Provençal, la Violette ![2] Au
diable soient tous les laquais ! Je ne pense pas qu'il y ait 10
gentilhomme en France plus mal servi que moi. Ces
canailles me laissent toujours seul.

MAGDELON.

Almanzor, dites aux gens[3] de Monsieur qu'ils aillent
querir des violons, et nous faites venir ces Messieurs et ces
Dames d'ici près, pour peupler la solitude de notre bal.   15

MASCARILLE.

Vicomte, que dis-tu de ces yeux?

JODELET.

Mais toi-même, Marquis, que t'en semble?

MASCARILLE.

Moi, je dis que nos libertés auront peine à sortir d'ici les
braies nettes.[4] Au moins, pour moi, je reçois d'étranges
secousses, et mon cœur ne tient plus qu'à un filet.   20

1. It was fashionable in 1659 to escort ladies into the country outside
of Paris and there regale them with a banquet, music and dancing. The
evening's entertainment was called a *cadeau.*   2. Valets were usually
called by the name of the province from which they hailed.   3. *gens* =
laquais.   4. *sortir les braies nettes = se tirer heureusement d'affaire.*
By this extremely vulgar expression Mascarille shows he is not a real
marquis with elegant manners.

MAGDELON.

Que tout ce qu'il dit est naturel ! Il tourne les choses le plus agréablement du monde.

CATHOS.

Il est vrai qu'il fait une furieuse dépense en esprit.

MASCARILLE.

Pour vous montrer que je suis véritable,[1] je veux faire un impromptu là-dessus.   5

CATHOS.

Eh ! je vous en conjure de toute la dévotion de mon cœur : que nous ayons quelque chose qu'on ait fait pour nous.

JODELET.

J'aurais envie d'en faire autant ; mais je me trouve un peu incommodé de la veine poétique, pour la quantité des 10 saignées que j'y ai faites ces jours passés.

MASCARILLE.

Que diable est cela ? Je fais toujours bien le premier vers ; mais j'ai peine à faire les autres. Ma foi, ceci est un peu trop pressé : je vous ferai un impromptu à loisir, que vous trouverez le plus beau du monde.   15

JODELET.

Il a de l'esprit comme un démon.

MAGDELON.

Et du galant, et du bien tourné.

MASCARILLE.

Vicomte, dis-moi un peu, y a-t-il longemps que tu n'as vu la Comtesse ?

JODELET.

Il y a plus de trois semaines que je ne lui ai rendu visite. 20

MASCARILLE.

Sais-tu bien que le Duc m'est venu voir ce matin, et m'a voulu mener à la campagne courir un cerf avec lui ?

MAGDELON.

Voici nos amies qui viennent.

1. *véritable = sincère.*

SCÈNE XII.

JODELET, MASCARILLE, CATHOS, MAGDELON, MAROTTE, LUCILE.

MAGDELON.

Mon Dieu, mes chères, nous vous demandons pardon. Ces Messieurs ont eu fantaisie de nous donner les âmes des pieds ;[1] et nous vous avons envoyé querir pour remplir les vides de notre assemblée.

LUCILE.

Vous nous avez obligées, sans doute.   5

MASCARILLE.

Ce n'est ici qu'un bal à la hâte ; mais l'un de ces jours nous vous en donnerons un dans les formes. Les violons sont-ils venus ?

ALMANZOR.

Oui, Monsieur ; ils sont ici.

CATHOS.

Allons donc, mes chères, prenez place.   10

MASCARILLE, *dansant lui seul comme par prélude.*

La, la, la, la, la, la, la, la.

MAGDELON.

Il a tout à fait la taille élégante.

CATHOS.

Et a la mine de danser proprement.[2]

MASCARILLE, *ayant pris Magdelon.*

Ma franchise va danser la courante aussi bien que mes pieds.[3] En cadence, violons, en cadence. Oh ! quels 15 ignorants ! Il n'y a pas moyen de danser avec eux. Le diable vous emporte ! ne sauriez-vous jouer en mesure ? La, la, la, la, la, la, la, la. Ferme, ô violons de village.

JODELET, *dansant ensuite.*

Holà ! ne pressez pas si fort la cadence : je ne fais que sortir de maladie.   20

1. *les âmes des pieds = les violons.*   2. "gracefully."   3. Mascarille means "my liberty is going to take wings." The *courante* was an old-fashioned, stately dance.

SCÈNE XIII.

Du Croisy, La Grange, Mascarille, Jodelet.

LA GRANGE.

Ah! ah! coquins, que faites-vous ici? Il y a trois heures que nous vous cherchons.

MASCARILLE, *se sentant battus.*

Ahi! ahi! ahi! vous ne m'aviez pas dit que les coups en seraient aussi.

JODELET.

Ahi! ahi! ahi! 5

LA GRANGE.

C'est bien à vous, infâme que vous êtes, à vouloir faire l'homme d'importance.

DU CROISY.

Voilà qui[1] vous apprendra à vous connaître.

(*Ils sortent.*)

SCÈNE XIV.

Mascarille, Jodelet, Cathos, Magdelon.

MAGDELON.

Que veut donc dire ceci?

JODELET.

C'est une gageure. 10

CATHOS.

Quoi? vous laisser battre de la sorte!

MASCARILLE.

Mon Dieu, je n'ai pas voulu faire semblant de rien; car je suis violent, et je me serais emporté.

MAGDELON.

Endurer un affront comme celui-là, en notre présence!

MASCARILLE.

Ce n'est rien: ne laissons pas d'achever.[2] Nous nous 15 connaissons il y a longtemps; et entre amis, on ne va pas se piquer pour si peu de chose.

1. *qui = ce qui; i.e.,* the blows the valets have just received.
2. "let's go ahead with our dance."

SCÈNE XV.

DU CROISY, LA GRANGE, MASCARILLE, JODELET,
MAGDELON, CATHOS.

LA GRANGE.

Ma foi, marauds, vous ne vous rirez pas de nous, je vous
promets.   Entrez, vous autres.
   (*Trois ou quatre spadassins entrent.*)

MAGDELON.

Quelle est donc cette audace, de venir nous troubler de la
sorte dans notre maison?

DU CROISY.

Comment, Mesdames, nous endurerons que nos laquais 5
soient mieux reçus que nous? qu'ils viennent vous faire
l'amour à nos dépens, et vous donnent le bal?

MAGDELON.

Vos laquais?

LA GRANGE.

Oui, nos laquais : et cela n'est ni beau ni honnête de nous
les débaucher comme vous faites.   10

MAGDELON.

Ô Ciel ! quelle insolence !

LA GRANGE.

Mais ils n'auront pas l'avantage de se servir de nos habits
pour vous donner dans la vue ; * et si vous les voulez aimer,
ce sera, ma foi, pour leurs beaux yeux.   Vite, qu'on les
dépouille sur-le-champ.   15

JODELET.

Adieu notre braverie.

MASCARILLE.

Voilà le marquisat et la vicomté à bas. *

DU CROISY.

Ha ! ha ! coquins, vous avez l'audace d'aller sur nos
brisées * !   Vous irez chercher autre part de quoi vous rendre
agréables aux yeux de vos belles, je vous en assure.   20

LA GRANGE.

C'est trop que de nous supplanter, et de nous supplanter
avec nos propres habits.

MASCARILLE.

Ô Fortune, quelle est ton inconstance !

DU CROISY.

Vite, qu'on leur ôte jusqu'à la moindre chose.

LA GRANGE.

Qu'on emporte toutes ces hardes, dépêchez. Maintenant, Mesdames, en l'état qu'ils sont, vous pouvez continuer
vos amours avec eux tant qu'il vous plaira ; nous vous 5
laissons toute sorte de liberté pour cela, et nous vous pro-
testons, Monsieur et moi, que nous n'en serons aucunement
jaloux.

CATHOS.

Ah ! quelle confusion !

MAGDELON.

Je crève de dépit. 10

UN DES VIOLONS, *au Marquis.*

Qu'est-ce donc que ceci ?   Qui nous payera, nous autres ?

MASCARILLE.

Demandez à Monsieur le Vicomte.

UN DES VIOLONS, *au Vicomte.*

Qui est-ce qui nous donnera de l'argent ?

JODELET.

Demandez à Monsieur le Marquis.

SCÈNE XVI.

GORGIBUS, MASCARILLE, MAGDELON.

GORGIBUS.

Ah ! coquines que vous êtes, vous nous mettez dans de 15
beaux draps* blancs, à ce que je vois ! et je viens d'apprendre de belles affaires, vraiment, de ces Messieurs qui
sortent !

MAGDELON.

Ah ! mon père, c'est une pièce sanglante* qu'ils nous ont
faite. 20

1. Not an elegant way of saying "I am dying of embarrassment."

GORGIBUS.

Oui, c'est une pièce sanglante, mais qui est un effet de votre impertinence, infâmes! Ils se sont ressentis du traitement que vous leur avez fait; et cependant, malheureux que je suis, il faut que je boive[1] l'affront.

MAGDELON.

Ah! je jure que nous en serons vengées, ou que je mourrai[5] en la peine. Et vous, marauds, osez-vous vous tenir ici après votre insolence?

MASCARILLE.

Traiter comme cela un marquis! Voilà ce que c'est que du monde![2] la moindre disgrâce nous fait mépriser de ceux qui nous chérissaient. Allons, camarade, allons[10] chercher fortune autre part: je vois bien qu'on n'aime ici que la vaine apparence, et qu'on n'y considère point la vertu toute nue.[3]

(*Ils sortent tous deux.*)

SCÈNE XVII.

GORGIBUS, MAGDELON, CATHOS, VIOLONS.

UN DES VIOLONS.

Monsieur, nous entendons* que vous nous contentiez à leur défaut* pour ce que nous avons joué ici. [15]

GORGIBUS, *les battant.*

Oui, oui, je vous vais contenter, et voici la monnaie dont je vous veux payer. Et vous, pendardes, je ne sais qui me tient que je ne vous en fasse autant. Nous allons servir de fable et de risée à tout le monde, et voilà ce que vous vous êtes attiré par vos extravagances. Allez vous cacher,[20] vilaines; allez vous cacher pour jamais. Et vous qui êtes cause de leur folie, sottes billevesées, pernicieux amusements des esprits oisifs, romans, vers, chansons, sonnets et sonnettes,[4] puissiez-vous être à tous les diables!

---

1. *boive = avale.*   2. "That's the way of the world."   3. Remember their fine clothes have been taken from them.   4. *sonnette* here has no exact meaning: it is used to give alliterative effect with *sonnet.* Possibly a sonnet meant quite as little to Gorgibus as a *sonnette.*

LE TARTUFFE, OU L'IMPOSTEUR

Voici une comédie dont on a fait beaucoup de bruit, qui a été longtemps persécutée ; et les gens qu'elle joue ont bien fait voir qu'ils étaient plus puissants en France que tous ceux que j'ai joués jusqu'ici. Les Marquis, les Précieuses . . . et les Médecins ont souffert doucement qu'on les ait représentés, et ils ont fait semblant de se divertir, avec tout le monde, des peintures que l'on a faites d'eux ; mais les Hypocrites n'ont point entendu raillerie ; ils se sont effarouchés d'abord, et ont trouvé étrange que j'eusse la hardiesse de jouer leurs grimaces, et de vouloir décrier un métier dont tant d'honnêtes gens se mêlent. C'est un crime qu'ils ne sauraient me pardonner ; et ils se sont tous armés contre ma comédie avec une fureur épouvantable. Ils n'ont eu garde de l'attaquer par le côté qui les a blessés ; ils sont trop politiques pour cela, et savent trop bien vivre pour découvrir le fond de leur âme. Suivant leur louable coutume, ils ont couvert leurs intérêts de la cause de Dieu ; et le Tartuffe, dans leur bouche, est une pièce qui offense la piété. Elle est, d'un bout à l'autre, pleine d'abominations, et l'on n'y trouve rien qui ne mérite le feu. Toutes les syllabes en sont impies ; les gestes mêmes y sont criminels ; et le moindre coup d'œil, le moindre branlement de tête, le moindre pas à droite ou à gauche, y cache des mystères qu'ils trouvent moyen d'expliquer à mon désavantage. J'ai eu beau la soumettre aux lumières de mes amis, et à la censure de tout le monde : les corrections que j'y ai pu faire, le jugement du Roi et de la Reine, qui l'ont vue, l'approbation des grands princes et de Messieurs les ministres, qui l'ont honorée publiquement de leur présence, le témoignage des gens de bien, qui l'ont trouvée profitable, tout cela n'a de rien servi. Ils n'en veulent point démordre ; et tous les jours encore, ils font crier en public des zélés indiscrets, qui me disent des injures pieusement et me damnent par charité.

This opening paragraph of the preface to the first edition of *Tartuffe* (1669) sketches the five-year battle waged by Molière to secure authorization to present his comedy in his theater in Paris. A play which met with such bitter opposition and

n'avoir garde = take care not to

created so much excitement is bound to contain a great many interesting historical problems, and Tartuffe fairly bristles with them. We can do no more than touch upon them here and in the notes to the text. The student of Molière will find them admirably presented and discussed by M. G. Michaut in *Les Luttes de Molière*,[1] with the bibliographical notices necessary for a complete orientation.

Molière is said to have read a first draft of *Tartuffe* in three acts in 1664 to the king who was greatly pleased with it, but told Molière that he must not irritate the pious party (*les dévots*) by presenting the play in public, although he did not expressly forbid its representation.

Now Molière had discovered that his best chances of theatrical success lay in the treatment of subjects of contemporary and local interest. By his *Précieuses ridicules* and his *École des Femmes* he had quintupled and even, on occasions, decupled his door receipts. The religious question was very much in vogue in the 'sixties of the seventeenth century. Feeling ran high over the quarrel between the Jesuits and Jansenists and the vigorous prosecution of the latter order which was being initiated. Furthermore France, and especially Paris, was honeycombed with branch societies of the secret and very pietistic Compagnie du Saint-Sacrement, nicknamed La Cabale des Dévots.[2] It performed many admirable works but its followers were often carried too far by a fanatical zeal. They meddled in private affairs; they inflicted chastisements without the observance of legal forms; they promoted " blue laws," among them, proscriptions against the theater. Molière seems to be touching upon this point in his *Préface: . . . on doit approuver la comédie du Tartuffe, ou condamner généralement toutes les comédies. C'est à quoi l'on s'attache furieusement depuis un temps, et jamais on ne s'était si fort déchaîné contre le théâtre.*

A court decree for the suppression of the Company was passed in 1660 and led finally to its extinction as an order, but

---

1. This is the third in a series of studies on Molière: *La Jeunesse de Molière*, 1923; *Les Débuts de Molière à Paris*, 1923; *Les Luttes de Molière*, 1925; *Le Triomphe de Molière* (soon to appear). Librairie Hachette, 79 Boulevard Saint-Germain, Paris.   2. For a full account see among others: Raoul Allier, *La Cabale des Dévots*, Paris, 1902; Francis Baumal, *Tartuffe et ses Avatars, Histoire des relations de Molière avec la Cabale des Dévots*, Paris, 1925.

this decree served, during the period in question, to stimulate the activities of its members.   The violence of certain members of the *Compagnie* is suggested by the pamphlet, addressed early in 1664 to the king, in which its author, Pierre Roullé, curé de Saint Barthélemy, asked for nothing less than that Molière should be burned at the stake, a detail to which the poet refers in his preface.   D'Argenson, historian of the *Compagnie*, found in the records of the society the notice of a secret meeting held on the seventeenth of April, 1664 : *On parla fort ce jour-là de travailler à procurer la suppression de la méchante comédie de Tartuffe.   Chacun se chargea d'en parler à ses amis qui avaient quelque crédit à la cour pour empêcher sa représentation et, en effet, elle fut différée assez longtemps.*

Tartuffe was played however at Versailles on the twelfth of May, 1664, before the court which found it *fort divertissant.* But the king, who very evidently shared the pleasure of his courtiers, saw himself obliged to yield to the pressure of his spiritual advisers and forbade the public representation of the play.

This was a severe blow to Molière.   His previous successes had been worn threadbare by dint of repetition and he needed a new attraction to bolster up his repertoire.   Besides he was a fighter, and foresaw the consequences which would result if he gave way to his opponents.   He presented his situation very clearly and vigorously in his second petition (*placet*) to the king, made in 1667, when his modified *Tartuffe* had been played once and then suppressed under the title of *L'Imposteur.* . . . *Il est très assuré, Sire, qu'il ne faut plus que je songe à faire de comédie si les Tartuffes ont l'avantage, (parce) qu'ils prendront droit par là de me persécuter plus que jamais, et voudront trouver à redire aux choses les plus innocentes qui pourront sortir de ma plume.*

It was under the stress of these difficulties that the play evolved into the *Tartuffe* which we now read.   In its original three-act form it was probably little more than a " diverting" comedy, a comic picture of a gullible bourgeois completely taken in by a hypocrite who succeeds in all his designs and remains unpunished at the end.   To meet the criticism which rained upon him, Molière sought to make his position clear by enlarging the rôle of Cléante, the *raisonneur* of the piece and his mouthpiece in the play.   He seems first to have added a fourth act, for a letter of October, 1665, from the Duc d'Enghien urges one of his representatives at Paris to persuade Molière to play *Tartuffe* when he brings his company to Raincy to entertain the Duke's father, the Prince de Condé, and his guests. In the course of his letter the Duke remarks: *Si le quatrième acte de Tartuffe était fait, demandez-lui s'il ne le pourrait pas jouer.* It is not known whether the comedy was played in this form although there is some internal indication that it might have been. However that may be, a fourth and a fifth act were added to the original three in order to make the demonstration of the "Impostor's" villainy complete, to satisfy all scruples of poetic justice, and to afford Molière an opportunity in the dénouement to bring into play his most effective resource, a flattering eulogy of his Majesty Louis XIV without whose support his profession and his art could not exist.

In this enlarged and modified form, *Tartuffe*, or rather, *L'Imposteur* was played once to a crowded house (August 5, 1667) and then promptly forbidden. Molière sent two of his actors to present his second petition to the king who was with his army, besieging Lille. In accordance with the sort of ultimatum contained in the petition and which has been cited above, Molière closed his theater for seven weeks. Upon the king's return he reassured Molière who reopened his theater, but it was over a year before the ban on *Tartuffe* could be removed. The archbishop of Paris had issued a proscription to all the members of his diocese forbidding them to listen in public or in private to the "aforesaid comedy" *sous peine d'excommunication.*

Toward the end of 1668, the religious ferment had quieted, following the Brief of Clément IX establishing *la paix de l'Église.* On the fifth of February 1669 the poet finally received permission to play *Tartuffe*, which he did with "prodigious success." It has never lost its popularity. Of all the plays of Molière, *Tartuffe* has the most public performances to its credit.

ACTEURS.

Mme PERNELLE, mère d'Orgon.

ORGON,[1] mari d'Elmire.

ELMIRE, femme d'Orgon.

DAMIS, fils d'Orgon.

MARIANE, fille d'Orgon et amante de Valère.

VALÈRE, amant de Mariane.

CLÉANTE, beau-frère d'Orgon.

TARTUFFE, faux dévot.[2]

DORINE, suivante de Mariane.

M. LOYAL, sergent.

UN EXEMPT.

FLIPOTE, servante de Mme PERNELLE.

La scène est à Paris (dans la maison d'Orgon).

MOTHER PERNELLE

ORGON   ELMIRE   CLEANTE

---

1. Played by Molière.   2. The origin of the name is unknown. It has been traced to the old French *trufe* ("deception"). Attempts have been made to connect it with *truffe* ("truffle"), which had formerly a form *tartufle*, and, in Italian, *tartufo* which is used in an Italian poem of the period with the meaning "scoundrel." Even the German word *der Teufel* ("the devil") has been suggested. The rôle was played by Du Croisy, the fat man of the company.

ACTE I. SCÈNE PREMIÈRE.¹

MADAME PERNELLE ET FLIPOTE, SA SERVANTE, ELMIRE,
MARIANE, DORINE, DAMIS, CLÉANTE.

MADAME PERNELLE.

Allons, Flipote, allons, que d'eux je me délivre.

ELMIRE.

Vous marchez d'un tel pas qu'on a peine à vous suivre,

MADAME PERNELLE.

Laissez, ma bru, laissez, ne venez pas plus loin :
Ce sont toutes façons* dont je n'ai pas besoin.

ELMIRE.

De ce que l'on vous doit envers vous on s'acquitte.   5
Mais, ma mère, d'où vient que vous sortez si vite ?

MADAME PERNELLE.

C'est que je ne puis voir tout ce ménage-ci,
Et que de me complaire on ne prend nul souci.
Oui, je sors de chez vous fort mal édifiée : ²
Dans toutes mes leçons j'y suis contrariée,   10
On n'y respecte rien, chacun y parle haut,
Et c'est tout justement la cour du roi Pétaut.³

1. It is necessary to keep in mind the family relations between the
actors in order to appreciate fully *cette scène prodigieuse* (Michaut).
Elmire is the second wife of Orgon and not much older than her step-
children, Mariane and Damis. The servant, Dorine, has been in the
family since the time of the first Madame Orgon. These facts explain
the attitudes and the dialogue of Madame Pernelle, the two children and
the servant.   2. This word pronounced with even reasonable stress,
purses the lips and contracts the nostrils, offering, as it were, a phonetic
portrait of the hard-featured, pietistic old lady. The same device may
be noted to a greater or less extent in all her utterances.   3. The
association of beggars is said to have called its chief by this title. His
authority was naturally limited and his court a place where, as an old
text puts it, "each one is master."

DORINE.

Si . . .

MADAME PERNELLE.

Vous êtes, mamie, une fille suivante
Un peu trop forte en gueule, et trop impertinente :
Vous vous mêlez sur tout de dire votre avis.   15

DAMIS.

Mais . . .

MADAME PERNELLE.

          Vous êtes un sot en trois lettres, mon fils ;
C'est moi qui vous le dis, qui suis votre grand'mère ;
Et j'ai prédit cent fois à mon fils, votre père,
Que vous preniez tout l'air d'un méchant garnement,
Et ne lui donneriez jamais que du tourment.   20

MARIANE.

Je crois . . .

MADAME PERNELLE.

          Mon Dieu, sa sœur, vous faites la discrète,
Et vous n'y touchez* pas, tant vous semblez doucette ;
Mais il n'est, comme on dit, pire eau que l'eau qui dort,[1]
Et vous menez* sous chape* un train que je hais fort.

ELMIRE.

Mais, ma mère . . .

MADAME PERNELLE.

          Ma bru, qu'il ne vous en déplaise,   25
Votre conduite en tout est tout à fait mauvaise ;
Vous devriez leur mettre un bon exemple aux yeux,
Et leur défunte mère en usait* beaucoup mieux.
Vous êtes dépensière ; et cet état* me blesse,
Que vous alliez vêtue ainsi qu'une princesse.   30
Quiconque à son mari veut plaire seulement,
Ma bru, n'a pas besoin de tant d'ajustement.

CLÉANTE.

Mais, Madame, après tout . . .

MADAME PERNELLE.

          Pour vous, Monsieur son frère,
Je vous estime fort, vous aime, et vous révère ;

---

1. Cf. the English proverb : "Still waters run deep."

Mais enfin, si j'étais de mon fils,[1] son époux,   35
Je vous prierais bien fort de n'entrer point chez nous.
Sans cesse vous prêchez des maximes de vivre
Qui par d'honnêtes gens ne se doivent point suivre.
Je vous parle un peu franc ; mais c'est là mon humeur,
Et je ne mâche point ce que j'ai sur le cœur.   40

DAMIS.

Votre Monsieur Tartuffe est bien heureux* sans doute . . .

MADAME PERNELLE.

C'est un homme de bien,* qu'il faut que l'on écoute ;
Et je ne puis souffrir sans me mettre en courroux
De le voir querellé* par un fou comme vous.

DAMIS.

Quoi? je souffrirai, moi, qu'un cagot de critique   45
Vienne usurper céans un pouvoir tyrannique,
Et que nous ne puissions à rien nous divertir,
Si ce beau Monsieur-là n'y daigne consentir?

DORINE.

S'il le faut écouter et croire à ses maximes,
On ne peut faire rien qu'on ne fasse des crimes ;   50
Car il contrôle tout, ce critique zélé.

MADAME PERNELLE.

Et tout ce qu'il contrôle est fort bien contrôlé.
C'est au chemin du Ciel qu'il prétend* vous conduire,
Et mon fils à l'aimer vous devrait tous induire.

DAMIS.

Non, voyez-vous, ma mère, il n'est père ni rien   55
Qui me puisse obliger à lui vouloir du bien :
Je trahirais mon cœur de parler d'autre sorte ;
Sur ses façons de faire à tous coups je m'emporte ;
J'en prévois unc suite, et qu'avec ce pied* plat
Il faudra que j'en vienne à quelque grand éclat.   60

DORINE.

Certes c'est une chose aussi qui scandalise,
De voir qu'un inconnu céans s'impatronise,
Qu'un gueux qui, quand il vint, n'avait pas de souliers
Et dont l'habit entier valait bien six deniers,

1. "If I were my son."

En vienne jusque-là que de se méconnaître, 65
De contrarier tout, et de faire le maître.

MADAME PERNELLE.

Hé ! merci de ma vie ! il en irait bien mieux,
Si tout se gouvernait par ses ordres pieux.

DORINE.

Il passe pour un saint dans votre fantaisie :
Tout son fait,* croyez-moi, n'est rien qu'hypocrisie. 70

MADAME PERNELLE.

Voyez la langue* !

DORINE.

      À lui, non plus qu'à son Laurent,
Je ne me fierais, moi, que sur un bon garant.

MADAME PERNELLE.

J'ignore ce qu'au fond le serviteur peut être ;
Mais pour homme de bien, je garantis le maître.
Vous ne lui voulez mal et ne le rebutez 75
Qu'à cause qu'il vous dit à tous vos vérités.
C'est contre le péché que son cœur se courrouce,
Et l'intérêt du Ciel est tout ce qui le pousse.

DORINE.

Oui ; mais pourquoi, surtout depuis un certain temps,
Ne saurait-il souffrir qu'aucun hante céans ? 80
En quoi blesse le Ciel une visite honnête,*
Pour en faire un vacarme à nous rompre la tête ?
Veut-on que là-dessus je m'explique entre nous ?
Je crois que de Madame il est, ma foi, jaloux.

MADAME PERNELLE.

Taisez-vous, et songez aux choses que vous dites. 85
Ce n'est pas lui tout seul qui blâme ces visites.
Tout ce tracas qui suit les gens que vous hantez,
Ces carrosses sans cesse à la porte plantés,
Et de tant de laquais le bruyant assemblage
Font un éclat fâcheux dans tout le voisinage. 90
Je veux croire qu'au fond il ne se passe rien ;
Mais enfin on en parle, et cela n'est pas bien.

CLÉANTE.

Hé ! voulez-vous, Madame, empêcher qu'on ne cause ?
Ce serait dans la vie une fâcheuse chose,
Si pour les sots discours où l'on peut être mis,   95
Il fallait renoncer à ses meilleurs amis.
Et quand * même on pourrait se résoudre à le faire,
Croiriez-vous obliger tout le monde à se taire ?
Contre la médisance il n'est point de rempart.
À tous les sots caquets n'ayons donc nul égard ;   100
Efforçons-nous de vivre avec toute innocence,
Et laissons aux causeurs une pleine licence.

DORINE.

Daphné, notre voisine, et son petit époux
Ne seraient-ils point ceux qui parlent mal de nous ?
Ceux de qui la conduite offre le plus à rire   105
Sont toujours sur autrui les premiers à médire ;
Ils ne manquent jamais de saisir promptement
L'apparente lueur du moindre attachement,
D'en semer la nouvelle avec beaucoup de joie,
Et d'y donner le tour qu'ils veulent qu'on y croie :   110
Des actions d'autrui, teintes de leurs couleurs,
Ils pensent dans le monde autoriser les leurs,
Et sous le faux espoir de quelque ressemblance,
Aux intrigues qu'ils ont donner de l'innocence,
Ou faire ailleurs tomber quelques traits partagés   115
De ce blâme public dont ils sont trop chargés.

MADAME PERNELLE.

Tous ces raisonnements ne font rien à l'affaire.*
On sait qu'Orante mène une vie exemplaire :
Tous ses soins vont * au Ciel ; et j'ai su par des gens
Qu'elle condamne fort le train * qui vient céans.   120

DORINE.

L'exemple est admirable, et cette dame est bonne !
Il est vrai qu'elle vit en austère personne ;
Mais l'âge dans son âme a mis ce zèle ardent,
Et l'on sait qu'elle est prude à son corps * défendant.
Tant qu'elle a pu des cœurs attirer les hommages,   125
Elle a fort bien joui de tous ses avantages ;
Mais, voyant de ses yeux tous les brillants baisser,
Au monde, qui la quitte, elle veut renoncer,

Et du voile pompeux d'une haute sagesse
De ses attraits usés* déguiser la faiblesse.   130
Ce sont là les retours* des coquettes du temps.
Il leur est dur de voir déserter les galants.
Dans un tel abandon, leur sombre inquiétude
Ne voit d'autre recours que le métier de prude ;
Et la sévérité de ces femmes* de bien   135
Censure toute chose, et ne pardonne à rien ;
Hautement* d'un chacun elles blâment la vie,
Non point par charité,[1] mais par un trait d'envie,
Qui ne saurait souffrir qu'une autre ait les plaisirs
Dont le penchant de l'âge a sevré leurs désirs.   140

MADAME PERNELLE.

Voilà les contes bleus [2] qu'il vous faut pour vous plaire.
Ma bru, l'on est chez vous contrainte de se taire,
Car Madame à jaser tient le dé [3] tout le jour.
Mais enfin je prétends discourir à mon tour :
Je vous dis que mon fils n'a rien fait de plus sage   145
Qu'en recueillant chez soi ce dévot personnage ;
Que le Ciel au besoin* l'a céans envoyé
Pour redresser à tous votre esprit fourvoyé ;
Que pour votre salut vous le devez entendre,
Et qu'il ne reprend rien qui ne soit à reprendre.   150
Ces visites, ces bals, ces conversations
Sont du malin esprit toutes inventions.
Là jamais on n'entend de pieuses paroles :
Ce sont propos oisifs, chansons* et fariboles ;
Bien souvent le prochain en a sa bonne part,   155
Et l'on y sait médire et du tiers* et du quart.
Enfin les gens sensés ont leurs têtes troublées
De la confusion de telles assemblées :
Mille caquets divers s'y font en moins de rien.
Et comme l'autre jour un docteur dit fort bien,   160

1. Note the insistence on the word. This hemistich furnishes the secondary *leit-motif*, the constructive element in the satire which the play presents.   2. "Silly tales." The epithet *bleu* is taken from a seventeenth century collection of fairy tales and stories of adventure known as *la bibliothèque bleue*. It was bound in blue paper covers and sold at prices corresponding to the clientèle which it served.   3. The phrase means literally to have one's turn in casting dice and, by extension, to take one's turn at anything, to monopolize the opportunity *tenir le dé de la conversation*, "do all the talking," "hold the floor."

C'est véritablement la tour de Babylone,[1]
Car chacun y babille, et tout du long de l'aune ; [2]
Et pour conter l'histoire où ce point [3] l'engagea . . .
Voilà-t-il pas [4] Monsieur qui ricane déjà !
Allez chercher vos fous qui vous donnent à rire,   165
Et sans . . . Adieu, ma bru : je ne veux plus rien dire.
Sachez que pour céans j'en rabats de moitié,
Et qu'il fera beau temps quand j'y mettrai le pied.

(*Donnant un soufflet à Flipote.*)

Allons, vous, vous rêvez, et bayez aux corneilles.
Jour de Dieu ! je saurai vous frotter les oreilles.   170
Marchons, gaupe, marchons.

SCÈNE II.

CLÉANTE, DORINE.

CLÉANTE.

Je n'y veux point aller,
De peur qu'elle ne vînt encor me quereller,
Que cette bonne femme * . . .

DORINE.

Ah ! certes, c'est dommage
Qu'elle ne vous ouît tenir un tel langage :
Elle vous dirait bien qu'elle vous trouve bon,[5]   175
Et qu'elle n'est point d'âge à lui donner ce nom.

CLÉANTE.

Comme elle s'est pour rien contre nous échauffée !
Et que de son Tartuffe elle paraît coiffée !

---

1. Many commentaries have been made on this quite natural confusion of the tower of Babel and Babylon. However, Madame Pernelle's play on words, *Babylone* and *babiller*, may be seen in a book by the Jesuit theologian (*docteur*), Nicolas Caussin, confessor of Louis XIV. 2. *tout . . . aune:* "the whole length of the ell" (cloth measure, from 27 to 48 inches). 3. *point:* "theme" or "topic" of the preacher's sermon, that is, the talkativeness of women and the evils that come from it; see lines 151–9. 4. The liveliness of the phrase may best be rendered by something like : "Now there's . . . !" "Just look at . . . !" 5. *bon:* compare with *bonne*, line 173. *Bon* applied to a man is often used with an ironic or satirical intention : implying " simple-minded."

DORINE.

Oh ! vraiment tout cela n'est rien au prix* du fils,
Et si vous l'aviez vu, vous diriez : " C'est bien pis !"   180
Nos troubles [1] l'avaient mis sur le pied* d'homme sage,
Et pour servir son prince il montra du courage ;
Mais il est devenu comme un homme hébété,
Depuis que de Tartuffe on le voit entêté ;
Il l'appelle son frère, et l'aime dans son âme   185
Cent fois plus qu'il ne fait mère, fils, fille, et femme.
C'est de tous ses secrets l'unique confident,
Et de ses actions le directeur [2] prudent ;
Il le choie, il l'embrasse, et pour une maîtresse
On ne saurait, je pense, avoir plus de tendresse ;   190
À table, au plus haut bout il veut qu'il soit assis ;
Avec joie il l'y voit manger autant que six ; [3]
Les bons morceaux de tout, il fait qu'on les lui cède ;
Et s'il vient* à roter, il lui dit : " Dieu vous aide ! "
    (*C'est une servante qui parle.*)
Enfin il en est fou ; c'est son tout, son héros ;   195
Il l'admire à tous coups, le cite à tout propos ;*
Ses moindres actions lui semblent des miracles,
Et tous les mots qu'il dit sont pour lui des oracles.
Lui, qui connaît sa dupe et qui veut en jouir,
Par cent dehors fardés a l'art de l'éblouir ;   200

1. Some critics and many of the contemporary Jesuits have been inclined to see in this phrase an allusion to the rebellion of the nobles, called
La Fronde (1648–1653). During these "troubles" the Jansenists were
stanch supporters of the king to the point of embarrassing him in his later
persecution of the order. And so *Tartuffe* might be looked upon as a
satire against the Jansenists.   2. The term was used currently in the
sense of *directeur de conscience*, that is to say, the ecclesiastic chosen by
an individual to direct his conduct according to religious principles.
Dorine's use of the term offered a very vulnerable point of attack.   It
justified to a certain extent the charges made by Roullé (see above, p.
307) that Molière in this play had insulted *l'Église, la religion, les
sacrements et les officiers les plus nécessaires au salut.*   In the original form
the allusion to the priests may have been made more pointed by Tartuffe's costume, for in the second petition (*placet*) to the king, Molière
has this to say : *J'ai déguisé le personnage (Tartuffe) sous l'ajustement
d'un homme du monde ; j'ai eu beau lui donner un petit chapeau, de grands
cheveux, un grand collet, une épée et des dentelles sur tout l'habit . . . tout
cela n'a de rien servi.*   3. For interesting details upon a character who
must have come to Molière's attention while he was playing in the provinces and who may have furnished him some details for his "portrait,"
see Francis Baumal, *Tartuffe et ses Avatars*, Paris, 1925.

Son cagotisme en tire à toute heure des sommes,
Et prend droit de gloser sur tous tant que nous sommes.
Il n'est pas jusqu'au fat qui lui sert de garçon
Qui ne se mêle aussi de nous faire leçon ; *
Il vient nous sermonner avec des yeux farouches,　　　　205
Et jeter nos rubans, notre rouge et nos mouches.
Le traître, l'autre jour, nous rompit de ses mains
Un mouchoir qu'il trouva dans une *Fleur des Saints*,[1]
Disant que nous mêlions, par un crime effroyable,
Avec la sainteté les parures du diable.　　　　　　　　210

SCÈNE III.

ELMIRE, MARIANE, DAMIS, CLÉANTE, DORINE.

ELMIRE.

Vous êtes bien heureux * de n'être point venu
Au discours qu'à la porte elle nous a tenu.
Mais j'ai vu mon mari : comme il ne m'a point vue,
Je veux aller là-haut * attendre sa venue.

CLÉANTE.

Moi, je l'attends ici pour moins d'amusement, *　　　　215
Et je vais lui donner le bonjour seulement.

DAMIS.

De l'hymen de ma sœur touchez-lui quelque chose.
J'ai soupçon que Tartuffe à son effet * s'oppose,
Qu'il oblige mon père à des détours si grands ;
Et vous n'ignorez pas quel intérêt j'y prends.　　　　220
Si même ardeur enflamme et ma sœur et Valère,
La sœur de cet ami, vous le savez, m'est chère ;
Et s'il fallait . . .

DORINE.

Il entre.

　　1. A collection of lives of the Saints.　The title refers to a translation from the Spanish of Ribadeneira.　It was a large tome and no
doubt served the ladies of the house as a press for their handkerchiefs.

SCÈNE IV.

Orgon, Cléante, Dorine.

amusant

ORGON.

Ah ! mon frère, bonjour.

CLÉANTE.

Je sortais, et j'ai joie à vous voir de retour.
La campagne à présent n'est pas beaucoup fleurie.   225

ORGON.

Dorine . . .   Mon beau-frère, attendez, je vous prie :
Vous voulez bien souffrir, pour m'ôter de souci,
Que je m'informe un peu des nouvelles d'ici.
Tout s'est-il, ces deux jours, passé de bonne sorte ?
Qu'est-ce qu'on fait céans ? comme est-ce qu'on s'y porte ? 230

DORINE.

Madame eut avant-hier la fièvre jusqu'au soir,
Avec un mal de tête étrange à concevoir.

ORGON.

Et Tartuffe ?

DORINE.

Tartuffe ?   Il se porte à merveille,
Gros et gras, le teint frais, et la bouche vermeille.

ORGON.

Le pauvre homme ! [1]

DORINE.

Le soir, elle eut un grand dégoût,*   235
Et ne put au souper toucher à rien du tout,
Tant sa douleur de tête était encor cruelle !

1. Commentators have found many sources for this expression. The king himself is said to have used the phrase with varying intonations when a courtier described to him the feasts of Hardouin de Péréfixe, Archbishop of Paris, who had refused a royal invitation to dinner on the grounds that he was fasting.   Inasmuch as it was Péréfixe who was most directly responsible for the prohibition of *Tartuffe*, the detail would be piquant.   As a matter of fact the phrase was current in popular language as a term of endearment, cf., English, "the poor thing."   The best translation of it is probably the "dear man."   In presentation, the scene is a monologue by Dorine in alternating major and minor key (Elmire's illness, Tartuffe's health) punctuated by Orgon's query and reflection:
Et Tartuffe ? — Le pauvre homme.

ORGON.

Et Tartuffe?

DORINE.

          Il soupa, lui tout seul, devant elle,
Et fort dévotement il mangea deux perdrix,
Avec une moitié de gigot en hachis.   240

ORGON.

Le pauvre homme !

DORINE.

          La nuit se passa toute entière
Sans qu'elle pût fermer un moment la paupière ;
Des chaleurs * l'empêchaient de pouvoir sommeiller,
Et jusqu'au jour près d'elle il nous fallut veiller.

ORGON.

Et Tartuffe?

DORINE.

          Pressé d'un sommeil agréable,   245
Il passa dans sa chambre au sortir de la table,
Et dans son lit bien chaud il se mit tout soudain,
Où sans trouble il dormit jusques au lendemain.

ORGON.

Le pauvre homme !

DORINE.

          À la fin, par nos raisons gagnée,
Elle se résolut à souffrir la saignée,   250
Et le soulagement suivit tout aussitôt.

ORGON.

Et Tartuffe?

DORINE.

          Il reprit courage comme il faut,*
Et contre tous les maux fortifiant son âme,
Pour réparer le sang qu'avait perdu Madame,
But à son déjeuner quatre grands coups de vin.   255

ORGON.

Le pauvre homme !

DORINE.

          Tous deux se portent bien enfin ;
Et je vais à Madame annoncer par avance
La part que vous prenez à sa convalescence.

SCÈNE V.[1]

ORGON, CLÉANTE.

CLÉANTE.

À votre nez, mon frère, elle se rit de vous ;
Et sans avoir dessein de vous mettre en courroux,   260
Je vous dirai tout franc que c'est avec justice.
A-t-on jamais parlé d'un semblable caprice ?
Et se peut-il qu'un homme ait un charme* aujourd'hui
À vous faire oublier toutes choses pour lui,
Qu'après avoir chez vous réparé sa misère,   265
Vous en veniez au point . . .?

ORGON.

              Alte-là, mon beau-frère :
Vous ne connaissez pas celui dont vous parlez.

CLÉANTE.

Je ne le connais pas, puisque vous le voulez ;
Mais enfin, pour savoir quel homme ce peut être . . .

ORGON.

Mon frère, vous seriez charmé de le connaître,   270
Et vos ravissements ne prendraient point de fin.
C'est un homme . . . qui . . . ha ! . . . un homme . . . un
                     [homme enfin.
Qui suit bien ses leçons, goûte une paix profonde,
Et comme du fumier regarde tout le monde.
Oui, je deviens tout autre avec son entretien ;   275
Il m'enseigne à n'avoir affection pour rien,
De toutes amitiés il détache mon âme ;
Et je verrais mourir frère, enfants, mère et femme,
Que je m'en soucierais autant que de cela.[2]

---

1. This scene is no doubt considerably enlarged over its original version. Molière puts his defense in the mouth of Cléante. He dwells upon it in his *Préface: C'est aux vrais dévots, que je veux partout me justifier sur la conduite de ma comédie, et je les conjure de tout mon cœur de ne point condamner les choses avant de les voir, de se défaire de toute prévention, et de ne point servir la passion de ceux dont les grimaces les déshonorent . . . j'ai mis tout l'art et tous les soins qu'il m'a été possible pour bien distinguer le personnage de l'Hypocrite d'avec celui du vrai Dévot.*
2. Compare *Polyeucte*, lines 74 to 76. The *cela* was accompanied by a snapping of the thumb-nail against the upper teeth.

CLÉANTE.

Les sentiments humains, mon frère, que voilà !   280

ORGON.

Ha ! si vous aviez vu comme j'en fis rencontre,
Vous auriez pris pour lui l'amitié que je montre.
Chaque jour à l'église il venait, d'un air doux,
Tout vis-à-vis de moi se mettre à deux genoux.
Il attirait les yeux de l'assemblée entière   285
Par l'ardeur dont au Ciel il poussait sa prière ; [1]
Il faisait des soupirs, de grands élancements,
Et baisait humblement la terre à tous moments ;
Et lorsque je sortais, il me devançait vite,
Pour m'aller à la porte offrir de l'eau bénite.   290
Instruit par son garçon, qui dans tout l'imitait,
Et de son indigence, et de ce qu'il était,
Je lui faisais des dons ; mais avec modestie
Il me voulait toujours en rendre une partie.
" C'est trop, me disait-il, c'est trop de la moitié ;   295
Je ne mérite pas de vous faire pitié ; "
Et quand je refusais de le vouloir reprendre,
Aux pauvres, à mes yeux, il allait le répandre.
Enfin le Ciel chez moi me le fit retirer,
Et depuis ce temps-là tout semble y prospérer.   300
Je vois qu'il reprend tout, et qu'à ma femme même
Il prend, pour mon honneur, un intérêt extrême ;
Il m'avertit [2] des gens qui lui font les yeux doux,
Et plus que moi six fois il s'en montre jaloux.

1. This ostentatious display of piety was a trait recognized by contemporaries as characteristic of the more zealous members of the Compagnie du Saint-Sacrement. However, Molière may have taken this detail and that of the alms-giving, a few lines below (298), from a *Nouvelle* of Scarron, *Les Hypocrites*, in which the chief character, Montufar, indulges in the same practices.   2. The intervention of fanatical members of the Compagnie in the private affairs of those whom they thought in need of their attention did much to bring the order into disfavor. See Allier, *op. cit.* and Baumal, *op. cit.* It is however a universal trait. In fact Claude Joly, a member of the Compagnie, was preaching at the same time against the hypocrites in terms no less violent than those used in *Tartuffe*: *Sous ce spécieux prétexte de zèle, on fait servir la religion contre la religion même, on abuse de son autorité ou l'on porte les autres à abuser de la leur ; on médit pieusement, on déchire dévotement, on se venge par le principe même qu'on se croit obligé de le faire . . . ; souvent pour quelques particuliers d'une maison, on ruine des maisons entières.*

Mais vous ne croiriez point jusqu'où monte son zèle :   305
Il s'impute à péché la moindre bagatelle ;
Un rien presque suffit pour le scandaliser ;
Jusque-là qu'il se vint l'autre jour accuser
D'avoir pris une puce en faisant sa prière,
Et de l'avoir tuée avec trop de colère.[1]   310

CLÉANTE.

Parbleu ! vous êtes fou, mon frère, que je croi.[2]
Avec de tels discours vous moquez-vous de moi ?
Et que prétendez-vous que tout ce badinage . . .?

ORGON.

Mon frère, ce discours sent le libertinage.
Vous en êtes un peu dans votre âme entiché ;   315
Et comme je vous l'ai plus de dix fois prêché,
Vous vous attirerez quelque méchante affaire.

CLÉANTE.

Voilà de vos pareils* le discours ordinaire :
Ils veulent que chacun soit aveugle comme eux.
C'est être libertin que d'avoir de bons yeux,   320
Et qui n'adore pas de vaines simagrées,
N'a ni respect ni loi pour les choses sacrées.
Allez,* tous vos discours ne me font point de peur :
Je sais comme je parle, et le Ciel voit mon cœur.
De tous vos façonniers on n'est point les esclaves.   325
Il est de faux dévots ainsi que de faux braves ;
Et comme on ne voit pas qu'où l'honneur les conduit
Les vrais braves soient ceux qui font beaucoup de bruit,
Les bons et vrais dévots, qu'on doit suivre à la trace,
Ne sont pas ceux aussi* qui font tant de grimace.   330
Hé quoi ? vous ne ferez nulle distinction
Entre l'hypocrisie et la dévotion ?
Vous les voulez traiter d'un semblable langage,*
Et rendre même honneur au masque qu'au visage,
Égaler l'artifice à la sincérité,   335
Confondre l'apparence avec la vérité,

1. A like action is attributed to Saint Macaire by Giacomo da Voragina in his Golden Legend (Lives of the Saints). The deed and the penance to which it led are cited as an unnecessary demonstration of zeal in the book of Caussin, Jesuit confessor of Louis XIV, which has been referred to above (p. 317) in connection with the *tour de Babylone*.
2. Old form of *crois*, retained for eye-rhyme with *moi*.

Estimer le fantôme autant que la personne,
Et la fausse monnaie à l'égal de la bonne ?
Les hommes,[1] la plupart sont étrangement faits !
Dans la juste nature on ne les voit jamais ;   340
La raison a pour eux des bornes trop petites ;
En chaque caractère ils passent ses limites ;
Et la plus noble chose, ils la gâtent souvent
Pour la vouloir outrer et pousser trop avant.
Que cela vous soit dit en passant, mon beau-frère.   345

ORGON.

Oui, vous êtes sans doute un docteur* qu'on révère ;
Tout le savoir du monde est chez vous retiré ;
Vous êtes le seul sage et le seul éclairé,
Un oracle, un Caton dans le siècle où nous sommes ;
Et près de vous ce sont des sots que tous les hommes.   350

CLÉANTE.

Je ne suis point, mon frère, un docteur révéré,
Et le savoir chez moi n'est pas tout retiré.
Mais, en un mot, je sais, pour toute ma science,
Du faux avec le vrai faire la différence.*
Et comme je ne vois nul genre de héros   355
Qui soient plus à priser que les parfaits dévots,
Aucune chose au monde et plus noble et plus belle
Que la sainte ferveur d'un véritable zèle,
Aussi ne vois-je rien qui soit plus odieux
Que le dehors plâtré d'un zèle spécieux,   360
Que ces francs charlatans, que ces dévots de place,[2]
De qui la sacrilège et trompeuse grimace
Abuse impunément et se joue à leur gré
De ce qu'ont les mortels de plus saint et sacré,
Ces gens qui, par une âme à l'intérêt* soumise,   365
Font de dévotion métier et marchandise,
Et veulent acheter crédit et dignités,
À prix de faux clins d'yeux et d'élans affectés,
Ces gens, dis-je, qu'on voit d'une ardeur non commune
Par le chemin du Ciel courir à leur fortune,   370

1. Note the philosophic tone achieved by the pauses; "Men — most of them — ." 2. It was the custom for servants out of employment to stand in the public square until they attracted the attention of a patron. Cf. the phrase, *valet de place*, and the modern *voiture de place.*

Qui, brûlants et priants, demandent chaque jour,
Et prêchent la retraite au milieu de la cour,[1]
Qui savent ajuster leur zèle avec leurs vices,
Sont prompts, vindicatifs, sans foi, pleins d'artifices,
Et pour perdre quelqu'un couvrent insolemment   375
De l'intérêt du Ciel leur fier ressentiment,
D'autant plus dangereux dans leur âpre colère,
Qu'ils prennent contre nous des armes qu'on révère,
Et que leur passion, dont on leur sait bon gré,
Veut nous assassiner avec un fer sacré.[2]   380
De ce faux caractère on en voit trop paraître ;
Mais les dévots de cœur sont aisés à connaître.
Notre siècle, mon frère, en expose à nos yeux
Qui peuvent nous servir d'exemples glorieux :
Regardez Ariston, regardez Périandre,   385
Oronte, Alcidamas, Polydore, Clitandre ;
Ce titre par aucun ne leur est débattu ;
Ce ne sont point du tout fanfarons de vertu ;
On ne voit point en eux ce faste insupportable,
Et leur dévotion est humaine, est traitable ;   390
Ils ne censurent point toutes nos actions :
Ils trouvent trop d'orgueil dans ces corrections ;
Et laissant la fierté des paroles aux autres,
C'est par leurs actions qu'ils reprennent les nôtres.
L'apparence du mal a chez eux peu d'appui,   395
Et leur âme est portée à juger bien d'autrui.
Point de cabale[3] en eux, point d'intrigues à suivre ;
On les voit, pour tous soins, se mêler de bien vivre ;
Jamais contre un pécheur ils n'ont d'acharnement ;
Ils attachent leur haine au péché seulement,   400
Et ne veulent point prendre, avec un zèle extrême,
Les intérêts du Ciel plus qu'il ne veut lui-même.

1. It was an abuse recognized by many at the time, that many church prelates neglected their diocese in order to reside at court. See *L'Ancien Régime* of Taine and of Funck-Brentano.   2. In the sermon cited above (p. 323, n. 2) Claude Joly goes on to say : . . . *ce que je trouve le plus déplorable, souvent en offensant Dieu par ses injustices, ses médisances, ses jalousies, ses haines, ses envies, on croit rendre service à Dieu.*   3. Since contemporaries, among them Mazarin, referred to the Compagnie du Saint-Sacrement as *La Cabale des Dévots*, it has been argued that Molière had the members of the Company definitely in mind when he wrote these lines. He may very well however have used the word in its general sense of "concealed intrigues," "secret doings," "maneuvers."

Voilà mes gens, voilà comme il en faut user,
Voilà l'exemple enfin qu'il se faut proposer.
Votre homme, à dire vrai, n'est pas de ce modèle :   405
C'est de fort bonne foi que vous vantez son zèle ;
Mais par un faux éclat je vous crois ébloui.

ORGON.

Monsieur mon cher beau-frère, avez-vous tout dit ?

CLÉANTE.

Oui.

ORGON.

Je suis votre valet.*   (*Il veut s'en aller.*)

CLÉANTE.

De grâce,* un mot, mon frère.
Laissons là ce discours. Vous savez que Valère   410
Pour être votre gendre a parole de vous ?

ORGON.

Oui.

CLÉANTE.

Vous aviez pris jour pour un lien si doux.

ORGON.

Il est vrai.

CLÉANTE.

Pourquoi donc en différer la fête* ?

ORGON.

Je ne sais.

CLÉANTE.

Auriez-vous autre pensée en tête ?

ORGON.

Peut-être.

CLÉANTE.

Vous voulez manquer à votre foi ?   415

ORGON.

Je ne dis pas cela.

CLÉANTE.

Nul obstacle, je croi,
Ne peut vous empêcher d'accomplir vos promesses.

ORGON.

Selon.

CLÉANTE.

Pour dire un mot, faut-il tant de finesses ?
Valère sur ce point me fait vous visiter.

ORGON.

Le Ciel en soit loué !

CLÉANTE.

Mais que lui reporter ?   420

ORGON.

Tout ce qu'il vous plaira.

CLÉANTE.

Mais il est nécessaire
De savoir vos desseins.   Quels sont-ils donc ?

ORGON.

De faire
Ce que le Ciel voudra.

CLÉANTE.

Mais parlons tout de bon.
Valère a votre foi : la tiendrez-vous, ou non ?   *tenir fo*

ORGON.

Adieu.

CLÉANTE.

Pour son amour je crains une disgrâce,   425
Et je dois l'avertir de tout ce qui se passe.

ACTE II. SCÈNE PREMIÈRE.

ORGON, MARIANE.

ORGON.

Mariane.

MARIANE.

Mon père.

ORGON.

Approchez, j'ai de quoi*
Vous parler en secret.

MARIANE.

Que cherchez-vous?

ORGON. *Il regarde dans un petit cabinet.*[1]

Je voi [2]
Si quelqu'un n'est point là qui pourrait nous entendre;
Car ce petit endroit est propre* pour surprendre.* 430
Or sus, nous voilà bien. J'ai, Mariane, en vous
Reconnu de tout temps* un esprit assez doux,
Et de tout temps aussi vous m'avez été chère.

MARIANE.

Je suis fort redevable à cet amour de père.

ORGON.

C'est fort bien dit, ma fille; et pour le mériter, 435
Vous devez n'avoir soin que de me contenter.

MARIANE.

C'est où je mets aussi ma gloire la plus haute.

ORGON.

Fort bien. Que dites-vous de Tartuffe notre hôte?

MARIANE.

Qui, moi?

ORGON.

Vous. Voyez bien comme vous répondrez.

MARIANE.

Hélas! j'en dirai, moi, tout ce que vous voudrez. 440

ORGON.

C'est parler sagement. Dites-moi donc, ma fille,
Qu'en toute sa personne un haut mérite brille,
Qu'il touche votre cœur, et qu'il vous serait doux
De le voir par mon choix devenir votre époux.
Eh?

(*Mariane se recule avec surprise.*)

MARIANE.

Eh?

ORGON.

Qu'est-ce?

1. The suspicious traits of Madame Pernelle reappear in her zealot
of a son.   2. See note on *croi* (*crois*), v. 311.

MARIANE.

Plaît-il*?

ORGON.

Quoi?

MARIANE.

Me suis-je méprise? 445

ORGON.

Comment?

MARIANE.

Qui voulez-vous, mon père, que je dise
Qui me touche le cœur, et qu'il me serait doux
De voir par votre choix devenir mon époux?

ORGON.

Tartuffe.

MARIANE.

Il n'en est rien, mon père, je vous jure.
Pourquoi me faire dire une telle imposture?   450

ORGON.

Mais je veux que cela soit une vérité ;
Et c'est assez pour vous que je l'aie arrêté.*   *decree*

MARIANE.

Quoi? vous voulez, mon père . . .?

ORGON.

Oui, je prétends, ma fille,
Unir par votre hymen Tartuffe à ma famille.
Il sera votre époux, j'ai résolu cela ;   455
Et comme sur vos vœux je . . .

SCÈNE II.

DORINE, ORGON, MARIANE.

ORGON.

Que faites-vous là?
La curiosité qui vous presse est bien forte,
Mamie, à nous venir écouter de la sorte.

DORINE.

Vraiment, je ne sais pas si c'est un bruit qui part
De quelque conjecture, ou d'un coup de hasard ;   460
Mais de ce mariage on m'a dit la nouvelle,
Et j'ai traité cela de pure bagatelle.

ORGON.

Quoi donc? la chose est-elle incroyable?

DORINE.

À tel point,
Que vous-même, Monsieur, je ne vous en crois point.

ORGON.

Je sais bien le moyen de vous le faire croire.   465

DORINE.

Oui, oui, vous nous contes une plaisante * histoire.

ORGON.

Je conte justement ce qu'on verra dans peu.

DORINE.

Chansons * !

ORGON.

Ce que je dis, ma fille, n'est point jeu.

DORINE.

Allez, ne croyez point à Monsieur votre père :
Il raille.

ORGON.

Je vous dis . . .

DORINE.

Non, vous avez beau faire,   470
On ne vous croira point.

ORGON.

À la fin mon courroux . . .

DORINE.

Hé bien ! on vous croit donc, et c'est tant pis pour vous.
Quoi? se peut-il, Monsieur, qu'avec l'air d'homme sage
Et cette large barbe au milieu du visage,
Vous soyez assez fou pour vouloir . . .?

ORGON.

Écoutez :   475

Vous avez pris céans certaines privautés
Qui ne me plaisent point ; je vous le dis, mamie.

DORINE.

Parlons sans nous fâcher, Monsieur, je vous supplie.
Vous moquez-vous des gens d'avoir fait ce complot [1] ?
Votre fille n'est point l'affaire* d'un bigot :   480
Il a d'autres emplois auxquels il faut qu'il pense.
Et puis, que vous apporte une telle alliance ?
À quel sujet* aller, avec tout votre bien,
Choisir un gendre gueux ? . . .

ORGON.

Taisez-vous.   S'il n'a rien,
Sachez que c'est par là qu'il faut qu'on le révère.   485
Sa misère* est sans doute une honnête misère ;
Au-dessus des grandeurs elle doit l'élever,
Puisque enfin de son bien il s'est laissé priver
Par son trop peu de soin des choses temporelles,
Et sa puissante attache aux choses éternelles.   490
Mais mon secours pourra lui donner les moyens
De sortir d'embarras et rentrer* dans ses biens :
Ce sont fiefs qu'à bon titre au pays on renomme ;
Et tel que l'on le voit, il est bien gentilhomme.

DORINE.

Oui, c'est lui qui le dit ; et cette vanité,   495
Monsieur, ne sied pas bien avec la piété.
Qui d'une sainte vie embrasse l'innocence
Ne doit point tant prôner son nom et sa naissance,
Et l'humble procédé de la dévotion
Souffre mal les éclats de cette ambition.   500
À quoi* bon cet orgueil ? . . .   Mais ce discours vous blesse :
Parlons de sa personne, et laissons sa noblesse.
Ferez-vous possesseur, sans quelque peu d'ennui,*
D'une fille comme elle un homme comme lui ?
Et ne devez-vous pas songer aux bienséances,   505
Et de cette union prévoir les conséquences ?

---

1. "in making this plan (plot)" ; *i.e.*, the marriage of his daughter
with Tartuffe.

Sachez que d'une fille on risque la vertu,
Lorsque dans son hymen son goût est combattu,
Que le dessein d'y vivre en honnête personne
Dépend des qualités du mari qu'on lui donne,   510
Et que ceux dont partout on montre au doigt le front [1]
Font leurs femmes souvent ce qu'on voit qu'elles sont.
Il est bien difficile enfin d'être fidèle
À de certains maris faits d'un certain modèle ;
Et qui donne à sa fille un homme qu'elle hait   515
Est responsable au Ciel des fautes qu'elle fait.
Songez à quels périls votre dessein vous livre.

ORGON.

Je vous dis qu'il me faut apprendre d'elle à vivre.

DORINE.

Vous n'en feriez que mieux de suivre mes leçons.

ORGON.

Ne nous amusons * point, ma fille, à ces chansons : *   520
Je sais ce qu'il vous faut, et je suis votre père.
J'avais donné pour vous ma parole à Valère ;
Mais outre qu'à jouer on dit qu'il est enclin,
Je le soupçonne encor d'être un peu libertin :
Je ne remarque point qu'il hante les églises.   525

DORINE.

Voulez-vous qu'il y coure à vos heures précises,
Comme ceux qui n'y vont que pour être aperçus ?

ORGON.

Je ne demande pas votre avis là-dessus.
Enfin avec le Ciel l'autre est le mieux * du monde,
Et c'est une richesse à nulle autre seconde.   530
Cet hymen de tous biens comblera vos désirs,
Il sera tout confit en douceurs et plaisirs.
Ensemble vous vivrez, dans vos ardeurs fidèles,
Comme deux vrais enfants, comme deux tourterelles ;
À nul fâcheux débat jamais vous n'en viendrez,   535
Et vous ferez de lui tout ce que vous voudrez.

---

1. According to an old and popular legend, horns come out on the
forehead of husbands whose wives are unfaithful.

DORINE.

Elle? elle n'en fera qu'un sot, je vous assure.

ORGON.

Ouais ! quels discours !

DORINE.

     Je dis qu'il en a l'encolure,
Et que son ascendant,[1] Monsieur, l'emportera
Sur toute la vertu que votre fille aura.   **540**

ORGON.

Cessez de m'interrompre, et songez à vous taire,
Sans mettre votre nez où vous n'avez que faire.

DORINE.

Je n'en parle, Monsieur, que pour votre intérêt.
(*Elle l'interrompt toujours au moment qu'il se retourne* pour
parler à sa fille.*)

ORGON.

C'est prendre trop de soin : taisez-vous, s'il vous plaît.

DORINE.

Si l'on ne vous aimait . . .

ORGON.

     Je ne veux pas qu'on m'aime. **545**

DORINE.

Et je veux vous aimer, Monsieur, malgré vous-même.

ORGON.

Ah !

DORINE.

   Votre honneur m'est cher, et je ne puis souffrir
Qu'aux brocards d'un chacun vous alliez vous offrir.

ORGON.

Vous ne vous tairez point ?

DORINE.

     C'est une conscience*
Que de vous laisser faire une telle alliance.   **550**

---

 1. That is, the star which rises above the horizon at the moment of
one's birth. According to astrology, the destiny of the person born was
indicated and influenced by the nature of this star.

ORGON.

Te tairas-tu, serpent, dont les traits effrontés . . . ?

DORINE.

Ah ! vous êtes dévot, et vous vous emportez ?

ORGON.

Oui, ma bile s'échauffe à toutes ces fadaises,
Et tout résolûment je veux que tu te taises.

DORINE.

Soit.   Mais, ne disant mot, je n'en pense pas moins.   555

ORGON.

Pense, si tu le veux ; mais applique tes soins
                              (*Se retournant vers sa fille.*)
À ne m'en point parler, ou   suffit.   Comme sage,
J'ai posé mûrement toutes choses.

DORINE.

                              J'enrage
De ne pouvoir parler.
          (*Elle se tait lorsqu'il tourne la tête.*)

ORGON.

                    Sans être damoiseau,
Tartuffe est fait de sorte . . .

DORINE.

                    Oui, c'est un beau museau.   560

ORGON.

Que quand tu n'aurais même aucune sympathie
Pour tous les autres dons . . .
          (*Il se tourne devant elle, et la regarde les bras croisés.*)

DORINE.

                    La voilà bien lotie !
Si j'étais en sa place, un homme assurément
Ne m'épouserait pas de force impunément ;
Et je lui ferais voir bientôt après la fête*   565
Qu'une femme a toujours une vengeance prête.

ORGON.

Donc de ce que je dis on ne fera nul cas*?

DORINE.

De quoi vous plaignez-vous ?   Je ne vous parle pas.

ORGON.

Qu'est-ce que tu fais donc ?

DORINE.

Je me parle à moi-même.

ORGON.

Fort bien.   Pour châtier son insolence extrême,   570
Il faut que je lui donne un revers de ma main.
(*Il se met en posture de lui donner un soufflet, et Dorine, à chaque
coup d'œil qu'il jette, se tient droite sans parler.*)
Ma fille, vous devez approuver mon dessein . . .
Croire que le mari . . . que j'ai su vous élire . . .
Que ne te parles-tu ?

DORINE.

Je n'ai rien à me dire.

ORGON.

Encore un petit mot.

DORINE.

Il ne me plaît pas, moi.   **575**

ORGON.

Certes, je t'y guettais.

DORINE.

Quelque sotte,[1] ma foi !

ORGON.

Enfin, ma fille, il faut payer* d'obéissance,
Et montrer pour mon choix entière déférence.

DORINE, *en s'enfuyant.*

Je me moquerais fort de prendre un tel époux.
(*Il lui veut donner un soufflet et la manque.*)

ORGON.

Vous avez là, ma fille, une peste avec vous,   580
Avec qui sans péché je ne saurais plus vivre.
Je me sens hors d'état* maintenant de poursuivre :

---

1. An elliptical expression ; "some fool might be caught" ; "However foolish I am, I am not so big a fool as that !"

Ses discours insolents m'ont mis l'esprit en feu,
Et je vais prendre l'air pour me rasseoir un peu.

SCÈNE III.

DORINE, MARIANE.

DORINE.

Avez-vous donc perdu, dites-moi, la parole,* 585
Et faut-il qu'en ceci je fasse votre rôle?
Souffrir qu'on vous propose un projet insensé,
Sans que du moindre mot vous l'ayez repoussé!

MARIANE.

Contre un père absolu que veux-tu que je fasse?

DORINE.

Ce qu'il faut pour parer une telle menace. 590

MARIANE.

Quoi?

DORINE.

　　Lui dire qu'un cœur n'aime point par autrui,
Que vous vous mariez pour vous, non pas pour lui,
Qu'étant celle pour qui se fait toute l'affaire,
C'est à vous, non à lui, que le mari doit plaire,
Et que si son Tartuffe est pour lui si charmant, 595
Il le peut épouser sans nul empêchement.

MARIANE.

Un père, je l'avoue, a sur nous tant d'empire,
Que je n'ai jamais eu la force de rien dire.

DORINE.

Mais raisonnons.　Valère a fait pour vous des pas:
L'aimez-vous, je vous prie, ou ne l'aimez-vous pas? 600

MARIANE.

Ah! qu'envers mon amour ton injustice est grande,
Dorine! me dois-tu faire cette demande?
T'ai-je pas là-dessus ouvert cent fois mon cœur,
Et sais-tu pas pour lui jusqu'où va mon ardeur?

DORINE.

Que sais-je si le cœur a parlé par la bouche,   605
Et si c'est tout de bon * que cet amant vous touche?

MARIANE.

Tu me fais un grand tort, Dorine, d'en douter,
Et mes vrais sentiments ont su trop éclater.

DORINE.

Enfin, vous l'aimez donc?

MARIANE.

Oui, d'une ardeur extrême.

DORINE.

Et selon l'apparence il vous aime de même?   610

MARIANE.

Je le crois.

DORINE.

Et tous deux brûlez également
De vous voir mariés ensemble?

MARIANE.

Assurément.

DORINE.

Sur cette autre union quelle est donc votre attente?

MARIANE.

De me donner la mort si l'on me violente.

DORINE.

Fort bien : c'est un recours où [1] je ne songeais pas ;   615
Vous n'avez qu'à mourir pour sortir d'embarras ;
Le remède sans doute est merveilleux.   J'enrage
Lorsque j'entends tenir ces sortes de langage.

MARIANE.

Mon Dieu ! de quelle humeur, Dorine, tu te rends ! [2]
Tu ne compatis point aux déplaisirs des gens.   620

DORINE.

Je ne compatis point à qui dit des sornettes
Et dans l'occasion mollit comme vous faites.

I. *auquel.*   2. "into what a temper you get !"

CENTER: **MARIANE.**

Mais que veux-tu? si j'ai de la timidité.

CENTER: **DORINE.**

Mais l'amour dans un cœur veut de la fermeté.

CENTER: **MARIANE.**

Mais n'en gardé-je pas pour les feux de Valère? 625
Et n'est-ce pas à lui de m'obtenir d'un père?

CENTER: **DORINE.**

Mais quoi? si votre père est un bourru fieffé,
Qui s'est de son Tartuffe entièrement coiffé
Et manque à l'union qu'il avait arrêtée,
La faute à votre amant doit-elle être imputée? 630

CENTER: **MARIANE.**

Mais par un haut* refus et d'éclatants mépris
Ferai-je dans mon choix voir un cœur épris?
Sortirai-je pour lui, quelque éclat dont il brille,
De la pudeur du sexe et du devoir de fille?
Et veux-tu que mes feux par le monde étalés . . .? 635

CENTER: **DORINE.**

Non, non, je ne veux rien. Je vois que vous voulez
Être à Monsieur Tartuffe; et j'aurais, quand j'y pense,
Tort de vous détourner d'une telle alliance.
Quelle raison aurais-je à combattre vos vœux?
Le parti de soi-même est fort avantageux. 640
Monsieur Tartuffe! oh! oh! n'est-ce rien qu'on propose?
Certes Monsieur Tartuffe, à bien prendre la chose,
N'est pas un homme, non, qui se mouche du pié,[1]
Et ce n'est pas peu d'heur* que d'être sa moitié.
Tout le monde déjà de gloire le couronne; 645
Il est noble chez lui, bien fait de sa personne;
Il a l'oreille rouge et le teint bien fleuri:[2]
Vous vivrez trop contente avec un tel mari.

CENTER: **MARIANE.**

Mon Dieu! . . .

---

1. Antiquated spelling for *pied*, retained for the sake of the rhyme.
The expression was based probably on a favorite "stunt" of the acrobatic
clowns of the fair and the *Comédie italienne*. The whole line then would
amount to: "is no fool," "is no clown." 2. Cf. v. 234.

DORINE.

Quelle allégresse aurez-vous dans votre âme,
Quand d'un époux si beau vous vous verrez la femme !   650

MARIANE.

Ha ! cesse, je te prie, un semblable discours,
Et contre cet hymen ouvre-moi* du secours.
C'en est fait, je me rends, et suis prête à tout faire.

DORINE.

Non, il faut qu'une fille obéisse à son père,
Voulût-il lui donner un singe pour époux.   655
Votre sort est fort beau : de quoi vous plaignez-vous ?
Vous irez par le coche en sa petite ville,
Qu'en oncles et cousins vous trouverez fertile,
Et vous vous plairez fort à les entretenir.
D'abord chez le beau monde on vous fera venir ;   660
Vous irez visiter, pour votre bienvenue,
Madame la baillive et Madame l'élue,
Qui d'un siège pliant [1] vous feront honorer.
Là, dans le carnaval, vous pourrez espérer
Le bal et la grand'bande,[2] à savoir, deux musettes,   665
Et parfois Fagotin [3] et les marionnettes,
Si pourtant votre époux . . .

MARIANE.

Ah ! tu me fais mourir.
De tes conseils plutôt songe à me secourir.

DORINE.

Je suis votre servante.*

MARIANE.

Eh ! Dorine, de grâce . . .

DORINE.

Il faut, pour vous punir, que cette affaire passe.*   670

---

1. A folding stool, without arms or back, and consequently the least comfortable seat, reserved for the humblest guests.   2. The chief orchestra of the place.   The ironical intention is heightened by the fact that it was the name given to the orchestra of Louis XIV.   3. The name of a trained monkey, famous in the seventeenth century : *Le singe savant et bizarrement accoutré qui, vers le milieu du dix-septième siècle, amusait la foule à la porte de Brioché, joueur de marionnettes.*

MARIANE.

Ma pauvre fille !

DORINE.

Non.

MARIANE.

Si mes vœux déclarés . . .

DORINE.

Point : Tartuffe est votre homme, et vous en tâterez.

MARIANE.

Tu sais qu'à toi toujours je me suis confiée :
Fais-moi . . .

DORINE.

Non, vous serez, ma foi ! tartuffiée.

MARIANE.

Hé bien ! puisque mon sort ne saurait t'émouvoir,   675
Laisse-moi désormais toute à mon désespoir :
C'est de lui [1] que mon cœur empruntera de l'aide,
Et je sais de mes maux l'infaillible remède.
                    (*Elle veut s'en aller.*)

DORINE.

Hé ! là, là, revenez.   Je quitte mon courroux.
Il faut, nonobstant tout, avoir pitié de vous.   680

MARIANE.

Vois-tu, si l'on m'expose à ce cruel martyre,
Je te le dis, Dorine, il faudra que j'expire.

DORINE.

Ne vous tourmentez point.   On peut adroitement
Empêcher . . . Mais voici Valère, votre amant.

SCÈNE IV.

VALÈRE, MARIANE, DORINE.

VALÈRE.

On vient de débiter, Madame, une nouvelle   685
Que je ne savais pas, et qui sans doute est belle.

1. Refers to *désespoir*.

MARIANE.

Quoi?

VALÈRE.

Que vous épousez Tartuffe.

MARIANE.

Il est certain
Que mon père s'est mis en tête ce dessein.

VALÈRE.

Votre père, Madame . . .

MARIANE.

A changé de visée:
La chose vient par lui de m'être proposée.   690

VALÈRE.

Quoi? sérieusement?

MARIANE.

Oui, sérieusement.
Il s'est pour cet hymen déclaré hautement.

VALÈRE.

Et quel est le dessein où votre âme s'arrête,*
Madame?

MARIANE.

Je ne sais.

VALÈRE.

La réponse est honnête.
Vous ne savez?

MARIANE.

Non.

VALÈRE.

Non?

MARIANE.

Que me conseillez-vous?   695

VALÈRE.

Je vous conseille, moi, de prendre cet époux.

MARIANE.

Vous me le conseillez?

VALÈRE.

Oui.

MARIANE.

Tout de bon * ?

VALÈRE.

Sans doute :

Le choix est glorieux, et vaut bien qu'on l'écoute.

MARIANE.

Hé bien ! c'est un conseil, Monsieur, que je reçois.

VALÈRE.

Vous n'aurez pas grand'peine à le suivre, je crois.   700

MARIANE.

Pas plus qu'à le donner en a souffert votre âme.

VALÈRE.

Moi, je vous l'ai donné pour vous plaire, Madame.

MARIANE.

Et moi, je le suivrai pour vous faire plaisir.

DORINE.

Voyons ce qui pourra de ceci réussir.*

VALÈRE.

C'est donc ainsi qu'on aime ?   Et c'était tromperie   705
Quand vous . . .

MARIANE.

Ne parlons point de cela, je vous prie.
Vous m'avez dit tout franc que je dois accepter
Celui que pour époux on me veut présenter :
Et je déclare, moi, que je prétends le faire,
Puisque vous m'en donnez le conseil salutaire.   710

VALÈRE.

Ne vous excusez point sur mes intentions.
Vous aviez pris déjà vos résolutions ;
Et vous vous saisissez d'un prétexte frivole
Pour vous autoriser à manquer de parole.

MARIANE.

Il est vrai, c'est bien dit.

VALÈRE.

Sans doute ; et votre cœur   715
N'a jamais eu pour moi de véritable ardeur.

MARIANE.

Hélas ! permis * à vous d'avoir cette pensée.

VALÈRE.

Oui, oui, permis à moi ; mais mon âme offensée
Vous préviendra peut-être en un pareil dessein ;
Et je sais où porter et mes vœux et ma main.   720

MARIANE.

Ah ! je n'en doute point ; et les ardeurs qu'excite
Le mérite . . .

VALÈRE.

Mon Dieu, laissons là le mérite :
J'en ai fort peu sans doute, et vous en faites foi.*
Mais j'espère aux bontés qu'une autre aura pour moi,
Et j'en sais de qui l'âme, à ma retraite ouverte,   725
Consentira sans honte à réparer ma perte.

MARIANE.

La perte n'est pas grande ; et de ce changement
Vous vous consolerez assez facilement.

VALÈRE.

J'y ferai mon possible,* et vous le pouvez croire.
Un cœur qui nous oublie engage* notre gloire ;*   730
Il faut à l'oublier mettre aussi tous nos soins :
Si l'on n'en vient à bout, on le doit feindre au moins ;
Et cette lâcheté jamais ne se pardonne,
De montrer de l'amour pour qui nous abandonne.

MARIANE.

Ce sentiment, sans doute, est noble et relevé.   735

VALÈRE.

Fort bien ; et d'un chacun il doit être approuvé.
Hé quoi? vous voudriez qu'à jamais dans mon âme
Je gardasse pour vous les ardeurs de ma flamme,
Et vous visse, à mes yeux, passer en d'autres bras,
Sans mettre ailleurs un cœur dont vous ne voulez pas?   740

MARIANE.

Au contraire : pour moi, c'est ce que je souhaite ;
Et je voudrais déjà que la chose fût faite.

VALÈRE.

Vous le voudriez ?

MARIANE.

            Oui.

VALÈRE.

            C'est assez m'insulter,
Madame ; et de ce pas je vais vous contenter.
    (*Il fait un pas pour s'en aller et revient toujours.*)

MARIANE.

Fort bien.

VALÈRE.

        Souvenez-vous au moins que c'est vous-même   745
Qui contraignez mon cœur à cet effort extrême.

MARIANE.

Oui.

VALÈRE.

    Et que le dessein que mon âme conçoit
N'est rien* qu'à votre exemple.*

MARIANE.

                    À mon exemple, soit.

VALÈRE.

Suffit : vous allez être à point nommé servie.

MARIANE.

Tant mieux.

VALÈRE.

        Vous me voyez, c'est pour toute ma vie.   750

MARIANE.

À la bonne heure.

VALÈRE.

            Euh ?
    (*Il s'en va ; et lorsqu'il est vers la porte il se retourne.*)

MARIANE.

            Quoi ?

VALÈRE.

                Ne m'appelez-vous pas ?

MARIANE.

Moi ?   Vous rêvez.

VALÈRE.

Hé bien ! je poursuis donc mes pas.
Adieu, Madame.

MARIANE.

Adieu, Monsieur.

DORINE.

Pour moi, je pense
Que vous perdez l'esprit par cette extravagance ;
Et je vous ai laissé tout du long * quereller,   755
Pour voir où tout cela pourrait enfin aller.
Holà ! seigneur Valère.

(*Elle va l'arrêter par le bras, et lui, fait mine de grande résistance.*)

VALÈRE.

Hé ! que veux-tu, Dorine ?

DORINE.

Venez ici.

VALÈRE.

Non, non, le dépit me domine.
Ne me détourne point de ce qu'elle a voulu.

DORINE.

Arrêtez.

VALÈRE.

Non, vois-tu ? c'est un point résolu.   760

DORINE.

Ah !

MARIANE.

Il souffre à me voir, ma présence le chasse,
Et je ferai bien mieux de lui quitter la place.

DORINE.   *Elle quitte Valère et court à Mariane.*
À l'autre.   Où courez-vous ?

MARIANE.

Laisse.

DORINE.

Il faut revenir.

MARIANE

Non, non, Dorine ; en vain tu veux me retenir.

VALÈRE.

Je vois bien que ma vue est pour elle un supplice,   765
Et sans doute il vaut mieux que je l'en affranchisse.

DORINE. *Elle quitte Mariane et court à Valère.*

Encor?   Diantre soit fait de vous si je le veux !
Cessez ce badinage, et venez çà tous deux.

(*Elle les tire l'un et l'autre.*)

VALÈRE.

Mais quel est ton dessein ?

MARIANE.

Qu'est-ce que tu veux faire ?

DORINE.

Vous bien remettre* ensemble, et vous tirer d'affaire.   770
Êtes-vous fou d'avoir un pareil démêlé ?

VALÈRE.

N'as-tu pas entendu comme elle m'a parlé ?

DORINE.

Êtes-vous folle, vous, de vous être emportée ?

MARIANE.

N'as-tu pas vu la chose, et comme il m'a traitée ?

DORINE.

Sottise des deux parts.   Elle n'a d'autre soin   775
Que de se conserver à vous, j'en suis témoin.
Il n'aime que vous seule, et n'a point d'autre envie
Que d'être votre époux ; j'en réponds sur ma vie.

MARIANE.

Pourquoi donc me donner un semblable conseil ?

VALÈRE.

Pourquoi m'en demander sur un sujet pareil ?   780

DORINE.

Vous êtes fous tous deux.   Çà, la main l'un et l'autre.
Allons, vous.

VALÈRE, *en donnant sa main à Dorine.*

À quoi bon ma main ?

DORINE.

Ah ! Çà la vôtre.

MARIANE, *en donnant aussi sa main.*

De quoi sert* tout cela ?

DORINE.

Mon Dieu ! vite, avancez.
Vous vous aimez tous deux plus que vous ne pensez.

VALÈRE.

Mais ne faites donc point les choses avec peine,*   785
Et regardez un peu les gens sans nulle haine.

(*Mariane tourne l'œil sur Valère et fait un petit souris.*)

DORINE.

À vous dire le vrai, les amants sont bien fous !

VALÈRE.

Ho çà ! n'ai-je pas lieu de me plaindre de vous ?
Et pour ne point mentir, n'êtes-vous pas méchante
De vous plaire à me dire une chose affligeante ?   790

MARIANE.

Mais vous, n'êtes-vous pas l'homme le plus ingrat . . .?

DORINE.

Pour une autre saison laissons tout ce débat,
Et songeons à parer ce fâcheux mariage.

MARIANE.

Dis-nous donc quels ressorts il faut mettre en usage.

DORINE.

Nous en ferons agir de toutes les façons.   795
Votre père se moque,* et ce sont des chansons ;*
Mais pour vous, il vaut mieux qu'à son extravagance
D'un doux consentement vous prêtiez l'apparence,
Afin qu'en cas d'alarme il vous soit plus aisé
De tirer en longueur cet hymen proposé.   800
En attrapant du temps, à tout on remédie.
Tantôt vous payerez de quelque maladie,
Qui viendra tout à coup et voudra des délais ;
Tantôt vous payerez* de présages mauvais :
Vous aurez fait d'un mort la rencontre fâcheuse,   805

unlucky

Cassé quelque miroir, ou songé d'eau bourbeuse.
Enfin le bon de tout, c'est qu'à d'autres qu'à lui
On ne vous peut lier, que vous ne disiez "oui".
Mais pour mieux réussir, il est bon, ce me semble,
Qu'on ne vous trouve point tous deux parlant ensemble.   810

(À Valère.)

Sortez, et sans tarder employez vos amis,
Pour vous faire tenir ce qu'on vous a promis.
Nous allons réveiller les efforts de son frère,
Et dans notre parti jeter la belle-mère.
Adieu.

VALÈRE, à Mariane.

Quelques efforts que nous préparions tous,   815
Ma plus grande espérance, à vrai dire, est en vous.

MARIANE, à Valère.

Je ne vous réponds pas des volontés d'un père ;
Mais je ne serai point à d'autre qu'à Valère.

VALÈRE.

Que vous me comblez d'aise ! Et quoi que puisse oser . . .

DORINE.

Ah ! jamais les amants ne sont las de jaser.   820
Sortez, vous dis-je.

VALÈRE. Il fait un pas et revient.

Enfin . . .

DORINE.

Quel caquet est le vôtre !
Tirez de cette part ; et vous, tirez de l'autre.

(Les poussant chacun par l'épaule.)

ACTE III. SCÈNE PREMIÈRE.

Damis, Dorine.

DAMIS.

Que la foudre sur l'heure achève mes destins,
Qu'on me traite partout du plus grand des faquins,

S'il est aucun respect ni pouvoir qui m'arrête,   825
Et si je ne fais pas quelque coup* de ma tête !

DORINE.

De grâce, modérez un tel emportement :
Votre père n'a fait qu'en parler simplement.
On n'exécute pas tout ce qui se propose,
Et le chemin est long du projet à la chose.   830

DAMIS.

Il faut que de ce fat j'arrête les complots,
Et qu'à l'oreille un peu je lui dise deux mots.

DORINE.

Ha ! tout doux* ! Envers lui, comme envers votre père,
Laissez agir les soins de votre belle-mère.
Sur l'esprit de Tartuffe elle a quelque crédit ;   835
Il se rend complaisant à tout ce qu'elle dit,
Et pourrait bien avoir douceur de cœur pour elle.
Plût à Dieu qu'il fût vrai ! la chose serait belle.
Enfin votre intérêt l'oblige à le mander :
Sur l'hymen qui vous trouble elle veut le sonder,   840
Savoir ses sentiments, et lui faire connaître*
Quels fâcheux démêlés il pourra faire naître,*
S'il faut qu'à ce dessein il prête quelque espoir.
Son valet dit qu'il prie, et je n'ai pu le voir ;
Mais ce valet m'a dit qu'il s'en allait descendre.   845
Sortez donc, je vous prie, et me laissez l'attendre.

DAMIS.

Je puis être présent à tout cet entretien.

DORINE.

Point.   Il faut qu'ils soient seuls.

DAMIS.

                         Je ne lui dirai rien.

DORINE.

Vous vous moquez :* on sait vos transports ordinaires,
Et c'est le vrai moyen de gâter les affaires.   850
Sortez.

DAMIS.

   Non : je veux voir, sans me mettre en courroux.

DORINE.

Que vous êtes fâcheux ! Il vient.   Retirez-vous.
(*Damis va se cacher dans un cabinet qui est au fond du théâtre.*)

SCÈNE II.

TARTUFFE, LAURENT, DORINE.

TARTUFFE, *apercevant Dorine.*

Laurent, serrez ma haire avec ma discipline,[1]
Et priez que toujours le Ciel vous illumine.
Si l'on vient pour me voir, je vais aux prisonniers   855
Des aumônes que j'ai partager les deniers.[2]

DORINE.

Que d'affectation et de forfanterie !

TARTUFFE.

Que voulez-vous ?

DORINE.

Vous dire . . .

TARTUFFE.   *Il tire un mouchoir de sa poche.*

Ah ! mon Dieu, je vous prie,
Avant que de parler prenez-moi ce mouchoir.

DORINE.

Comment ?

1. Tartuffe addresses these words to Laurent who does not appear
on the stage.   The spiritual efficacy of wearing a hair shirt and of
flogging oneself was supposed to depend upon the secrecy with which
these forms of self-discipline were practiced.   Molière, in his *Préface,*
lays great stress upon the care with which he introduced his hypocrite :
*J'ai mis tout l'art et tous les soins qu'il m'a été possible pour bien distinguer
le personnage de l'Hypocrite d'avec celui du vrai Dévot.   J'ai employé pour
cela deux actes entiers à préparer la venue de mon scélérat.   Il ne tient pas
un seul moment l'auditeur en balance : on le connaît* d'abord aux marques
que je lui donne ; et d'un bout à l'autre il ne dit pas un mot, il ne fait pas
une action qui ne peigne aux spectateurs le caractère d'un méchant homme.*
. . .   2. This care for the welfare of prisoners was one of the prominent and praiseworthy activities of the Compagnie du Saint-Sacrement.
Molière, however, may very well have taken the detail from Scarron
(see above p. 323, n. 1).

TARTUFFE.

Couvrez ce sein [1] que je ne saurais voir :   860
Par de pareils objets les âmes sont blessées,
Et cela fait venir de coupables pensées.

DORINE.

Vous êtes donc bien tendre à la tentation,
Et la chair sur vos sens fait grande impression ?
Certes je ne sais pas quelle chaleur vous monte :   865
Mais à convoiter, moi, je ne suis point si prompte,
Et je vous verrais nu du haut jusques en bas,
Que toute votre peau ne me tenterait pas.

TARTUFFE.

Mettez dans vos discours un peu de modestie,
Ou je vais sur-le-champ vous quitter la partie.   870

DORINE.

Non, non, c'est moi qui vais vous laisser en repos,
Et je n'ai seulement qu'à vous dire deux mots.
Madame va venir dans cette salle basse,
Et d'un mot d'entretien vous demande la grâce.

TARTUFFE.

Hélas ! très volontiers.

DORINE, *en soi-même.*

Comme il se radoucit !   875
Ma foi, je suis toujours pour ce que j'en ai dit.

TARTUFFE.

Viendra-t-elle bientôt ?

DORINE.

Je l'entends, ce me semble.
Oui, c'est elle en personne, et je vous laisse ensemble.

---

1. *C'est surtout le geste ici qui est frappant . . . Cela n'est pas vraisemblable, dira-t-on, mais cela parle, cela tranche ; et la vérité du fond et de l'ensemble crée ici celle du détail* (Sainte-Beuve, *Port Royal*).

SCÈNE III.

ELMIRE, TARTUFFE.

TARTUFFE.

Que le Ciel à jamais par sa toute bonté
Et de l'âme et du corps vous donne la santé,   880
Et bénisse vos jours autant que le désire
Le plus humble de ceux que son amour inspire.

ELMIRE.

Je suis fort obligée à ce souhait pieux.
Mais prenons une chaise, afin d'être un peu mieux.*

TARTUFFE.

Comment de votre mal vous sentez-vous remise?   885

ELMIRE.

Fort bien; et cette fièvre a bientôt quitté prise.

TARTUFFE.

Mes prières n'ont pas le mérite qu'il faut
Pour avoir attiré cette grâce d'en haut;
Mais je n'ai fait au Ciel nulle dévote instance
Qui n'ait eu pour objet votre convalescence.   890

ELMIRE.

Votre zèle pour moi s'est trop inquiété.

TARTUFFE.

On ne peut trop chérir votre chère santé,
Et pour la rétablir j'aurais donné la mienne.

ELMIRE.

C'est pousser bien avant* la charité chrétienne,
Et je vous dois beaucoup pour toutes ces bontés.   895

TARTUFFE.

Je fais bien moins pour vous que vous ne méritez.

ELMIRE.

J'ai voulu vous parler en secret d'une affaire,
Et suis bien aise ici qu'aucun ne nous éclaire.

TARTUFFE.

J'en suis ravi de même,* et sans doute il m'est doux,
Madame, de me voir seul* à seul avec vous :   900
C'est une occasion qu'au Ciel j'ai demandée,
Sans que jusqu'à cette heure il me l'ait accordée.

ELMIRE.

Pour moi, ce que je veux, c'est un mot d'entretien,
Où tout votre cœur s'ouvre, et ne me cache rien.

TARTUFFE.

Et je ne veux aussi pour grâce singulière   905
Que montrer à vos yeux mon âme toute entière,
Et vous faire serment que les bruits que j'ai faits
Des visites qu'ici reçoivent vos attraits
Ne sont pas envers vous l'effet d'aucune haine,
Mais plutôt d'un transport de zèle qui m'entraîne,   910
Et d'un pur mouvement . . .

ELMIRE.

           Je le prends bien aussi,
Et crois que mon salut vous donne ce souci.

TARTUFFE.   *Il lui serre le bout des doigts.*

Oui, Madame, sans doute, et ma ferveur est telle . . .

ELMIRE.

Ouf ! vous me serrez trop.

TARTUFFE.

           C'est par excès de zèle.
De vous faire autre mal je n'eus jamais dessein,   915
Et j'aurais bien plutôt . . .

      (*Il lui met la main sur le genou.*)

ELMIRE.

           Que fait là votre main ?

TARTUFFE.

Je tâte votre habit : l'étoffe en est moelleuse.

ELMIRE.

Ah ! de grâce, laissez, je suis fort chatouilleuse.

  (*Elle recule sa chaise, et Tartuffe rapproche la sienne.*)

TARTUFFE.

Mon Dieu ! que de ce point* l'ouvrage* est merveilleux !
On travaille aujourd'hui d'un air* miraculeux ;   920
Jamais, en toute chose, on n'a vu si bien faire.

ELMIRE.

Il est vrai.   Mais parlons un peu de notre affaire.
On tient que mon mari veut dégager sa foi,
Et vous donner sa fille.   Est-il vrai, dites-moi ?

TARTUFFE.

Il m'en a dit deux mots ; mais, Madame, à vrai dire,   925
Ce n'est pas le bonheur après quoi je soupire ;
Et je vois autre part les merveilleux attraits
De la félicité qui fait tous mes souhaits.

ELMIRE.

C'est que vous n'aimez rien des choses de la terre.

TARTUFFE.

Mon sein n'enferme pas un cœur qui soit de pierre.   930

ELMIRE.

Pour moi, je crois qu'au Ciel tendent tous vos soupirs,
Et que rien ici-bas n'arrête* vos désirs.

TARTUFFE.

L'amour qui nous attache aux beautés éternelles
N'étouffe pas en nous l'amour des temporelles ;
Nos sens facilement peuvent être charmés   935
Des ouvrages parfaits que le Ciel a formés.
Ses attraits réfléchis brillent dans vos pareilles ;*
Mais il étale en vous ses plus rares merveilles :
Il a sur votre face épanché des beautés
Dont les yeux sont surpris, et les cœurs transportés,   940
Et je n'ai pu vous voir, parfaite créature,
Sans admirer en vous l'auteur de la nature,
Et d'une ardente amour sentir mon cœur atteint,
Au plus beau des portraits où lui-même il s'est peint.
D'abord j'appréhendai que cette ardeur secrète   945
Ne fût du noir esprit une surprise adroite ; [1]

---

1. Was pronounced in the seventeenth century, *adrwèt;* hence it
could rhyme with *secrète.*

Et même à fuir vos yeux mon cœur se résolut,
Vous croyant un obstacle à faire mon salut.
Mais enfin je connus, ô beauté toute aimable,
Que cette passion peut n'être point coupable,   950
Que je puis l'ajuster avecque la pudeur,
Et c'est ce qui m'y fait abandonner mon cœur.
Ce m'est, je le confesse, une audace bien grande
Que d'oser de ce cœur vous adresser l'offrande ;
Mais j'attends en mes vœux tout de votre bonté,   955
Et rien des vains efforts de mon infirmité ;
En vous est mon espoir, mon bien, ma quiétude,
De vous dépend ma peine ou ma béatitude,
Et je vais être enfin, par votre seul arrêt,
Heureux, si vous voulez, malheureux, s'il vous plaît.   960

ELMIRE.

La déclaration est tout à fait galante,
Mais elle est, à vrai dire, un peu bien surprenante.
Vous deviez, ce me semble, armer mieux votre sein,
Et raisonner un peu sur un pareil dessein.
Un dévot comme vous, et que partout on nomme . . .   965

TARTUFFE.

Ah ! pour [1] être dévot, je n'en suis pas moins homme ;
Et lorsqu'on vient à voir vos célestes appas,
Un cœur se laisse prendre, et ne raisonne pas.
Je sais qu'un tel discours de moi paraît étrange ;
Mais, Madame, après tout, je ne suis pas un ange ;   970
Et si vous condamnez l'aveu que je vous fais,
Vous devez vous en prendre* à vos charmants attraits.
Dès que j'en vis briller la splendeur plus qu'humaine,
De mon intérieur vous fûtes souveraine ;
De vos regards divins l'ineffable douceur   975
Força la résistance où s'obstinait mon cœur ;
Elle surmonta tout, jeûnes, prières, larmes,
Et tourna tous mes vœux du côté de vos charmes.
Mes yeux et mes soupirs vous l'ont dit mille fois,
Et pour mieux m'expliquer j'emploie ici la voix.   980
Que si [2] vous contemplez d'une âme un peu bénigne
Les tribulations de votre esclave indigne,

---

1. "through," "because"; "through being pious," "because I am
pious, I am none the less a man."   2. "For if," "And if."

S'il faut [1] que vos bontés veuillent me consoler
Et jusqu'à mon néant daignent se ravaler,
J'aurai toujours pour vous, ô suave merveille,   985
Une dévotion à nulle autre pareille.
Votre honneur avec moi ne court point de hasard,
Et n'a nulle disgrâce à craindre de ma part.
Tous ces galants de cour, dont les femmes sont folles,
Sont bruyants dans leurs faits et vains dans leurs paroles,   990
De leurs progrès sans cesse on les voit se targuer;
Ils n'ont point de faveurs qu'ils n'aillent divulguer,
Et leur langue indiscrète, en qui l'on se confie,
Déshonore l'autel où leur cœur sacrifie.
Mais les gens comme nous brûlent d'un feu discret,   995
Avec qui pour toujours on est sûr du secret :
Le soin que nous prenons de notre renommée
Répond de toute chose à la personne aimée,
Et c'est en nous qu'on trouve, acceptant notre cœur,
De l'amour sans scandale et du plaisir sans peur.   1000

ELMIRE.

Je vous écoute dire, et votre rhétorique
En termes assez forts* à mon âme s'explique.
N'appréhendez-vous point que je ne sois d'humeur
À dire à mon mari cette galante ardeur,
Et que le prompt avis d'un amour de la sorte   1005
Ne pût bien altérer l'amitié qu'il vous porte?

TARTUFFE.

Je sais que vous avez trop de bénignité,
Et que vous ferez grâce* à ma témérité,
Que vous m'excuserez sur l'humaine faiblesse
Des violents transports d'un amour qui vous blesse,   1010
Et considérerez, en regardant votre air,*
Que l'on n'est pas aveugle, et qu'un homme est de chair.

ELMIRE.

D'autres prendraient cela d'autre façon peut-être ;
Mais ma discrétion se veut faire paraître.
Je ne redirai point l'affaire à mon époux ;   1015
Mais je veux en revanche une chose de vous :

---

1. *falloir* here in its most absolute sense : "If it be necessary" ; "If it be the will of heaven that."

C'est de presser tout franc et sans nulle chicane
L'union de Valère avecque Mariane,
De renoncer vous-même à l'injuste pouvoir
Qui veut du bien* d'un autre enrichir votre espoir,   1020
Et . . .

SCÈNE IV.

DAMIS, ELMIRE, TARTUFFE.

DAMIS, *sortant du petit cabinet où il s'était retiré.*

Non, Madame, non : ceci doit se répandre.
J'étais en cet endroit, d'où j'ai pu tout entendre ;
Et la bonté du Ciel m'y semble avoir conduit
Pour confondre l'orgueil d'un traître qui me nuit,
Pour m'ouvrir une voie à prendre la vengeance   1025
De son hypocrisie et de son insolence,
À détromper mon père, et lui mettre en plein jour*
L'âme d'un scélérat qui vous parle d'amour.

ELMIRE.

Non, Damis : il suffit qu'il se rende plus sage,
Et tâche à mériter la grâce où je m'engage.   1030
Puisque je l'ai promis, ne m'en dédites pas.
Ce n'est point mon humeur de faire des éclats :
Une femme se rit de sottises pareilles,
Et jamais d'un mari n'en trouble les oreilles.

DAMIS.

Vous avez vos raisons pour en user* ainsi,   1035
Et pour faire autrement j'ai les miennes aussi.
Le vouloir épargner est une raillerie ;
Et l'insolent orgueil de sa cagoterie
N'a triomphé que trop de mon juste courroux,
Et que trop excité ¹ de désordre chez nous.   1040
Le fourbe trop longtemps a gouverné mon père,
Et desservi mes feux avec ceux de Valère.
Il faut que du perfide il soit désabusé,
Et le Ciel pour cela m'offre un moyen aisé.
De cette occasion je lui suis redevable,   1045
Et pour la négliger, elle est trop favorable :

---

1. That is, *Et n'a excité que trop de* . . .

Ce serait mériter qu'il me la vînt ravir
Que de l'avoir en main et ne m'en pas servir.

ELMIRE.

Damis . . .

DAMIS.

Non, s'il vous plaît, il faut que je me croie.
Mon âme est maintenant au comble de sa joie ;   1050
Et vos discours en vain prétendent m'obliger
À quitter le plaisir de me pouvoir venger.
Sans aller plus avant, je vais vuider d'affaire ; [1]
Et voici justement de quoi me satisfaire.

SCÈNE V.

ORGON, DAMIS, TARTUFFE, ELMIRE.

DAMIS.

Nous allons régaler, mon père, votre abord   1055
D'un incident tout frais qui vous surprendra fort.
Vous êtes bien payé de toutes vos caresses,*
Et Monsieur d'un beau prix reconnaît* vos tendresses.
Son grand zèle pour vous vient de se déclarer :
Il ne va pas à moins qu'à vous déshonorer ;   1060
Et je l'ai surpris là qui faisait à Madame
L'injurieux* aveu d'une coupable flamme.
Elle est d'une humeur douce, et son cœur trop discret
Voulait à toute force* en garder le secret ;
Mais je ne puis flatter une telle impudence,   1065
Et crois que vous la taire est vous faire une offense.

ELMIRE.

Oui, je tiens que jamais de tous ces vains propos
On ne doit d'un mari traverser le repos,
Que ce n'est point de là que l'honneur peut dépendre,
Et qu'il suffit pour nous de savoir nous défendre :   1070
Ce sont mes sentiments ; et vous n'auriez rien dit,
Damis, si j'avais eu sur vous quelque crédit.

---

1. "*On dit*, vuider d'affaires, *pour dire* travailler à en sortir promptement, à les terminer." *Dictionnaire de l'Académie* (1694).

SCÈNE VI.

ORGON, DAMIS, TARTUFFE.

ORGON.

Ce que je viens d'entendre, ô Ciel ! est-il croyable?

TARTUFFE.

Oui, mon frère, je suis un méchant, un coupable,
Un malheureux pécheur, tout plein d'iniquité,   1075
Le plus grand scélérat qui jamais ait été ;
Chaque instant de ma vie est chargé de souillures ;
Elle n'est qu'un amas de crimes et d'ordures ;
Et je vois que le Ciel, pour ma punition,
Me veut mortifier en cette occasion.   1080
De quelque grand forfait qu'on me puisse reprendre,
Je n'ai garde d'avoir l'orgueil de m'en défendre.
Croyez ce qu'on vous dit, armez votre courroux,
Et comme un criminel chassez-moi de chez vous :
Je ne saurais avoir tant de honte en partage,   1085
Que je n'en aie encor mérité davantage.

ORGON, *à son fils.*

Ah ! traître, oses-tu bien par cette fausseté
Vouloir de sa vertu ternir la pureté ?

DAMIS.

Quoi ? la feinte douceur de cette âme hypocrite
Vous fera démentir . . . ?

ORGON.

Tais-toi, peste maudite.   1090

TARTUFFE.

Ah ! laissez-le parler : vous l'accusez à tort,
Et vous ferez bien mieux de croire à son rapport.
Pourquoi sur un tel fait m'être si favorable ?
Savez-vous, après tout, de quoi je suis capable ?
Vous fiez-vous, mon frère, à mon extérieur ?   1095
Et, pour tout ce qu'on voit, me croyez-vous meilleur ?
Non, non : vous vous laissez tromper à l'apparence,
Et je ne suis rien moins, hélas ! que ce qu'on pense ;
Tout le monde me prend pour un homme de bien ;
Mais la vérité pure est que je ne vaux rien.   1100

(*S'adressant à Damis.*)

Oui, mon cher fils, parlez : traitez-moi de perfide,
D'infâme, de perdu, de voleur, d'homicide ;
Accablez-moi de noms encor plus détestés :
Je n'y contredis point, je les ai mérités ;
Et j'en veux à genoux souffrir l'ignominie,   1105
Comme une honte due aux crimes de ma vie.

ORGON.

     (*À Tartuffe.*)   (*À son fils.*)

Mon frère, c'en est trop.   Ton cœur ne se rend point,
Traître?

DAMIS.

    Quoi? ses discours vous séduiront au point . . .

ORGON.

(*À Tartuffe.*)

Tais-toi, pendard.   Mon frère, eh ! levez-vous, de grâce !
   (*À son fils.*)
Infâme !

DAMIS.

   Il peut . . .

ORGON.

   Tais-toi.

DAMIS.

      J'enrage ! Quoi? je passe . . . 1110

ORGON.

Si tu dis un seul mot, je te romprai les bras.

TARTUFFE.

Mon frère, au nom de Dieu, ne vous emportez pas.
J'aimerais mieux souffrir la peine la plus dure,
Qu'il eût reçu pour moi la moindre égratignure.

ORGON.

     (*À son fils.*)

Ingrat !

TARTUFFE.

    Laissez-le en paix.   S'il faut, à deux genoux,   1115
Vous demander sa grâce . . .

ORGON, *à Tartuffe.*

Hélas ! vous moquez-vous ?

(*À son fils.*)

Coquin ! vois sa bonté.

DAMIS.

Donc . . .

ORGON.

Paix.

DAMIS.

Quoi ? je . . .

ORGON.

Paix, dis-je.

Je sais bien quel motif à l'attaquer t'oblige :
Vous le haïssez tous ; et je vois aujourd'hui
Femme, enfants et valets déchaînés contre lui ;   1120
On met impudemment toute chose en usage,
Pour ôter de chez moi ce dévot personnage.
Mais plus on fait d'effort afin de l'en bannir,
Plus j'en veux employer à l'y mieux retenir ;
Et je vais me hâter de lui donner ma fille,   1125
Pour confondre l'orgueil de toute ma famille.

DAMIS.

À recevoir sa main on pense l'obliger ?

ORGON.

Oui, traître, et dès* ce soir, pour vous faire enrager.
Ah ! je vous brave tous, et vous ferai connaître
Qu'il faut qu'on m'obéisse et que je suis le maître.   1130
Allons, qu'on se rétracte, et qu'à l'instant, fripon,
On se jette à ses pieds pour demander pardon.

DAMIS.

Qui, moi ? de ce coquin, qui, par ses impostures . . .

ORGON.

Ah ! tu résistes, gueux, et lui dis des injures* ?

(*À Tartuffe.*)

Un bâton ! un bâton ! Ne me retenez pas.   1135

(*À son fils.*)

Sus, que de ma maison on sorte de ce pas,
Et que d'y revenir on n'ait jamais l'audace.

DAMIS.

Oui, je sortirai ; mais . . .

ORGON.

>   Vite quittons la place.
Je te prive, pendard, de ma succession,
Et te donne de plus ma malédiction.   1140

SCÈNE VII.

ORGON, TARTUFFE.

ORGON.

Offenser de la sorte une sainte personne !

TARTUFFE.

Ô Ciel, pardonne-lui la douleur qu'il me donne ![1]

(À Orgon.)

Si vous pouviez savoir avec quel déplaisir *
Je vois qu'envers mon frère on tâche à me noircir . . .

ORGON.

Hélas !

TARTUFFE.

>   Le seul penser de cette ingratitude   1145
Fait souffrir à mon âme un supplice si rude . . .
L'horreur que j'en conçois . . . J'ai le cœur si serré,
Que je ne puis parler, et crois que j'en mourrai.

ORGON.

(Il court tout en larmes à la porte par où il a chassé son fils.)

Coquin ! je me repens que ma main t'ait fait grâce,
Et ne t'ait pas d'abord assommé sur la place.   1150
Remettez-vous, mon frère, et ne vous fâchez pas.

---

1. According to tradition the line originally ran: *Ô Ciel, pardonne-lui comme je lui pardonne.* The verse was changed in view of the criticisms which its resemblance to a paragraph in the Lord's Prayer aroused.

TARTUFFE.

Rompons, rompons le cours de ces fâcheux débats.
Je regarde céans quels grands troubles j'apporte,
Et crois qu'il est besoin, mon frère, que j'en sorte.

ORGON.

Comment? vous moquez-vous?

TARTUFFE.

On m'y hait, et je voi   1155
Qu'on cherche à vous donner des soupçons de ma foi.

ORGON.

Qu'importe?   Voyez-vous que mon cœur les écoute?

TARTUFFE.

On ne manquera pas de poursuivre, sans doute ;
Et ces mêmes rapports qu'ici vous rejetez
Peut-être une autre fois seront-ils écoutés.   1160

ORGON.

Non, mon frère, jamais.

TARTUFFE.

Ah ! mon frère, une femme
Aisément d'un mari peut bien surprendre l'âme.

ORGON.

Non, non.

TARTUFFE.

Laissez-moi vite, en m'éloignant d'ici,
Leur ôter tout sujet de m'attaquer ainsi.

ORGON.

Non, vous demeurerez : il y va de ma vie.   1165

TARTUFFE.

Hé bien ! il faudra donc que je me mortifie.
Pourtant, si vous vouliez . . .

ORGON.

Ah !

TARTUFFE.

Soit : n'en parlons plus.
Mais je sais comme il faut en user là-dessus.
L'honneur est délicat, et l'amitié m'engage
À prévenir les bruits et les sujets d'ombrage. 1170
Je fuirai votre épouse, et vous ne me verrez . . .

ORGON.

Non, en dépit de tous vous la fréquenterez.
Faire enrager le monde est ma plus grande joie,
Et je veux qu'à toute heure avec elle on vous voie.
Ce n'est pas tout encor : pour les mieux braver tous, 1175
Je ne veux point avoir d'autre héritier que vous,
Et je vais de ce pas, en fort bonne manière,
Vous faire de mon bien donation entière.
Un bon et franc ami, que pour gendre je prends,
M'est bien plus cher que fils, que femme, et que parents. 1180
N'accepterez-vous pas ce que je vous propose ?

TARTUFFE.

La volonté du Ciel soit faite en toute chose.

ORGON.

Le pauvre homme ! Allons vite en dresser un écrit,
Et que puisse l'envie en crever de dépit ![1]

---

1. This is supposedly the dénouement of the play in its original three-act form. (See Michaut, *Op. Cit.* p. 64 ff.). In this form it corresponded quite closely to a tale, a "town topic" related by Tallemant des Réaux, (*Les Historiettes*, VII). It was written several years before the first representation of *Tartuffe* and must have been familiar to the contemporaries. The *Historiette* relates the adventures of a M. Charpy, Sieur de Sainte-Croix. *Il s'est mis la dévotion dans la tête.* . . . *Or un jour qu'il était dans l'Église des Quinze-Vingts, Mme Hansse, veuve de l'apothicaire de la Reine, y vint.* . . . *Il l'accosta et lui parla de dévotion avec tant d'emportement, qu'il charma cette femme, qui est dévote. Elle le loge chez elle. Lui, qui est si charitable qu'il aime son prochain comme lui-même, s'est mis à aimer la petite Mme Patrocle, la fille de Mme Hansse.* . . . *Charpy se met si bien dans l'esprit du mari (M. Patrocle) et s'impatronise* (see v. 62, where Dorine uses the same term) *tellement de lui et de sa femme, qu'il en a chassé tout le monde, et elle ne va en aucun lieu qu'il n'y soit, ou bien le mari. Mme Hansse a enfin ouvert les yeux, en a averti son gendre ; il a répondu que c'étaient des railleries, et prend Charpy pour le meilleur ami qu'il ait au monde.*

ACTE IV. SCÈNE PREMIÈRE.

CLÉANTE, TARTUFFE.

CLÉANTE.

Oui, tout le monde en parle, et vous m'en pouvez croire, 1185
L'éclat que fait ce bruit n'est point à votre gloire ;*
Et je vous ai trouvé, Monsieur, fort à propos,
Pour vous en dire net ma pensée en deux mots.
Je n'examine point à fond ce qu'on expose ;
Je passe là-dessus, et prends au pis la chose. 1190
Supposons que Damis n'en ait pas bien usé,*
Et que ce soit à tort qu'on vous ait accusé :
N'est-il pas d'un chrétien de pardonner l'offense,
Et d'éteindre en son cœur tout désir de vengeance?
Et devez-vous souffrir, pour votre démêlé, 1195
Que du logis d'un père un fils soit exilé ?
Je vous le dis encore, et parle avec franchise,
Il n'est petit ni grand qui ne s'en scandalise ;
Et si vous m'en croyez,* vous pacifierez tout,
Et ne pousserez point les affaires à bout. 1200
Sacrifiez à Dieu toute votre colère,
Et remettez le fils en grâce* avec le père.

TARTUFFE.

Hélas ! je le voudrais, quant à moi, de bon cœur :
Je ne garde pour lui, Monsieur, aucune aigreur ;
Je lui pardonne tout, de rien je ne le blâme, 1205
Et voudrais le servir du meilleur* de mon âme ;
Mais l'intérêt du Ciel n'y saurait consentir,
Et s'il rentre céans, c'est à moi d'en sortir.
Après son action, qui n'eut jamais d'égale,
Le commerce* entre nous porterait du scandale : 1210
Dieu sait ce que d'abord tout le monde en croirait !
À pure politique* on me l'imputerait ;
Et l'on dirait partout que, me sentant coupable,
Je feins pour qui m'accuse un zèle charitable,
Que mon cœur l'appréhende et veut le ménager, 1215
Pour le pouvoir sous main au silence engager.

CLÉANTE.

Vous nous payez* ici d'excuses colorées,
Et toutes vos raisons, Monsieur, sont trop tirées.

Des intérêts du Ciel pourquoi vous chargez-vous?
Pour punir le coupable a-t-il besoin de nous? 1220
Laissez-lui, laissez-lui le soin de ses vengeances ;
Ne songez qu'au pardon qu'il prescrit des offenses ;
Et ne regardez point aux jugements humains,
Quand vous suivez du Ciel les ordres souverains.
Quoi? le faible intérêt de ce qu'on pourra croire 1225
D'une bonne action empêchera la gloire?
Non, non : faisons toujours ce que le Ciel prescrit,
Et d'aucun autre soin ne nous brouillons l'esprit.

TARTUFFE.

Je vous ai déjà dit que mon cœur lui pardonne,
Et c'est faire, Monsieur, ce que le Ciel ordonne ; 1230
Mais après le scandale et l'affront d'aujourd'hui,
Le Ciel n'ordonne pas que je vive avec lui.

CLÉANTE.

Et vous ordonne-t-il, Monsieur, d'ouvrir l'oreille
À ce qu'un pur caprice à son père conseille,
Et d'accepter le don qui vous est fait d'un bien 1235
Où¹ le droit vous oblige à ne prétendre rien?

TARTUFFE.

Ceux qui me connaîtront n'auront pas la pensée
Que ce soit un effet* d'une âme* intéressée.
Tous les biens de ce monde ont pour moi peu d'appas,
De leur éclat trompeur je ne m'éblouis pas ; 1240
Et si je me résous à recevoir du père
Cette donation qu'il a voulu me faire,
Ce n'est, à dire vrai, que parce que je crains
Que tout ce bien ne tombe en de méchantes mains,
Qu'il ne trouve des gens qui, l'ayant en partage,* 1245
En fassent dans le monde un criminel usage,
Et ne s'en servent pas, ainsi que j'ai dessein,
Pour la gloire du Ciel et le bien du prochain.²

---

1. *Où (auquel)* . . . *à ne prétendre rien:* "to which . . . to make no
claim." 2. See the seventh *Lettre provinciale,* in which Pascal accuses
the Jesuits of justifying immoral acts by the supple principle of *La
direction de l'intention,* or purity of the intention. This and other
utterances in this fourth act enabled the Jansenists to claim that, if
Molière had had them in mind in the portrait of Orgon (see note to v. 181),
he was satirizing the Jesuits in his portrait of Tartuffe.

CLÉANTE.

Hé, Monsieur, n'ayez point ces délicates craintes,
Qui d'un juste* héritier peuvent causer les plaintes ;   1250
Souffrez, sans vous vouloir embarrasser de rien,
Qu'il soit à ses périls possesseur de son bien ;
Et songez qu'il vaut mieux encor qu'il en mésuse,
Que si de l'en frustrer il faut qu'on vous accuse.
J'admire* seulement que sans confusion   1255
Vous en ayez souffert la proposition ;
Car enfin le vrai zèle a-t-il quelque maxime
Qui montre* à dépouiller l'héritier légitime ?
Et s'il faut que le Ciel dans votre cœur ait mis
Un invincible obstacle à vivre avec Damis,   1260
Ne vaudrait-il pas mieux qu'en personne discrète
Vous fissiez de céans une honnête* retraite,
Que de souffrir ainsi, contre toute raison,
Qu'on en chasse pour vous le fils de la maison ?
Croyez-moi, c'est donner de votre prud'homie,   1265
Monsieur . . .

TARTUFFE.

Il est, Monsieur, trois heures et demie :
Certain devoir pieux me demande là-haut,*
Et vous m'excuserez de vous quitter sitôt.

CLÉANTE.

Ah !

SCÈNE II.

ELMIRE, MARIANE, DORINE, CLÉANTE.

DORINE.

De grâce, avec nous employez-vous* pour elle,
Monsieur : son âme souffre une douleur mortelle ;   1270
Et l'accord* que son père a conclu pour ce soir
La fait, à tous moments, entrer en désespoir,
Il va venir.   Joignons nos efforts, je vous prie,
Et tâchons d'ébranler, de force ou d'industrie,
Ce malheureux dessein qui nous a tous troublés.   1275

SCÈNE III.

ORGON, ELMIRE, MARIANE, CLÉANTE, DORINE.

ORGON.

Ha ! je me réjouis de vous voir assemblés :
(*À Mariane.*)
Je porte en ce contrat de quoi vous faire rire,
Et vous savez déjà ce que cela veut dire.

MARIANE, *à genoux.*

Mon père, au nom du Ciel, qui connaît ma douleur,
Et par tout ce qui peut émouvoir votre cœur,　　1280
Relâchez-vous un peu des droits de la naissance,
Et dispensez mes vœux de cette obéissance ;
Ne me réduisez point par cette dure loi
Jusqu'à me plaindre au Ciel de ce que je vous doi,
Et cette vie, hélas ! que vous m'avez donnée,　　1285
Ne me la rendez pas, mon père, infortunée.
Si, contre un doux espoir que j'avais pu former,
Vous me défendez d'être à ce que j'ose aimer,
Au moins, par vos bontés, qu'à vos genoux j'implore,
Sauvez-moi du tourment d'être à ce que j'abhorre,　　1290
Et ne me portez point à quelque désespoir,
En vous servant sur moi de tout votre pouvoir.

ORGON, *se sentant attendrir.*

Allons, ferme, mon cœur, point de faiblesse humaine.

MARIANE.

Vos tendresses * pour lui ne me font point de peine ;
Faites-les éclater, donnez-lui votre bien,　　1295
Et, si ce n'est assez, joignez-y tout le mien [1] :
J'y consens de bon cœur, et je vous l'abandonne ;
Mais au moins n'allez pas jusques à ma personne,
Et souffrez qu'un couvent dans les austérités
Use * les tristes jours que le Ciel m'a comptés.　　1300

---

[1]. That is, what she had inherited from her mother, the first wife of Orgon.

ORGON.

Ah ! voilà justement de mes religieuses,[1]
Lorsqu'un père combat leurs flammes amoureuses !
Debout !   Plus votre cœur répugne à l'accepter,
Plus ce sera pour vous matière* à mériter :
Mortifiez vos sens avec ce mariage,   1305
Et ne me rompez pas la tête* davantage.

DORINE.

Mais quoi . . .?

ORGON.

Taisez-vous, vous ; parlez à votre écot :[2]
Je vous défends tout net* d'oser dire un seul mot.

CLÉANTE.

Si par quelque conseil vous souffrez qu'on réponde . . .

ORGON.

Mon frère, vos conseils sont les meilleurs du monde,   1310
Ils sont bien raisonnés, et j'en fais un grand cas :*
Mais vous trouverez bon que je n'en use pas.

ELMIRE, *à son mari.*

À voir ce que je vois, je ne sais plus que dire,
Et votre aveuglement fait que je vous admire :*
C'est être bien coiffé, bien prévenu de lui,   1315
Que de nous démentir sur le fait d'aujourd'hui.

ORGON.

Je suis votre valet,* et crois les apparences :
Pour mon fripon de fils je sais vos complaisances,
Et vous avez eu peur de le désavouer
Du trait[3] qu'à ce pauvre homme il a voulu jouer ;   1320
Vous étiez trop tranquille enfin pour être crue,
Et vous auriez paru d'autre manière émue.

1. Molière probably depended more here upon his art as an actor
than upon his words as a poet to convey the idea.   Tone, attitude and
words were intended probably to convey some such meaning as : "That's
just like your would-be nuns."   2. The *écot* was the contribution each
one of a group paid for a meal, or refreshments, or an entertainment.
By extension it could designate the group itself.   The whole phrase
then means, "speak to your own crowd," "mind your own business."
3. "In regard to the trick which he tried to play on this dear man."

ELMIRE.

Est-ce qu'au simple aveu d'un amoureux transport
Il faut que notre honneur se gendarme si fort ?
Et ne peut-on répondre à tout ce qui le touche   1325
Que le feu dans les yeux et l'injure* à la bouche ?
Pour moi, de tels propos je me ris simplement,
Et l'éclat là-dessus ne me plaît nullement :
J'aime qu'avec douceur nous nous montrions sages,
Et ne suis point du tout pour ces prudes sauvages   1330
Dont l'honneur est armé de griffes et de dents,
Et veut au moindre mot dévisager les gens :
Me préserve le Ciel d'une telle sagesse !
Je veux une vertu qui ne soit point diablesse,
Et crois que d'un refus la discrète froideur   1335
N'en est pas moins puissante à rebuter un cœur.

ORGON.

Enfin je sais l'affaire et ne prends point le change.*

ELMIRE.

J'admire, encore un coup, cette faiblesse étrange.
Mais que me répondrait votre incrédulité
Si je vous faisais voir qu'on vous dit vérité ?   1340

ORGON.

Voir ?

ELMIRE.

Oui.

ORGON.

Chansons.*

ELMIRE.

Mais quoi ? si je trouvais manière
De vous le faire voir avec pleine lumière ?

ORGON.

Contes* en l'air.

ELMIRE.

Quel homme ! Au moins répondez-moi.
Je ne vous parle pas de nous ajouter foi ;
Mais supposons ici que, d'un lieu qu'on peut prendre,   1345
On vous fît clairement tout voir et tout entendre,
Que diriez-vous alors de votre homme de bien ?

ORGON.

En ce cas, je dirais que . . . Je ne dirais rien,
Car cela ne se peut.

ELMIRE.

L'erreur trop longtemps dure,
Et c'est trop condamner ma bouche d'imposture.   1350
Il faut que par plaisir,* et sans aller plus loin,
De tout ce qu'on vous dit je vous fasse témoin.

ORGON.

Soit : je vous prends au mot.   Nous verrons votre adresse,
Et comment vous pourrez remplir cette promesse.

ELMIRE.

Faites-le-moi venir.

DORINE.

Son esprit est rusé,   1355
Et peut-être à surprendre il sera malaisé.

ELMIRE.

Non : on est aisément dupé par ce qu'on aime,
Et l'amour-propre engage à se tromper soi-même.
(*Parlant à Cléante et à Mariane.*)
Faites-le-moi descendre.   Et vous, retirez-vous.

SCÈNE IV.

ELMIRE, ORGON.

ELMIRE.

Approchons cette table, et vous mettez dessous.   1360

ORGON.

Comment?

ELMIRE.

Vous bien cacher est un point nécessaire.

ORGON.

Pourquoi sous cette table?

ELMIRE.

Ah, mon Dieu ! laissez faire :
J'ai mon dessein en tête,* et vous en jugerez.
Mettez-vous là, vous dis-je ; et quand vous y serez,
Gardez qu'on ne vous voie et qu'on ne vous entende.   1365

ORGON.

Je confesse qu'ici ma complaisance est grande ;
Mais de votre entreprise il vous faut voir sortir.

ELMIRE.

Vous n'aurez, que je crois,[1] rien à me repartir.

(*À son mari qui est sous la table.*) [2]

Au moins, je vais toucher une étrange* matière :
Ne vous scandalisez en aucune manière.   1370
Quoi que je puisse dire, il doit m'être permis,
Et c'est pour vous convaincre, ainsi que j'ai promis
Je vais par des douceurs, puisque j'y suis réduite,
Faire poser le masque à cette âme hypocrite,
Flatter de son amour les désirs effrontés,   1375
Et donner un champ libre à ses témérités.
Comme c'est pour vous seul, et pour mieux le confondre,
Que mon âme à ses vœux va feindre de répondre,
J'aurai lieu de cesser dès que vous vous rendrez,
Et les choses n'iront que jusqu'où vous voudrez.   1380
C'est à vous d'arrêter son ardeur insensée,
Quand vous croirez l'affaire assez avant poussée,
D'épargner votre femme, et de ne m'exposer
Qu'à ce qu'il vous faudra pour vous désabuser :
Ce sont vos intérêts ; vous en serez le maître,   1385
Et . . . L'on vient. Tenez-vous, et gardez* de paraître.

SCÈNE V.

Tartuffe, Elmire, Orgon.

TARTUFFE.

On m'a dit qu'en ce lieu vous me vouliez parler.

---

1. = *à ce que je crois:* "in my opinion."   2. The table was covered
by a cloth (*tapis*) which concealed Orgon from the view of Tartuffe.

ELMIRE.

Oui. L'on a des secrets à vous y révéler.
Mais tirez cette porte avant qu'on vous les dise,
Et regardez partout de crainte de surprise.   1390
Une affaire pareille à celle de tantôt
N'est pas assurément ici ce qu'il nous faut.
Jamais il ne s'est vu de surprise de même ;
Damis m'a fait pour vous une frayeur extrême,
Et vous avez bien vu que j'ai fait mes efforts   1395
Pour rompre son dessein et calmer ses transports.
Mon trouble, il est bien vrai, m'a si fort possédée,
Que de le démentir je n'ai point eu l'idée ;
Mais par là, grâce au Ciel, tout a bien mieux été,
Et les choses en sont dans plus de sûreté.   1400
L'estime où l'on vous tient a dissipé l'orage,
Et mon mari de vous ne peut prendre d'ombrage.
Pour mieux braver l'éclat des mauvais jugements,
Il veut que nous soyons ensemble à tous moments,
Et c'est par où je puis, sans peur d'être blâmée,   1405
Me trouver ici seule avec vous enfermée,
Et ce qui m'autorise à vous ouvrir un cœur
Un peu trop prompt peut-être à souffrir votre ardeur.

TARTUFFE.

Ce langage à comprendre est assez difficile,
Madame, et vous parliez tantôt d'un autre style.   1410

ELMIRE.

Ah ! si d'un tel refus vous êtes en courroux,
Que le cœur d'une femme est mal connu de vous !
Et que vous savez peu ce qu'il veut faire entendre *
Lorsque si faiblement on le voit se défendre !
Toujours notre pudeur combat dans ces moments   1415
Ce qu'on peut nous donner de tendres sentiments.
Quelque raison qu'on trouve à l'amour qui nous dompte,
On trouve à l'avouer toujours un peu de honte ;
On s'en défend d'abord ; mais de l'air qu'on s'y prend,*
On fait connaître assez que notre cœur se rend,   1420
Qu'à nos vœux par honneur notre bouche s'oppose,
Et que de tels refus promettent toute chose.
C'est vous faire sans doute un assez libre aveu,
Et sur notre pudeur me ménager bien peu ;

Mais puisque la parole enfin en est lâchée,   1425
À retenir Damis me serais-je attachée,*
Aurais-je, je vous prie, avec tant de douceur
Écouté tout au long l'offre de votre cœur,
Aurais-je pris la chose ainsi qu'on m'a vu faire,
Si l'offre de ce cœur n'eût eu de quoi me plaire?   1430
Et lorsque j'ai voulu moi-même vous forcer
À refuser l'hymen qu'on venait d'annoncer,
Qu'est-ce que cette instance a dû vous faire entendre,
Que l'intérêt qu'en vous on s'avise* de prendre,
Et l'ennui* qu'on aurait que ce nœud qu'on résout   1435
Vînt partager du moins un cœur que l'on veut tout?

TARTUFFE.

C'est sans doute, Madame, une douceur extrême
Que d'entendre ces mots d'une bouche qu'on aime :
Leur miel dans tous mes sens fait couler à longs traits*
Une suavité qu'on ne goûta jamais.   1440
Le bonheur de vous plaire est ma suprême étude,
Et mon cœur de vos vœux fait sa béatitude ;
Mais ce cœur vous demande ici la liberté
D'oser douter un peu de sa félicité.
Je puis croire ces mots un artifice honnête   1445
Pour m'obliger à rompre un hymen qui s'apprête ;
Et s'il faut librement m'expliquer avec vous,
Je ne me fierai point à des propos si doux,
Qu'un peu de vos faveurs, après quoi je soupire,
Ne vienne m'assurer tout ce qu'ils m'ont pu dire,   1450
Et planter dans mon âme une constante foi
Des charmantes bontés que vous avez pour moi.

ELMIRE. *Elle tousse pour avertir son mari.*

Quoi? vous voulez aller avec cette vitesse,
Et d'un cœur tout d'abord épuiser la tendresse?
On se tue* à vous faire un aveu des plus doux ;   1455
Cependant ce n'est pas encore assez pour vous,
Et l'on ne peut aller jusqu'à vous satisfaire,
Qu'aux dernières faveurs on ne pousse l'affaire?

TARTUFFE.

Moins on mérite un bien, moins on l'ose espérer.
Nos vœux sur des discours ont peine à s'assurer.   1460

1. "Except."

On soupçonne aisément un sort tout plein de gloire,
Et l'on veut en jouir avant que de le croire.
Pour moi, qui crois si peu mériter vos bontés,
Je doute du bonheur de mes témérités ;
Et je ne croirai rien, que vous n'ayez, Madame,   1465
Par des réalités su convaincre ma flamme.

ELMIRE.

Mon Dieu, que votre amour en vrai tyran agit,
Et qu'en un trouble étrange il me jette l'esprit !
Que sur les cœurs il prend un furieux empire,
Et qu'avec violence il veut ce qu'il désire !   1470
Quoi ? de votre poursuite on ne peut se parer,
Et vous ne donnez pas le temps de respirer ?
Sied-il bien de tenir une rigueur si grande,
De vouloir sans quartier les choses qu'on demande.
Et d'abuser ainsi par vos efforts pressants   1475
Du faible que pour vous vous voyez qu'ont les gens ?

TARTUFFE.

Mais si d'un œil bénin vous voyez mes hommages,
Pourquoi m'en refuser d'assurés témoignages ?

ELMIRE.

Mais comment consentir à ce que vous voulez,
Sans offenser le Ciel, dont toujours vous parlez ?   1480

TARTUFFE.

Si ce n'est que le Ciel qu'à mes yeux on oppose,
Lever un tel obstacle est à moi peu de chose,
Et cela ne doit pas retenir votre cœur.

ELMIRE.

Mais des arrêts du Ciel on nous fait tant de peur !

TARTUFFE.

Je puis vous dissiper ces craintes ridicules,   1485
Madame, et je sais l'art de lever les scrupules.
Le Ciel défend, de vrai, certains contentements ;

        (C'est un scélérat qui parle.)

Mais on trouve avec lui des accommodements ;
Selon divers besoins, il est une science
D'étendre les liens de notre conscience,   1490

Et de rectifier le mal de l'action
Avec la pureté de notre intention.[1]
De ces secrets, Madame, on saura vous instruire ;
Vous n'avez seulement qu'à vous laisser conduire.
Contentez mon désir, et n'ayez point d'effroi :   1495
Je vous réponds de tout, et prends le mal sur moi.
Vous toussez fort, Madame.

ELMIRE.

Oui, je suis au supplice.

TARTUFFE.

Vous plaît-il un morceau de ce jus de réglisse ?

ELMIRE.

C'est un rhume obstiné,[2] sans doute ; et je vois bien
Que tous les jus du monde ici ne feront rien.   1500

TARTUFFE.

Cela certe est fâcheux.

ELMIRE.

Oui, plus qu'on ne peut dire.

TARTUFFE.

Enfin votre scrupule est facile à détruire :
Vous êtes assurée ici d'un plein secret,
Et le mal n'est jamais que dans l'éclat qu'on fait ;
Le scandale du monde est ce qui fait l'offense,   1505
Et ce n'est pas pécher que pécher en silence.

ELMIRE, après avoir encore toussé.

Enfin je vois qu'il faut se résoudre à céder,
Qu'il faut que je consente à vous tout accorder,

1. Another reminiscence, apparently, of the seventh *Lettre provinciale.*
in which Pascal makes the Jesuit father say : *Ce n'est pas qu'autant qu'il
est en notre pouvoir, nous ne détournions les hommes des choses défendues ;
mais, quand nous ne pouvons pas empêcher l'action, nous purifions au
moins l'intention, et ainsi nous corrigeons le vice du moyen par la pureté
de la fin.* This letter had aroused a storm of discussion which Molière
uses in his *Préface* for his justification : *Mais il débite au quatrième acte
une morale pernicieuse. Mais cette morale est-elle quelque chose dont tout
le monde n'eût les oreilles rebattues ? dit-elle rien de nouveau dans ma
comédie ? et peut-on craindre que des choses si généralement détestées
fassent quelque impression dans les esprits, que je les rende dangereuses
en les faisant monter sur le théâtre, qu'elles reçoivent quelque autorité de
la bouche d'un scélérat ? Il n'y a nulle apparence à cela.*   2. She has
been coughing, of course, to get Orgon's attention.

Et qu'à moins de cela [1] je ne dois point prétendre*
Qu'on puisse être content, et qu'on veuille se rendre.   1510
Sans doute il est fâcheux d'en venir jusque-là,
Et c'est bien malgré moi que je franchis* cela ;
Mais puisque l'on s'obstine à m'y vouloir réduire,
Puisqu'on ne veut point croire à tout ce qu'on peut dire,
Et qu'on veut des témoins* qui soient plus convaincants,   1515
Il faut bien s'y résoudre, et contenter les gens.
Si ce consentement porte en soi quelque offense,
Tant pis pour qui me force à cette violence ;
La faute assurément n'en doit pas être à moi.

TARTUFFE.

Oui, Madame, on s'en charge ; et la chose de soi . . .   1520

ELMIRE.

Ouvrez un peu la porte, et voyez, je vous prie,
Si mon mari n'est point dans cette galerie.

TARTUFFE.

Qu'est-il besoin pour lui du soin que vous prenez ?
C'est un homme, entre nous, à mener par le nez ;
De tous nos entretiens il est pour faire gloire,*   1525
Et je l'ai mis au point de voir tout sans rien croire.

ELMIRE.

Il n'importe : sortez, je vous prie, un moment,
Et partout là dehors voyez exactement.

SCÈNE VI.

ORGON, ELMIRE.

ORGON, *sortant de dessous la table.*

Voilà, je vous l'avoue, un abominable homme !
Je n'en puis revenir, et tout ceci m'assomme.   1530

ELMIRE.

Quoi ? vous sortez sitôt ? vous vous moquez des gens.
Rentrez sous le tapis, il n'est pas encor temps ;
Attendez jusqu'au bout pour voir les choses sûres,
Et ne vous fiez point aux simples conjectures.

1. "with less than that . . ."

ORGON.

Non, rien de plus méchant n'est sorti de l'enfer. 1535

ELMIRE.

Mon Dieu ! l'on ne doit point croire trop de léger.
Laissez-vous bien convaincre avant que de vous rendre,
Et ne vous hâtez point, de peur de vous méprendre.

(*Elle fait mettre son mari derrière elle.*)

SCÈNE VII.

Tartuffe, Elmire, Orgon.

TARTUFFE.

Tout conspire, Madame, à mon contentement :
J'ai visité * de l'œil tout cet appartement ; 1540
Personne ne s'y trouve ; et mon âme ravie. . . .

ORGON, *en l'arrêtant.*

Tout doux ! vous suivez trop votre amoureuse envie,
Et vous ne devez pas vous tant passionner.
Ah ! ah ! l'homme de bien, vous m'en voulez donner * !
Comme aux tentations s'abandonne votre âme ! 1545
Vous épousiez ma fille, et convoitiez ma femme !
J'ai douté fort longtemps que ce fût tout de bon,*
Et je croyais toujours qu'on changerait de ton ; [1]
Mais c'est assez avant pousser le témoignage :
Je m'y tiens,* et n'en veux, pour moi, pas davantage. 1550

ELMIRE, *à Tartuffe.*

C'est contre mon humeur que j'ai fait tout ceci ;
Mais on m'a mise au point de vous traiter ainsi.

TARTUFFE.

Quoi ? vous croyez . . . ?

ORGON.

Allons, point de bruit, je vous prie.
Dénichons de céans, et sans cérémonie.

---

1. This and the preceding line, which are open to misinterpretation,
are probably to be taken as Orgon's explanation of his long delay in being
convinced. They refer to what had been going on in his mind while he
had been under the table listening to Tartuffe and Elmire.

TARTUFFE.

Mon dessein . . .

ORGON.

              Ces discours ne sont plus de saison :   1555
Il faut, tout sur-le-champ, sortir de la maison.

TARTUFFE.

C'est à vous d'en sortir, vous qui parlez en maître :
La maison m'appartient, je le ferai connaître,
Et vous montrerai bien qu'en vain on a recours,
Pour me chercher querelle, à ces lâches détours,   1560
Qu'on n'est pas où l'on pense en me faisant injure,*
Que j'ai de quoi confondre et punir l'imposture,
Venger le Ciel qu'on blesse, et faire repentir
Ceux qui parlent ici de me faire sortir.

SCÈNE VIII.

ELMIRE, ORGON.

ELMIRE.

Quel est donc ce langage? et qu'est-ce qu'il veut dire?   1565

ORGON.

Ma foi, je suis confus, et n'ai pas lieu de rire.

ELMIRE.

Comment?

ORGON.

          Je vois ma faute aux choses qu'il me dit,
Et la donation [1] m'embarrasse l'esprit.

ELMIRE.

La donation . . .

ORGON.

          Oui, c'est une affaire faite.
Mais j'ai quelque autre chose encor qui m'inquiète.   1570

ELMIRE.

Et quoi?

ORGON.

          Vous saurez tout.   Mais voyons au plus tôt*
Si certaine cassette est encore là-haut.

---

1. See conclusion of third act, vv. 1175–1183.

ACTE V. SCÈNE PREMIÈRE.

ORGON, CLÉANTE.

CLÉANTE.

Où voulez-vous courir?

ORGON.

Las ! que sais-je ?

CLÉANTE.

Il me semble
Que l'on doit commencer par consulter ensemble
Les choses qu'on peut faire en cet événement.   1575

ORGON.

Cette cassette-là me trouble entièrement ;
Plus que le reste encore elle me désespère.

CLÉANTE.

Cette cassette est donc un important mystère?

ORGON.

C'est un dépôt qu'Argas, cet ami que je plains,
Lui-même, en grand secret, m'a mis entre les mains :   1580
Pour cela, dans sa fuite, il me voulut élire ;
Et ce sont des papiers, à ce qu'il m'a pu dire,
Où sa vie et ses biens se trouvent attachés.

CLÉANTE.

Pourquoi donc les avoir en d'autres mains lâchés?

ORGON.

Ce fut par un motif de cas* de conscience : [1]   1585
J'allai droit à mon traître en faire confidence ;

1. Casuistry, or the application of the "case system" to theology, was much in vogue during the seventeenth century. Courses in it were given in many of the Jesuit colleges. Pascal had attacked the doctrine savagely in his ninth *Lettre provinciale* where he quotes the Jesuit father whom he had consulted : *On peut jurer qu'on n'a pas fait une chose, quoiqu'on l'ait faite effectivement, en entendant en soi-même qu'on ne l'a pas faite un certain jour, ou avant qu'on fût né, ou en sous-entendant quelque autre circonstance pareille . . . et cela est fort commode en beaucoup de rencontres.*

Et son raisonnement me vint persuader
De lui donner plutôt la cassette [1] à garder,
Afin que, pour nier, en cas de quelque enquête,
J'eusse d'un faux-fuyant la faveur toute prête,   1590
Par où ma conscience eût pleine sûreté
À faire des serments contre la vérité.

CLÉANTE.

Vous voilà mal, au moins si j'en crois l'apparence ;
Et la donation, et cette confidence,
Sont, à vous en parler selon mon sentiment,   1595
Des démarches par vous faites légèrement.
On peut vous mener loin avec de pareils gages ·
Et cet homme sur vous ayant ces avantages,
Le pousser est encor grande imprudence à vous,
Et vous deviez [2] chercher quelque biais plus doux.   1600

ORGON.

Quoi ? sous un beau semblant de ferveur si touchante
Cacher un cœur si double, une âme si méchante !
Et moi qui l'ai reçu gueusant et n'ayant rien . . .
C'en est fait, je renonce à tous les gens de bien :
J'en aurai désormais une horreur effroyable,   1605
Et m'en vais devenir pour eux pire qu'un diable.

CLÉANTE.

Hé bien ! ne voilà pas de vos emportements !
Vous ne gardez en rien les doux tempéraments ;*
Dans la droite raison jamais n'entre la vôtre,
Et toujours d'un excès vous vous jetez dans l'autre.   1610
Vous voyez votre erreur, et vous avez connu *
Que par un zèle feint vous étiez prévenu ;
Mais pour vous corriger, quelle raison demande
Que vous alliez passer dans une erreur plus grande,
Et qu'avecque le cœur d'un perfide vaurien   1615
Vous confondiez les cœurs de tous les gens de bien ?
Quoi ? parce qu'un fripon vous dupe avec audace
Sous le pompeux éclat d'une austère grimace,

----

1. The need of making the king's intervention more plausible by giving to Orgon's case a certain political significance probably explains the apparition of the *cassette* of which there has been no mention until the last line of Act IV.   2. "ought to have sought." Note that the philosopher (*raisonneur*) is continually analyzing what is done rather than considering what is to be done.

Vous voulez que partout on soit fait comme lui,
Et qu'aucun vrai dévot ne se trouve aujourd'hui ?   1620
Laissez aux libertins ces sottes conséquences ;
Démêlez la vertu d'avec ses apparences,
Ne hasardez jamais votre estime trop tôt,
Et soyez pour cela dans le milieu qu'il faut :
Gardez-vous, s'il se peut, d'honorer l'imposture,   1625
Mais au vrai zèle aussi n'allez pas faire injure ;
Et s'il vous faut tomber dans une extrémité,
Péchez plutôt encor de cet autre côté.[1]

SCÈNE II.

DAMIS, ORGON, CLÉANTE.

DAMIS.

Quoi ? mon père, est-il vrai qu'un coquin vous menace ?
Qu'il n'est point de bienfait qu'en son âme il n'efface,   1630
Et que son lâche orgueil, trop digne de courroux,
Se fait de vos bontés des armes contre vous ?

ORGON.

Oui, mon fils, et j'en sens des douleurs nonpareilles.

DAMIS.

Laissez-moi, je lui veux couper les deux oreilles :
Contre son insolence on ne doit point gauchir ;   1635
C'est à moi, tout d'un coup, de vous en affranchir,
Et pour sortir d'affaire, il faut que je l'assomme.

CLÉANTE.

Voilà tout justement parler en vrai jeune homme.
Modérez, s'il vous plaît, ces transports éclatants :
Nous vivons sous un règne et sommes dans un temps   1640
Où par la violence on fait mal ses affaires.

---

1. These are fine words and characteristic of what seems to have been Molière's philosophy. They are, however, of little assistance to Orgon in his difficulty. It is interesting to note from this point on, that all the practical attempts to aid Orgon come from people in the play who are guided by neither philosophy nor religion but by their own natural instincts and intuitions.

SCÈNE III.

MADAME PERNELLE, MARIANE, ELMIRE, DORINE,
DAMIS, ORGON, CLÉANTE.

MADAME PERNELLE.

Qu'est-ce ?   J'apprends ici de terribles mystères.

ORGON.

Ce sont des nouveautés dont mes yeux sont témoins,
Et vous voyez le prix dont sont payés mes soins.
Je recueille avec zèle un homme en sa misère,   1645
Je le loge, et le tiens comme mon propre frère ;
De bienfaits chaque jour il est par moi chargé ;
Je lui donne ma fille et tout le bien que j'ai ;
Et, dans le même temps, le perfide, l'infâme,
Tente le noir dessein de suborner ma femme,   1650
Et non content encor de ces lâches essais,
Il m'ose menacer de mes propres bienfaits,
Et veut, à ma ruine, user des avantages
Dont le viennent d'armer mes bontés trop peu sages,
Me chasser de mes biens, où je l'ai transféré,   1655
Et me réduire au point d'où je l'ai retiré.

DORINE.

Le pauvre homme !

MADAME PERNELLE.

　　　　　　Mon fils, je ne puis du tout croire
Qu'il ait voulu commettre une action si noire.

ORGON.

Comment ?

MADAME PERNELLE.

　　　　Les gens de bien sont enviés toujours.

ORGON.

Que voulez-vous donc dire avec votre discours,   1660
Ma mère ?

MADAME PERNELLE.

　　　　Que chez vous on vit d'étrange sorte,
Et qu'on ne sait que trop la haine qu'on lui porte.

ORGON.

Qu'a cette haine à faire avec ce qu'on vous dit ?

MADAME PERNELLE.

Je vous l'ai dit cent fois quand vous étiez petit :
La vertu dans le monde est toujours poursuivie ; *   1665
Les envieux mourront, mais non jamais l'envie.

ORGON.

Mais que fait ce discours aux choses d'aujourd'hui ?

MADAME PERNELLE.

On vous aura forgé cent sots contes de lui.

ORGON.

Je vous ai dit déjà que j'ai vu tout moi-même.

MADAME PERNELLE.

Des esprits médisants la malice est extrême.   1670

ORGON.

Vous me feriez damner, ma mère. Je vous di [1]
Que j'ai vu de mes yeux un crime si hardi.

MADAME PERNELLE.

Les langues ont toujours du venin à répandre,
Et rien n'est ici-bas qui s'en puisse défendre.

ORGON.

C'est tenir un propos de sens bien dépourvu.   1675
Je l'ai vu, dis-je, vu, de mes propres yeux vu,
Ce qu'on appelle vu : faut-il vous le rebattre
Aux oreilles cent fois, et crier comme quatre ?

MADAME PERNELLE.

Mon Dieu, le plus souvent l'apparence déçoit :
Il ne faut pas toujours juger sur ce qu'on voit.   1680

ORGON.

J'enrage.

MADAME PERNELLE.

          Aux faux soupçons la nature est sujette,
Et c'est souvent à mal que le bien s'interprète.

ORGON.

Je dois interpréter à charitable soin
Le désir d'embrasser ma femme ?

----

1. For *dis*. See v. 311 and note.

MADAME PERNELLE.

Il est besoin,
Pour accuser les gens, d'avoir de justes causes ;   1685
Et vous deviez attendre à vous voir sûr des choses.

ORGON.

Hé, diantre ! le moyen de m'en assurer mieux ?
Je devais donc, ma mère, attendre qu'à mes yeux
Il eût . . .   Vous me feriez dire quelque sottise.

MADAME PERNELLE.

Enfin d'un trop pur zèle on voit son âme éprise ;   1690
Et je ne puis du tout me mettre dans l'esprit
Qu'il ait voulu tenter les choses que l'on dit.

ORGON.

Allez, je ne sais pas, si vous n'étiez ma mère,
Ce que je vous dirais, tant je suis en colère.

DORINE.

Juste retour,* Monsieur, des choses d'ici-bas :   1695
Vous ne vouliez point croire, et l'on ne vous croit pas.

CLÉANTE.

Nous perdons des moments en bagatelles pures,
Qu'il faudrait employer à prendre des mesures.
Aux menaces du fourbe on doit ne dormir point.

DAMIS.

Quoi ? son effronterie irait jusqu'à ce point ?   1700

ELMIRE.

Pour moi, je ne crois pas cette instance possible,
Et son ingratitude est ici trop visible.

CLÉANTE.

Ne vous y fiez pas : il aura des ressorts
Pour donner contre vous raison à ses efforts ;
Et sur moins que cela, le poids d'une cabale   1705
Embarrasse les gens dans un fâcheux dédale.
Je vous le dis encore : armé de ce qu'il a,
Vous ne deviez jamais le pousser jusque-là.

ORGON.

Il est vrai ; mais qu'y faire ? À l'orgueil de ce traître,
De mes ressentiments je n'ai pas été maître.   1710

CLÉANTE.

Je voudrais, de bon cœur, qu'on pût entre vous deux
De quelque ombre de paix raccommoder les nœuds.

ELMIRE.

Si j'avais su qu'en main il a de telles armes,
Je n'aurais pas donné matière à tant d'alarmes,
Et mes . . .

ORGON.

Que veut cet homme? Allez [1] tôt le savoir. 1715
Je suis bien en état que l'on me vienne voir !

SCÈNE IV.

MONSIEUR LOYAL, MADAME PERNELLE, ORGON, DAMIS,
MARIANE, DORINE, ELMIRE, CLÉANTE.

MONSIEUR LOYAL.

Bonjour, ma chère sœur [2] ; faites, je vous supplie,
Que je parle à Monsieur.

DORINE.

Il est en compagnie,
Et je doute qu'il puisse à présent voir quelqu'un.

MONSIEUR LOYAL.

Je ne suis pas pour être en ces lieux importun. 1720
Mon abord n'aura rien, je crois, qui lui déplaise ;
Et je viens pour un fait dont il sera bien aise.

DORINE.

Votre nom?

MONSIEUR LOYAL.

Dites-lui seulement que je vien [3]
De la part de Monsieur Tartuffe, pour son bien.

DORINE.

C'est un homme qui vient, avec douce manière, 1725
De la part de Monsieur Tartuffe, pour affaire
Dont vous serez, dit-il, bien aise.

1. To Dorine.   2. A monastic greeting.   3. *vien = viens.*

CLÉANTE.

                              Il vous faut voir
Ce que c'est que cet homme, et ce qu'il peut vouloir.

ORGON.

Pour nous raccommoder il vient ici peut-être :
Quels sentiments aurai-je à lui faire paraître?   1730

CLÉANTE.

Votre ressentiment ne doit point éclater ;
Et s'il parle d'accord, il le faut écouter.

MONSIEUR LOYAL.

Salut, Monsieur.   Le Ciel perde qui vous veut nuire,
Et vous soit favorable autant que je désire !

ORGON.

Ce doux début s'accorde avec mon jugement,   1735
Et présage déjà quelque accommodement.

MONSIEUR LOYAL.

Toute votre maison m'a toujours été chère,
Et j'étais serviteur de monsieur votre père.

ORGON.

Monsieur, j'ai grande honte et demande pardon
D'être sans vous connaître ou savoir votre nom.   1740

MONSIEUR LOYAL.

Je m'appelle Loyal, natif de Normandie,
Et suis huissier à verge,[1] en dépit de l'envie.
J'ai depuis quarante ans, grâce au Ciel, le bonheur
D'en exercer la charge avec beaucoup d'honneur ;
Et je vous viens, Monsieur, avec votre licence,*   1745
Signifier* l'exploit* de certaine ordonnance . . .

ORGON.

Quoi? vous êtes ici . . .?

MONSIEUR LOYAL.

                    Monsieur, sans passion :
Ce n'est rien seulement qu'une sommation,

---

1. The *huissiers à verge* carried a rod, or cane, with which they designated those against whom they were serving a writ or the execution of
some legal action.   Loyal was the name of a *huissier* connected with
Molière's theater.

Un ordre de vuider d'ici, vous et les vôtres,
Mettre vos meubles hors, et faire place à d'autres,   1750
Sans délai ni remise, ainsi que besoin est . . .

ORGON.

Moi, sortir de céans?

MONSIEUR LOYAL.

Oui, Monsieur, s'il vous plaît.
La maison à présent, comme savez de reste,
Au bon Monsieur Tartuffe appartient sans conteste.
De vos biens désormais il est maître et seigneur,   1755
En vertu d'un contrat duquel je suis porteur :
Il est en bonne forme, et l'on n'y peut rien dire.

DAMIS.

Certes cette impudence est grande, et je l'admire.[+]

MONSIEUR LOYAL.

Monsieur, je ne dois point avoir affaire* à vous ;
C'est à Monsieur : il est et raisonnable et doux,   1760
Et d'un homme de bien il sait trop bien l'office,*
Pour se vouloir du tout opposer à justice.

ORGON.

Mais . . .

MONSIEUR LOYAL.

Oui, Monsieur, je sais que pour un million
Vous ne voudriez pas faire rébellion,
Et que vous souffrirez, en honnête* personne,   1765
Que j'exécute ici les ordres qu'on me donne.

DAMIS.

Vous pourriez bien ici sur votre noir jupon,
Monsieur l'huissier à verge, attirer le bâton.

MONSIEUR LOYAL.

Faites que votre fils se taise ou se retire,
Monsieur.   J'aurais regret d'être obligé d'écrire,   1770
Et de vous voir couché* dans mon procès-verbal.

DORINE.

Ce Monsieur Loyal porte un air bien déloyal !

MONSIEUR LOYAL.

Pour tous les gens de bien j'ai de grandes tendresses,
Et ne me suis voulu, Monsieur, charger des pièces*
Que pour vous obliger et vous faire plaisir,   1775
Que pour ôter par là le moyen d'en choisir
Qui, n'ayant pas pour vous le zèle qui me pousse,
Auraient pu procéder d'une façon moins douce.

ORGON.

Et que peut-on de pis que d'ordonner aux gens
De sortir de chez eux?

MONSIEUR LOYAL.

               On vous donne du temps,   1780
Et jusques à demain je ferai surséance
À l'exécution, Monsieur, de l'ordonnance.
Je viendrai seulement passer ici la nuit,
Avec dix de mes gens, sans scandale et sans bruit.
Pour la forme, il faudra, s'il vous plaît, qu'on m'apporte,   1785
Avant que se coucher, les clefs de votre porte.
J'aurai soin de ne pas troubler votre repos,
Et de ne rien souffrir qui ne soit à propos.
Mais demain, du matin, il vous faut être habile*
À vuider de céans jusqu'au moindre ustensile :   1790
Mes gens vous aideront, et je les ai pris forts,
Pour vous faire service à tout mettre dehors.
On n'en peut pas user* mieux que je fais, je pense;
Et comme je vous traite avec grande indulgence,
Je vous conjure aussi, Monsieur, d'en user bien,   1795
Et qu'au dû de ma charge on ne me trouble en rien.

ORGON.

Du meilleur de mon cœur je donnerais sur l'heure
Les cent plus beaux louis de ce qui me demeure,
Et pouvoir, à plaisir, sur ce mufle assener
Le plus grand coup de poing qui se puisse donner.   1800

CLÉANTE.

Laissez, ne gâtons rien.

DAMIS.

             À cette audace étrange,
J'ai peine à me tenir, et la main me démange.

DORINE.

Avec un si bon dos, ma foi, Monsieur Loyal,
Quelques coups de bâton ne vous siéraient pas mal.

MONSIEUR LOYAL.

On pourrait bien punir ces paroles infâmes,   1805
Mamie, et l'on décrète aussi contre les femmes.

CLÉANTE.

Finissons tout cela, Monsieur : c'en est assez ;
Donnez tôt ce papier, de grâce, et nous laissez.

MONSIEUR LOYAL.

Jusqu'au revoir. Le Ciel vous tienne tous en joie !

ORGON.

Puisse-t-il te confondre, et celui qui t'envoie !   1810

SCÈNE V.

ORGON, CLÉANTE, MARIANE, ELMIRE, MADAME PERNELLE, DORINE, DAMIS.

ORGON.

Hé bien, vous le voyez, ma mère, si j'ai droit,
Et vous pouvez juger du reste par l'exploit :*
Ses trahisons enfin vous sont-elles connues* ?

MADAME PERNELLE.

Je suis toute ébaubie, et je tombe des nues !

DORINE.

Vous vous plaignez à tort, à tort vous le blâmez,   1815
Et ses pieux desseins par là sont confirmés :
Dans l'amour du prochain sa vertu se consomme ;
Il sait que très-souvent les biens corrompent l'homme,
Et, par charité pure, il veut vous enlever
Tout ce qui vous peut faire obstacle à vous sauver.   1820

ORGON.

Taisez-vous : c'est le mot qu'il vous faut toujours dire.

CLÉANTE.

Allons voir quel conseil on doit vous faire élire.

ELMIRE.

Allez faire éclater l'audace de l'ingrat.
Ce procédé détruit la vertu* du contrat ; [1]
Et sa déloyauté va paraître trop noire,   1825
Pour souffrir qu'il en ait le succès qu'on veut croire.

SCÈNE VI.

VALÈRE, ORGON, CLÉANTE, ELMIRE,
MARIANE, ETC.

VALÈRE.

Avec regret, Monsieur, je viens vous affliger ;
Mais je m'y vois contraint par le pressant danger.
Un ami, qui m'est joint d'une amitié fort tendre,
Et qui sait l'intérêt qu'en vous j'ai lieu de prendre,   1830
A violé pour moi, par un pas délicat,
Le secret* que l'on doit aux affaires d'État,
Et me vient d'envoyer un avis dont la suite*
Vous réduit au parti* d'une soudaine fuite.
Le fourbe, qui longtemps a pu vous imposer,   1835
Depuis une heure au Prince a su vous accuser,
Et remettre en ses mains, dans les traits qu'il vous jette,
D'un criminel d'État l'importante cassette,

---

1. Elmire's suggestion was the logical one as far as the *donation* (in which she was most interested) was concerned. The contract would not have held in court then or now since it was a contract in which one party received no consideration. It is probable that Molière intended to make it the dénouement of his play when he wrote the fourth act. A contemporary, Guéret, in his dialogued *Promenade de Saint-Cloud*, makes this comment : *Que ne dénouait-il pas sa pièce, dit Oronte, par quelque nullité de la donation ? Cela aurait été plus naturel, et du moins, les gens de robe l'auraient trouvé bon. — Ne pensez pas railler, dit Cléante, c'était son premier dessein. . . .* Guéret adds that Molière gave up the idea because he felt that a court scene is not good dramatic material : *je lui ai ouï dire que Les Plaideurs* (of Racine, which ends in a court scene) *ne valaient rien.* However, the real reason no doubt was Molière's desire to praise the king, who had stood by him so consistently, and, by connecting him with the action, to win his support for his much combatted play. To that end, he introduced *la cassette* which made the other dénouement impossible and the personal intervention of the king quite plausible to contemporary audiences who were accustomed to seeing such manifestations of royal authority.

Dont, au mépris, dit-il, du devoir d'un sujet,
Vous avez conservé le coupable secret.   1840
J'ignore le détail du crime qu'on vous donne ;
Mais un ordre est donné contre votre personne ;
Et lui-même est chargé, pour mieux l'exécuter,
D'accompagner celui qui vous doit arrêter.

CLÉANTE.

Voilà ses droits armés ; et c'est par où le traître   1845
De vos biens qu'il prétend* cherche à se rendre maître.

ORGON.

L'homme est, je vous l'avoue, un méchant animal !

VALÈRE.

Le moindre amusement* vous peut être fatal.
J'ai, pour vous emmener, mon carrosse à la porte,
Avec mille louis qu'ici je vous apporte.   1850
Ne perdons point de temps : le trait est foudroyant,
Et ce sont de ces coups que l'on pare en fuyant.
À vous mettre en lieu sûr je m'offre pour conduite,
Et veux accompagner jusqu'au bout votre fuite.

ORGON.

Las ! que ne dois-je point à vos soins obligeants !   1855
Pour vous en rendre grâce il faut un autre temps ;
Et je demande au Ciel de m'être assez propice,
Pour reconnaître un jour ce généreux service.
Adieu : prenez le soin, vous autres . . .

CLÉANTE.

Allez tôt :
Nous songerons, mon frère, à faire ce qu'il faut.   1860

SCÈNE DERNIÈRE.

L'Exempt, Tartuffe, Valère, Orgon, Elmire, Mariane, etc.

TARTUFFE.

Tout beau, Monsieur, tout beau, ne courez point si vite :
Vous n'irez pas fort loin pour trouver votre gîte,
Et de la part* du Prince on vous fait prisonnier.

ORGON.

Traître, tu me gardais ce trait pour le dernier ;
C'est le coup, scélérat, par où tu m'expédies,   1865
Et voilà couronner toutes tes perfidies.

TARTUFFE.

Vos injures* n'ont rien à me pouvoir aigrir,
Et je suis pour le Ciel appris à tout souffrir.

CLÉANTE.

La modération est grande, je l'avoue.

DAMIS.

Comme du Ciel l'infâme impudemment se joue !   1870

TARTUFFE.

Tous vos emportements ne sauraient m'émouvoir,
Et je ne songe à rien qu'à faire mon devoir.

MARIANE.

Vous avez de ceci grande gloire à prétendre.
Et cet emploi* pour vous est fort honnête* à prendre.

TARTUFFE.

Un emploi ne saurait être que glorieux,   1875
Quand il part du pouvoir qui m'envoie en ces lieux.

ORGON.

Mais t'es-tu souvenu que ma main charitable,
Ingrat, t'a retiré d'un état misérable ?

TARTUFFE.

Oui, je sais quels secours j'en ai pu recevoir ;
Mais l'intérêt du Prince est mon premier devoir ;   1880
De ce devoir sacré la juste violence
Étouffe dans mon cœur toute reconnaissance,
Et je sacrifierais à de si puissants nœuds
Ami, femme, parents, et moi-même avec eux.

ELMIRE.

L'imposteur !

DORINE.

      Comme il sait, de traîtresse manière,   1885
Se faire un beau manteau de tout ce qu'on révère !

CLÉANTE.

Mais s'il est si parfait que vous le déclarez,
Ce zèle qui vous pousse et dont vous vous parez,
D'où vient que pour paraître il s'avise d'attendre
Qu'à poursuivre sa femme il ait su vous surprendre,   1890
Et que vous ne songez à l'aller dénoncer
Que lorsque son honneur l'oblige à vous chasser ?
Je ne vous parle point, pour devoir en distraire,[1]
Du don de tout son bien qu'il venait de vous faire ;
Mais le voulant traiter en coupable aujourd'hui,   1895
Pourquoi consentiez-vous à rien prendre de lui ?

TARTUFFE, *à l'Exempt.*

Délivrez-moi, Monsieur, de la criaillerie,
Et daignez accomplir votre ordre, je vous prie.

L'EXEMPT.

Oui, c'est trop demeurer * sans doute à l'accomplir :
Votre bouche à propos m'invite à le remplir ;   1900
Et pour l'exécuter, suivez-moi tout à l'heure
Dans la prison qu'on doit vous donner pour demeure.

TARTUFFE.

Qui ? moi, Monsieur ?

L'EXEMPT.

Oui, vous.

TARTUFFE.

Pourquoi donc la prison ?

L'EXEMPT.

Ce n'est pas vous à qui j'en veux rendre raison.
Remettez-vous, Monsieur, d'une alarme si chaude. *   1905
Nous vivons sous un prince ennemi de la fraude,
Un prince dont les yeux se font jour * dans les cœurs,
Et que ne peut tromper tout l'art des imposteurs.
D'un fin discernement sa grande âme pourvue
Sur les choses toujours jette une droite * vue ;   1910
Chez elle jamais rien ne surprend * trop d'accès,
Et sa ferme raison ne tombe en nul excès.
Il donne aux gens de bien une gloire immortelle ;
Mais sans aveuglement il fait briller ce zèle,

1. "because it (*le don*) ought to keep you from what you are doing."

Et l'amour pour les vrais ne ferme point son cœur   1915
À tout ce que les faux doivent donner d'horreur.
Celui-ci n'était pas pour le pouvoir surprendre,
Et de pièges plus fins on le voit se défendre.
D'abord * il a percé, par ses vives clartés,
Des replis de son cœur toutes les lâchetés.   1920
Venant vous accuser, il s'est trahi lui-même,
Et par un juste trait de l'équité suprême,
S'est découvert au Prince un fourbe renommé,
Dont sous un autre nom il était informé ;
Et c'est un long détail d'actions toutes noires   1925
Dont on pourrait former des volumes d'histoires.
Ce monarque, en un mot, a vers vous [1] détesté
Sa lâche ingratitude et sa déloyauté ;
À ses autres horreurs il a joint cette suite,*
Et ne m'a jusqu'ici soumis à sa conduite   1930
Que pour voir l'impudence aller jusques au bout,
Et vous faire par lui faire raison de tout.
Oui, de tous vos papiers, dont il se dit le maître,
Il veut qu'entre vos mains je dépouille le traître.
D'un souverain pouvoir, il brise les liens   1935
Du contrat qui lui fait un don de tous vos biens,
Et vous pardonne enfin cette offense secrète
Où vous a d'un ami fait tomber la retraite ;
Et c'est le prix qu'il donne au zèle qu'autrefois
On vous vit témoigner en appuyant ses droits,[2]   1940
Pour montrer que son cœur sait, quand moins on y pense,
D'une bonne action verser la récompense,
Que jamais le mérite avec lui ne perd rien,
Et que mieux que du mal il se souvient du bien.

DORINE.

Que le Ciel soit loué !

MADAME PERNELLE.

                    Maintenant je respire.   1945

ELMIRE.

Favorable succès * !

MARIANE.

                    Qui l'aurait osé dire ?

---

1. The phrase, modern *envers vous*, belongs logically at the end of the following verse.   2. Compare v. 181 and note.

ORGON, *à Tartuffe.*

Hé bien ! te voilà, traître . . .

CLÉANTE.

        Ah ! mon frère, arrêtez,
Et ne descendez point à des indignités ;
À son mauvais destin laissez un misérable,
Et ne vous joignez point au remords qui l'accable :   1950
Souhaitez bien plutôt que son cœur en ce jour
Au sein de la vertu fasse un heureux retour,
Qu'il corrige sa vie en détestant son vice
Et puisse du grand Prince adoucir la justice,
Tandis qu'à sa bonté vous irez à genoux   1955
Rendre ce que demande un traitement si doux.

ORGON.

Oui, c'est bien dit : allons à ses pieds avec joie
Nous louer* des bontés que son cœur nous déploie.
Puis, acquittés un peu de ce premier devoir,
Aux justes soins d'un autre il nous faudra pourvoir, 1960
Et par un doux hymen couronner en Valère
La flamme d'un amant généreux et sincère.

LE MISANTHROPE

On June 4th, 1666, at Molière's theater in the Palais-Royal, Paris, was given the first performance of *Le Misanthrope*. We are led to think that this play had been in preparation for some two years, and that the author had spent on it as much time and thought as on any play he ever wrote. When in need of a new play the year before he refused, we are told, to make a hasty and unsatisfactory conclusion of this play, and wrote a prose version of the oft-treated Don Juan theme instead.

Le Misanthrope and *Tartuffe* are unquestionably the finest products of the pen of the supreme master of French comedy. The latter play has in it controversial material which made it more popular with the audiences of the 17th century, but *Le Misanthrope* is probably the most perfect realization of the ideal of classic comedy. This was the opinion of the critical Boileau and in the *Art Poétique*, when reproaching Molière for stooping to use farce material in some of his plays in order to make the audience laugh, he chose the *Misanthrope* as his symbol of the best work of which the comic genius was capable. In this play the farcical element is reduced to a minimum: the antics of Du Bois (Act IV, scene 3) are the only examples of the low comedy to which Molière often resorted in his other plays in order to produce laughter.

While it has been shown that *Le Misanthrope* was decidedly not, at the time of its first run, the failure that it has often been pictured as being,[1] it remains none the less true that the play appealed more to the intellectuals than it did to the multitude. *Le Misanthrope* was not one of Molière's great popular " hits." There is in it too much profound thinking, too little riotous humor, and the tragic is too thinly veiled by the comic for this great play to have the unmixed approval of the crowd.

Le Misanthrope is a comedy of character: in no other play did the great portrayer of types come closer to perfection than

1. H. Lyonnet: *Les " Premières " de Molière*. Paris, Delagrave, 1921. 161–169.

he did in this one. The stage action is reduced to a minimum : a great number of events is not necessary to bring out in full the elements in the character of an unsocial protestant against the foibles of society. It should be noted in passing that in this play Molière made use of much of the material he had used earlier in another play, *Dom Garcie de Navarre* (1661). The earlier play had been a failure, but Molière had vastly improved his dramatic technique since 1661.

Much difference of opinion has arisen over the interpretation of Alceste, the *atrabilaire amoureux*, as he is called in the sub-title of the play. It is almost certain that Molière intended him to be a ridiculous character : this view is supported by the fact that the rôle of Alceste was played by Molière himself, and Molière regularly took the rôle of the character at whom the audience was expected to laugh. A man who is unable to adapt himself to his environment is essentially ridiculous, and the more logical his complaints against the ways of his fellow-men the more absurd his refusal to subscribe to the general way of doing things. One swallow does not make a summer, nor do the protests of an individual change the customs of a nation. The impractical and unsocial Rousseau voiced indignation that Molière held up to ridicule the perfectly justified protests of Alceste against the vices of society : it might be answered that Molière was quite as conscious as Rousseau of the validity of the misanthropist's protests, but he also saw their futility, and further, he was not composing a treatise on ethics, but was a practical troupe manager trying to put on the stage a play that the audience would enjoy and pay to see.

It has been suggested by critics that Molière's unfortunate experience in marriage with a woman nineteen years his junior (Armande Béjart), furnished him with ample first-hand material for the construction of the character of Célimène. There is, of course, no way of knowing to what extent this is true. The only statement that can be made is that Molière, the supreme creator of types, was quite capable of imagining the character of Célimène without having had a wife exactly like her. And, in the same way, it was not necessary for him to be an Alceste (as, indeed, he was not) in order to see the supreme irony of having the misanthrope in love with the coquette, and all the humorous developments possible in such a situation.

It should be mentioned here that Molière is far from the

greatest artist in the handling of dramatic verse that France has ever had. Having to produce one's works hastily and on short notice is not conducive to mechanical perfection. Molière's language is concise and expressive, but there occur frequently loose constructions and grammatical irregularities. However, in *Le Misanthrope*, on which he seems to have lavished more care than on any other play in his repertory, the faults of language and versification are reduced to a minimum. If we could judge Molière by this play alone, his rank as a stylist and artist in verse would be several degrees higher than it actually is.

Le Misanthrope is possibly the least "comic" of Molière's many comedies. Indeed, the seriousness of the moral problem involved prevents many readers from deriving pure enjoyment from the comedy which the play contains. The words of a distinguished French poet of the nineteenth century, an ardent admirer of the genius of Molière, express very accurately the feeling of many readers ; he says of Molière :

> *Cette mâle gaîté, si triste et si profonde,*
> *Que lorsqu'on vient d'en rire, on devrait en pleurer.*[1]

Whether or not Molière has "solved the moral problem" which forms the subject of the play is beside the point. It is not known whether his attitude toward life was that of Alceste, or that of Philinte, or a combination of the two. He was a practical author, who was at the same time a theatrical manager and as such responsible to his company for presenting successful plays ; he was not a theorizer dealing with an ideal, abstract morality for mankind.

1. Alfred de Musset : *Une Soirée perdue.*

PERSONNAGES.

ALCESTE, amant de Célimène.

PHILINTE, ami d'Alceste.

ORONTE, amant de Célimène.

CÉLIMÈNE.

ÉLIANTE, cousine de Célimène.

ARSINOÉ, amie de Célimène.

ACASTE,
CLITANDRE, } marquis.

BASQUE, valet de Célimène.

UN GARDE de la maréchaussée de France.

DU BOIS, valet d'Alceste.

La scène est à Paris, dans la maison de Célimène.[1]

---

1. That is, in the *salon* of Célimène. The first indication that this scene *does* take place in her *salon* is in line 208. There is a tradition that it was Molière's original intention to have Célimène cross the stage at the beginning of this first scene, as though she were leaving her friends alone for a few moments. But, it is said, Molière's wife, who played the rôle, objected so strongly to an appearance in which she would have no speaking part, that this clarifying detail was omitted.

ACTE I. SCÈNE PREMIÈRE.

PHILINTE, ALCESTE.

PHILINTE.

Qu'est-ce donc? qu'avez-vous?

ALCESTE, *assis*.

Laissez-moi, je vous prie.

PHILINTE.

Mais encor,[1] dites-moi, quelle bizarrerie . . .

ALCESTE.

Laissez-moi là, vous dis-je, et courez vous cacher.

PHILINTE.

Mais on entend les gens au moins, sans se fâcher.

ALCESTE.

Moi, je veux me fâcher, et ne veux point entendre.   5

PHILINTE.

Dans vos brusques chagrins je ne puis vous comprendre,
Et, quoique amis enfin, je suis tout[2] des premiers . . .

ALCESTE, *se levant brusquement*.

Moi, votre ami?   Rayez cela de vos papiers :
J'ai fait jusques ici profession de l'être ;
Mais, après ce qu'en vous je viens de voir paraître,   10
Je vous déclare net que je ne le suis plus,
Et ne veux nulle place en des cœurs corrompus.

PHILINTE.

Je suis donc bien coupable, Alceste, à votre compte?

---

1. *encor* for *encore;* poetic license.   2. *tout,* adverbial use: translate: "among the very first."

403

ALCESTE.

Allez,* vous devriez mourir de pure honte :
Une telle action ne saurait s'excuser, 15
Et tout homme d'honneur s'en doit scandaliser.
Je vous vois accabler un homme de caresses,
Et témoigner pour lui les dernières* tendresses ;
De protestations, d'offres et de serments,
Vous chargez la fureur de vos embrassements ; 20
Et quand je vous demande après quel est cet homme,
À peine pouvez-vous dire comme [1] il se nomme ;
Votre chaleur pour lui tombe* en vous séparant,
Et vous me le traitez, à moi, d'indifférent !
Morbleu ! c'est une chose indigne, lâche, infâme, 25
De s'abaisser ainsi jusqu'à trahir son âme ;
Et si, par un malheur, j'en avais fait autant,
Je m'irais, de regret, pendre tout à l'instant.

PHILINTE.

Je ne vois pas, pour moi, que le cas soit pendable ; [2]
Et je vous supplierai d'avoir pour agréable [3] 30
Que je me fasse un peu grâce sur votre arrêt,[4]
Et ne me pende pas pour cela, s'il vous plaît.

ALCESTE.

Que la plaisanterie est de mauvaise grâce !

PHILINTE.

Mais, sérieusement, que voulez-vous qu'on fasse?

ALCESTE.

Je veux qu'on soit sincère, et qu'en homme d'honneur 35
On ne lâche aucun mot qui ne parte du cœur.

PHILINTE.

Lorsqu'un homme vous vient embrasser avec joie,
Il faut bien le payer de la même monnoie,[5]
Répondre comme on peut à ses empressements,
Et rendre offre pour offre, et serments pour serments. 40

---

1. *comme = comment.* 2. *cas . . . pendable:* "hanging crime."
See Vocabulary. 3. *d'avoir pour agréable:* " to be willing." 4. *Que
je me fasse un peu grâce sur votre arrêt:* "that I be a little merciful
toward myself in carrying out your sentence." 5. *monnoie:* old form
of *monnaie* required here for rhyme.

ALCESTE.

Non, je ne puis souffrir cette lâche méthode
Qu'affectent la plupart de vos gens à la mode ;
Et je ne hais rien tant que les contorsions *
De tous ces grands faiseurs [1] de protestations,
Ces affables donneurs d'embrassades frivoles,   45
Ces obligeants diseurs d'inutiles paroles,
Qui de civilités avec tous font combat,
Et traitent du même air l'honnête homme * et le fat.
Quel avantage a-t-on qu'un homme vous caresse,
Vous jure amitié, foi, zèle, estime, tendresse,   50
Et vous fasse de vous un éloge éclatant,
Lorsqu'au premier faquin il court en faire autant ?
Non, non, il n'est point [2] d'âme un peu bien située
Qui veuille d'une estime ainsi prostituée ;
Et la plus glorieuse a des régals peu chers,   55
Dès qu'on voit qu'on nous mêle avec tout l'univers :
Sur quelque préférence une estime se fonde,
Et c'est n'estimer rien qu'estimer tout le monde.
Puisque vous y donnez,* dans ces vices du temps,
Morbleu ! vous n'êtes pas pour être de mes gens,[3]   60
Je refuse d'un cœur la vaste complaisance
Qui ne fait de mérite aucune différence ;
Je veux qu'on me distingue ; et, pour le trancher net,*
L'ami du genre humain n'est point du tout mon fait.[4]

PHILINTE.

Mais, quand on est du monde, il faut bien que l'on rende   65
Quelques dehors civils * que l'usage demande.

ALCESTE.

Non, vous dis-je, on devrait châtier, sans pitié,
Ce commerce honteux de semblants d'amitié.
Je veux que l'on soit homme, et qu'en toute rencontre
Le fond de notre cœur dans nos discours se montre,   70
Que ce soit lui qui parle, et que nos sentiments
Ne se masquent jamais sous de vains compliments.

---

1. *faiseurs, donneurs, diseurs* are almost always used sarcastically or contemptuously.   2. *il n'est point; il est* was regularly used in seventeenth century verse for *il y a* in order to avoid hiatus.   3. *vous n'êtes pas pour être de mes gens:* an ellipsis, one or more words being understood: translate: "you are not of the proper disposition to be a friend of mine."   4. *mon fait:* "what I want."

PHILINTE.

Il est bien des endroits où la pleine franchise
Deviendrait ridicule, et serait peu permise ;
Et parfois, n'en déplaise à votre austère honneur,   75
Il est bon de cacher ce qu'on a dans le cœur.
Serait-il à propos et de la bienséance
De dire à mille gens tout ce que d'eux on pense ?
Et, quand on a quelqu'un qu'on hait ou qui déplaît,
Lui doit-on déclarer la chose comme elle est ?   80

ALCESTE.

Oui.

PHILINTE.

    Quoi ! vous iriez dire à la vieille Émilie
Qu'à son âge il sied mal de faire la jolie,[1]
Et que le blanc* qu'elle a scandalise chacun ?

ALCESTE.

Sans doute.

PHILINTE.

    À Dorilas, qu'il est trop importun,
Et qu'il n'est, à la cour, oreille qu'il ne lasse   85
À conter sa bravoure et l'éclat de sa race ?

ALCESTE.

Fort bien.

PHILINTE.

    Vous vous moquez.

ALCESTE.

       Je ne me moque point.
Et je vais n'épargner personne sur ce point,
Mes yeux sont trop blessés, et la cour et la ville
Ne m'offrent rien qu'objets à m'échauffer la bile ;   90
J'entre en une humeur noire, en un chagrin profond,*
Quand je vois vivre entre eux les hommes comme ils fcnt ;
Je ne trouve partout que lâche flatterie,
Qu'injustice, intérêt, trahison, fourberie ;
Je n'y puis plus tenir,* j'enrage ; et mon dessein   95
Est de rompre en visière [2] à tout le genre humain.

---

1. *faire la jolie :* "act as if she were a pretty woman."   2. *rompre en visière :* an expression taken from the language of chivalry : " to attack openly (fiercely)."

PHILINTE.

Ce chagrin philosophe est un peu trop sauvage.
Je ris des noirs accès* où je vous envisage,
Et crois voir en nous deux, sous mêmes soins nourris,
Ces deux frères que peint *l'École des Maris*,[1]   100
Dont . . .

ALCESTE.

Mon Dieu! laissons là vos comparaisons fades.

PHILINTE.

Non: tout de bon, quittez toutes ces incartades.
Le monde par vos soins ne se changera pas:
Et puisque la franchise a pour vous tant d'appas,
Je vous dirai tout franc que cette maladie,   105
Partout où vous allez, donne la comédie,[2]
Et qu'un si grand courroux contre les mœurs du temps
Vous tourne en ridicule* auprès de bien des gens.

ALCESTE.

Tant mieux, morbleu! tant mieux, c'est ce que je demande;
Ce m'est un fort bon signe, et ma joie en est grande: 110
Tous les hommes me sont à tel point odieux,
Que je serais fâché d'être sage à leurs yeux.

PHILINTE.

Vous voulez un grand mal à la nature humaine!

ALCESTE.

Oui, j'ai conçu pour elle une effroyable haine.

PHILINTE.

Tous les pauvres mortels, sans nulle exception,   115
Seront enveloppés dans cette aversion?
Encore en est-il bien, dans le siècle où nous sommes . . .

ALCESTE.

Non: elle est générale, et je hais tous les hommes:
Les uns, parce qu'ils sont méchants et malfaisants,
Et les autres, pour être aux méchants complaisants,   120

1. *l'École des Maris:* comedy by Molière (1661); the two brothers, Sganarelle and Ariste, present a great contrast in their attitude toward society in general and toward women in particular.   2. *cette maladie . . . donne la comédie:* "this disease of yours . . . furnishes matter for laughter."

Et n'avoir pas pour eux ces haines vigoureuses
Que doit donner* le vice aux âmes vertueuses.
De cette complaisance on voit l'injuste excès
Pour le franc scélérat avec qui j'ai procès :
Au travers de son masque on voit à plein* le traître ;   125
Partout il est connu pour tout ce qu'il peut être ;
Et ses roulements d'yeux, et son ton radouci,
N'imposent qu'à des gens qui ne sont point d'ici.
On sait que ce pied-plat, digne qu'on le confonde,
Par de sales emplois s'est poussé dans le monde,   130
Et que par eux son sort, de splendeur revêtu,
Fait gronder le mérite et rougir la vertu.
Quelques titres honteux qu'en tous lieux on lui donne,
Son misérable honneur [1] ne voit pour lui personne ;
Nommez-le fourbe, infâme, et scélérat maudit,   135
Tout le monde en convient, et nul n'y contredit :
Cependant sa grimace est partout bien venue ;
On l'accueille, on lui rit, partout il s'insinue ;
Et s'il est, par la brigue, un rang à disputer,
Sur le plus honnête homme on le voit l'emporter.   140
Têtebleu ! ce me sont de mortelles blessures,
De voir qu'avec le vice [2] on garde des mesures ;
Et parfois il [3] me prend des mouvements* soudains
De fuir dans un désert l'approche des humains.

PHILINTE.

Mon Dieu ! des mœurs du temps mettons-nous moins
    en peine,   145
Et faisons un peu grâce à la nature humaine ;
Ne l'examinons point dans la grande rigueur,
Et voyons ses défauts avec quelque douceur.
Il faut, parmi le monde, une vertu traitable ;
À force de sagesse, on peut être blâmable ;   150
La parfaite raison fuit toute extrémité,
Et veut que l'on soit sage avec sobriété.
Cette grande raideur des vertus des vieux âges
Heurte trop notre siècle et les communs usages ;
Elle veut aux mortels trop de perfection :   155
Il faut fléchir au temps sans obstination ;

---

1. *honneur:* "reputation."   2. *garder des mesures avec le vice:*
"to be tolerant toward vice."   3. *il . . . soudains:* "I have sudden
impulses."

Et c'est une folie, à nulle autre seconde,
De vouloir se mêler de corriger le monde.
J'observe, comme vous, cent choses tous les jours,
Qui pourraient mieux aller, prenant un autre cours ;   160
Mais, quoi qu'à chaque pas je puisse voir paraître,
En courroux, comme vous, on ne me voit point être ;
Je prends tout doucement les hommes comme ils sont ;
J'accoutume mon âme à souffrir ce qu'ils font ;
Et je crois qu'à la cour, de même qu'à la ville,   165
Mon flegme est philosophe autant que votre bile.

ALCESTE.

Mais ce flegme, Monsieur, qui raisonne si bien,
Ce flegme pourra-t-il ne s'échauffer de rien ?
Et s'il faut,[1] par hasard, qu'un ami vous trahisse,
Que, pour avoir vos biens,* on dresse un artifice,   170
Ou qu'on tâche à semer de méchants bruits de vous,
Verrez-vous tout cela sans vous mettre en courroux ?

PHILINTE.

Oui, je vois ces défauts, dont votre âme murmure,
Comme vices unis à l'humaine nature ;
Et mon esprit enfin n'est pas plus offensé   175
De voir un homme fourbe, injuste, intéressé,
Que de voir des vautours affamés de carnage,
Des singes malfaisants, et des loups pleins de rage.

ALCESTE.

Je me verrai trahir, mettre en pièces, voler,
Sans que je sois . . . Morbleu ! je ne veux point parler,   180
Tant ce raisonnement est plein d'impertinence !

PHILINTE.

Ma foi ! vous ferez bien de garder le silence.
Contre votre partie éclatez un peu moins,
Et donnez au procès une part de vos soins.

ALCESTE.

Je n'en donnerai point, c'est une chose dite.[2]   185

---

1. *Et s'il faut :* "and if it should happen."   2. *c'est une chose dite :* "that's settled."

PHILINTE.

Mais qui voulez-vous donc qui pour vous sollicite ? [1]

ALCESTE.

Qui je veux ?   La raison, mon bon droit, l'équité.

PHILINTE.

Aucun juge par vous ne sera visité ?

ALCESTE.

Non.   Est-ce que ma cause* est injuste ou douteuse ?

PHILINTE.

J'en demeure d'accord ; mais la brigue [2] est fâcheuse,   19C
Et . . .

ALCESTE.

      Non : j'ai résolu de n'en pas faire un pas.
J'ai tort, ou j'ai raison.

PHILINTE.

         Ne vous y fiez pas.

ALCESTE.

Je ne remuerai point.

PHILINTE.

         Votre partie est forte,
Et peut, par sa cabale, entraîner . . .

ALCESTE.

              Il n'importe.

PHILINTE.

Vous vous tromperez.

ALCESTE.

        Soit.   J'en veux voir le succès.*   195

PHILINTE.

Mais . . .

ALCESTE.

J'aurai le plaisir de perdre mon procès.

---

1. It was an established custom to call upon the judge who was
to try one's case, and to attempt, by argument, flattery, and, often,
monetary gifts, to win him over to one's side, thus assuring for oneself
a favorable verdict.   2. *brigue* here means something like *propaganda*
(*i.e.*, of the other side in the case).

PHILINTE.

Mais enfin . . .

ALCESTE.

Je verrai, dans cette plaiderie,
Si les hommes auront assez d'effronterie,
Seront assez méchants, scélérats et pervers,
Pour me faire injustice aux yeux de l'univers.   200

PHILINTE.

Quel homme !

ALCESTE.

Je voudrais, m'en coûtât-il[1] grand'chose,
Pour la beauté[2] du fait, avoir perdu ma cause.

PHILINTE.

On se rirait de vous, Alceste, tout de bon,
Si l'on vous entendait parler de la façon.

ALCESTE.

Tant pis pour qui rirait.

PHILINTE.

Mais cette rectitude   205
Que vous voulez en tout avec exactitude,
Cette pleine droiture, où vous vous renfermez,
La trouvez-vous ici dans ce que vous aimez ?
Je m'étonne, pour moi, qu'étant, comme il le semble,
Vous et le genre humain si fort brouillés ensemble,   210
Malgré tout ce qui peut vous le rendre odieux,
Vous ayez pris chez lui ce qui charme vos yeux ;
Et ce qui me surprend encore davantage,
C'est cet étrange choix où votre cœur s'engage.
La sincère Éliante a du penchant pour vous ;   215
La prude Arsinoé vous voit d'un œil fort doux ;
Cependant à leurs vœux votre âme se refuse,*
Tandis qu'en ses liens Célimène l'amuse,*
De qui l'humeur coquette et l'esprit médisant
Semblent si fort donner* dans les mœurs d'à présent.   220
D'où vient que, leur portant une haine mortelle,
Vous pouvez bien souffrir ce qu'en tient cette belle ?
Ne sont-ce plus défauts dans un objet si doux ?
Ne les voyez-vous pas, ou les excusez-vous ?

---

1. *coûtât-il = s'il coûtait.*   2. *beauté* has here the sense of "rarity,"
or "unusual character."

ALCESTE.

Non, l'amour que je sens pour cette jeune veuve   225
Ne ferme point mes yeux aux défauts qu'on lui treuve[1] ;
Et je suis, quelque ardeur qu'elle m'ait pu donner,
Le premier à les voir, comme à les condamner.
Mais, avec tout cela, quoi que je puisse faire,
Je confesse mon faible, elle a l'art de me plaire :   230
J'ai beau voir ses défauts, et j'ai beau l'en blâmer ;
En dépit qu'on en ait,[2] elle se fait aimer ;
Sa grâce est la plus forte ; et sans doute ma flamme
De ces vices du temps pourra purger son âme.

PHILINTE.

Si vous faites cela, vous ne ferez pas peu.   235
Vous croyez être donc aimé d'elle ?

ALCESTE.

         Oui, parbleu !
Je ne l'aimerais pas, si je ne croyais l'être.

PHILINTE.

Mais, si son amitié pour vous se fait paraître,*
D'où vient que vos rivaux vous causent de l'ennui ?

ALCESTE.

C'est qu'un cœur bien atteint veut qu'on soit tout à lui ;   240
Et je ne viens ici qu'à dessein de lui dire
Tout ce que là-dessus ma passion m'inspire.

PHILINTE.

Pour moi, si je n'avais qu'à former des désirs,
La cousine Éliante aurait tous mes soupirs ;
Son cœur, qui vous estime, est solide et sincère,   245
Et ce choix plus conforme était mieux votre affaire.

ALCESTE.

Il est vrai : ma raison me le dit chaque jour ;
Mais la raison n'est pas ce qui règle l'amour.

PHILINTE.

Je crains fort pour vos feux ; et l'espoir où vous êtes
Pourrait . . .   250

---

1. *treuve :* old form of *trouve*, required here for rhyme with *veuve*.
2. *En dépit qu'on en ait :* "in spite of all I can do."

Eliante meilleure pour Alceste, — dit Philinte.

SCÈNE II.

ORONTE, ALCESTE, PHILINTE.

ORONTE.

J'ai su là-bas que, pour quelques emplettes,
Éliante est sortie, et Célimène aussi ;
Mais comme l'on m'a dit que vous étiez ici,
J'ai monté pour vous dire, et d'un cœur véritable,
Que j'ai conçu pour vous une estime incroyable,
Et que, depuis longtemps, cette estime m'a mis   255
Dans un ardent désir d'être de vos amis.
Oui, mon cœur au mérite aime à rendre justice,
Et je brûle qu'un nœud d'amitié nous unisse :
Je crois qu'un ami chaud, et de ma qualité,*
N'est pas assurément pour être rejete.   260
C'est à vous, s'il vous plaît, que ce discours s'adresse.

*(En cet endroit Alceste paraît tout rêveur, et semble n'entendre pas
qu'Oronte lui parle.)*

ALCESTE.

À moi, Monsieur ?

ORONTE.

À vous.   Trouvez-vous qu'il vous blesse ?

ALCESTE.

Non pas ; mais la surprise est fort grande pour moi,
Et je n'attendais pas l'honneur que je reçoi.[1]

ORONTE.

L'estime où je vous tiens ne doit point vous surprendre,   265
Et de tout l'univers vous la pouvez prétendre.

ALCESTE.

Monsieur . . .

ORONTE.

L'État n'a rien qui ne soit au-dessous
Du mérite éclatant que l'on découvre en vous.

ALCESTE.

Monsieur . . .

1. *reçoi = reçois.*

ORONTE.

Oui, de ma part, je vous tiens préférable
À tout ce que j'y vois de plus considérable.[1]   270

ALCESTE.

Monsieur . . .

ORONTE.

Sois-je [2] du Ciel écrasé, si je mens !
Et pour vous confirmer ici mes sentiments,
Souffrez qu'à cœur ouvert, Monsieur, je vous embrasse,
Et qu'en votre amitié je vous demande place.
Touchez * là, s'il vous plaît.   Vous me la promettez,   275
Votre amitié ?

ALCESTE.

Monsieur . . .

ORONTE.

Quoi ? vous y résistez ?

ALCESTE.

Monsieur, c'est trop d'honneur que vous me voulez faire ;
Mais l'amitié demande un peu plus de mystère ;
Et c'est assurément en profaner le nom
Que de vouloir le mettre [3] à toute occasion.   280
Avec lumière et choix cette union veut naître ;
Avant que nous lier, il faut nous mieux connaître ;
Et nous pourrions avoir telles complexions,*
Que tous deux du marché nous nous repentirions.

ORONTE.

Parbleu ! c'est là-dessus parler en homme sage,   285
Et je vous en estime encore davantage :
Souffrons donc que le temps forme des nœuds si doux ;
Mais, cependant, je m'offre entièrement à vous :
S'il faut faire à la cour pour vous quelque ouverture,
On sait qu'auprès du Roi je fais quelque figure ; *   290
Il m'écoute ; et dans tout il en use, * ma foi !
Le plus honnêtement du monde avecque moi.
Enfin je suis à vous de toutes les manières ;
Et comme votre esprit a de grandes lumières,

---

1. *À tout ce que j'y vois de plus considérable = À tous les gens considé-*
rables que j'y vois.   2. *Sois-je = Que je sois.*   3. *mettre = employer.*

Je viens, pour commencer entre nous ce beau nœud,   295
Vous montrer un sonnet que j'ai fait depuis peu,
Et savoir s'il est bon qu'au public je l'expose.

ALCESTE.

Monsieur, je suis mal propre à décider la chose ;
Veuillez m'en dispenser.

ORONTE.

Pourquoi ?

ALCESTE.

J'ai le défaut
D'être un peu plus sincère en cela qu'il ne faut.   300

ORONTE.

C'est ce que je demande, et j'aurais lieu de plainte,
Si, m'exposant à vous [1] pour me parler [2] sans feinte,
Vous alliez me trahir, et me déguiser rien. [3]

ALCESTE.

Puisqu'il vous plaît ainsi, Monsieur, je le veux bien.

ORONTE.

Sonnet . . . C'est un sonnet. *L'espoir* . . . C'est une dame
Qui de quelque espérance avait flatté ma flamme.   306
L'espoir . . . Ce ne sont point de ces grands vers pompeux,
Mais de petits vers doux, tendres et langoureux.

(*À toutes ces interruptions il regarde Alceste.*)

ALCESTE.

Nous verrons bien.

ORONTE.

L'espoir . . . Je ne sais si le style
Pourra vous en paraître assez net et facile,   310
Et si du choix des mots vous vous contenterez.

ALCESTE.

Nous allons voir, Monsieur.

ORONTE.

Au reste, vous saurez [4]
Que je n'ai demeuré * qu'un quart d'heure à le faire.

---

1. *m'exposant à vous:* "when I confide in you."   2. *pour me parler = pour que vous me parliez.*   3. *rien = quelque chose.*   4. *vous saurez = vous devez savoir.*

ALCESTE.

Voyons,* Monsieur ; le temps ne fait rien à l'affaire.

ORONTE.

L'espoir, il est vrai, nous soulage, 315
Et nous berce un temps notre ennui ;
Mais, Philis, le triste avantage,
Lorsque rien ne marche après lui !

PHILINTE.

Je suis déjà charmé de ce petit morceau.

ALCESTE, *bas, à Philinte.*

Quoi ! vous avez le front de trouver cela beau ? 320

ORONTE.

Vous eûtes de la complaisance ;
Mais vous en deviez moins avoir,
Et ne vous pas mettre en dépense
Pour ne me donner que l'espoir.

PHILINTE.

Ah ! qu'en termes galants ces choses-là sont mises ! 325

ALCESTE, *bas, à Philinte.*

Morbleu ! vil complaisant, vous louez des sottises?

ORONTE.

S'il faut qu'une attente éternelle
Pousse à bout l'ardeur de mon zèle,*
Le trépas sera mon recours.

Vos soins ne m'en peuvent distraire : 330
Belle Philis, on désespère,[1]
Alors qu'on espère toujours.

PHILINTE.

La chute* en est jolie, amoureuse, admirable.*

ALCESTE, *bas.*

La peste* de ta chute, empoisonneur au diable ![2]
En eusses-tu fait une [3] à te casser le nez ! 335

1. *désespère, espère :* note the play on words (*la pointe*) ; this sort
of thing was characteristic of the *précieux* poets. 2. *empoisonneur
au diable = empoisonneur digne d'aller au diable.* Translate freely :
"damned flatterer." 3. *En eusses-tu fait une :* "would that you had
taken a fall" ; *chute* in this case has its usual meaning ("fall").

PHILINTE.

Je n'ai jamais ouï de vers si bien tournés.

ALCESTE.

Morbleu ! . . .

ORONTE, *à Philinte.*

Vous me flattez, et vous croyez peut-être . . .

PHILINTE.

Non, je ne flatte point.

ALCESTE, *bas.*

Et que fais-tu donc, traître ?

ORONTE, *à Alceste.*

Mais, pour vous, vous savez quel est notre traité :
Parlez-moi, je vous prie, avec sincérité.   340

ALCESTE.

Monsieur, cette matière est toujours délicate,
Et sur le bel esprit* nous aimons qu'on nous flatte.
Mais un jour, à quelqu'un, dont je tairai le nom,
Je disais, en voyant des vers de sa façon,*
Qu'il faut qu'un galant homme ait toujours grand empire   345
Sur les démangeaisons qui nous prennent d'écrire ;
Qu'il doit tenir la bride* aux grands empressements
Qu'on a de faire éclat de tels amusements ;
Et que, par la chaleur de montrer ses ouvrages,
On s'expose* à jouer de mauvais personnages.[1]   350

ORONTE.

Est-ce que vous voulez me déclarer par là
Que j'ai tort de vouloir . . .?

ALCESTE.

Je ne dis pas cela ;

Mais je lui disais, moi, qu'un froid écrit assomme,
Qu'il ne faut que ce faible à décrier un homme,
Et qu'eût-on d'autre part, cent belles qualités,   355
On regarde les gens par leurs méchants côtés.

ORONTE.

Est-ce qu'à mon sonnet vous trouvez à redire ?

---

1. *mauvais personnages:* "silly rôles" (*i.e.*, in the drama of life).

ALCESTE.

Je ne dis pas cela ; mais, pour ne point écrire,[1]
Je lui mettais aux yeux comme, dans notre temps,
Cette soif a gâté de fort honnêtes gens.　　　　　　360

ORONTE.

Est-ce que j'écris mal? et leur ressemblerais-je?

ALCESTE.

Je ne dis pas cela ; mais enfin, lui disais-je,
Quel besoin si pressant avez-vous de rimer?
Et qui diantre vous pousse à vous faire imprimer?
Si l'on peut pardonner l'essor * d'un mauvais livre,　　365
Ce n'est qu'aux malheureux qui composent pour vivre.
Croyez-moi, résistez à vos tentations,
Dérobez au public ces occupations ;
Et n'allez point quitter, de quoi que l'on vous somme,
Le nom que dans la cour vous avez d'honnête homme,　　370
Pour prendre, de la main d'un avide imprimeur,
Celui de ridicule et misérable auteur.
C'est ce que je tâchai de lui faire comprendre.

ORONTE.

Voilà qui va fort bien, et je crois vous entendre.
Mais ne puis-je savoir ce que dans mon sonnet . . .?　　375

ALCESTE.

Franchement, il est bon à mettre au cabinet.
Vous vous êtes réglé sur de méchants modèles,
Et vos expressions ne sont point naturelles.

　　Qu'est-ce que, *Nous berce un temps notre ennui?*
　　　　Et que, *Rien ne marche après lui?*　　　　　　380
　　　　Que, *Ne vous pas mettre en dépense*
　　　　Pour ne me donner que l'espoir?
　　　　Et que, *Philis, on désespère,*
　　　　Alors qu'on espère toujours?

Ce style figuré, dont on fait vanité,*　　　　　　　　385
Sort du bon caractère [2] et de la vérité :
Ce n'est que jeu de mots, qu'affectation pure,
Et ce n'est point ainsi que parle la nature.

　　1. *pour ne point écrire = pour lui persuader de ne pas écrire.*　　2. *Sort du bon caractère:* "is not consistent with naturalness."

Le méchant goût du siècle, en cela, me fait peur.
Nos pères, tous grossiers, l'avaient beaucoup meilleur,   390
Et je prise bien moins tout ce que l'on admire,
Qu'une vieille chanson que je m'en vais vous dire :

> *Si le roi m'avait donné*
> *Paris, sa grand' ville,*
> *Et qu'[1]il me fallût quitter*   395
> *L'amour de ma mie,*
> *Je dirais au roi Henri :*
> *" Reprenez votre Paris,*
> *J'aime mieux ma mie, au gué !* [2]
> *J'aime mieux ma mie."*   400

La rime n'est pas riche, et le style en est vieux :
Mais ne voyez-vous pas que cela vaut bien mieux
Que ces colifichets, dont le bon sens murmure,
Et que la passion parle là toute pure ?

> *Si le roi m'avait donné*   405
> *Paris, sa grand' ville,*
> *Et qu'il me fallût quitter*
> *L'amour de ma mie,*
> *Je dirais au roi Henri :*
> *" Reprenez votre Paris,*   410
> *J'aime mieux ma mie, au gué !*
> *J'aime mieux ma mie."*

Voilà ce que peut dire un cœur vraiment épris.
    (*À Philinte qui rit :*)
Oui, Monsieur le rieur, malgré vos beaux esprits,
J'estime plus cela que la pompe fleurie   415
De tous ces faux brillants, où chacun se récrie.

ORONTE.

Et moi, je vous soutiens que mes vers sont fort bons.

ALCESTE.

Pour les trouver ainsi vous avez vos raisons ;
Mais vous trouverez bon que j'en puisse avoir d'autres,
Qui se dispenseront de se soumettre aux vôtres.   420

---

1. *qu'* = *si.*   2. *au gué :* several editions, including that of 1734,
give *oh gay* or *oh gai*, which would change the meaning of the phrase.
The true significance of this refrain seems doubtful.

ORONTE.

Il me suffit de voir que d'autres en font cas.*

ALCESTE.

C'est qu'ils ont l'art de feindre ; et moi, je ne l'ai pas.

ORONTE.

Croyez-vous donc avoir tant d'esprit en partage[1] ?

ALCESTE.

Si je louais vos vers, j'en aurais davantage.

ORONTE.

Je me passerai bien que vous les approuviez.[2]   425

ALCESTE.

Il faut bien, s'il vous plaît, que vous vous en passiez.

ORONTE.

Je voudrais bien, pour voir, que, de votre manière,
Vous en composassiez sur la même matière.

ALCESTE.

J'en pourrais, par malheur, faire d'aussi méchants ;
Mais je me garderais de les montrer aux gens.   430

ORONTE.

Vous me parlez bien ferme, et cette suffisance*. . .

ALCESTE.

Autre part que chez moi cherchez qui vous encense.

ORONTE.

Mais, mon petit Monsieur, prenez-le[3] un peu moins haut.

ALCESTE.

Ma foi ! mon grand Monsieur, je le prends comme il faut.

PHILINTE, *se mettant entre-deux.*

Eh ! Messieurs, c'en est trop : laissez cela, de grâce.   435

---

1. *en partage :* "as your share."   2. "I shall get along without your approval."   3. *prenez-le :* the pronoun *le* replaces some noun like *l'air, le ton ;* translate : "take a lower key" (*i.e.*, "don't be so dictatorial").

ORONTE.

Ah ! j'ai tort, je l'avoue, et je quitte la place.
Je suis votre valet,* Monsieur, de tout mon cœur.

ALCESTE.

Et moi, je suis, Monsieur, votre humble serviteur.

SCÈNE III.

PHILINTE, ALCESTE.

PHILINTE.

Hé bien ! vous le voyez : pour être trop sincère,
Vous voilà sur les bras une fâcheuse affaire ;   440
Et j'ai bien vu qu'Oronte, afin d'être flatté . . .

ALCESTE.

Ne me parlez pas.

PHILINTE.

Mais . . .

ALCESTE.

Plus de société.

PHILINTE.

C'est trop . . .

ALCESTE.

Laissez-moi là.

PHILINTE.

Si je . . .

ALCESTE.

Point de langage.

PHILINTE.

Mais quoi . . . ?

ALCESTE.

Je n'entends rien.

PHILINTE.

Mais . . .

ALCESTE.

Encore ?

PHILINTE.

On outrage . . .

ALCESTE.

Ah, parbleu ! c'en est trop ; ne suivez point mes pas.   445

PHILINTE.

Vous vous moquez de moi, je ne vous quitte pas.

ACTE II. SCÈNE PREMIÈRE.

Alceste, Célimène.

ALCESTE.

Madame, voulez-vous que je vous parle net ?
De vos façons d'agir je suis mal satisfait ;
Contre elles dans mon cœur trop de bile s'assemble,
Et je sens qu'il faudra que nous rompions ensemble.   450
Oui, je vous tromperais de parler autrement ;
Tôt ou tard nous romprons indubitablement ;
Et je vous promettrais mille fois le contraire,
Que je ne serais pas en pouvoir de le faire.[1]

CÉLIMÈNE.

C'est pour me quereller donc, à ce que je voi,[2]   455
Que vous avez voulu me ramener chez moi ?

ALCESTE.

Je ne querelle point ; mais votre humeur, Madame,
Ouvre au premier venu* trop d'accès dans votre âme :
Vous avez trop d'amants qu'on voit vous obséder,
Et mon cœur de cela ne peut s'accommoder.*   460

CÉLIMÈNE.

Des amants que je fais me rendez-vous coupable ?
Puis-je empêcher les gens de me trouver aimable ?
Et lorsque pour me voir ils font de doux efforts,
Dois-je prendre un bâton pour les mettre dehors ?

ALCESTE.

Non, ce n'est pas, Madame, un bâton qu'il faut prendre,   465
Mais un cœur à leurs vœux moins facile et moins tendre.

---

1. This couplet, paraphrased, might read thus : *je ne pourrais faire
le contraire, même si je vous le promettais mille fois.*   2. *voi = vois.*

Je sais que vos appas vous suivent en tous lieux ;
Mais votre accueil retient ceux qu'attirent vos yeux ;
Et sa douceur offerte à qui vous rend les armes
Achève sur les cœurs l'ouvrage de vos charmes.   470
Le trop riant espoir que vous leur présentez
Attache autour de vous leurs assiduités ;
Et votre complaisance un peu moins étendue
De tant de soupirants chasserait la cohue.
Mais au moins dites-moi, Madame, par quel sort   475
Votre Clitandre a l'heur de vous plaire si fort ?
Sur quel fonds de mérite et de vertu sublime
Appuyez-vous en lui l'honneur de votre estime ?
Est-ce par l'ongle long [1] qu'il porte au petit doigt
Qu'il s'est acquis chez vous l'estime où l'on le voit ? 480
Vous êtes-vous rendue, avec tout le beau monde,
Au mérite éclatant de sa perruque blonde ?
Sont-ce ses grands canons qui vous le font aimer ?
L'amas de ses rubans a-t-il su vous charmer ?
Est-ce par les appas de sa vaste rhingrave [2]   485
Qu'il a gagné votre âme en faisant* votre esclave ?
Ou sa façon de rire et son ton de fausset
Ont-ils de vous toucher su trouver le secret ?

CÉLIMÈNE.

Qu'injustement de lui vous prenez de l'ombrage !
Ne savez-vous pas bien pourquoi je le ménage,   490
Et que dans mon procès,[3] ainsi qu'il m'a promis,
Il peut intéresser tout ce qu'il a d'amis ?

ALCESTE.

Perdez votre procès, Madame, avec constance,
Et ne ménagez point un rival qui m'offense.

CÉLIMÈNE.

Mais de tout l'univers vous devenez jaloux.   495

1. *l'ongle long :* it was a fashion among the *beaux* of the 17th century
to allow the nail of the little finger of the left hand to grow to great
length.   2. *rhingrave :* wide knee-trousers attached to stockings by
many ribbons. The name is derived from the fact that these trousers were introduced to Parisians by a German prince, or *rhingrave*.
3. There was at this time a mania for litigation among Frenchmen,
particularly Normans and Parisians. Alceste is also engaged in a lawsuit (see above, 123 ff.).   See Racine, *Les Plaideurs*.

ALCESTE.

C'est que tout l'univers est bien reçu de vous.

CÉLIMÈNE.

C'est ce qui doit rasseoir votre âme effarouchée,
Puisque ma complaisance est sur tous épanchée ;
Et vous auriez plus lieu de vous en offenser,
Si vous me la voyiez sur un seul ramasser.*　　　500

ALCESTE.

Mais moi, que vous blâmez de trop de jalousie,
Qu'ai-je de plus qu'eux tous, Madame, je vous prie ?

CÉLIMÈNE.

Le bonheur de savoir que vous êtes aimé.

ALCESTE.

Et quel lieu de le croire a mon cœur enflammé ?

CÉLIMÈNE.

Je pense qu'ayant pris le soin de vous le dire,　　　505
Un aveu de la sorte a de quoi vous suffire.

ALCESTE.

Mais qui m'assurera que, dans le même instant,
Vous n'en disiez peut-être aux autres tout autant ?

CÉLIMÈNE.

Certes, pour un amant, la fleurette [1] est mignonne,
Et vous me traitez là de gentille personne.　　　510
Hé bien ! pour vous ôter* d'un semblable souci,
De tout ce que j'ai dit je me dédis ici,
Et rien ne saurait plus vous tromper que vous-même :
Soyez content.

ALCESTE.

　　　　　　Morbleu ! faut-il que je vous aime ?
Ah ! que, si de vos mains je rattrape mon cœur,　　　515
Je bénirai le Ciel de ce rare bonheur !
Je ne le cèle pas, je fais tout mon possible
À rompre de ce cœur l'attachement terrible ;
Mais mes plus grands efforts n'ont rien fait jusqu'ici,
Et c'est pour mes péchés que je vous aime ainsi.　　　520

---

1. *fleurette :* literally, "little flower" ; here, "expression of sentiment."

CÉLIMÈNE.

Il est vrai, votre ardeur est pour moi sans seconde.[1]

ALCESTE.

Oui, je puis là-dessus défier tout le monde.
Mon amour ne se peut concevoir, et jamais
Personne n'a, Madame, aimé comme je fais.

CÉLIMÈNE.

En effet, la méthode en est toute nouvelle,   525
Car vous aimez les gens pour leur faire querelle ;
Ce n'est qu'en mots fâcheux qu'éclate votre ardeur,
Et l'on n'a vu jamais un amour si grondeur.

ALCESTE.

Mais il ne tient qu'à vous que son chagrin ne passe.
À tous nos démêlés coupons* chemin, de grâce,   530
Parlons à cœur ouvert, et voyons d'arrêter [2]. . .

SCÈNE II.

CÉLIMÈNE, ALCESTE, BASQUE.

CÉLIMÈNE.

Qu'est-ce ?

BASQUE.

Acaste est là-bas.

CÉLIMÈNE.

Hé bien ! faites monter.

ALCESTE.

Quoi ! l'on ne peut jamais vous parler tête à tête ?
À recevoir le monde on vous voit toujours prête ?
Et vous ne pouvez pas, un seul moment de tous,   535
Vous résoudre à souffrir de n'être pas chez vous [3] ?

CÉLIMÈNE.

Voulez-vous qu'avec lui je me fasse une affaire [4] ?

1. *seconde:* "equal."   2. *voyons d'arrêter:* "let's see about stop-
ping . . ."   3. *n'être pas chez vous:* i.e., "pretend you are out."
4. *je me fasse une affaire = je me brouille.*

ALCESTE.

Vous avez des regards [1] qui ne sauraient me plaire.

CÉLIMÈNE.

C'est un homme à jamais ne me le pardonner,
S'il savait que sa vue eût pu m'importuner.   540

ALCESTE.

Et que vous fait cela [2] pour vous gêner de sorte [3] ?. . .

CÉLIMÈNE.

Mon Dieu ! de ses pareils la bienveillance importe ;
Et ce sont de ces gens qui, je ne sais comment,
Ont gagné [4] dans la cour de parler hautement.
Dans tous les entretiens on les voit s'introduire ;   545
Ils ne sauraient servir, mais ils peuvent vous nuire ;
Et jamais, quelque appui qu'on puisse avoir d'ailleurs,
On ne doit se brouiller avec ces grands brailleurs.

ALCESTE.

Enfin, quoi qu'il en soit, et sur quoi qu'on se fonde,[5]
Vous trouvez des raisons pour souffrir tout le monde ;   550
Et les précautions de votre jugement . . .

SCÈNE III.

Alceste, Célimène, Basque.

BASQUE.

Voici Clitandre encor, Madame.

    ALCESTE.   (*Il témoigne s'en vouloir aller.*)

       Justement.

CÉLIMÈNE.

Où courez-vous ?

ALCESTE.

Je sors.

---

1. *Vous avez des regards:* "You are full of polite attentions."
2. *que vous fait cela:* "how does that affect you."   3. *de sorte = de la sorte.*   4. After *Ont gagné* supply "the privilege" or "the right."
5. *quoi que,* used twice in this verse, has two different meanings : — *quoi qu'il en soit:* "however it may be" and *sur quoi qu'on se fonde:* "on whatever one bases one's argument."

CÉLIMÈNE.

Demeurez.

ALCESTE.

Pour quoi faire?

CÉLIMÈNE.

Demeurez.

ALCESTE.

Je ne puis.

CÉLIMÈNE.

Je le veux.

ALCESTE.

Point d'affaire.[1]   555

Ces conversations ne font que m'ennuyer,
Et c'est trop que vouloir me les faire essuyer.*

CÉLIMÈNE.

Je le veux, je le veux.

ALCESTE.

Non, il m'est impossible.

CÉLIMÈNE.

Hé bien ! allez, sortez, il vous est tout loisible.

SCÈNE IV.

ÉLIANTE, PHILINTE, ACASTE, CLITANDRE, ALCESTE,
CÉLIMÈNE, BASQUE.

ÉLIANTE.

Voici les deux marquis qui montent avec nous :
Vous l'est-on venu dire?

CÉLIMÈNE.

Oui.

(À Basque:)

Des sièges pour tous.   560
(Basque donne des sièges, et sort.)

(À Alceste:)

Vous n'êtes pas sorti?

———

1. *Point d'affaire:* "nothing doing."

ALCESTE.

Non ; mais je veux, Madame,
Ou pour eux, ou pour moi, faire expliquer votre âme.

CÉLIMÈNE.

Taisez-vous.

ALCESTE.

Aujourd'hui vous vous expliquerez.

CÉLIMÈNE.

Vous perdez le sens.

ALCESTE.

Point.   Vous vous déclarerez.

CÉLIMÈNE.

Ah !

ALCESTE.

Vous prendrez parti.*

CÉLIMÈNE.

Vous vous moquez, je pense. 565

ALCESTE.

Non ; mais vous choisirez : c'est trop de patience.

CLITANDRE.

Parbleu ! je viens du Louvre, où Cléonte, au levé,[1]
Madame, a bien paru ridicule achevé.*
N'a-t-il point quelque ami qui pût, sur ses manières,
D'un charitable avis lui prêter* les lumières ?   570

CÉLIMÈNE.

Dans le monde, à vrai dire, il se barbouille fort ;
Partout il porte un air qui saute aux yeux d'abord ;
Et lorsqu'on le revoit après un peu d'absence,
On le retrouve encor plus plein d'extravagance.

ACASTE.

Parbleu ! s'il faut parler des gens extravagants,   575
Je viens d'en essuyer* un des plus fatigants :
Damon, le raisonneur, qui m'a, ne vous déplaise,
Une heure, au grand soleil, tenu hors de ma chaise.[2]

---

1. *levé* or *lever*, used as a noun, refers to a reception held in the king's private apartments immediately after he had arisen.   2. *chaise:* the sedan-chair, carried by porters, was a usual means of transportation about Paris for the more wealthy classes.

CÉLIMÈNE.

C'est un parleur étrange, et qui trouve toujours
L'art de ne vous rien dire avec de grands discours ;   580
Dans les propos* qu'il tient* on ne voit jamais goutte,
Et ce n'est que du bruit que tout ce qu'on écoute.

ÉLIANTE, à *Philinte.*

Ce début n'est pas mal ; et contre le prochain
La conversation prend un assez bon train.*

CLITANDRE.

Timante encor, Madame, est un bon caractère.   585

CÉLIMÈNE.

C'est de la tête aux pieds un homme tout mystère,
Qui vous jette en passant un coup d'œil égaré,
Et, sans aucune affaire, est toujours affairé.
Tout ce qu'il vous débite en grimaces abonde ;
À force de façons, il assomme le monde ;   590
Sans cesse il a, tout bas, pour rompre l'entretien,
Un secret à vous dire, et ce secret n'est rien ;
De la moindre vétille il fait une merveille,
Et jusques au bonjour, il dit tout à l'oreille.

ACASTE.

Et Géralde, Madame ?

CÉLIMÈNE.

Ô l'ennuyeux conteur* !   595
Jamais on ne le voit sortir du grand seigneur ; [1]
Dans le brillant commerce il se mêle sans cesse,
Et ne cite jamais que duc, prince ou princesse :
La qualité l'entête ; et tous ses entretiens
Ne sont que de chevaux, d'équipage et de chiens ;   600
Il tutoie en parlant ceux du plus haut étage,
Et le nom de Monsieur est chez lui hors d'usage.

CLITANDRE.

On dit qu'avec Bélise il est du dernier bien.[2]

CÉLIMÈNE.

Le pauvre esprit de femme, et le sec entretien !
Lorsqu'elle vient me voir, je souffre le martyre :   605
Il faut suer sans cesse à chercher que lui dire,

[1]. *sortir du grand seigneur :* "stop playing the rôle of a great lord."
[2]. *du dernier bien :* "on the best possible terms."

Et la stérilité de son expression
Fait mourir à tous coups * la conversation.
En vain, pour attaquer * son stupide silence,
De tous les lieux communs vous prenez l'assistance :   610
Le beau temps et la pluie, et le froid et le chaud
Sont des fonds qu'avec elle on épuise bientôt.
Cependant sa visite, assez insupportable,
Traîne en une longueur encore épouvantable ;
Et l'on demande l'heure, et l'on bâille vingt fois,   615
Qu'elle grouille aussi peu qu'une pièce de bois.

ACASTE.

Que vous semble d'Adraste ?

CÉLIMÈNE.

                    Ah ! quel orgueil extrême !
C'est un homme gonflé de l'amour de soi-même.
Son mérite jamais n'est content de la cour :
Contre elle il fait métier * de pester chaque jour,   620
Et l'on ne donne emploi, charge ni bénéfice,
Qu'à tout ce qu'il se croit on ne fasse injustice.

CLITANDRE.

Mais le jeune Cléon, chez qui vont aujourd'hui
Nos plus honnêtes gens, que dites-vous de lui ?

CÉLIMÈNE.

Que de son cuisinier il s'est fait un mérite,   625
Et que c'est à sa table à qui l'on rend visite.

ÉLIANTE.

Il prend soin d'y servir des mets fort délicats.

CÉLIMÈNE.

Oui ; mais je voudrais bien qu'il ne s'y servît pas :
C'est un fort méchant plat que sa sotte personne,
Et qui gâte, à mon goût, tous les repas qu'il donne.   630

PHILINTE.

On fait assez de cas * de son oncle Damis :
Qu'en dites-vous, Madame ?

CÉLIMÈNE.

                    Il est de mes amis.

PHILINTE.

Je le trouve honnête homme, et d'un air assez sage.

CÉLIMÈNE.

Oui ; mais il veut avoir trop d'esprit, dont j'enrage ;
Il est guindé sans cesse ; et, dans tous ses propos,   635
On voit qu'il se travaille* à dire de bons mots.
Depuis que dans la tête il s'est mis d'être habile,
Rien ne touche son goût, tant il est difficile ;
Il veut* voir des défauts à tout ce qu'on écrit,
Et pense que louer n'est pas d'un bel esprit,[1]   640
Que c'est être savant que trouver à redire,
Qu'il n'appartient qu'aux sots d'admirer et de rire,
Et qu'en n'approuvant rien des ouvrages du temps,
Il se met au-dessus de tous les autres gens ;
Aux conversations même il trouve à reprendre ;   645
Ce sont propos trop bas pour y daigner descendre ;
Et les deux bras croisés, du haut* de son esprit
Il regarde en pitié tout ce que chacun dit.

ACASTE.

Dieu me damne, voilà son portrait véritable.

CLITANDRE, *à Célimène.*

Pour bien peindre les gens vous êtes admirable.   650

ALCESTE.

Allons, ferme, poussez,[2] mes bons amis de cour ;[3]
Vous n'en épargnez point, et chacun a son tour :
Cependant aucun d'eux à vos yeux ne se montre,
Qu'on ne vous voie, en hâte, aller à sa rencontre,
Lui présenter la main, et d'un baiser flatteur   655
Appuyer les serments d'être son serviteur.

CLITANDRE.

Pourquoi s'en prendre à nous ? Si ce qu'on dit vous blesse,
Il faut que le reproche à Madame s'adresse.

ALCESTE.

Non, morbleu ! c'est à vous ; et vos ris complaisants
Tirent de son esprit tous ces traits médisants.   660

---

1. *louer n'est pas d'un bel esprit:* "to praise is not suitable for a
fashionable wit."   2. *Allons, ferme, poussez:* "that's right, keep it
up."   3. *amis de cour:* "court friends" = "false friends."

Son humeur satirique est sans cesse nourrie
Par le coupable encens de votre flatterie ;
Et son cœur à railler trouverait moins d'appas,
S'il avait observé qu'on ne l'applaudît pas.
C'est ainsi qu'aux flatteurs on doit partout se prendre   665
Des vices où l'on voit les humains se répandre.*

PHILINTE.

Mais pourquoi pour ces gens un intérêt si grand,
Vous qui condamneriez ce qu'en eux on reprend?

CÉLIMÈNE.

Et ne faut-il pas bien que Monsieur contredise?
À la commune voix veut-on qu'il se réduise,   670
Et qu'il ne fasse pas éclater en tous lieux
L'esprit contrariant qu'il a reçu des cieux?
Le sentiment d'autrui n'est jamais pour lui plaire ;
Il prend toujours en main* l'opinion contraire,
Et penserait paraître un homme* du commun,   675
Si l'on voyait qu'il fût de l'avis de quelqu'un.
L'honneur de contredire a pour lui tant de charmes,
Qu'il prend contre lui-même assez souvent les armes ;
Et ses vrais sentiments sont combattus par lui,
Aussitôt qu'il les voit dans la bouche d'autrui.   680

ALCESTE.

Les rieurs sont pour vous, Madame, c'est tout dire,
Et vous pouvez pousser contre moi la satire.

PHILINTE.

Mais il est véritable aussi que votre esprit
Se gendarme toujours contre tout ce qu'on dit,
Et que, par un chagrin que lui-meme il avoue,   685
Il ne saurait souffrir qu'on blâme, ni qu'on loue.

ALCESTE.

C'est que jamais, morbleu ! les hommes n'ont raison,
Que le chagrin contre eux est toujours de saison,
Et que je vois qu'ils sont, sur toutes les affaires,
Loueurs impertinents, ou censeurs téméraires [1] !   690

CÉLIMÈNE.

Mais . . .

---

1. This speech expresses the very essence of Alceste's attitude toward humanity.

ALCESTE.

Non, Madame, non : quand j'en devrais mourir,
Vous avez des plaisirs que je ne puis souffrir ;
Et l'on a tort ici de nourrir dans votre âme
Ce grand attachement aux défauts qu'on y blâme.

CLITANDRE.

Pour moi, je ne sais pas, mais j'avouerai tout haut   695
Que j'ai cru jusqu'ici Madame sans défaut.

ACASTE.

De grâces et d'attraits je vois qu'elle est pourvue ;
Mais les défauts qu'elle a ne frappent point ma vue.

ALCESTE.

Ils frappent tous la mienne ; et, loin de m'en cacher,[1]
Elle sait que j'ai soin de les lui reprocher.   700
Plus on aime quelqu'un, moins il faut qu'on le flatte ;
À ne rien pardonner le pur amour éclate ;
Et je bannirais, moi, tous ces lâches amants
Que je verrais soumis à tous mes sentiments,
Et dont, à tout propos, les molles complaisances   705
Donneraient de l'encens à mes extravagances.

CÉLIMÈNE.

Enfin, s'il faut qu'à vous s'en rapportent les cœurs,
On doit, pour bien aimer, renoncer aux douceurs,
Et du parfait amour mettre l'honneur suprême
À bien injurier les personnes qu'on aime.   710

ÉLIANTE.

L'amour, pour l'ordinaire, est peu fait à ces lois,[2]
Et l'on voit les amants vanter toujours leur choix ;
Jamais leur passion n'y voit rien de blâmable,
Et dans l'objet aimé tout leur devient aimable :
Ils comptent* les défauts pour des perfections,   715
Et savent y donner de favorables noms.
La pâle [3] est au jasmin en blancheur comparable ;
La noire à faire peur,[4] une brune adorable ;

1. *et, loin de m'en cacher, elle sait*, etc.: "I am far from concealing
that fact, and she knows, etc."   2. *peu fait à ces lois:* "not governed
by these laws."   3. *La pâle:* this and the other feminine adjectives
which follow have their meaning completed by some such noun as *femme*
or *dame.*   4. *La noire à faire peur:* "the woman who is swarthy
enough to frighten one."

La maigre a de la taille et de la liberté ; [1]
La grasse est dans son port* pleine de majesté ;   720
La malpropre [2] sur soi, de peu d'attraits chargée,
Est mise sous le nom de beauté négligée ;
La géante paraît une déesse aux yeux ;
La naine, un abrégé des merveilles des cieux ;
L'orgueilleuse a le cœur digne d'une couronne ;   725
La fourbe a de l'esprit ; la sotte est toute bonne ;
La trop grande parleuse est d'agréable humeur ;
Et la muette garde une honnête pudeur.
C'est ainsi qu'un amant dont l'ardeur est extrême
Aime jusqu'aux défauts des personnes qu'il aime.   730

ALCESTE.

Et moi, je soutiens, moi . . .

CÉLIMÈNE.

                Brisons là ce discours,
Et dans la galerie allons faire deux tours.
Quoi ? vous vous en allez, Messieurs ?

CLITANDRE et ACASTE.

                    Non pas, Madame.

ALCESTE.

La peur de leur départ occupe fort votre âme.
Sortez quand vous voudrez, Messieurs ; mais j'avertis   735
Que je ne sors qu'après que vous serez sortis.

ACASTE.

À moins de voir Madame en être importunée,
Rien ne m'appelle ailleurs de toute la journée.

CLITANDRE.

Moi, pourvu que je puisse être au petit couché, [3]
Je n'ai point d'autre affaire où je sois attaché.   740

CÉLIMÈNE, à Alceste.

C'est pour rire, je crois.

---

1. *a de la taille et de la liberté :* "has a good figure and is graceful in her movements."   2. *La malpropre sur soi :* "the careless dresser." 2. *au petit couché : i.e.,* among the small group of courtiers intimate enough with the king to be retained by him after he has bidden the rest of his court good night.

ALCESTE.

Non, en aucune sorte.
Nous verrons si c'est moi que vous voudrez qui sorte.[1]

SCÈNE V.

Alceste, Célimène, Eliante, Acaste, Philinte, Clitandre, Basque.

BASQUE.

Monsieur, un homme est là qui voudrait vous parler
Pour affaire, dit-il, qu'on ne peut reculer.

ALCESTE.

Dis-lui que je n'ai point d'affaires si pressées.   745

BASQUE.

Il porte une jaquette à grand'basques plissées,
Avec du d'or [2] dessus.

CÉLIMÈNE, *à Alceste*.

Allez voir ce que c'est,
Ou bien faites-le entrer.

ALCESTE.

Qu'est-ce donc qu'il vous plaît?
Venez, Monsieur.

SCÈNE VI.

Alceste, Célimène, Éliante, Acaste, Philinte, Clitandre, Un Garde de la Maréchaussée

LE GARDE.

Monsieur, j'ai deux mots à vous dire.

ALCESTE.

Vous pouvez parler haut, Monsieur, pour m'en instruire.   750

---

1. *que vous voudrez qui sorte* = *que vous voudrez faire sortir*.   2. *du d'or* = *de l'or*, incorrect colloquialism.

LE GARDE.

Messieurs les Maréchaux,[1] dont j'ai commandement,
Vous mandent de venir les trouver promptement,
Monsieur.

ALCESTE.

Qui? moi, Monsieur?

LE GARDE.

Vous-même.

ALCESTE.

Et pour quoi faire?

PHILINTE.

C'est d'Oronte et de vous la ridicule affaire.

CÉLIMÈNE.

Comment?

PHILINTE.

Oronte et lui se sont tantôt bravés   755
Sur certains petits vers qu'il n'a pas approuvés ;
Et l'on veut assoupir la chose en sa naissance.

ALCESTE.

Moi, je n'aurai jamais de lâche complaisance.

PHILINTE.

Mais il faut suivre l'ordre : allons, disposez-vous. . . .

ALCESTE.

Quel accommodement veut-on faire entre nous?   760
La voix de ces Messieurs me condamnera-t-elle
À trouver bons les vers qui font notre querelle?
Je ne me dédis point de ce que j'en ai dit,
Je les trouve méchants.

PHILINTE.

Mais, d'un plus doux esprit . . .

ALCESTE.

Je n'en démordrai point : les vers sont exécrables.   765

---

1. The Marshals' Court, founded in 1651, was charged with the
prevention of duels, and the meting out of punishments for engaging in
them.   A number of royal edicts made duelling a serious offense.

PHILINTE.

Vous devez faire voir des sentiments traitables.
Allons, venez.

ALCESTE.

J'irai ; mais rien n'aura pouvoir
De me faire dédire.

PHILINTE.

Allons vous faire voir.

ALCESTE.

Hors qu'un commandement exprès du Roi me vienne
De trouver bons les vers dont on se met en peine,*   770
Je soutiendrai toujours, morbleu ! qu'ils sont mauvais,
Et qu'un homme est pendable après les avoir faits.

(*À Clitandre et à Acaste, qui rient :*)

Par le sangbleu ! Messieurs, je ne croyais pas être
Si plaisant que je suis.

CÉLIMÈNE.

Allez vite paraître
Où vous devez.

ALCESTE.

J'y vais, Madame, et sur mes pas [1]   775
Je reviens en ce lieu, pour vider nos débats.

ACTE III. SCÈNE PREMIÈRE.

CLITANDRE, ACASTE.

CLITANDRE.

Cher Marquis, je te vois l'âme bien satisfaite :
Toute chose t'égaie, et rien ne t'inquiète.
En bonne foi, crois-tu, sans t'éblouir les yeux,*
Avoir de grands sujets* de paraître joyeux?   780

ACASTE.

Parbleu ! je ne vois pas, lorsque je m'examine,
Où prendre aucun sujet d'avoir l'âme chagrine.
J'ai du bien, je suis jeune, et sors d'une maison
Qui se peut dire noble avec quelque raison ;

I. *sur mes pas = tout de suite.*

Et je crois, par le rang que me donne ma race,   785
Qu'il est fort peu d'emplois dont je ne sois en passe.[1]
Pour le cœur, dont surtout nous devons faire cas,
On sait, sans vanité, que je n'en manque pas,
Et l'on m'a vu pousser, dans le monde, une affaire *
D'une assez vigoureuse et gaillarde manière.   790
Pour de l'esprit, j'en ai sans doute, et du bon goût
À juger sans étude [2] et raisonner de tout,
À faire aux nouveautés,[3] dont je suis idolâtre,
Figure de savant * sur les bancs du théâtre,
Y décider en chef, et faire du fracas *   795
À tous les beaux endroits qui méritent des has.[4]
Je suis assez adroit ; j'ai bon air, bonne mine,
Les dents belles surtout, et la taille * fort fine.
Quant à se mettre bien,[5] je crois, sans me flatter,
Qu'on serait mal venu [6] de me le disputer.   800
Je me vois dans l'estime autant qu'on y puisse être,
Fort aimé du beau sexe, et bien auprès du maître.[7]
Je crois qu'avec cela, mon cher Marquis, je croi [8]
Qu'on peut, par tout pays, être content de soi.

CLITANDRE.

Oui ; mais, trouvant ailleurs des conquêtes faciles,   805
Pourquoi pousser ici des soupirs inutiles ?

ACASTE.

Moi ? Parbleu ! je ne suis de taille ni d'humeur
À pouvoir d'une belle essuyer * la froideur.
C'est aux gens mal tournés, * aux mérites vulgaires,
À brûler constamment pour des beautés sévères,   810
À languir à leurs pieds et souffrir leurs rigueurs,
À chercher le secours des soupirs et des pleurs,
Et tâcher, par des soins d'une très longue suite, *
D'obtenir ce qu'on nie à leur peu de mérite.
Mais les gens de mon air, Marquis, ne sont pas faits   815
Pour aimer à crédit, et faire tous les frais.[9]

---

1. *dont je ne sois en passe:* "to which I cannot aspire." 2. *du bon goût à juger sans étude:* the ability to be learned without study was supposed to be inherent in noblemen. 3. *nouveautés:* "new plays." 4. *has:* exclamations of applause. 5. *se mettre bien:* "dress well." 6. *mal venu:* "rash." 7. *bien auprès du maître:* "well thought of by the King." 8. *croi = crois.* 9. *faire tous les frais:* literally, "pay all the expenses"; freely, "make all the advances."

Quelque rare que soit le mérite des belles,
Je pense, Dieu merci ! qu'on vaut son prix * comme elles,
Que pour se faire honneur d'un cœur comme le mien,
Ce n'est pas la raison qu'il ne leur coûte rien,[1]   820
Et qu'au moins, à tout mettre en de justes balances,
Il faut qu'à frais communs se fassent les avances.

CLITANDRE.

Tu penses donc, Marquis, être fort bien ici ?

ACASTE.

J'ai quelque lieu, Marquis, de le penser ainsi.

CLITANDRE.

Crois-moi, détache-toi de cette erreur extrême :   825
Tu te flattes, mon cher, et t'aveugles toi-même.

ACASTE.

Il est vrai, je me flatte et m'aveugle en effet.[2]

CLITANDRE.

Mais qui te fait juger ton bonheur si parfait ?

ACASTE.

Je me flatte.

CLITANDRE.

Sur quoi fonder tes conjectures ?

ACASTE.

Je m'aveugle.

CLITANDRE.

En as-tu des preuves qui soient sûres ?   830

ACASTE.

Je m'abuse, te dis-je.

CLITANDRE.

Est-ce que de ses vœux
Célimène t'a fait quelques secrets aveux ?

ACASTE.

Non, je suis maltraité.

1. Translate this couplet thus : " that it is not reasonable for it to cost them nothing to possess a heart like mine."   2. This and the later speeches of Acaste in this scene (except that beginning in line 845) are spoken sarcastically and result from his wounded vanity.

CLITANDRE.

Réponds-moi, je te prie.

ACASTE.

Je n'ai que des rebuts.*

CLITANDRE.

Laissons la raillerie,
Et me dis quel espoir on peut t'avoir donné.   835

ACASTE.

Je suis le misérable, et toi le fortuné :
On a pour ma personne une aversion grande,
Et quelqu'un de ces jours il faut que je me pende.

CLITANDRE.

Ô çà, veux-tu, Marquis, pour ajuster nos vœux,
Que nous tombions d'accord* d'une chose tous deux ?   840
Que qui pourra montrer une marque certaine
D'avoir meilleure part au cœur de Célimène,
L'autre ici fera place au vainqueur prétendu,
Et le délivrera d'un rival assidu ?

ACASTE.

Ah, parbleu ! tu me plais avec un tel langage,   845
Et du bon de mon cœur à cela je m'engage.
Mais, chut !

SCÈNE II.

CÉLIMÈNE, ACASTE, CLITANDRE.

CÉLIMÈNE.

Encore ici ?

CLITANDRE.

L'amour retient nos pas.

CÉLIMÈNE.

Je viens d'ouïr entrer un carrosse là-bas :
Savez-vous qui c'est ?

CLITANDRE.

Non.

SCÈNE III.

CÉLIMÈNE, ACASTE, CLITANDRE, BASQUE.

BASQUE.

                    Arsinoé, Madame,
Monte ici pour vous voir.

CÉLIMÈNE.

                    Que me veut cette femme? 850

BASQUE.

Éliante là-bas est à l'entretenir.[1]

CÉLIMÈNE.

De quoi s'avise-t-elle, et qui la fait venir?

ACASTE.

Pour prude consommée en tous lieux elle passe,
Et l'ardeur de son zèle . . .

CÉLIMÈNE.

                    Oui, oui, franche grimace:
Dans l'âme elle est du monde, et ses soins tentent tout 855
Pour accrocher quelqu'un, sans en venir à bout.*
Elle ne saurait voir qu'avec un œil d'envie
Les amants déclarés dont une autre est suivie;
Et son triste mérite, abandonné de tous,
Contre le siècle aveugle est toujours en courroux. 860
Elle tâche à couvrir d'un faux voile de prude
Ce que chez elle on voit d'affreuse solitude;
Et pour sauver l'honneur de ses faibles appas,
Elle attache du crime au pouvoir qu'ils n'ont pas.
Cependant un amant plairait fort à la dame, 865
Et même pour Alceste elle a tendresse d'âme.
Ce qu'il me rend de soins outrage ses attraits,
Elle veut que ce soit un vol que je lui fais;
Et son jaloux dépit, qu'avec peine elle cache,
En tous endroits, sous main, contre moi se détache. 870
Enfin je n'ai rien vu de si sot à mon gré,
Elle est impertinente au suprême degré,
Et . . .

    1. Translate: "Éliante is down there talking to her."

SCÈNE IV.

Arsinoé, Célimène, Clitandre, Basque.

CÉLIMÈNE.

Ah ! quel heureux sort en ce lieu vous amène ?
Madame, sans mentir, j'étais de vous en peine.[1]

ARSINOÉ.

Je viens pour quelque avis que j'ai cru vous devoir.   875

CÉLIMÈNE.

Ah, mon Dieu ! que je suis contente de vous voir !

(*Clitandre et Acaste sortent en riant.*[2])

SCÈNE V.

Arsinoé, Célimène.

ARSINOÉ.

Leur départ ne pouvait plus à propos se faire.

CÉLIMÈNE.

Voulons-nous nous asseoir ?

ARSINOÉ.

                     Il n'est pas nécessaire,
Madame.   L'amitié doit surtout éclater
Aux choses qui le plus nous peuvent importer ;   880
Et comme il n'en est point de plus grande importance
Que celles de l'honneur et de la bienséance,
Je viens, par un avis qui touche votre honneur,
Témoigner l'amitié que pour vous a mon cœur.
Hier j'étais chez des gens de vertu singulière,   885
Où sur vous du discours on tourna la matière ;
Et là, votre conduite, avec ses grands éclats,
Madame, eut le malheur qu'on ne la loua pas.
Cette foule de gens dont vous souffrez visite,
Votre galanterie, et les bruits qu'elle excite,   890
Trouvèrent des censeurs plus qu'il n'aurait fallu,
Et bien plus rigoureux que je n'eusse voulu.

---

1. *j'étais de vous en peine:* "I was getting worried at your long absence." 2. *riant:* because of Célimène's false welcome to Arsinoé.

Vous pouvez bien penser quel parti je sus prendre :
Je fis ce que je pus pour vous pouvoir défendre,
Je vous excusai fort sur votre intention,   895
Et voulus de votre âme être la caution.
Mais vous savez qu'il est des choses dans la vie
Qu'on ne peut excuser, quoiqu'on en ait envie ;
Et je me vis contrainte à demeurer d'accord*
Que l'air* dont vous vivez vous faisait un peu tort,   900
Qu'il prenait dans le monde une méchante face,
Qu'il n'est conte fâcheux que partout on n'en fasse,
Et que, si vous vouliez, tous vos déportements
Pourraient moins donner* prise aux mauvais jugements.
Non que j'y croie, au fond, l'honnêteté blessée :   905
Me préserve le Ciel d'en avoir la pensée !
Mais aux ombres du crime on prête aisément foi,*
Et ce n'est pas assez de bien vivre pour soi.
Madame, je vous crois l'âme trop raisonnable,
Pour ne pas prendre bien cet avis profitable,   910
Et pour l'attribuer qu'aux mouvements secrets [1]
D'un zèle qui m'attache à tous vos intérêts.

CÉLIMÈNE.

Madame, j'ai beaucoup de grâces à vous rendre :
Un tel avis m'oblige, et loin de le mal prendre,
J'en prétends reconnaître, à l'instant, la faveur,   915
Par un avis aussi qui touche votre honneur ;
Et comme je vous vois vous montrer mon amie
En m'apprenant les bruits que de moi l'on publie,
Je veux suivre, à mon tour, un exemple si doux,
En vous avertissant de ce qu'on dit de vous.   920
En un lieu, l'autre jour, où je faisais visite,
Je trouvai quelques gens d'un très rare mérite,
Qui, parlant des vrais soins d'une âme qui vit bien,
Firent tomber sur vous, Madame, l'entretien.
Là, votre pruderie et vos éclats de zèle   925
Ne furent pas cités comme un fort bon modèle :
Cette affectation d'un grave extérieur,
Vos discours éternels de sagesse et d'honneur,
Vos mines et vos cris aux ombres d'indécence
Que d'un mot ambigu peut avoir l'innocence,   930

---

1. Rearrange this line : *pour l'attribuer à autre chose qu'aux mouvements secrets*, etc.

Cette hauteur d'estime où vous êtes de vous,
Et ces yeux de pitié que vous jetez sur tous,
Vos fréquentes leçons, et vos aigres censures
Sur des choses qui sont innocentes et pures,
Tout cela, si je puis vous parler franchement,   935
Madame, fut blâmé d'un commun sentiment.
À quoi bon, disaient-ils, cette mine modeste,
Et ce sage dehors que dément tout le reste?
Elle est à bien prier exacte au dernier point ;
Mais elle bat ses gens, et ne les paye point.   940
Dans tous les lieux dévots elle étale un grand zèle ;
Mais elle met du blanc* et veut paraître belle.
Elle fait des tableaux couvrir les nudités ;
Mais elle a de l'amour pour les réalités.
Pour moi, contre chacun je pris votre défense,   945
Et leur assurai fort que c'était médisance ;
Mais tous les sentiments combattirent le mien ;
Et leur conclusion fut que vous feriez bien
De prendre moins de soin des actions des autres,
Et de vous mettre un peu plus en peine* des vôtres ;   950
Qu'on doit se regarder soi-même un fort long temps,
Avant que de songer à condamner les gens ;
Qu'il faut mettre le poids d'une vie exemplaire
Dans les corrections qu'aux autres on veut faire ;
Et qu'encor vaut-il mieux s'en remettre,* au besoin,   955
À ceux à qui le Ciel en a commis le soin.
Madame, je vous crois aussi trop raisonnable,
Pour ne pas prendre bien cet avis profitable,
Et pour l'attribuer qu'aux mouvements secrets
D'un zèle qui m'attache à tous vos intérêts.   960

ARSINOÉ.

À quoi qu'en reprenant on soit assujettie,*
Je ne m'attendais pas à cette repartie,
Madame, et je vois bien, par ce qu'elle a d'aigreur,
Que mon sincère avis vous a blessée au cœur.

CÉLIMÈNE.

Au contraire, Madame ; et si l'on était sage,   965
Ces avis mutuels seraient mis en usage :
On détruirait par là, traitant de bonne foi,[1]
Ce grand aveuglement où chacun est pour soi.

---

1. *traitant de bonne foi :* "in a heart-to-heart talk."

Il ne tiendra qu'à vous qu'avec le même zèle
Nous ne continuions [1] cet office fidèle,   970
Et ne prenions grand soin de nous dire, entre nous,
Ce que nous entendrons, vous de moi, moi de vous.

ARSINOÉ.

Ah ! Madame, de vous je ne puis rien entendre :
C'est en moi que l'on peut trouver fort à reprendre.

CÉLIMÈNE.

Madame, on peut, je crois, louer et blâmer tout,   975
Et chacun a raison suivant l'âge ou le goût.
Il est une saison pour la galanterie ;
Il en est une aussi propre à la pruderie.
On peut, par politique,* en prendre le parti,*
Quand de nos jeunes ans l'éclat est amorti :   980
Cela sert à couvrir de fâcheuses disgrâces.
Je ne dis pas qu'un jour je ne suive vos traces :
L'âge amènera tout, et ce n'est pas le temps,
Madame, comme on sait, d'être prude à vingt ans.

ARSINOÉ.

Certes, vous vous targuez d'un bien faible avantage,   985
Et vous faites sonner* terriblement votre âge.
Ce que de plus que vous on en pourrait avoir
N'est pas un si grand cas pour s'en tant prévaloir ;*
Et je ne sais pourquoi votre âme ainsi s'emporte,
Madame, à me pousser de cette étrange sorte.   990

CÉLIMÈNE.

Et moi, je ne sais pas, Madame, aussi pourquoi
On vous voit en tous lieux, vous déchaîner sur moi.
Faut-il de vos chagrins, sans cesse, à moi vous prendre*?
Et puis-je mais des soins [2] qu'on ne va pas vous rendre?
Si ma personne aux gens inspire de l'amour,   995
Et si l'on continue à m'offrir chaque jour
Des vœux que votre cœur peut souhaiter qu'on m'ôte,
Je n'y saurais que faire,[3] et ce n'est pas ma faute :
Vous avez le champ libre, et je n'empêche pas
Que, pour les attirer vous n'ayez des appas.   1000

---

1. *Il ne tiendra qu'à vous . . . continuions :* "It will be only because
of you if we do not continue with the same zeal, etc." 2. *puis-je
mais des soins :* "can I do anything about the attentions?" 3. *Je n'y
saurais que faire = Je n'y peux rien faire.*

ARSINOÉ.

Hélas ! et croyez-vous que l'on se mette en peine
De ce nombre d'amants dont vous faites la vaine,
Et qu'il ne nous soit pas fort aisé de juger
À quel prix aujourd'hui l'on peut les engager ?
Pensez-vous faire croire, à voir comme tout roule,   1005
Que votre seul mérite attire cette foule ?
Qu'ils ne brûlent pour vous que d'un honnête amour,
Et que pour vos vertus ils vous font tous la cour ?
On ne s'aveugle point par de vaines défaites,*
Le monde n'est point dupe ; et j'en vois qui sont faites   1010
À pouvoir inspirer de tendres sentiments,
Qui chez elles pourtant ne fixent point d'amants ;
Et de là nous pouvons tirer des conséquences,
Qu'on n'acquiert point leurs cœurs sans de grandes avances,
Qu'aucun pour nos beaux yeux¹ n'est notre soupirant,   1015
Et qu'il faut acheter tous les soins qu'on nous rend.
Ne vous enflez donc point d'une si grande gloire*
Pour les petits brillants d'une faible victoire ;
Et corrigez un peu l'orgueil de vos appas,
De traiter pour cela les gens de haut en bas.   1020
Si nos yeux enviaient les conquêtes des vôtres,
Je pense qu'on pourrait faire comme les autres,
Ne se point ménager,² et vous faire bien voir
Que l'on a des amants quand on en veut avoir.

CÉLIMÈNE.

Ayez-en donc, Madame, et voyons cette affaire :   1025
Par ce rare secret efforcez-vous de plaire ;
Et sans . . .

ARSINOÉ.

Brisons, Madame, un pareil entretien :
Il pousserait trop loin votre esprit et le mien ;
Et j'aurais pris déjà le congé qu'il faut prendre,
Si mon carrosse encore ne m'obligeait d'attendre.   1030

CÉLIMÈNE.

Autant qu'il vous plaira vous pouvez arrêter,³
Madame, et là-dessus rien ne doit vous hâter ;

---

1. *pour nos beaux yeux :* "for nothing."   2. *Ne se point ménager :*
"Behave indiscreetly."   3. *(vous) arrêter = rester.*

Mais, sans vous fatiguer de ma cérémonie,
Je m'en vais vous donner meilleure compagnie ;
Et Monsieur, qu'à propos le hasard fait venir,   1035
Remplira mieux ma place à vous entretenir.

SCÈNE VI.

ALCESTE, CÉLIMÈNE, ARSINOÉ.

CÉLIMÈNE.

Alceste, il faut que j'aille écrire un mot de lettre,*
Que, sans me faire tort, je ne saurais remettre.
Soyez avec Madame : elle aura la bonté
D'excuser aisément mon incivilité.   1040

SCÈNE VII.

ALCESTE, ARSINOÉ.

ARSINOÉ.

Vous voyez, elle veut que je vous entretienne,
Attendant un moment que mon carrosse vienne ;
Et jamais tous ses soins ne pouvaient m'offrir rien
Qui me fût plus charmant qu'un pareil entretien.
En vérité, les gens d'un mérite sublime   1045
Entraînent de chacun et l'amour et l'estime ;
Et le vôtre, sans doute, a des charmes secrets
Qui font entrer mon cœur dans tous vos intérêts.
Je voudrais que la cour, par un regard propice,
À ce que vous valez rendît plus de justice :   1050
Vous avez à vous plaindre, et je suis en courroux,
Quand je vois chaque jour qu'on ne fait rien pour vous.

ALCESTE.

Moi, Madame ! Et sur quoi pourrais-je en rien prétendre ?
Quel service à l'État est-ce qu'on m'a vu rendre ?
Qu'ai-je fait, s'il vous plaît, de si brillant de soi,   1055
Pour me plaindre à la cour qu'on ne fait rien pour moi ?

ARSINOÉ.

Tous ceux sur qui la cour jette des yeux propices,
N'ont pas toujours rendu de ces fameux services.

Il faut l'occasion, ainsi que le pouvoir ;
Et le mérite enfin que vous nous faites voir   1060
Devrait . . .

ALCESTE.

                    Mon Dieu ! laissons * mon mérite, de grâce ;
De quoi voulez-vous là que la cour s'embarrasse ?
Elle aurait fort à faire, et ses soins seraient grands
D'avoir à déterrer le mérite des gens.

ARSINOÉ.

Un mérite éclatant se déterre lui-même :   1065
Du vôtre, en bien des lieux, on fait un cas extrême ;
Et vous saurez de moi qu'en deux fort bons endroits
Vous fûtes hier loué par des gens d'un grand poids.

ALCESTE.

Eh ! Madame, l'on loue aujourd'hui tout le monde,
Et le siècle par là n'a rien qu'on ne confonde :   1070
Tout est d'un grand mérite également doué,
Ce n'est plus un honneur que de se voir loué ;
D'éloges on regorge, à la tête on les jette,
Et mon valet de chambre est mis dans la Gazette.

ARSINOÉ.

Pour moi, je voudrais bien que, pour vous montrer * mieux,   1075
Une charge à la cour vous pût frapper les yeux.[1]
Pour peu que [2] d'y songer vous nous fassiez les mines,
On peut pour vous servir remuer des machines, *
Et j'ai des gens en main que j'emploierai pour vous,
Qui vous feront à tout un chemin assez doux.   1080

ALCESTE.

Et que voudriez-vous, Madame, que j'y fisse ?
L'humeur dont je me sens veut que je m'en bannisse.
Le Ciel ne m'a point fait, en me donnant le jour,
Une âme compatible avec l'air de la cour ;
Je ne me trouve point les vertus nécessaires   1085
Pour y bien réussir et faire mes affaires.
Être franc et sincère est mon plus grand talent ;
Je ne sais point jouer les hommes en parlant ;

    1. *vous pût frapper les yeux:* "might catch your eye (your fancy)."
    2. *Pour peu que:* "If only."

Et qui n'a pas le don de cacher ce qu'il pense
Doit faire en ce pays fort peu de résidence. 1090
Hors de la cour, sans doute, on n'a pas cet appui,
Et ces titres d'honneur qu'elle donne aujourd'hui ;
Mais on n'a pas aussi, perdant ces avantages,
Le chagrin de jouer de fort sots personnages :
On n'a point à souffrir mille rebuts cruels, 1095
On n'a point à louer les vers de Messieurs tels,*
À donner de l'encens à Madame une telle,
Et de nos francs marquis essuyer la cervelle.*

ARSINOÉ.

Laissons, puisqu'il vous plaît, ce chapitre de cour ;
Mais il faut que mon cœur vous plaigne en votre amour ; 1100
Et pour vous découvrir là-dessus mes pensées,
Je souhaiterais fort vos ardeurs mieux placées.
Vous méritez, sans doute, un sort beaucoup plus doux,
Et celle qui vous charme est indigne de vous.

ALCESTE.

Mais, en disant cela, songez-vous, je vous prie, 1105
Que cette personne est, Madame, votre amie ?

ARSINOÉ.

Oui ; mais ma conscience est blessée en effet
De souffrir plus longtemps le tort que l'on vous fait ;
L'état où je vous vois afflige trop mon âme,
Et je vous donne avis qu'on trahit votre flamme. 1110

ALCESTE.

C'est me montrer, Madame, un tendre mouvement,
Et de pareils avis obligent un amant !

ARSINOÉ.

Oui, toute mon amie,[1] elle est, et je la nomme
Indigne d'asservir le cœur d'un galant homme ;
Et le sien n'a pour vous que de feintes douceurs. 1115

ALCESTE.

Cela se peut, Madame, on ne voit pas les cœurs ;
Mais votre charité se serait bien passée
De jeter dans le mien une telle pensée.

1. *toute mon amie = bien qu'elle soit mon amie.*

ARSINOÉ.

Si vous ne voulez pas être désabusé,
Il faut ne vous rien dire, il est assez aisé.   1120

ALCESTE.

Non ; mais sur ce sujet quoi que l'on nous expose,
Les doutes sont fâcheux plus que toute autre chose ;
Et je voudrais, pour moi, qu'on ne me fît savoir
Que ce qu'avec clarté l'on peut me faire voir.

ARSINOÉ.

Hé bien ! c'est assez dit ; et sur cette matière   1125
Vous allez recevoir une pleine lumière.
Oui, je veux que de tout vos yeux vous fassent foi : [1]
Donnez-moi seulement la main [2] jusque chez moi ;
Là je vous ferai voir une preuve fidèle
De l'infidélité du cœur de votre belle ;   1130
Et si pour d'autres yeux le vôtre peut brûler,
On pourra vous offrir de quoi vous consoler.

ACTE IV. SCÈNE PREMIÈRE.

ÉLIANTE, PHILINTE.

PHILINTE.

Non, l'on n'a point vu d'âme à manier si dure,
Ni d'accommodement plus pénible à conclure :
En vain de tous côtés on l'a voulu tourner,   1135
Hors de son sentiment on n'a pu l'entraîner ;
Et jamais différend si bizarre, je pense,
N'avait de ces Messieurs [3] occupé la prudence.
"Non, Messieurs, disait-il, je ne me dédis point,
Et tomberai d'accord de tout, hors de ce point.   1140
De quoi s'offense-t-il ? et que veut-il me dire ?
Y va-t-il de sa gloire* à ne pas bien écrire ?
Que lui fait mon avis, qu'il a pris de travers ?
On peut être honnête homme et faire mal des vers :
Ce n'est point à l'honneur que touchent ces matières ;   1145
Je le tiens galant homme en toutes les manières,

---

1. *fassent foi :* "convince."   2. *Donnez-moi la main :* "Escort me."
3. *Messieurs :* see line 751, note.

Homme de qualité, de mérite et de cœur,
Tout ce qu'il vous plaira, mais fort méchant auteur.
Je louerai, si l'on veut, son train et sa dépense,
Son adresse à cheval, aux armes, à la danse ;   1150
Mais pour louer ses vers, je suis son serviteur ; [1]
Et lorsque d'en mieux faire on n'a pas le bonheur,
On ne doit de rimer avoir aucune envie,
Qu'on n'y soit condamné sur peine de la vie."
Enfin toute la grâce et l'accommodement   1155
Où s'est, avec effort, plié son sentiment,
C'est de dire, croyant adoucir bien son style :
"Monsieur, je suis fâché d'être si difficile,
Et pour l'amour de vous, je voudrais, de bon cœur,
Avoir trouvé tantôt votre sonnet meilleur."   1160
Et dans une embrassade, on leur a, pour conclure,
Fait vite envelopper* toute la procédure.

ÉLIANTE.

Dans ses façons d'agir, il est fort singulier ;
Mais j'en fais, je l'avoue, un cas* particulier,
Et la sincérité dont son âme se pique   1165
A quelque chose, en soi, de noble et d'héroïque.
C'est une vertu rare au siècle d'aujourd'hui,
Et je la voudrais voir partout comme chez lui.

PHILINTE.

Pour moi, plus je le vois, plus surtout je m'étonne
De cette passion où son cœur s'abandonne :   1170
De l'humeur dont le Ciel a voulu le former,
Je ne sais pas comment il s'avise d'aimer ;
Et je sais moins encor comment votre cousine
Peut être la personne où son penchant l'incline.

ÉLIANTE.

Cela fait assez voir que l'amour, dans les cœurs,   1175
N'est pas toujours produit par un rapport d'humeurs ;
Et toutes ces raisons de douces sympathies
Dans cet exemple-ci se trouvent démenties.

PHILINTE.

Mais croyez-vous qu'on [2] l'aime, aux choses qu'on peut voir ?

---

1. *je suis son serviteur:* ironic phrase; translate "I respectfully
decline." 2. *on = elle.*

ÉLIANTE.

C'est un point qu'il n'est pas fort aisé de savoir.   1180
Comment pouvoir juger s'il est vrai qu'elle l'aime?
Son cœur de ce qu'il sent n'est pas bien sûr lui-même ;
Il aime quelquefois sans qu'il le sache bien,
Et croit aimer aussi parfois qu'il n'en est rien.

PHILINTE.

Je crois que notre ami, près de cette cousine,   1185
Trouvera des chagrins plus qu'il ne s'imagine ;
Et s'il avait mon cœur, à dire vérité,
Il tournerait ses vœux tout d'un autre côté,
Et par un choix plus juste, on le verrait, Madame,
Profiter des bontés que lui montre votre âme.   1190

ÉLIANTE.

Pour moi, je n'en fais point de façons, et je croi
Qu'on doit, sur de tels points, être de bonne foi :
Je ne m'oppose point à toute sa tendresse ;
Au contraire, mon cœur pour elle s'intéresse ;
Et si c'était qu'à moi la chose pût tenir,[1]   1195
Moi-même à ce qu'il aime on me verrait l'unir.
Mais si dans un tel choix, comme tout se peut faire,
Son amour éprouvait quelque destin contraire,
S'il fallait que d'un autre on couronnât les feux,*
Je pourrais me résoudre à recevoir ses vœux ;   1200
Et le refus souffert, en pareille occurrence,
Ne m'y ferait trouver aucune répugnance.

PHILINTE.

Et moi, de mon côté, je ne m'oppose pas,
Madame, à ces bontés qu'ont pour lui vos appas ;
Et lui-même, s'il veut, il peut bien vous instruire   1205
De ce que là-dessus j'ai pris soin de lui dire.
Mais si, par un hymen qui les joindrait eux deux,
Vous étiez hors d'état de recevoir ses vœux,
Tous les miens tenteraient la faveur éclatante
Qu'avec tant de bonté votre âme lui présente :   1210
Heureux si, quand son cœur s'y [2] pourra dérober,
Elle pouvait sur moi, Madame, retomber* !

---

1. "And, if the thing depended on me alone."   2. *y* and *elle* in the next line represent *votre faveur* (1209).

ÉLIANTE.

Vous vous divertissez, Philinte.

PHILINTE.

               Non, Madame,
Et je vous parle ici du meilleur* de mon âme.
J'attends l'occasion de m'offrir hautement,   1215
Et de tous mes souhaits j'en presse le moment.

SCÈNE II.

ALCESTE, ÉLIANTE, PHILINTE.

ALCESTE.

Ah ! faites-moi raison,* Madame, d'une offense
Qui vient de triompher de toute ma constance.

ÉLIANTE.

Qu'est-ce donc ?   Qu'avez-vous qui vous puisse émouvoir ?

ALCESTE.

J'ai ce que sans mourir je ne puis concevoir ;   1220
Et le déchaînement de toute la nature
Ne m'accablerait pas comme cette aventure.*
C'en est fait . . .   Mon amour . . .   Je ne saurais parler.

ÉLIANTE.

Que votre esprit un peu tâche à se rappeler.[1]

ALCESTE.

Ô juste Ciel ! faut-il qu'on joigne à tant de grâces   1225
Les vices odieux des âmes les plus basses ?

ÉLIANTE.

Mais encor qui vous peut . . .?

ALCESTE.

                Ah ! tout est ruiné ;
Je suis, je suis trahi, je suis assassiné :
Célimène . . .   Eût-on pu croire cette nouvelle ?
Célimène me trompe et n'est qu'une infidèle.   1230

---

1. "Let your mind try to recover control of itself."

ÉLIANTE.

Avez-vous, pour le croire, un juste fondement ?

PHILINTE.

Peut-être est-ce un soupçon conçu légèrement,
Et votre esprit jaloux prend parfois des chimères . . .

ALCESTE.

Ah, morbleu ! mêlez-vous, Monsieur, de vos affaires.
    (À *Éliante :*)

C'est de sa trahison n'être que trop certain,   1235
Que l'avoir, dans ma poche, écrite de sa main.
Oui, Madame, une lettre écrite pour Oronte
A produit à mes yeux ma disgrâce et sa honte :
Oronte, dont j'ai cru qu'elle fuyait les soins,
Et que de mes rivaux je redoutais le moins.   1240

PHILINTE.

Une lettre peut bien tromper par l'apparence,
Et n'est pas quelquefois si coupable qu'on pense.

ALCESTE.

Monsieur, encore un coup, laissez-moi, s'il vous plaît,
Et ne prenez souci que de votre intérêt.

ÉLIANTE.

Vous devez modérer vos transports,* et l'outrage . . .   1245

ALCESTE.

Madame, c'est à vous qu'appartient cet ouvrage ;
C'est à vous que mon cœur a recours aujourd'hui
Pour pouvoir s'affranchir de son cuisant ennui.
Vengez-moi d'une ingrate et perfide parente,
Qui trahit lâchement une ardeur si constante ;   1250
Vengez-moi de ce trait* qui doit vous faire horreur.

ÉLIANTE.

Moi, vous venger ! Comment ?

ALCESTE.

                                   En recevant mon cœur.
Acceptez-le, Madame, au lieu de l'infidèle :
C'est par là que je puis prendre vengeance d'elle ;
Et je la veux punir par les sincères vœux,   1255
Par le profond amour, les soins respectueux,

Les devoirs empressés et l'assidu* service
Dont ce cœur va vous faire un ardent sacrifice.

ÉLIANTE.

Je compatis, sans doute, à ce que vous souffrez,
Et ne méprise point le cœur que vous m'offrez ; 1260
Mais peut-être le mal n'est pas si grand qu'on pense,
Et vous pourrez quitter ce désir de vengeance.
Lorsque l'injure part d'un objet plein d'appas,
On fait force desseins qu'on n'exécute pas :
On a beau voir, pour rompre, une raison puissante, 1265
Une coupable aimée est bientôt innocente ;
Tout le mal* qu'on lui veut se dissipe aisément,
Et l'on sait ce que c'est qu'un courroux d'un amant.

ALCESTE.

Non, non, Madame, non : l'offense est trop mortelle,
Il n'est point de retour, et je romps avec elle ; 1270
Rien ne saurait changer le dessein que j'en fais,
Et je me punirais de l'estimer jamais.
La voici. Mon courroux redouble à cette approche ;
Je vais de sa noirceur lui faire un vif reproche,
Pleinement la confondre, et vous porter après 1275
Un cœur tout dégagé de ses trompeurs attraits.

SCÈNE III.

CÉLIMÈNE, ALCESTE.

ALCESTE, à part.

Ô Ciel ! de mes transports puis-je être ici le maître ?

CÉLIMÈNE, à part.

Ouais ! Quel[1] est donc le trouble où je vous vois paraître ?
Et que me veulent dire et ces soupirs poussés,
Et ces sombres regards que sur moi vous lancez ? 1280

ALCESTE.

Que toutes les horreurs dont une âme est capable
À vos déloyautés n'ont rien de comparable ;

[1]. With *Quel* she begins to address Alceste directly.

Que le sort, les démons, et le Ciel en courroux
N'ont jamais rien produit de si méchant que vous.

CÉLIMÈNE.

Voilà certainement des douceurs que j'admire.   1285

ALCESTE.

Ah ! ne plaisantez point, il n'est pas temps de rire :
Rougissez bien plutôt, vous en avez raison ;
Et j'ai de sûrs témoins de votre trahison.
Voilà ce que marquaient les troubles de mon âme :
Ce n'était pas en vain que s'alarmait ma flamme ;   1290
Par ces fréquents soupçons, qu'on trouvait odieux,
Je cherchais le malheur qu'ont rencontré mes yeux ;
Et malgré tous vos soins et votre adresse à feindre,
Mon astre me disait ce que j'avais à craindre.
Mais ne présumez pas que, sans être vengé,   1295
Je souffre le dépit de me voir outragé.
Je sais que sur les vœux on n'a point de puissance,
Que l'amour veut partout naître sans dépendance,
Que jamais par la force on n'entra dans un cœur,
Et que toute âme est libre à nommer son vainqueur.   1300
Aussi ne trouverais-je aucun sujet de plainte,
Si pour moi votre bouche avait parlé sans feinte ;
Et, rejetant mes vœux dès le premier abord,
Mon cœur n'aurait eu droit de s'en prendre qu'au sort.
Mais d'un aveu trompeur voir ma flamme applaudie,   1305
C'est une trahison, c'est une perfidie,
Qui ne saurait trouver de trop grands châtiments,
Et je puis tout permettre à mes ressentiments.
Oui, oui, redoutez tout après un tel outrage ;
Je ne suis plus à moi, je suis tout à la rage :   1310
Percé du coup mortel dont vous m'assassinez,
Mes sens par la raison ne sont plus gouvernés,
Je cède aux mouvements d'une juste colère,
Et je ne réponds pas de ce que je puis faire.

CÉLIMÈNE.

D'où vient donc, je vous prie, un tel emportement?   1315
Avez-vous, dites-moi, perdu le jugement?

ALCESTE.

Oui, oui, je l'ai perdu, lorsque dans votre vue
J'ai pris, pour mon malheur, le poison qui me tue,

Et que j'ai cru trouver quelque sincérité
Dans les traîtres appas dont je fus enchanté.   1320

CÉLIMÈNE.

De quelle trahison pouvez-vous donc vous plaindre?

ALCESTE.

Ah! que ce cœur est double, et sait bien l'art de feindre!
Mais pour le mettre à bout,[1] j'ai des moyens tout prêts:
Jetez ici les yeux, et connaissez vos traits;[2]
Ce billet découvert suffit pour vous confondre,   1325
Et contre ce témoin on n'a rien à répondre.

CÉLIMÈNE.

Voilà donc le sujet qui vous trouble l'esprit?

ALCESTE.

Vous ne rougissez pas en voyant cet écrit?

CÉLIMÈNE.

Et par quelle raison faut-il que j'en rougisse?

ALCESTE.

Quoi? vous joignez ici l'audace à l'artifice?   1330
Le désavouerez-vous, pour n'avoir point de seing?

CÉLIMÈNE.

Pourquoi désavouer un billet de ma main?

ALCESTE.

Et vous pouvez le voir sans demeurer confuse
Du crime dont vers moi son style vous accuse?

CÉLIMÈNE.

Vous êtes, sans mentir, un grand extravagant.   1335

ALCESTE.

Quoi? vous bravez ainsi ce témoin convaincant?
Et ce qu'il m'a fait voir de douceur pour Oronte
N'a donc rien qui m'outrage, et qui vous fasse honte*?

CÉLIMÈNE.

Oronte! Qui vous dit que la lettre est pour lui?

---

1. *mettre à bout:* "confound" or "convict."   2. *vos traits:* "your handwriting."

ALCESTE.

Les gens qui dans mes mains l'ont remise aujourd'hui.   1340
Mais je veux consentir qu'elle soit pour un autre :
Mon cœur en a-t-il moins à se plaindre du vôtre ?
En serez-vous vers moi moins coupable en effet ?

CÉLIMÈNE.

Mais si c'est une femme à qui va ce billet,
En quoi vous blesse-t-il ? et qu'a-t-il de coupable ?   1345

ALCESTE.

Ah ! le détour est bon, et l'excuse admirable.
Je ne m'attendais pas, je l'avoue, à ce trait,
Et me voilà, par là, convaincu tout à fait.
Osez-vous recourir à ces ruses grossières ?
Et croyez-vous les gens si privés de lumières ?   1350
Voyons, voyons un peu par quel biais,* de quel air,
Vous voulez soutenir un mensonge si clair,
Et comment vous pourrez tourner pour une femme
Tous les mots d'un billet qui montre tant de flamme ?
Ajustez, pour couvrir un manquement de foi,   1355
Ce que je m'en vais lire . . .

CÉLIMÈNE.

                    Il ne me plaît pas, moi.
Je vous trouve plaisant d'user d'un tel empire,
Et de me dire au nez ce que vous m'osez dire.

ALCESTE.

Non, non : sans s'emporter,[1] prenez un peu souci
De me justifier les termes que voici.   1360

CÉLIMÈNE.

Non, je n'en veux rien faire ; et dans cette occurrence,
Tout ce que vous croirez m'est de peu d'importance.

ALCESTE.

De grâce, montrez-moi, je serai satisfait,
Qu'on peut pour une femme expliquer ce billet.

CÉLIMÈNE.

Non, il est pour Oronte, et je veux qu'on le croie ;   1365
Je reçois tous ses soins avec beaucoup de joie ;

---

1. *s'emporter = vous emporter.*

J'admire ce qu'il dit, j'estime ce qu'il est,
Et je tombe d'accord de tout ce qu'il vous plaît.
Faites, prenez parti, que rien ne vous arrête,
Et ne me rompez* pas davantage la tête. 1370

ALCESTE, *à part.*

Ciel ! rien de plus cruel peut-il être inventé ?
Et jamais cœur fut-il de la sorte traité ?
Quoi ? d'un juste courroux je suis ému contre elle,
C'est moi qui me viens plaindre, et c'est moi qu'on querelle !
On pousse ma douleur et mes soupçons à bout, 1375
On me laisse tout croire, on fait gloire de tout ;
Et cependant mon cœur est encore assez lâche
Pour ne pouvoir briser la chaîne qui l'attache,
Et pour ne pas s'armer d'un généreux mépris
Contre l'ingrat objet dont il est trop épris ! 1380
Ah ¹ ! que vous savez bien ici, contre moi-même,
Perfide, vous servir de ma faiblesse extrême,
Et ménager pour vous l'excès prodigieux
De ce fatal amour né de vos traîtres yeux !
Défendez-vous au moins d'un crime qui m'accable, 1385
Et cessez d'affecter d'être envers moi coupable ;
Rendez-moi, s'il se peut, ce billet innocent :
À vous prêter les mains ² ma tendresse consent ;
Efforcez-vous ici de paraître fidèle,
Et je m'efforcerai, moi, de vous croire telle. 1390

CÉLIMÈNE.

Allez, vous êtes fou, dans vos transports jaloux,
Et ne méritez pas l'amour qu'on a pour vous.
Je voudrais bien savoir qui ³ pourrait me contraindre
À descendre pour vous aux bassesses de feindre,
Et pourquoi, si mon cœur penchait d'autre côté, 1395
Je ne le dirais pas avec sincérité.
Quoi ? de mes sentiments l'obligeante assurance
Contre tous vos soupçons ne prend pas ma défense ?
Auprès d'un tel garant, sont-ils de quelque poids ?
N'est-ce pas m'outrager que d'écouter leur voix ? 1400
Et puisque notre ⁴ cœur fait un effort extrême
Lorsqu'il peut se résoudre à confesser qu'il aime,

---

1. Here he addresses Célimène. 2. *À vous prêter les mains = À vous aider.* 3. *qui:* "what." 4. *notre = mon ;* according to the polite code women were expected to be very reluctant to admit their love.

Puisque l'honneur du sexe, ennemi de nos feux,
S'oppose fortement à de pareils aveux,
L'amant qui voit pour lui franchir* un tel obstacle   1405
Doit-il impunément douter de cet oracle*?
Et n'est-il pas coupable en ne s'assurant pas
À ce qu'on ne dit point qu'après de grands combats?
Allez, de tels soupçons méritent ma colère,
Et vous ne valez pas que l'on vous considère :   1410
Je suis sotte, et veux mal* à ma simplicité
De conserver encor pour vous quelque bonté ;
Je devrais autre part attacher mon estime,
Et vous faire un sujet de plainte légitime.

ALCESTE.

Ah ! traîtresse, mon faible est étrange pour vous !   1415
Vous me trompez sans doute avec des mots si doux ;
Mais il n'importe, il faut suivre ma destinée :
À votre foi mon âme est toute abandonnée ;
Je veux voir jusqu'au bout, quel sera votre cœur,
Et si de me trahir il aura la noirceur.   1420

CÉLIMÈNE.

Non, vous ne m'aimez point comme il faut que l'on aime.

ALCESTE.

Ah ! rien n'est comparable à mon amour extrême ;
Et dans l'ardeur qu'il a de se montrer à tous,
Il va jusqu'à former des souhaits contre vous.
Oui, je voudrais qu'aucun ne vous trouvât aimable,   1425
Que vous fussiez réduite en un sort misérable,
Que le Ciel, en naissant,[1] ne vous eût donné rien,
Que vous n'eussiez ni rang, ni naissance,* ni bien,
Afin que de mon cœur l'éclatant sacrifice
Vous pût d'un pareil sort réparer l'injustice,   1430
Et que j'eusse la joie et la gloire, en ce jour,
De vous voir tenir tout des mains de mon amour.

CÉLIMÈNE.

C'est me vouloir du bien d'une étrange manière !
Me préserve le Ciel que vous ayez matière [2] . . . !
Voici Monsieur Dubois, plaisamment figuré.[3]   1435

---

1. *en naissant = à votre naissance.*   2. *matière:* "occasion," "opportunity."   Read the line thus: "May Heaven not offer you the opportunity."   3. *plaisamment figuré:* "amusingly dressed."

SCÈNE IV.

CÉLIMÈNE, ALCESTE, DUBOIS.

ALCESTE.

Que veut [1] cet équipage, et cet air effaré ?
Qu'as-tu ?

DUBOIS.

Monsieur . . .

ALCESTE.

Hé bien ?

DUBOIS.

Voici bien des mystères.

ALCESTE.

Qu'est-ce ?

DUBOIS.

Nous sommes mal, Monsieur, dans nos affaires.

ALCESTE.

Quoi ?

DUBOIS.

Parlerai-je haut ?

ALCESTE.

Oui, parle, et promptement.

DUBOIS.

N'est-il point là quelqu'un . . . ?

ALCESTE.

Ah ! que d'amusement * ! 1440

Veux-tu parler ?

DUBOIS.

Monsieur, il faut faire retraite.

ALCESTE.

Comment ?

DUBOIS.

Il faut d'ici déloger sans trompette.*

ALCESTE.

Et pourquoi ?

1. *veut = veut dire.*

DUBOIS.

Je vous dis qu'il faut quitter ce lieu.

ALCESTE.

La cause?

DUBOIS.

Il faut partir, Monsieur, sans dire adieu.

ALCESTE.

Mais par quelle raison me tiens-tu ce langage?   1445

DUBOIS.

Par la raison, Monsieur, qu'il faut plier bagage.

ALCESTE.

Ah ! je te casserai la tête assurément,
Si tu ne veux, maraud, t'expliquer autrement.

DUBOIS.

Monsieur, un homme noir et d'habit et de mine
Est venu nous laisser, jusque dans la cuisine,   1450
Un papier griffonné d'une telle façon,
Qu'il faudrait, pour le lire, être pis qu'un démon.
C'est de votre procès, je n'en fais aucun doute ;
Mais le diable d'enfer, je crois, n'y verrait goutte.*

ALCESTE.

Hé bien? quoi? ce papier, qu'a-t-il à démêler,[1]   1455
Traître, avec le départ dont tu viens me parler?

DUBOIS.

C'est pour vous dire ici, Monsieur, qu'une heure ensuite,[2]
Un homme qui souvent vous vient rendre visite
Est venu vous chercher avec empressement,
Et, ne vous trouvant pas, m'a chargé doucement,   1460
Sachant que je vous sers avec beaucoup de zèle,
De vous dire. . . . Attendez, comme [3] est-ce qu'il s'appelle?

ALCESTE.

Laisse là son nom, traître, et dis ce qu'il t'a dit.

1. *qu'a-t-il à démêler:* "what has it to do . . ."   2. *ensuite =*
après.   3. *comme = comment.*

DUBOIS.

C'est un de vos amis enfin, cela suffit.
Il m'a dit que d'ici votre péril vous chasse,   1465
Et que d'être arrêté le sort vous y menace.

ALCESTE.

Mais quoi ? n'a-t-il voulu te rien spécifier ?

DUBOIS.

Non : il m'a demandé de l'encre et du papier,
Et vous a fait un mot, où vous pourrez, je pense,
Du fond de ce mystère avoir la connaissance.   1470

ALCESTE.

Donne-le donc.

CÉLIMÈNE.

Que peut envelopper [1] ceci ?

ALCESTE.

Je ne sais ; mais j'aspire à m'en voir éclairci.
Auras-tu bientôt fait, impertinent au diable [2] ?

DUBOIS, *après l'avoir longtemps cherché.*

Ma foi ! je l'ai, Monsieur, laissé sur votre table.

ALCESTE.

Je ne sais qui [3] me tient . . .

CÉLIMÈNE.

                    Ne vous emportez pas,   1475
Et courez démêler un pareil embarras.

ALCESTE.

Il semble que le sort, quelque soin que je prenne,
Ait juré d'empêcher que je vous entretienne ;
Mais pour en triompher, souffrez à mon amour
De vous revoir, Madame, avant la fin du jour.   1480

---

1. *envelopper = cacher.*   2. *impertinent au diable:* "confounded
fool."   3. *qui = *"what."

ACTE V. SCÈNE PREMIÈRE.

ALCESTE, PHILINTE.

ALCESTE.

La résolution en est prise, vous dis-je.

PHILINTE.

Mais, quel que soit ce coup, faut-il qu'il vous oblige . . .?

ALCESTE.

Non : vous avez beau faire et beau me raisonner,
Rien de ce que je dis ne peut me détourner :
Trop de perversité règne au siècle où nous sommes,   1485
Et je veux me tirer du commerce des hommes.
Quoi ? contre ma partie on voit tout à la fois
L'honneur, la probité, la pudeur, et les lois ;
On publie en tous lieux l'équité de ma cause ;
Sur la foi de mon droit mon âme se repose :   1490
Cependant je me vois trompé par le succès ;*
J'ai pour moi la justice, et je perds mon procès !
Un traître, dont on sait la scandaleuse histoire,
Est sorti triomphant d'une fausseté noire !
Toute la bonne foi cède à sa trahison !   1495
Il trouve, en m'égorgeant, moyen d'avoir raison !
Le poids de sa grimace, où brille l'artifice,
Renverse le bon droit, et tourne[1] la justice !
Il fait par un arrêt couronner son forfait !
Et non content encor du tort que l'on me fait,   1500
Il court parmi le monde un livre abominable,
Et de qui la lecture est même condamnable,
Un livre à mériter la dernière rigueur,
Dont le fourbe a le front de me faire l'auteur !
Et là-dessus, on voit Oronte qui murmure,   1505
Et tâche méchamment d'appuyer* l'imposture !
Lui, qui d'un honnête homme à la cour tient le rang,
À qui je n'ai rien fait qu'être sincère et franc,
Qui me vient, malgré moi, d'une ardeur empressée,
Sur des vers qu'il a faits demander ma pensée ;   1510
Et parce que j'en use* avec honnêteté,
Et ne le veux trahir, lui ni la vérité

---

1. *tourne :* "circumvents," "defeats."

Il aide à m'accabler d'un crime imaginaire !
Le voilà devenu mon plus grand adversaire !
Et jamais de son cœur je n'aurai de pardon,   1515
Pour n'avoir pas trouvé que son sonnet fût bon !
Et les hommes, morbleu ! sont faits de cette sorte !
C'est à ces actions que la gloire* les porte !
Voilà la bonne foi, le zèle vertueux,
La justice et l'honneur que l'on trouve chez eux !   1520
Allons, c'est trop souffrir les chagrins qu'on nous forge :
Tirons-nous de ce bois et de ce coupe-gorge.
Puisque entre humains ainsi vous vivez en vrais loups,
Traîtres, vous ne m'aurez de ma vie [1] avec vous.

PHILINTE.

Je trouve un peu bien prompt le dessein où vous êtes,   1525
Et tout le mal n'est pas si grand que vous le faites :
Ce que votre partie ose vous imputer
N'a point eu le crédit de vous faire arrêter ;
On voit son faux rapport lui-même se détruire,
Et c'est une action qui pourrait bien lui nuire.   1530

ALCESTE.

Lui ? De semblables tours il ne craint point l'éclat ;
Il a permission d'être franc scélérat ;
Et, loin qu'à son crédit nuise [2] cette aventure,
On l'en verra demain en meilleure posture.

PHILINTE.

Enfin il est constant* qu'on n'a point trop [3] donné   1535
Au bruit que contre vous sa malice a tourné :
De ce côté déjà vous n'avez rien à craindre ;
Et pour votre procès, dont vous pouvez vous plaindre,
Il vous est en justice aisé d'y revenir, [4]
Et contre cet arrêt . . .

ALCESTE.

               Non : je veux m'y tenir. [5]   1540
Quelque sensible tort qu'un tel arrêt me fasse,
Je me garderai bien de vouloir qu'on le casse :

1. *de ma vie = pendant le reste de ma vie.*
by the present participle "doing harm to."
credence.   4. *d'y revenir :* "to appeal."   2. *nuise :* translate this
3. *trop :* i.e., too much
5. *m'y tenir :* "to abide
by it."

On y voit trop à plein le bon droit maltraité,
Et je veux qu'il demeure à la postérité
Comme une marque insigne, un fameux témoignage   *1545*
De la méchanceté des hommes de notre âge.
Ce sont vingt mille francs qu'il m'en pourra coûter ;
Mais, pour vingt mille francs, j'aurai droit de pester
Contre l'iniquité de la nature humaine,
Et de nourrir pour elle une immortelle haine.   *1550*

PHILINTE.

Mais enfin . . .

ALCESTE.

           Mais enfin, vos soins sont superflus :
Que pouvez-vous, Monsieur, me dire là-dessus ?
Aurez-vous bien le front de me vouloir en face
Excuser les horreurs de tout ce qui se passe ?

PHILINTE.

Non : je tombe d'accord de tout ce qu'il vous plaît :   *1555*
Tout marche par cabale et par pur intérêt ;
Ce n'est plus que la ruse aujourd'hui qui l'emporte,*
Et les hommes devraient être faits d'autre sorte.
Mais est-ce une raison que leur peu d'équité [1]
Pour vouloir se tirer de leur société ?   *1560*
Tous ces défauts humains nous donnent dans la vie
Des moyens d'exercer notre philosophie :
C'est le plus bel emploi que trouve la vertu ;
Et si de probité tout était revêtu,
Si tous les cœurs étaient francs, justes et dociles,   *1565*
La plupart des vertus nous seraient inutiles,
Puisqu'on en met l'usage à pouvoir sans ennui
Supporter, dans nos droits, l'injustice d'autrui ;
Et de même qu'un cœur d'une vertu profonde . . .

ALCESTE.

Je sais que vous parlez, Monsieur, le mieux du monde ;   *1570*
En beaux raisonnements vous abondez toujours ;
Mais vous perdez le temps et tous vos beaux discours.
La raison, pour mon bien, veut que je me retire :
Je n'ai point sur ma langue un assez grand empire ;
De ce que je dirais je ne répondrais* pas,   *1575*
Et je me jetterais cent choses sur les bras.

    1. Reword this line : *Est-ce que leur peu d'équité est une raison* . . .

Laissez-moi, sans dispute, attendre Célimène :
Il faut qu'elle consente au dessein qui m'amène ;
Je vais voir si son cœur a de l'amour pour moi,
Et c'est ce moment-ci qui doit m'en faire foi.[1]   1580

PHILINTE.

Montons chez Éliante, attendant sa venue.

ALCESTE.

Non : de trop de souci je me sens l'âme émue.
Allez-vous-en la voir, et me laissez enfin
Dans ce petit coin sombre, avec mon noir chagrin.

PHILINTE.

C'est une compagnie étrange pour attendre,   1585
Et je vais obliger Éliante à descendre.

SCÈNE II.

CÉLIMÈNE, ORONTE, ALCESTE.

ORONTE.

Oui, c'est à vous de voir si par des nœuds si doux,
Madame, vous voulez m'attacher tout à vous.
Il me faut de votre âme une pleine assurance :
Un amant là-dessus n'aime point qu'on balance.   1590
Si l'ardeur de mes feux a pu vous émouvoir,
Vous ne devez point feindre à me le faire voir ;
Et la preuve, après tout, que je vous en demande,
C'est de ne plus souffrir qu'Alceste vous prétende,
De le sacrifier, Madame, à mon amour,   1595
Et de chez vous enfin le bannir dès ce jour.

CÉLIMÈNE.

Mais quel sujet si grand contre lui vous irrite,
Vous à qui j'ai tant vu parler de son mérite ?

ORONTE.

Madame, il ne faut point ces éclaircissements ;
Il s'agit de savoir quels sont vos sentiments.   1600
Choisissez, s'il vous plaît, de garder l'un ou l'autre ;
Ma résolution n'attend rien que la vôtre.

---

1. *qui doit m'en faire foi = qui doit m'en donner la preuve.*

ALCESTE.

Oui, Monsieur a raison : Madame, il faut choisir,
Et sa demande ici s'accorde* à mon désir.
Pareille ardeur me presse, et même soin m'amène ;   1605
Mon amour veut du vôtre une marque certaine,
Les choses ne sont plus pour traîner en longueur,[1]
Et voici le moment d'expliquer votre cœur.

ORONTE.

Je ne veux point, Monsieur, d'une flamme importune
Troubler aucunement votre bonne fortune.   1610

ALCESTE.

Je ne veux point, Monsieur, jaloux ou non jaloux,
Partager de son cœur rien du tout avec vous.

ORONTE.

Si votre amour au mien lui semble préférable . . .

ALCESTE.

Si du moindre penchant elle est pour vous capable . . .

ORONTE.

Je jure de n'y rien prétendre désormais.   1615

ALCESTE.

Je jure hautement de ne la voir jamais.

ORONTE.

Madame, c'est à vous de parler sans contrainte.

ALCESTE.

Madame, vous pouvez vous expliquer sans crainte.

ORONTE.

Vous n'avez qu'à nous dire où s'attachent vos vœux.

ALCESTE.

Vous n'avez qu'à trancher, et choisir de nous deux.   1620

ORONTE.

Quoi ? sur un pareil choix vous semblez être en peine ?

ALCESTE.

Quoi ? votre âme balance et paraît incertaine !

---

1. *ne sont plus pour traîner en longueur :* "are not to be delayed any longer."

CÉLIMÈNE.

Mon Dieu ! que cette instance est là hors de saison,
Et que vous témoignez tous deux, peu de raison !
Je sais prendre parti sur cette préférence,   1625
Et ce n'est pas mon cœur maintenant qui balance :
Il n'est point suspendu, sans doute, entre vous deux,
Et rien n'est si tôt fait que le choix de nos vœux.
Mais je souffre, à vrai dire, une gêne trop forte
À prononcer en face un aveu de la sorte :   1630
Je trouve que ces mots qui sont désobligeants
Ne se doivent point dire en présence des gens ;
Qu'un cœur de son penchant donne assez de lumière,
Sans qu'on nous fasse aller jusqu'à rompre en visière ;[1]
Et qu'il suffit enfin que de plus doux témoins   1635
Instruisent un amant du malheur de ses soins.

ORONTE.

Non, non, un franc aveu n'a rien que j'appréhende :
J'y consens pour ma part.

ALCESTE.

                     Et moi, je le demande :
C'est son éclat surtout qu'ici j'ose exiger,
Et je ne prétends point vous voir rien ménager.   1640
Conserver* tout le monde est votre grande étude ;
Mais plus d'amusement,* et plus d'incertitude :
Il faut vous expliquer nettement là-dessus,
Ou bien pour un arrêt je prends votre refus ;
Je saurai, de ma part, expliquer ce silence,   1645
Et me tiendrai pour dit tout le mal que j'en pense.

ORONTE.

Je vous sais fort bon gré, Monsieur, de ce courroux,
Et je lui dis ici même chose que vous.

CÉLIMÈNE.

Que vous me fatiguez avec un tel caprice :
Ce que vous demandez a-t-il de la justice ?   1650
Et ne vous dis-je pas quel motif me retient ?
J'en vais prendre pour juge Éliante qui vient.

---

1. *rompre en visière :* "make a frontal attack."

SCÈNE III.

ÉLIANTE, PHILINTE, CÉLIMÈNE, ORONTE, ALCESTE.

CÉLIMÈNE.

Je me vois, ma cousine, ici persécutée
Par des gens dont l'humeur y paraît concertée.
Ils veulent l'un et l'autre, avec même chaleur,   1655
Que je prononce entre eux le choix que fait mon cœur,
Et que, par un arrêt qu'en face il me faut rendre,
Je défende à l'un d'eux tous les soins qu'il peut prendre.
Dites-moi si jamais cela se fait ainsi.

ÉLIANTE.

N'allez point là-dessus me consulter ici :   1660
Peut-être y pourriez-vous être mal adressée,
Et je suis pour les gens qui disent leur pensée.

ORONTE.

Madame, c'est en vain que vous vous défendez.

ALCESTE.

Tous vos détours ici seront mal secondés.

ORONTE.

Il faut, il faut parler, et lâcher la balance.[1]   1665

ALCESTE.

Il ne faut que poursuivre* à garder le silence.

ORONTE.

Je ne veux qu'un seul mot pour finir nos débats.

ALCESTE.

Et moi, je vous entends si vous ne parlez pas.

SCÈNE IV.

ARSINOÉ, CÉLIMÈNE, ÉLIANTE, ALCESTE, PHILINTE, ACASTE, CLITANDRE, ORONTE.

ACASTE.

Madame, nous venons tous deux, sans vous déplaire,
Éclaircir avec vous une petite affaire.   1670

---

1. *lâcher la balance:* literally, "release the scales"; here, "make up your mind."

CLITANDRE.

Fort à propos, Messieurs, vous vous trouvez ici,
Et vous êtes mêlés dans cette affaire aussi.

ARSINOÉ.

Madame, vous serez surprise de ma vue ;
Mais ce sont ces Messieurs qui causent ma venue :
Tous deux ils m'ont trouvée, et se sont plaints à moi   1675
D'un trait à qui mon cœur ne saurait prêter foi.
J'ai du fond de votre âme une trop haute estime,
Pour vous croire jamais capable d'un tel crime :
Mes yeux ont démenti leurs témoins les plus forts ;
Et l'amitié passant sur de petits discords,   1680
J'ai bien voulu chez vous leur faire compagnie,
Pour vous voir vous laver de cette calomnie.

ACASTE.

Oui, Madame, voyons, d'un esprit adouci,
Comment vous vous prendrez à soutenir ceci.
Cette lettre par vous est écrite à Clitandre?   1685

CLITANDRE.

Vous avez pour Acaste écrit ce billet tendre?

ACASTE, *à Oronte et à Alceste.*

Messieurs, ces traits [1] pour vous n'ont point d'obscurité,
Et je ne doute pas que sa civilité
À connaître sa main n'ait trop su vous instruire ;
Mais ceci vaut assez la peine de le lire.   1690

" *Vous êtes un étrange homme, Clitandre, de condamner mon enjouement, et de me reprocher que je n'ai jamais tant de joie que lorsque je ne suis pas avec vous.   Il n'y a rien de plus injuste ; et si vous ne venez bien vite me demander pardon de cette offense, je ne vous la pardonnerai de ma vie.   Notre grand flandrin de Vicomte . . .*

Il devrait être ici.

" *Notre grand flandrin de Vicomte, par qui vous commencez vos plaintes, est un homme qui ne saurait me revenir [2] ; et depuis que je l'ai vu, trois quarts d'heure durant, cracher dans un puits pour y faire des ronds, je n'ai pu jamais prendre bonne opinion de lui.   Pour le petit Marquis . . .*

1. *ces traits :* "this handwriting."   2. *revenir :* "please."

C'est moi-même, Messieurs, sans nulle vanité.

" *Pour le petit Marquis, qui me tint hier longtemps la main,*[1] *je trouve qu'il n'y a rien de si mince que toute sa personne ; et ce sont de ces mérites qui n'ont que la cape et l'épée.*[2] *Pour l'homme aux rubans verts . . .*

> (*à Alceste :*)

À vous le dé, Monsieur.

" *Pour l'homme aux rubans verts, il me divertit quelquefois avec ses brusqueries et son chagrin bourru ; mais il est cent moments où je le trouve le plus fâcheux du monde. Et pour l'homme à la veste . . .*

> (*à Oronte :*)

Voici votre paquet.

" *Et pour l'homme à la veste, qui s'est jeté* * *dans le bel esprit et veut être auteur malgré tout le monde, je ne puis me donner la peine d'écouter ce qu'il dit ; et sa prose me fatigue autant que ses vers. Mettez-vous donc en tête que je ne me divertis pas toujours si bien que vous pensez ; que je vous trouve à dire*[3] *plus que je ne voudrais, dans toutes les parties où l'on m'entraîne ; et que c'est un merveilleux assaisonnement aux plaisirs qu'on goûte que la présence des gens qu'on aime.*

CLITANDRE.

Me voici maintenant moi.

" *Votre Clitandre dont vous me parlez, et qui fait tant le doucereux, est le dernier des hommes pour qui j'aurais de l'amitié. Il est extravagant de se persuader qu'on l'aime : et vous l'êtes de croire qu'on ne vous aime pas. Changez, pour être raisonnable, vos sentiments contre les siens ; et voyez-moi le plus que vous pourrez, pour m'aider à porter le chagrin d'en être obsédée.*"

D'un fort beau caractère on voit là le modèle,
Madame, et vous savez comment cela s'appelle ?
Il suffit : nous allons l'un et l'autre en tous lieux
Montrer de votre cœur le portrait glorieux.

---

1. *qui me tint . . . la main:* *i.e.*, while escorting her, as was the custom.   2. *qui n'ont que la cape et l'épée:* "which have only the trappings of merit."   3. *je vous trouve à dire:* "I miss you."

ACASTE.

J'aurais de quoi [1] vous dire, et belle est la matière ;   1695
Mais je ne vous tiens pas digne de ma colère ;
Et je vous ferai voir que les petits marquis
Ont, pour se consoler, des cœurs du plus haut prix.

SCÈNE V.

CÉLIMÈNE, ÉLIANTE, ARSINOÉ, ALCESTE, ORONTE, PHILINTE.

ORONTE.

Quoi ? de cette façon je vois qu'on me déchire,
Après tout ce qu'à moi je vous ai vu m'écrire !   1700
Et votre cœur, paré de beaux semblants d'amour,
À tout le genre humain se promet tour à tour !
Allez, j'étais trop dupe, et je vais ne plus l'être.
Vous me faites un bien, me faisant vous connaître :
J'y profite d'un cœur [2] qu'ainsi vous me rendez,   1705
Et trouve ma vengeance en ce que vous perdez.
        (À Alceste :)
Monsieur, je ne fais plus d'obstacle à votre flamme,
Et vous pouvez conclure affaire avec Madame.

SCÈNE VI.

CÉLIMÈNE, ÉLIANTE, ARSINOÉ, ALCESTE, PHILINTE.

ARSINOÉ, à Célimène.

Certes, voilà le trait * du monde le plus noir ;
Je ne m'en saurais taire, et me sens émouvoir.   1710
Voit-on des procédés qui soient pareils aux vôtres ?
Je ne prends point de part aux intérêts des autres :
        (Montrant Alceste :)
Mais Monsieur que chez vous fixait votre bonheur,
Un homme comme lui, de mérite et d'honneur,
Et qui vous chérissait avec idolâtrie,   1715
Devait-il . . . ?

---

1. de quoi = quelque chose de quoi : "something proper."   2. J'y profite d'un cœur = J'y gagne un cœur (i.e., my own).

ALCESTE.

              Laissez-moi, Madame, je vous prie,
Vider mes intérêts moi-même là-dessus,
Et ne vous chargez point de ces soins superflus.
Mon cœur a beau vous voir prendre ici sa querelle,
Il n'est point en état de payer ce grand zèle ;   1720
Et ce n'est pas à vous que je pourrai songer,
Si par un autre choix je cherche à me venger.

ARSINOÉ.

Hé ! croyez-vous, Monsieur, qu'on ait cette pensée,
Et que de vous avoir on soit tant empressée ?
Je vous trouve un esprit bien plein de vanité,   1725
Si de cette créance il peut s'être flatté.
Le rebut de Madame est une marchandise
Dont on aurait grand tort d'être si fort éprise.
Détrompez-vous, de grâce, et portez-le moins haut : [1]
Ce ne sont pas des gens comme moi qu'il vous faut ;   1730
Vous ferez bien encor de soupirer pour elle,
Et je brûle de voir une union* si belle.

                            (Elle se retire)

SCÈNE VII.

CÉLIMÈNE, ÉLIANTE, ALCESTE, PHILINTE.

ALCESTE, *à Célimène.*

Hé bien ! je me suis tu, malgré ce que je vois,
Et j'ai laissé parler tout le monde avant moi :
Ai-je pris sur moi-même un assez long empire,   1735
Et puis-je maintenant . . . ?

CÉLIMÈNE.

                Oui, vous pouvez tout dire :
Vous en êtes en droit, lorsque vous vous plaindrez,
Et de me reprocher tout ce que vous voudrez.
J'ai tort, je le confesse, et mon âme confuse
Ne cherche à vous payer d'aucune vaine excuse.   1740
J'ai des autres ici méprisé le courroux,
Mais je tombe d'accord de mon crime envers vous.

---

      1. See note, l. 433.

Votre ressentiment, sans doute, est raisonnable :
Je sais combien je dois vous paraître coupable,
Que toute chose dit que j'ai pu vous trahir,   1745
Et qu'enfin vous avez sujet* de me haïr.
Faites-le, j'y consens.

ALCESTE.

     Hé ! le puis-je, traîtresse ?
Puis-je ainsi triompher de toute ma tendresse ?
Et quoique avec ardeur je veuille vous haïr,
Trouvé-je un cœur en moi tout prêt à m'obéir ?   1750
  (*À Éliante et à Philinte :*)
Vous voyez ce que peut une indigne tendresse,
Et je vous fais tous deux témoins de ma faiblesse.
Mais, à vous dire vrai, ce n'est pas encor tout,
Et vous allez me voir la pousser jusqu'au bout,
Montrer que c'est à tort que sages on nous nomme,   1755
Et que dans tous les cœurs il est toujours de l'homme.[1]
  (*À Célimène :*)
Oui, je veux bien, perfide, oublier vos forfaits ;
J'en saurai, dans mon âme, excuser tous les traits,
Et me les couvrirai du nom d'une faiblesse
Où le vice du temps porte votre jeunesse,   1760
Pourvu que votre cœur veuille donner les mains [2]
Au dessein que j'ai fait de fuir tous les humains,
Et que dans mon désert, où j'ai fait vœu de vivre,
Vous soyez, sans tarder, résolue à me suivre :
C'est par là seulement que, dans tous les esprits,   1765
Vous pouvez réparer le mal de vos écrits,
Et qu'après cet éclat, qu'un noble cœur abhorre,
Il peut m'être permis de vous aimer encore.

CÉLIMÈNE.

Moi, renoncer au monde avant que de vieillir,
Et dans votre désert aller m'ensevelir !   1770

ALCESTE.

Et s'il faut [3] qu'à mes feux votre flamme réponde,
Que vous doit importer tout le reste du monde ?
Vos désirs avec moi ne sont-ils pas contents ?

---

1. Translate, freely, "there is always some human weakness in every heart."   2. *donner les mains :* "to agree."   3. *s'il faut :* "if it is ordained (by Heaven)."

CÉLIMÈNE.

La solitude effraie une âme de vingt ans :
Je ne sens point la mienne assez grande, assez forte,   1775
Pour me résoudre à prendre un dessein de la sorte.
Si le don de ma main peut contenter vos vœux,
Je pourrai me résoudre à serrer* de tels nœuds ;
Et l'hymen . . .

ALCESTE.

Non : mon cœur à présent vous déteste,
Et ce refus lui seul fait plus que tout le reste.   1780
Puisque vous n'êtes point, en des liens si doux,
Pour trouver [1] tout en moi, comme moi tout en vous.
Allez, je vous refuse, et ce sensible outrage
De vos indignes fers pour jamais me dégage.

SCÈNE VIII.

ÉLIANTE, ALCESTE, PHILINTE.

ALCESTE à *Éliante.*

Madame, cent vertus ornent votre beauté,   1785
Et je n'ai vu qu'en vous de la sincérité ;
De vous, depuis longtemps, je fais un cas extrême ;
Mais laissez-moi toujours vous estimer de même ;
Et souffrez que mon cœur, dans ses troubles divers,
Ne se présente point à l'honneur de vos fers :   1790
Je m'en sens trop indigne, et commence à connaître
Que le Ciel pour ce nœud ne m'avait point fait naître ;
Que ce serait pour vous un hommage trop bas
Que le rebut* d'un cœur qui ne vous valait pas ; [2]
Et qu'enfin . . .

ÉLIANTE.

Vous pouvez suivre cette pensée :   1795
Ma main de se donner n'est pas embarrassée ;
Et voilà votre ami, sans trop m'inquiéter,[3]
Qui, si je l'en priais, la pourrait accepter.

---

1. *Puisque vous n'êtes point . . . pour trouver = Puisque vous ne savez pas trouver.*   2. This entire line is the logical subject of the verb *serait* in the preceding line.   3. *sans trop m'inquiéter = sans trop m'inquiéter à trouver quelqu'un à qui je puisse donner ma main.*

PHILINTE.

Ah ! cet honneur, Madame, est toute mon envie,
Et j'y sacrifierais et mon sang et ma vie.   1800

ALCESTE.

Puissiez-vous, pour goûter de vrais contentements,
L'un pour l'autre à jamais garder ces sentiments !
Trahi de toutes parts, accablé d'injustices,
Je vais sortir d'un gouffre où triomphent les vices,
Et chercher sur la terre un endroit écarté   1805
Où d'être homme d'honneur on ait la liberté.

PHILINTE.

Allons, Madame, allons employer toute chose,
Pour rompre le dessein que son cœur se propose.

PART III

RACINE

Jean Racine was the antithesis of Corneille in almost every respect. He combined the charms of poet and courtier throughout a life marked by storms of passion and by what seem to be strange reversals of conduct. After his conversion and renunciation of all connection with the theater at the age of thirty-eight, his life elicited from Madame de Sévigné the comment: *il aima Dieu comme il aimait ses maîtresses.* His biographers have seen in him now a Racine *tendre*, now a Racine *féroce*, and have not yet come to an agreement upon the man as he really existed. But all agree that he was a supreme poet who had: *le secret de pensées justes et de paroles limpides* (Anatole France).

Racine was born at La Ferté-Milon in 1639 with an heredity in which the elements of emotionalism and practical common sense seem to have been almost equally mingled. He was left an orphan when three years old and was brought up by relatives who were closely affiliated with the pietistic community of Port Royal. But his education, while severely religious, was unusually thorough in the classics, especially Greek, for which he early showed a marked predilection. A series of descriptive poems, written while he was pupil in the school, indicated precocious poetic talent.

When Racine left Port Royal in 1658 he was, to quote from the summary of Jules Lemaître, *un adolescent très pieux, . . . et un adolescent fou de littérature.*

He went to Paris and entered the Collège d'Harcourt in order to round out his education. Here Racine, fresh from Port Royal, fell in with a group of fine wits and men of letters, notably La Fontaine, with whom he was related through marriage. An ode to the king aroused the attention of critics. He made acquaintance with actors and wrote a tragedy *Amasis*, which, it is said, was almost accepted for presentation.

However, his guardians were disturbed over his way of living and his prospects for the future. They wished to see him embarked upon an ecclesiastical career and enlisted the influence of an uncle, Vicar General at Uzès in the southern part of France, who held out hopes of a benefice. To secure it, Racine was to go to join the Vicar General and subject himself to a certain amount of theological training. Racine accepted this arrangement with apparent docility, made the journey and went through the motions of obeying the wishes of his directors. However, he observed with interest the violent passions manifested by the natives of his uncle's diocese and continued his reading of the classics. He found time to work at another tragedy, *Les Amours d'Ovide*, of which no trace remains.

In the meantime, the expected benefice was secured by another candidate who had better preparation or, as Racine thought, stronger protectors. He returned to Paris toward the end of 1662 and immediately renewed his relations with the poets and actors, to the great discontent of his family and his former teachers at Port Royal. Odes to the king brought him considerable presents, the acquaintance of Boileau who was to be his ardent champion through life, and an *entrée* at court which he knew how to utilize. His first tragedy, *La Thébaïde, ou les Frères ennemis*, was played with some success in 1664 by the troupe of Molière. It was a tragedy of violent passion in which love, his favorite theme later, plays but little part. On the other hand his *Alexandre* of the following year goes to the opposite extreme and approaches the romanesque tragedy of the period. The hero, conqueror of the world, is represented as having made his conquests in order that he may lay them at the feet of the lady whom he adores. While *Alexandre* was very popular with the contemporaries of Racine it is no longer considered a typical Racinian tragedy. The poet is said to have submitted it to Corneille who advised him to devote his evident talents to other genres of poetic composition. The play was first performed by the troupe of Molière but Racine, dissatisfied with their performance, gave his play to the Hôtel de Bourgogne, Molière's bitter rivals. This was a very unusual procedure for which it is difficult to find any satisfactory justification although there were attenuating circumstances. Racine remained at odds with both Corneille and Molière during the rest of his career as a dramatic poet.

"*Andromaque*" (*1667*) est, avec le "*Cid*," *la plus grande date du théâtre français.* " *Andromaque,*" *c'est l'entrée, dans la tragé-die, du réalisme psychologique et de l'amour-passion, et c'est le commencement d'un système dramatique nouveau* (Lemaître). Like the *Cid, Andromaque* aroused a perfect furore of dis-cussion and created an opposition which ended only when Racine ceased to write for the public theater.[1]

While engaged in the composition of *Andromaque,* Racine had become involved in a public discussion with Nicole, one of the most prominent men of Port Royal. As a consequence all relations with his old friends and directors were broken off with much bitterness on both sides. A keen critique of his *Andromaque* was inserted in a play by Subligny (*La Folle Que-relle*) and played with much success by the troupe of Molière. These circumstances may have had some part in creating a state of mind which led to the composition of his one comedy, *Les Plaideurs* (1668). The model, as Racine himself avers, was the *Wasps* of Aristophanes, but the material seems to have been taken in large part from the litigation connected with the benefice which he had failed to secure.

In his next tragedy, *Britannicus* (1669), he entered into open conflict with Corneille whose historical inaccuracies and declamatory tendencies he criticized severely in the preface to the first edition of his play. Whereas Corneille had insisted that a tragedy must be connected with some great affair of state, Racine protests that in his tragedy there is no question of state involved. He undertakes to show his principal char-acter (Nero) in his private life, at the moment when he decides to renounce virtue and become the tyrant signaled by history, through the murder of his half-brother Britannicus. Most of the contrasts in the texture of Cornelian and Racinian tragedy are due to this fundamental difference in the conception of the tragic subject on the part of the two poets.

The contest between the aging poet and his young rival was continued in *Bérénice* (1670). The most beloved social figure of the time, the duchesse d'Orléans, is said to have suggested separately and confidentially to both poets the subject of Titus forced by the Roman senate to repudiate Bérénice whom he loved profoundly. Racine's *Bérénice* is a tender tragedy of a farewell extended through five acts, while Corneille's *Tite et Bérénice, comédie héroïque,* is a *tragédie romanesque.* The result was an overwhelming victory for Racine.

1. Deltour, *Les Ennemis de Racine,* Paris, 1859.

Bérénice, the simplest, the most idyllic of Racine's tragedies, was followed in 1672 by *Bajazet*, the most ferocious and bloody. The scene is laid in a Turkish harem and the play was based upon the murder of Bajazet by the Sultan some thirty years before the presentation of the play. In *Mithridate* (1673), Racine came into competition for the last time with Corneille in a subject taken from Roman history. In his last two plays written for the public theater, *Iphigénie* (1674) and *Phèdre* (1677), he returned to subjects taken from the Greek.

During the composition of these plays opposition to Racine had become more thoroughly organized. Two mediocre poets, Leclerc and Coras, composed an *Iphigénie* which was played in rivalry with the *Iphigénie* of Racine, and Pradon, a *protégé* of the hostile faction, wrote a *Phèdre* whose success was assured by a cabal formed by the duchesse de Bouillon. She engaged all the seats for the first six representations of the two plays in the theaters where they were to be performed, and thus insured an enthusiastic reception for Pradon's effort and a glacial silence for the masterpiece of Racine.

With the *Phèdre*, Racine's work as a poet for the professional theater came to an end. He became reconciled with the Jansenists and settled down to a life of quiet domesticity, following his marriage with a lady whose housewifely qualities are suggested by their son's comment that his mother had never read her husband's plays. At the same time, together with Boileau, he accepted an appointment as royal historian which brought him a very sure and substantial remuneration. The motives which prompted this retirement of a great poet who, at thirty-eight years of age, was still at the height of his power, are still the subject for ardent debate on the part of literary historians.

Some twelve years after the *Phèdre*, Madame de Maintenon, wishing to have appropriate dramatic material for the training of the young ladies in her school of Saint-Cyr, asked Racine to compose a play on some scriptural subject. The result was *Esther* (1689) played many times and with great *éclat* by the young ladies of the school. It was followed two years later by *Athalie* which, for the time being, was less successful. Later, transferred to the public theater, it was at once recognized as one of the greatest of Racine's tragedies. The poet died in 1699 and was buried, as he had requested in his will, beside the grave of M. Hamon, his favorite teacher at Port Royal.

ANDROMAQUE

Few dramatic masterpieces have had the uniform success, throughout the centuries that have followed their first performances, that has been conferred by the public on Racine's first great tragedy. The first performance of *Andromaque* was a private one, given before the inner circle of the court in the apartments of the Queen on the evening of November 17, 1667. The exact date of the first public performance at the Hôtel de Bourgogne is not known, but it was probably between November 20 and November 25, 1667. The latter date is very likely, as first performances of new plays were at that time usually given on Friday.

Andromaque introduced a new type of tragedy, one in which the interest of the spectator is held by the powerful presentation of keen emotional conflicts, and this type (continued by Racine in his subsequent plays) replaced the *tragédie romanesque*, whose appeal to the spectator was based on complicated plot, dramatic *coups de théâtre*, and heroic characters. The Racinian tragedy is marked by extreme simplicity of plot and by deep understanding of the emotions which govern the actions of human beings. The characters of *Andromaque* are above all human, and their conduct is directed by impulses and emotions rather than by reason and duty.

The public of 1667, surprised and stirred by this new interpretation of the tragedy, was swept off its feet by *Andromaque*. Various individuals have left us testimony of how the public was moved by Racine's analysis of the human heart. Cool afterthought caused many of those who had been surprised to tears by the new play to side against Racine and his new conception of the tragedy, but a rising star had definitely taken its place in the dramatic firmament of that day. It was sweet revenge for the young playwright who had been told by Corneille not many years before, after the older author had examined the manuscript of the *Alexandre*, that he had best devote his talents to some field other than the dramatic.

Not only did Racine incur the dislike of Corneille in connection with *Andromaque*, a dislike born of jealousy of the success of the new favorite ; he also heightened the ill-feeling already existing between himself and Molière. For Racine enticed away from Molière one of the most accomplished artists in the troupe of the Palais-Royal, Mlle du Parc. It was this beautiful and talented actress who created the rôle of Andromaque at the Hôtel de Bourgogne. It was her last success, however, as she died approximately a year after the first performance of this play. We shall possibly never know the truth about whether Racine was madly in love with her, or whether her affection for him was the means he used to cause her to desert Molière's company : it remains none the less true that Molière must have been highly indignant at being robbed of the services of one of his most gifted performers. It may have been anger on the part of the great comic genius which caused him to stage at the Palais-Royal, during the height of *Andromaque's* successful run at the Hôtel de Bourgogne, a critique of Racine's play, *La Folle Querelle*, written by Subligny, a dramatist of distinctly minor ability.

The plot of *Andromaque* is extremely simple : Racine tells us, in the *préface* to the first edition of the play, that the whole of it was suggested to him by forty lines of Vergil's *Aeneid* (Book III, 292–332). As in the case of most classic tragedies, however, it is presumed that the spectator is familiar with the mythology and history of the ancients. Since this presumption is rash for an audience of the present day, we offer a brief résumé of the background of the play.

The scene of *Andromaque* is laid in the kingdom of Epirus (northern Greece) some years after the fall of Troy. The king of Epirus is Pyrrhus, son of Achilles, who proved himself a worthy successor to his heroic father after the latter was killed before Troy. There is at the court of Epirus a Greek maiden, Hermione, daughter of Menelaus and the beautiful Helen. Hermione had been betrothed to Pyrrhus on the latter's return from the Trojan war. She has now been sent to Epirus so that the wedding may take place. She had long been loved, but unsuccessfully, by her cousin, Orestes, son of Agamemnon and Clytæmnestra. When Hermione was betrothed to Pyrrhus, Orestes determined to go away and forget her, but was unable to do so. Orestes had murdered his mother as vengeance for her murder of Agamemnon, and had been punished by the Furies with an unbalanced state of mind and recurring fits of insanity. There is also at the court of Epirus a Trojan woman, Andromache, widow of the mighty Hector. Since Pyrrhus was responsible for the death of Hector and for the slaughter of many members of the Trojan royal family, it is ironical that, when the Trojan captives were distributed by the casting of lots among their Greek conquerors, Andromache should have fallen into the hands of Pyrrhus. Andromache had brought with her secretly her son, Astyanax: it had been the duty of Ulysses, after the fall of Troy, to destroy all the male children of the Trojan royal family. However, Andromache had exchanged children with one of her serving-women, and in this way had saved her son's life. His identity would seem to have been discovered only after the return to Epirus, and by this time Pyrrhus had become sufficiently interested in his royal slave not to insist on killing her son. This growing passion for Andromache led Pyrrhus to use every pretext to delay his marriage with Hermione. The Greeks, irritated at the delay of the marriage between Pyrrhus and Hermione, and indignant at the existence of a male member of the Trojan royal family, prepared to send an embassy to Epirus to demand that Astyanax be delivered over to them for slaughter. Restless Orestes saw a chance to be in the vicinity of his beloved Hermione without seeming to have come on her account, and succeeded in becoming chief of the embassy. He meets in Epirus his friend and cousin, Pylades, from whom he had been separated in a shipwreck during their wanderings over the earth.[1] It is at this point that the play opens.

It should be remarked that the conduct and emotions of the characters in *Andromaque* are those of polished French courtiers in the age of Louis XIV, not those that we ordinarily associate with the ancient Greeks. Some contemporaries accused Racine of making Pyrrhus too gallant, others accused him of making him too ferocious: Racine was painting the character of Pyrrhus with a view to the highest dramatic effect, for even he must have realized that the barbaric champion could not have been as he is pictured in this play.

In conclusion, it should be said that in *Andromaque*, as in his other tragedies, Racine observed perfectly the unities of time, place, and action. His plots were so simple that there was no trouble for him to fit the few actual events involved into the accepted limits of time and space, and his inherent dramatic sense prevented him from distracting the audience's attention from the development of the central plot.

1. It is to be noted that all the details given here are not the ones generally accepted by history and legend. However, the details are those assumed by Racine in connection with his play and, for the sake of clarity, we have omitted a discussion of the probability of certain points.

ACTEURS

ANDROMAQUE, veuve d'Hector, captive de Pyrrhus.

PYRRHUS, fils d'Achille, roi d'Épire.

ORESTE, fils d'Agamemnon, amoureux d'Hermione.

HERMIONE, fille d'Hélène, accordée avec Pyrrhus.

PYLADE, ami d'Oreste.

CLÉONE, confidente d'Hermione.

CÉPHISE, confidente d'Andromaque.

PHŒNIX, gouverneur d'Achille, et ensuite de Pyrrhus.

Suite d'Oreste.

La scène est à Buthrote, ville d'Épire, dans une salle du palais de Pyrrhus.

ACTE I. SCÈNE PREMIÈRE.

ORESTE, PYLADE.

ORESTE.

Oui, puisque je retrouve un ami si fidèle,[1]
Ma fortune va prendre une face nouvelle ; [2]
Et déjà son courroux semble s'être adouci,
Depuis qu'elle a pris soin de nous rejoindre ici.
Qui l'eût dit,[3] qu'un rivage à mes vœux si funeste   5
Présenterait d'abord Pylade aux yeux d'Oreste?
Qu'après plus de six mois que je t'avais perdu,
À la cour de Pyrrhus tu me serais rendu?

PYLADE.

J'en rends grâces au ciel, qui m'arrêtant [4] sans cesse
Semblait m'avoir fermé le chemin de la Grèce,   10
Depuis le jour fatal que la fureur des eaux
Presque aux yeux de l'Épire [5] écarta nos vaisseaux.
Combien dans cet exil ai-je souffert d'alarmes !
Combien à vos malheurs ai-je donné de larmes,
Craignant toujours pour vous quelque nouveau danger   15
Que ma triste amitié [6] ne pouvait partager !
Surtout je redoutais cette mélancolie [7]
Où j'ai vu si longtemps votre âme ensevelie.
Je craignais que le ciel, par un cruel secours,
Ne vous offrît la mort que vous cherchiez toujours.   20

1. Orestes and Pylades were cousins and intimate friends : Agamemnon, father of Orestes, was the brother of Anaxibia, mother of Pylades. Pylades was Orestes' companion in all his adventures, including the murder of Clytæmnestra (mother of Orestes) as a vengeance on her for having murdered her husband, Agamemnon. See Everyman, *A Smaller Classical Dictionary*, 369.   2. "My Fortune (*i.e.*, the deity who controls my destiny) is going to assume a new attitude."   3. *Qui l'eût dit = Qui l'aurait dit*.   4. "delaying me."   5. "in sight of Epirus."   6. *ma triste amitié* = "I, your sad friend (sad, because away from Orestes)."   7. *mélancolie*: a reference to the depressed mental condition and recurring insanity which the Furies had visited on Orestes as punishment for having murdered his mother.

Mais je vous vois, Seigneur ; et si j'ose le dire,
Un destin plus heureux vous conduit en Épire ·
Le pompeux appareil [1] qui suit ici vos pas
N'est point d'un malheureux qui cherche le trépas.

ORESTE.

Hélas ! qui peut savoir le destin qui m'amène ?   25
L'amour me fait ici chercher une inhumaine. [2]
Mais qui sait ce qu'il doit ordonner de mon sort,
Et si je viens chercher ou la vie ou la mort ?

PYLADE.

Quoi ? votre âme à l'amour en esclave asservie
Se repose sur lui du soin de votre vie ? [3]   30
Par quel charme, oubliant tant de tourments soufferts,
Pouvez-vous consentir à rentrer dans ses fers ? [4]
Pensez-vous qu'Hermione, à Sparte inexorable,
Vous prépare en Épire un sort plus favorable ?
Honteux d'avoir poussé tant de vœux superflus, [5]   35
Vous l'abhorriez ; enfin vous ne m'en parliez plus.
Vous me trompiez, Seigneur.

ORESTE.

                    Je me trompais moi-même.
Ami, n'accable point un malheureux qui t'aime.
T'ai-je jamais caché mon cœur et mes désirs ?
Tu vis naître ma flamme [6] et mes premiers soupirs.   40

---

1. *pompeux appareil:* "magnificent retinue." Orestes is travelling in full state as a special ambassador of the princes of Greece to the court of Epirus. 2. In this line we get the first glimpse of how Racine is to adapt the myth to his dramatic system. According to the ancients, Orestes' disturbed and erratic mental condition was visited upon him by the Furies because he had murdered his mother. But Racine will explain the madness as the result of his disappointment in love, the devouring passion. *inhumaine* — "unresponsive to love" — is an instance of the affected or *précieux* language still current in polite society. 3. These two lines are an excellent example of Racine's subtle and condensed language. Since he believes that *emotion* governs our lives rather than *reason*, we see him refer to the soul (*l'âme*) more than to the *mind*. Translate: "your soul, subjected slavishly to love, looks to love for the answer as to whether you shall live or die." 4. Another *précieux* expression. To be in love with a woman enough to let her govern your destiny was to be *dans ses fers*. 5. "Ashamed of having courted her so long in vain." 6. *flamme:* a *précieux* word for "passion."

Enfin, quand Ménélas disposa de sa fille
En faveur de Pyrrhus, vengeur de sa famille,
Tu vis mon désespoir ; et tu m'as vu depuis
Traîner de mers en mers ma chaîne [1] et mes ennuis.
Je te vis à regret, en cet état funeste,[2]   45
Prêt à suivre partout le déplorable Oreste,
Toujours de ma fureur interrompre [3] le cours,
Et de moi-même enfin me sauver [4] tous les jours.
Mais quand je me souvins que parmi tant d'alarmes
Hermione à Pyrrhus prodiguait tous ses charmes,   50
Tu sais de quel courroux mon cœur alors épris
Voulut en l'oubliant punir tous ses mépris.
Je fis* croire et je crus ma victoire certaine ;
Je pris tous mes transports pour des transports de haine ;
Détestant ses rigueurs, rabaissant ses attraits,[5]   55
Je défiais ses yeux de me troubler jamais.[6]
Voilà comme je crus étouffer ma tendresse.
En ce calme trompeur j'arrivai dans la Grèce ;
Et je trouvai d'abord [7] ses princes rassemblés,
Qu'un péril assez grand semblait avoir troublés.   60
J'y courus.   Je pensai que la guerre et la gloire
De soins plus importants rempliraient ma mémoire ;
Que mes sens reprenant leur première vigueur,[8]
L'amour achèverait de sortir* de mon cœur.
Mais admire avec moi le sort dont la poursuite [9]   65
Me fait courir alors au piège que j'évite.
J'entends de tous côtés qu'on menace Pyrrhus ;
Toute la Grèce éclate en murmures confus ;
On se plaint qu'oubliant son sang et sa promesse
Il élève en sa cour l'ennemi de la Grèce,   70
Astyanax, d'Hector jeune et malheureux fils,
Reste de tant de rois sous Troie ensevelis.

---

1. Since, in *précieux* language, the lover is the "slave" of his beloved, he has dragged his bonds (*chaînes*) from place to place. 2. *en cet état funeste* modifies *je*.   3, 4. These infinitives are governed by *je te vis*.   5. "depreciating the power of her charms." 6. A very *précieux* line. It means that he thought he could look at her, talk to her, without his love ever being aroused again. 7. *d'abord = à mon arrivée*.   8. "My mind having recovered its former poise." Since Racine maintained that man is governed by emotions, not by mind, he says *mes sens*.   9. "persecution." His destiny is governed by a cruel fate which persecutes him constantly and relentlessly.

J'apprends que pour ravir son enfance au supplice[1]
Andromaque trompa l'ingénieux Ulysse,[2]
Tandis qu'un autre enfant, arraché de ses bras,   75
Sous le nom de son fils fut conduit au trépas.
On dit que peu sensible aux charmes d'Hermione,[3]
Mon rival porte ailleurs son cœur et sa couronne ;
Ménélas, sans le croire, en paraît affligé,
Et se plaint d'un hymen si longtemps négligé.[4]   80
Parmi les déplaisirs où son âme se noie,
Il s'élève en la mienne une secrète joie :
Je triomphe ; et pourtant je me flatte d'abord
Que la seule vengeance excite ce transport.
Mais l'ingrate en mon cœur reprit bientôt sa place :   85
De mes feux [5] mal éteints je reconnus la trace ;
Je sentis que ma haine allait finir son cours,
Ou plutôt je sentis que je l'aimais toujours.
Ainsi de tous les Grecs je brigue le suffrage.
On m'envoie à Pyrrhus : j'entreprends ce voyage.   90
Je viens voir si l'on peut arracher de ses bras
Cet enfant dont la vie alarme tant d'États :
Heureux si je pouvais, dans l'ardeur qui me presse,[6]
Au lieu d'Astyanax lui ravir ma princesse !
Car enfin n'attends pas que mes feux redoublés   95
Des périls les plus grands puissent être troublés.
Puisqu'après tant d'efforts ma résistance est vaine,
Je me livre en aveugle au destin qui m'entraîne.
J'aime : je viens chercher Hermione en ces lieux,
La fléchir, l'enlever, ou mourir à ses yeux.   100
Toi qui connais Pyrrhus, que penses-tu qu'il fasse ?
Dans sa cour, dans son cœur, dis-moi ce qui se passe.
Mon Hermione encor le tient-elle asservi ?
Me rendra-t-il, Pylade, un bien qu'il m'a ravi ?

---

1. "To rescue him, who was so young, from death."   2. "the
sharp-witted Ulysses." Ulysses was noted especially for his shrewd-
ness.   3. "unimpressed by Hermione's charms."   4. "de-
ferred."   5. "my passion."   6. *dans l'ardeur qui me presse:*
i.e., renewed hope, inspired by the rumor of the break between
Pyrrhus and Hermione, arouses in Orestes renewed zeal to force
an issue which might give him his beloved. Orestes hopes Pyrrhus
will love Andromache too well to give up her son (Astyanax) to the
vengeful Greeks, and will repudiate Hermione as a gesture of defiance
to Greece.

PYLADE.

Je vous abuserais si j'osais vous promettre   105
Qu'entre vos mains, Seigneur, il voulût[1] la remettre :
Non que de sa conquête il paraisse flatté.
Pour la veuve d'Hector ses feux ont éclaté :
Il l'aime.   Mais enfin cette veuve inhumaine
N'a payé jusqu'ici son amour que de haine ;   110
Et chaque jour encore on lui voit tout tenter
Pour fléchir sa captive, ou pour l'épouvanter.
De son fils, qu'il lui cache, il menace la tête,
Et fait couler des pleurs, qu'aussitôt il arrête.[2]
Hermione elle-même a vu plus de cent fois   115
Cet amant irrité revenir sous ses lois,[3]
Et de ses vœux troublés[4] lui rapportant l'hommage,
Soupirer à ses pieds moins d'amour que de rage.
Ainsi n'attendez pas que l'on puisse aujourd'hui
Vous répondre d'un cœur si peu maître de lui ;[5]   120
Il peut, Seigneur, il peut, dans ce désordre extrême,
Épouser ce qu'il hait, et punir ce qu'[6]il aime.

ORESTE.

Mais dis-moi de quel œil* Hermione peut voir
Son hymen différé, ses charmes sans pouvoir ?

PYLADE.

Hermione, Seigneur, au moins en apparence,   125
Semble de son amant dédaigner l'inconstance,
Et croit que trop heureux de fléchir sa rigueur,
Il la viendra presser de reprendre son cœur.[7]
Mais je l'ai vue enfin me confier ses larmes.
Elle pleure en secret le mépris de ses charmes.   130
Toujours prête à partir et demeurant toujours,
Quelquefois elle appelle Oreste à son secours.

1. "he would be willing."   2. *i.e.*, by withdrawing the threat and
protesting his love for her.   3. "under her influence."   4. *troublés*
because Pyrrhus seems completely uncertain whether to marry Hermione
or Andromache.   5. "Make any assurance about the actions of a
man so uncertain of himself."   6. *ce qu'il = celle qu'il.*   7. "...
(finally) delighted to overcome her proud resistance, he (Pyrrhus) will
come and urge her to accept his affection."   Note the position of *la.*
In the 17th century it was often placed before the modal auxiliary,
whereas now it regularly precedes the infinitive.

ORESTE.

Ah ! si je le croyais, j'irais bientôt, Pylade,
Me jeter . . .

PYLADE.

Achevez, Seigneur, votre ambassade.
Vous attendez le Roi.　Parlez, et lui montrez [1]　　　135
Contre le fils d'Hector tous les Grecs conjurés.
Loin de leur accorder ce fils de sa maîtresse,[2]
Leur haine ne fera qu'irriter sa tendresse.[3]
Plus on les veut brouiller, plus on va les unir.
Pressez, demandez tout, pour ne rien obtenir.　　　140
Il vient.

ORESTE.

Hé bien ! va donc disposer la cruelle [4]
À revoir un amant qui ne vient que pour elle.

SCÈNE II.

Pyrrhus, Oreste, Phœnix.

ORESTE.

Avant que tous les Grecs vous parlent par ma voix,
Souffrez que j'ose ici me flatter de leur choix,
Et qu'à vos yeux, Seigneur, je montre quelque joie　　　145
De voir le fils d'Achille et le vainqueur de Troie.
Oui, comme ses exploits nous admirons vos coups
Hector tomba sous lui, Troie expira sous vous ;
Et vous avez montré, par une heureuse audace,
Que le fils seul [5] d'Achille a pu remplir sa place.　　　150
Mais ce qu'il n'eût point fait, la Grèce avec douleur
Vous voit du sang troyen relever le malheur,[6]
Et vous laissant toucher d'une pitié funeste,
D'une guerre si longue entretenir le reste.*
Ne vous souvient-il plus, Seigneur, quel [7] fut Hector?　　　155
Nos peuples affaiblis s'en souviennent encor.

1. Pronoun objects regularly preceded the *second* of two imperatives
joined together by *et*. 2. "beloved." In the 17th century this
word did not have the sense it has in modern French. 3. "rouse his
love" (for Andromache). 4. Cruel, because she does not return his
love. Translate : "pitiless one." 5. "only the son." 6. "make
amends for the destruction of the Trojan race." 7. "what sort of man."

Son nom seul fait frémir nos veuves et nos filles ;
Et dans toute la Grèce il n'est point de familles
Qui ne demandent compte à ce malheureux fils
D'un père ou d'un époux qu'Hector leur a ravis.   160
Et qui sait ce qu'un jour ce fils peut entreprendre ?
Peut-être dans nos ports nous le verrons descendre,
Tel qu'on a vu son père embraser nos vaisseaux,
Et, la flamme à la main, les suivre sur les eaux.
Oserai-je, Seigneur, dire ce que je pense ?   165
Vous-même de vos soins craignez la récompense,
Et que dans votre sein ce serpent élevé
Ne vous punisse un jour de l'avoir conservé.
Enfin de tous les Grecs satisfaites l'envie,
Assurez leur vengeance, assurez votre vie ;   170
Perdez un ennemi d'autant plus dangereux
Qu¹'il s'essaîra sur vous à combattre contre eux.²

PYRRHUS.

La Grèce en ma faveur est trop inquiétée.³
De soins plus importants je l'ai crue agitée,
Seigneur ; et sur le nom de son ambassadeur,   175
J'avais dans ses projets conçu plus de grandeur.
Qui croirait en effet qu'une telle entreprise
Du fils d'Agamemnon méritât l'entremise ;
Qu'un peuple tout entier, tant de fois triomphant,
N'eût daigné conspirer* que la mort d'un enfant ?   180
Mais à qui prétend-on que je le sacrifie ? ⁴
La Grèce a-t-elle encor quelque droit sur sa vie ?
Et seul de tous les Grecs ne m'est-il pas permis
D'ordonner d'un captif que le sort m'a soumis ? ⁵
Oui, Seigneur, lorsqu'au pied des murs fumants de Troie 185
Les vainqueurs tout sanglants partagèrent leur proie,
Le sort, dont les arrêts furent alors suivis,⁶
Fit tomber en mes mains Andromaque et son fils.
Hécube près d'Ulysse acheva sa misère ; ⁷
Cassandre dans Argos a suivi votre père :   190

1. "since," "because." 2. "he will learn at your expense how to
fight against them." That is, he will test his strength on the nearest
enemy, Pyrrhus. 3. Pyrrhus is bitingly sarcastic in this speech.
4. That is, "who has any better right to decide his fate than I?"
5. "To decide the fate of a captive whom fortune placed in my care."
6. The conquerors divided up the captives according to the turn of the
dice. 7. "Hecuba (the wife of Priam) lived out her miserable life."

Sur eux, sur leurs captifs ai-je étendu mes droits?
Ai-je enfin disposé du fruit de leurs exploits?
On craint qu'avec Hector Troie un jour ne renaisse ; [1]
Son fils peut me ravir le jour [2] que je lui laisse.
Seigneur, tant de prudence entraîne trop de soin ; [3]   195
Je ne sais point prévoir les malheurs de si loin.
Je songe quelle était autrefois cette ville,
Si superbe en remparts, en héros si fertile,
Maîtresse de l'Asie ; et je regarde enfin
Quel fut le sort de Troie, et quel est son destin.   200
Je ne vois que des tours que la cendre a couvertes,
Un fleuve teint de sang, des campagnes [4] désertes,
Un enfant dans les fers ; et je ne puis songer
Que Troie en cet état aspire à se venger.
Ah ! si du fils d'Hector la perte était jurée,   205
Pourquoi d'[5]un an entier l'avons-nous différée?
Dans le sein de Priam [6] n'a-t-on pu l'immoler?
Sous tant de morts, sous Troie il fallait [7] l'accabler.*
Tout était juste alors : la vieillesse et l'enfance
En vain sur leur faiblesse appuyaient leur défense ; [8]   210
La victoire et la nuit, plus cruelles que nous,
Nous excitaient au meurtre, et confondaient nos coups.[9]
Mon courroux aux vaincus ne fut que trop sévère.
Mais [10] que ma cruauté survive à ma colère?
Que malgré la pitié dont je me sens saisir,   215
Dans le sang d'un enfant je me baigne à loisir?
Non, Seigneur.   Que les Grecs cherchent quelque autre proie :
Qu'ils poursuivent ailleurs ce qui reste de Troie :
De mes inimitiés le cours est achevé ;
L'Épire sauvera ce que Troie a sauvé.   220

ORESTE.[11]

Seigneur, vous savez trop avec quel artifice
Un faux Astyanax fut offert au supplice

---

1. The Greeks are afraid that a new Trojan race may spring from this
sole survivor of the royal family, and that some day this new race will
seek vengeance for the destruction of their ancestors.   2. "the life."
3. *soin:* "worry."   4. "country districts."   5. *de* = "for."   6. *Dans
le sein de Priam = À Troie.*   7. "we should have."   8. *i.e.*, old
people and children thought they would be spared because of their
helplessness.   9. "caused us to strike blindly."   10. Insert here
the idea "do you expect that . . ."   11. Orestes states that since
Astyanax was scheduled to die in accordance with the Greek policy of

Où le seul fils d'Hector devait être conduit.
Ce n'est pas les Troyens, c'est Hector qu'on poursuit.
Oui, les Grecs sur le fils persécutent le père ;   225
Il a par trop de sang acheté [1] leur colère.
Ce n'est que dans le sien qu'elle peut expirer ;*
Et jusque dans l'Épire il les peut attirer.[2]
Prévenez-les.

PYRRHUS.

Non, non. J'y consens avec joie :
Qu'ils cherchent dans l'Épire une seconde Troie ;   230
Qu'ils confondent leur haine, et ne distinguent plus
Le sang qui les fit vaincre et celui des vaincus.
Aussi bien ce n'est pas la première injustice
Dont la Grèce d'Achille a payé le service.[3]
Hector en profita,[4] Seigneur ; et quelque jour   235
Son fils en pourrait bien profiter à son tour.

ORESTE.

Ainsi la Grèce en vous trouve un enfant rebelle ?

PYRRHUS.

Et je n'ai donc vaincu que pour dépendre d'elle ?

ORESTE.

Hermione, Seigneur, arrêtera vos coups :
Ses yeux s'opposeront entre son père et vous.[5]   240

PYRRHUS.

Hermione, Seigneur, peut m'être toujours chère ;
Je puis l'aimer, sans être esclave de son père ;
Et je saurai peut-être accorder * quelque jour
Les soins de ma grandeur et ceux de mon amour.

---

killing all members of the royal family of Troy, and since he escaped
only through trickery, the argument advanced by Pyrrhus in the preceding speech is not valid.   The story of the escape of Hector's son, which
Racine is following here, is not supported by any reputable historian.
    1. "earned."   2. i.e., the Greeks will probably come with war
against Pyrrhus if he does not give up Astyanax peacefully.   3. Achilles
was the father of Pyrrhus.   At one time during the Trojan war Achilles
withdrew his support from the Greeks, disgruntled because of an injustice done him by Agamemnon.   4. The Trojans were successful while
Achilles did not participate.   5. i.e., the affection aroused in you
when she looks at you will prevent you from doing anything to estrange
yourself from her father.

Vous pouvez cependant voir la fille d'Hélène :   245
Du sang qui vous unit je sais l'étroite chaîne.[1]
Après cela, Seigneur, je ne vous retiens plus,
Et vous pourrez aux Grecs annoncer mon refus.

SCÈNE III.

Pyrrhus, Phœnix.

PHŒNIX.

Ainsi vous l'envoyez aux pieds de sa maîtresse !

PYRRHUS.

On dit qu'il a longtemps brûlé pour [2] la princesse.   250

PHŒNIX.

Mais si ce feu, Seigneur, vient à se rallumer ? [3]
S'il lui rendait son cœur, s'il s'en [4] faisait aimer ?

PYRRHUS.

Ah ! qu'ils s'aiment, Phœnix : j'y consens. Qu'elle parte.
Que charmés l'un de l'autre, ils retournent à Sparte :
Tous nos ports sont ouverts et pour elle et pour lui,   255
Qu'elle m'épargnerait de contrainte et d'ennui !

PHŒNIX.

Seigneur . . .

PYRRHUS.

        Une autre fois je t'ouvrirai mon âme :
Andromaque paraît.

SCÈNE IV.

Pyrrhus, Andromaque, Céphise.

PYRRHUS.

     Me cherchiez-vous, Madame ?
Un espoir si charmant me serait-il permis ?

---

   1. Hermione and Orestes were cousins, but Pyrrhus is inferring that he knows of their love.   2. "been in love with."   3. "Suppose this passion should be aroused again."   4. *en = d'elle*.

ANDROMAQUE.

Je passais jusqu'aux lieux où l'on garde mon fils. 260
Puisqu'une fois le jour [1] vous souffrez que je voie
Le seul bien qui me reste et d'Hector et de Troie,
J'allais, Seigneur, pleurer un moment avec lui :
Je ne l'ai point encore embrassé d'aujourd'hui.

PYRRHUS.

Ah ! Madame, les Grecs, si j'en [2] crois leurs alarmes, 265
Vous donneront bientôt d'autres sujets de larmes.

ANDROMAQUE.

Et quelle est cette peur dont leur cœur est frappé,
Seigneur ? Quelque Troyen vous est-il échappé ?

PYRRHUS.

Leur haine pour Hector n'est pas encore éteinte.
Ils redoutent son fils.

ANDROMAQUE.

Digne objet de leur crainte ! 270
Un enfant malheureux, qui ne sait pas encor
Que Pyrrhus est son maître, et qu'il est fils d'Hector.

PYRRHUS.

Tel qu'il est, tous les Grecs demandent qu'il périsse.
Le fils d'Agamemnon vient hâter son supplice.

ANDROMAQUE.

Et vous prononcerez un arrêt si cruel ? 275
Est-ce mon intérêt [3] qui le rend criminel ?
Hélas ! on ne craint point qu'il venge un jour son père ;
On craint qu'il n'essuyât les larmes de sa mère.
Il m'aurait tenu lieu d'un père et d'un époux ;
Mais il me faut tout perdre, et toujours par vos coups. [4] 280

PYRRHUS.

Madame, mes refus ont prévenu vos larmes.
Tous les Grecs m'ont déjà menacé de leurs armes ;
Mais dussent-ils [5] encore, en repassant les eaux,
Demander votre fils avec mille vaisseaux ;

1. *le jour* = *par jour*.   2. "on the subject."   3. "is it my love
for him . . .?"   4. Hector, her husband, and Ætion, her father, had
been killed by Achilles, the father of Pyrrhus. Priam, her father-in-
law, had died by the hand of Pyrrhus.   5. "even if they should."

Coûtât-il [1] tout le sang qu' Hélène a fait répandre ;   285
Dussé-je après dix ans voir mon palais en cendre,
Je ne balance point, je vole à son secours :
Je défendrai sa vie aux dépens de mes jours.[2]
Mais parmi ces périls où je cours pour vous plaire,
Me refuserez-vous un regard moins sévère ?   29c
Haï de tous les Grecs, pressé de tous côtés,
Me faudra-t-il combattre encor vos cruautés ?
Je vous offre mon bras.   Puis-je espérer encore
Que vous accepterez un cœur qui vous adore ?
En combattant pour vous, me sera-t-il permis   295
De ne vous point compter parmi mes ennemis ?

ANDROMAQUE.

Seigneur, que faites-vous, et que dira la Grèce ?
Faut-il qu'un si grand cœur montre tant de faiblesse ?
Voulez-vous qu'un dessein si beau, si généreux
Passe pour le transport d'un esprit amoureux ?   300
Captive, toujours triste, importune à moi-même,
Pouvez-vous souhaiter qu'Andromaque vous aime ?
Quels charmes ont pour vous des yeux infortunés
Qu'à des pleurs éternels vous avez condamnés ?
Non, non, d'un ennemi respecter la misère,   305
Sauver des malheureux, rendre un fils à sa mère,
De cent peuples pour lui combattre la rigueur,
Sans me faire payer son salut de mon cœur,
Malgré moi, s'il le faut, lui donner un asile :
Seigneur, voilà des soins dignes du fils d'Achille.[3]   310

PYRRHUS.

Hé quoi ? votre courroux n'a-t-il pas eu son cours * ?
Peut-on haïr sans cesse ? et punit-on toujours ?
J'ai fait des malheureux, sans doute ; et la Phrygie
Cent fois de votre sang [4] a vu ma main rougie.
Mais que vos yeux sur moi se sont bien exercés !   315
Qu'ils m'ont vendu bien cher les pleurs qu'ils ont versés !
De combien de remords m'ont-ils rendu la proie !
Je souffre tous les maux que j'ai faits devant Troie.[5]

---

1. "If it were to cost."   2. *mes jours = ma vie.*   3. Andromache says that the noble plan to protect a defenseless lad should not depend on Pyrrhus' being rewarded by her love.   4. *votre sang = le sang de votre famille.*   5. *i.e.,* the suffering that his love for Andromaque has caused him more than outweighs her grief for her dead relatives, killed by him.

Vaincu, chargé de fers, de regrets consumé,
Brûlé de plus de feux que je n'en allumai,[1]   320
Tant de soins, tant de pleurs, tant d'ardeurs inquiètes . . .
Hélas ! fus-je jamais si cruel que vous l'êtes ?
Mais enfin, tour à tour, c'est assez nous punir :
Nos ennemis communs devraient nous réunir.
Madame, dites-moi seulement que j'espère,   325
Je vous rends votre fils, et je lui sers de père ;
Je l'instruirai moi-même à venger les Troyens ;
J'irai punir les Grecs de vos maux et des miens.
Animé d'un regard, je puis tout entreprendre :
Votre Ilion encor peut sortir de sa cendre ;   330
Je puis, en moins de temps que les Grecs ne l'ont pris,
Dans ses murs relevés couronner votre fils.

ANDROMAQUE.

Seigneur, tant de grandeurs ne nous touchent plus guère :
Je les lui promettais tant qu'a vécu son père.
Non, vous n'espérez plus de nous revoir encor,   335
Sacrés murs, que n'a pu conserver mon Hector.[2]
À de moindres faveurs des malheureux prétendent,
Seigneur : c'est un exil que mes pleurs vous demandent.
Souffrez que loin des Grecs, et même loin de vous,
J'aille cacher mon fils, et pleurer mon époux.   340
Votre amour contre nous allume trop de haine :
Retournez, retournez à la fille d'Hélène.

PYRRHUS.

Et le puis-je, Madame ? Ah ! que vous me gênez !
Comment lui rendre un cœur que vous me retenez ?
Je sais que de mes vœux on lui promit l'empire ;   345
Je sais que pour régner elle vint dans l'Épire ;
Le sort vous y voulut l'une et l'autre amener :
Vous, pour porter des fers ; elle, pour en donner.
Cependant ai-je pris quelque soin de lui plaire ?
Et ne dirait-on pas, en voyant au contraire   350
Vos charmes tout-puissants, et les siens dédaignés,
Qu'elle est ici captive, et que vous y régnez ?

---

1. This whole passage is extremely affected in sentiment. Line 320 is famous as an example of preciosity in language. "I am burned by more fires than I lighted at Troy."   2. These two lines are addressed to the city of Troy (*sacrés murs*). Troy's walls were sacred because built by Apollo and Poseidon.

Ah ! qu'un seul des soupirs que mon cœur vous envoie,
S'il s'échappait vers elle, y porterait de joie ![1]

ANDROMAQUE.

Et pourquoi vos soupirs seraient-ils repoussés ?   355
Aurait-elle oublié vos services passés ?
Troie, Hector, contre vous révoltent-ils* son âme ?
Aux cendres d'un époux doit-elle enfin sa flamme ?
Et quel époux encore ! Ah ! souvenir cruel !
Sa mort seule a rendu votre père immortel.   360
Il doit au sang d'Hector tout l'éclat de ses armes,
Et vous n'êtes tous deux connus que par mes larmes.[2]

PYRRHUS.

Hé bien, Madame, hé bien, il faut vous obéir :
Il faut vous oublier, ou plutôt vous haïr.
Oui, mes vœux ont trop loin poussé leur violence   365
Pour ne plus s'arrêter que dans l'indifférence.[3]
Songez-y bien : il faut désormais que mon cœur,
S'il n'aime avec transport, haïsse avec fureur.
Je n'épargnerai rien dans ma juste colère :
Le fils me répondra des mépris de la mère ;   370
La Grèce le demande, et je ne prétends pas
Mettre toujours ma gloire à sauver des ingrats.

ANDROMAQUE.

Hélas ! il mourra donc. Il n'a pour sa défense
Que les pleurs de sa mère, et que son innocence.
Et peut-être après tout, en l'état où je suis,   375
Sa mort avancera la fin de mes ennuis.
Je prolongeais pour lui ma vie et ma misère ;
Mais enfin sur ses pas j'irai revoir son père.[4]
Ainsi tous trois, Seigneur, par vos soins réunis,[5]
Nous vous . . .

---

1. The word-order of this couplet is confused. It might be re-
arranged :

    "Si un seul des soupirs que mon cœur vous envoie
      S'échappait vers elle, qu'il y porterait de joie."

y = lui (to her).   2. *i.e.*, "You are both famous warriors because
you killed the people I am grieving for."   3. *i.e.*, "my feeling for you
is so strong that if I cannot love you passionately I must hate you
bitterly."   4. *i.e.*, if her son dies she will follow him to the grave.
5. *soins* is used ironically.

PYRRHUS.

Allez, Madame, allez voir votre fils. 380
Peut-être, en le voyant, votre amour plus timide [1]
Ne prendra pas toujours sa colère pour guide.
Pour savoir nos destins, j'irai vous retrouver.
Madame, en l'embrassant, songez à le sauver.[2]

ACTE II. SCÈNE PREMIÈRE.

HERMIONE, CLÉONE.

HERMIONE.

Je fais ce que tu veux.   Je consens qu'il me voie : 385
Je lui veux bien encore accorder cette joie.
Pylade va bientôt conduire ici ses pas ;
Mais si je m'en croyais, je ne le verrais pas.

CLÉONE.

Et qu'est-ce que sa vue [3] a pour vous de funeste ?
Madame, n'est-ce pas toujours le même Oreste 390
Dont vous avez cent fois souhaité le retour,
Et dont vous regrettiez la constance et l'amour ?

HERMIONE.

C'est cet amour payé de trop d'ingratitude
Qui me rend en ces lieux sa présence si rude.
Quelle honte pour moi, quel triomphe pour lui 395
De voir mon infortune égaler son ennui !
Est-ce là, dira-t-il, cette fière Hermione ?
Elle me dédaignait ; un autre l'abandonne.
L'ingrate, qui mettait son cœur à si haut prix,
Apprend donc à son tour à souffrir des mépris ? 400
Ah, Dieux !

CLÉONE.

Ah ! dissipez ces indignes alarmes :
Il a trop bien senti le pouvoir de vos charmes.

Elle pense à soi-même

---

1. *i.e.*, in reflecting what may happen to the child if she continues to
resist Pyrrhus.   2. Love is the supreme master : the fates of all three
depend on whether Andromache can bring herself to accept Pyrrhus.
3. *sa vue* = "the sight of him."

Vous croyez qu'un amant vienne vous insulter ?
Il vous rapporte un cœur qu'il n'a pu vous ôter.
Mais vous ne dites point ce que vous mande un père.   405

HERMIONE.

Dans ses retardements si Pyrrhus persévère,
À la mort du Troyen s'il ne veut consentir,
Mon père avec les Grecs m'ordonne de partir.

CLÉONE.

Hé bien, Madame, hé bien ! écoutez donc Oreste.
Pyrrhus a commencé, faites au moins le reste.   410
Pour bien faire, il faudrait que vous le prévinssiez.
Ne m'avez-vous pas dit que vous le haïssiez ?

HERMIONE.

Si je le hais, Cléone ! Il y va de ma gloire,
Après tant de bontés dont il perd la mémoire.[1]
Lui qui me fut si cher, et qui m'a pu trahir ![2]   415
Ah ! je l'ai trop aimé pour ne le point haïr.[3]

CLÉONE.

Fuyez-le donc, Madame ; et puisqu'on vous adore . . .

HERMIONE.

Ah ! laisse à ma fureur le temps de croître encore ;
Contre mon ennemi laisse-moi m'assurer :
Cléone, avec horreur je m'en veux séparer.*[4]   420
Il n'y travaillera que trop bien, l'infidèle !

CLÉONE.

Quoi ? vous en attendez quelque injure nouvelle ?
Aimer une captive, et l'aimer à vos yeux,
Tout cela n'a donc pu vous le rendre odieux ?
Après ce qu'il a fait, que saurait-il donc faire ?   425
Il vous aurait déplu, s'il pouvait vous déplaire.

---

1. The polite code of love required that the man make all concessions.
If a woman made advances which were repulsed, it was a terrible blow
to her pride.   2. A lover was supposed to be ever faithful.   To desert
one sweetheart for another was a "betrayal."   3. Compare 365–366.
A favorite idea with Racine.   4. She wants a complete break with
Pyrrhus, so there will be no regrets later. In reality she is hoping
against hope that such a break will not take place.   *en = de lui.*

HERMIONE.

Pourquoi veux-tu, cruelle, irriter mes ennuis?
Je crains de me connaître en l'état où je suis.
De tout ce que tu vois tâche de ne rien croire;
Crois que je n'aime plus, vante-moi ma victoire; 430
Crois que dans son dépit mon cœur est endurci;
Hélas! et s'il se peut, fais-le-moi croire aussi.[1]
Tu veux que je le fuie. Hé bien! rien ne m'arrête:
Allons. N'envions plus son indigne[2] conquête;
Que sur lui sa captive étende son pouvoir. 435
Fuyons . . . Mais si l'ingrat rentrait dans son devoir![3]
Si la foi dans son cœur retrouvait quelque place!
S'il venait à mes pieds me demander sa grâce!
Si sous mes lois, Amour, tu pouvais l'engager![4]
S'il voulait! . . . Mais l'ingrat ne veut que m'outrager. 440
Demeurons[5] toutefois pour troubler leur fortune;*
Prenons quelque plaisir à leur être importune;
Ou le forçant de rompre un nœud si solennel,[6]
Aux yeux de tous les Grecs rendons-le criminel.
J'ai déjà sur le fils attiré leur colère; 445
Je veux qu'on vienne encor lui demander la mère.
Rendons-lui les tourments qu'elle me fait souffrir:
Qu'elle le perde, ou bien qu'il la fasse périr.[7]

CLÉONE.

Vous pensez que des yeux toujours ouverts aux larmes
Se plaisent à troubler le pouvoir de vos charmes, 450
Et qu'un cœur accablé de tant de déplaisirs
De son persécuteur ait brigué les soupirs?[8]
Voyez si sa douleur en paraît soulagée.
Pourquoi donc les chagrins où son âme est plongée?[9]
Contre un amant qui plaît pourquoi tant de fierté? 455

---

1. *i.e.*, "help me believe I hate Pyrrhus." 2. Andromache was a captive slave. 3. *i.e.*, should decide to marry Hermione, as promised. 4. "if you, Love, could cause him to be in love with me!" 5. *i.e.*, in Epirus. 6. His engagement to Hermione. 7. Hermione's thought moves rather rapidly here. The Greeks will demand the life of Andromache. Pyrrhus will either refuse to give her up, and thus become an enemy of Greece, or he will consent and deliver her over to her death. She rather hopes the latter will be the case. 8. To "solicit the sighs" of a person was to try to win his love. According to the polite code, a lover was supposed to sigh over the sweetheart's refusal to respond to his love. 9. If Andromache has wanted to win the love of Pyrrhus, she has succeeded. Why is she sad then?

HERMIONE.

Hélas ! pour mon malheur, je l'ai trop écouté.
Je n'ai point du silence affecté le mystère :
Je croyais sans péril pouvoir être sincère ;
Et sans armer mes yeux d'un moment de rigueur,
Je n'ai pour lui parler consulté que mon cœur.   460
Et qui ne se serait comme moi déclarée
Sur la foi d'une amour si saintement jurée ?
Me voyait-il de l'œil qu'¹il me voit aujourd'hui ?
Tu t'en souviens encor, tout conspirait pour lui :
Ma famille vengée, et les Grecs dans la joie,   465
Nos vaisseaux tout chargés des dépouilles de Troie,
Les exploits de son père effacés par les siens,
Les feux que je croyais plus ardents que les miens,
Mon cœur, toi-même enfin de sa gloire éblouie,
Avant qu'il me trahît, vous m'avez tous trahie.²   470
Mais c'en est trop, Cléone, et quel que soit Pyrrhus,
Hermione est sensible,³ Oreste a des vertus.
Il sait aimer du moins, et même sans qu'on l'aime
Et peut-être il saura se faire aimer lui-même.
Allons : qu'il vienne enfin.

CLÉONE.

Madame, ie voici.   475

HERMIONE.

Ah ! je ne croyais pas qu'il fût si près d'ici.

SCÈNE II.

Hermione, Oreste, Cléone.

HERMIONE.

Le croirai-je, Seigneur, qu'un reste de tendresse
Vous fasse ici chercher une triste princesse ?
Ou ne dois-je imputer qu'à votre seul devoir * ⁴
L'heureux empressement qui vous porte * à me voir ?   480

1. *qu'* = *dont*.   2. *i.e.*, by permitting her to allow her love for
Pyrrhus to be known to the public as well as to himself.   3. See
vocab.; *i.e.*, capable of hatred for Pyrrhus and love for Orestes.
4. As ambassador from Greece, Orestes might feel obligated to call on
the Greek princess.

ORESTE.

Tel est de mon amour l'aveuglement funeste.
Vous le savez, Madame ; et le destin d'Oreste
Est de venir sans cesse adorer vos attraits,
Et de jurer toujours qu'il n'y viendra jamais.
Je sais que vos regards vont rouvrir mes blessures,[1]   485
Que tous mes pas vers vous sont autant de parjures : [2]
Je le sais, j'en rougis.   Mais j'atteste les Dieux,
Témoins de la fureur de mes derniers adieux,
Que j'ai couru partout où ma perte certaine
Dégageait mes serments et finissait ma peine.[3]   490
J'ai mendié la mort chez des peuples cruels
Qui n'apaisaient leurs dieux que du sang des mortels :
Ils m'ont fermé leur temple ; et ces peuples barbares
De mon sang prodigué sont devenus avares.
Enfin je viens à vous, et je me vois réduit   495
À chercher dans vos yeux une mort qui me fuit [4]
Mon désespoir n'attend que leur indifférence :
Ils n'ont qu'à m'interdire un reste d'espérance,
Ils n'ont, pour avancer cette mort où je cours,
Qu'à me dire une fois [5] ce qu'ils m'ont dit toujours.   500
Voilà, depuis un an, le seul soin qui m'anime.
Madame, c'est à vous [6] de prendre une victime
Que les Scythes auraient dérobée à vos coups,
Si j'en avais trouvé d'aussi cruels que vous.

HERMIONE.

Quittez, Seigneur, quittez ce funeste langage.   505
À des soins plus pressants la Grèce vous engage.
Que [7] parlez-vous du Scythe et de mes cruautés ?
Songez à tous ces rois que vous représentez.
Faut-il que d'un transport leur vengeance dépende ?
Est-ce le sang d'Oreste enfin qu'on vous demande ?   510
Dégagez-vous des soins dont vous êtes chargé.

---

1. According to the *précieux* code, "darts of love" were launched
from the lady's eye and inflicted "wounds" in the lover's heart.   2. See
v. 484.   3. "Would free me from my vows and put an end to my
suffering."   4. Since he sought death everywhere and didn't find
it, death seemed to be "fleeing from him."   5. *une fois de plus.*
6. *c'est à vous :* "it is your opportunity."   7. *Pourquoi.*

ORESTE.

Les refus de Pyrrhus m'ont assez dégagé,
Madame : il me renvoie ; et quelque autre puissance [1]
Lui fait du fils d'Hector embrasser * la défense.

HERMIONE.

L'infidèle !

ORESTE.

    Ainsi donc, tout prêt * à le quitter,   51£
Sur mon propre destin je viens vous consulter.
Déjà même je crois entendre la réponse
Qu'en secret contre moi votre haine prononce.

HERMIONE.

Hé quoi ? toujours injuste en vos tristes discours,
De mon inimitié vous plaindrez-vous toujours ?   520
Quelle est cette rigueur [2] tant de fois alléguée ?
J'ai passé dans l'Épire, où j'étais reléguée :
Mon père l'ordonnait. Mais qui sait si depuis
Je n'ai point en secret partagé vos ennuis ?
Pensez-vous avoir seul éprouvé des alarmes ?   525
Que [3] l'Épire jamais n'ait [4] vu couler mes larmes ?
Enfin qui vous a dit que malgré mon devoir
Je n'ai pas quelquefois souhaité de vous voir ?

ORESTE.

Souhaité de me voir ! Ah ! divine princesse . . .
Mais, de grâce, est-ce à moi que ce discours s'adresse ?   530
Ouvrez vos yeux : songez qu'Oreste est devant vous,
Oreste, si longtemps l'objet de leur [5] courroux.

HERMIONE.

Oui, c'est vous dont l'amour, naissant avec leurs charmes,[6]
Leur apprit le premier le pouvoir de leurs armes ;
Vous que mille vertus me forçaient d'estimer ;   535
Vous que j'ai plaint, enfin que je voudrais aimer.

1. Andromache.   2. "severity" of a woman in not reciprocating
love.   3. This clause depends on *Pensez-vous.*   4. Subjunctive
because of the feeling that Orestes has not thought so.   5. *leur* refers
to *eyes* in the preceding line.   6. This and the following line are
examples of *précieux* ideas. *Eyes* possess *charms*, which cause love in
another ; this love teaches the *eyes* that they have *weapons.*

ORESTE.

Je vous entends.   Tel est mon partage funeste :
Le cœur est pour Pyrrhus, et les vœux [1] pour Oreste.

HERMIONE.

Ah ! ne souhaitez pas le destin de Pyrrhus :
Je vous haïrais trop.

ORESTE.

     Vous m'en aimeriez plus. 54*
Ah ! que vous me verriez d'un regard bien contraire !
Vous me voulez aimer, et je ne puis vous plaire ;
Et l'amour seul alors se faisant obéir,
Vous m'aimeriez, Madame, en me voulant haïr.
Ô Dieux ! tant de respects,* une amitié si tendre [2] . . . 545
Que de [3] raisons pour moi, si vous pouviez m'entendre* !
Vous seule pour Pyrrhus disputez aujourd'hui,
Peut-être malgré vous, sans doute malgré lui.
Car enfin il vous hait ; son âme ailleurs éprise
N'a plus . . .

HERMIONE.

   Qui vous l'a dit, Seigneur, qu'il me méprise ? 550
Ses regards, ses discours, vous l'ont-ils donc appris ?
Jugez-vous que ma vue inspire des mépris,
Qu'elle allume en un cœur des feux si peu durables ?
Peut-être d'autres yeux me sont plus favorables.

ORESTE.

Poursuivez : il est beau de m'insulter ainsi. 555
Cruelle, c'est donc moi qui vous méprise ici ?
Vos yeux [4] n'ont pas assez éprouvé ma constance ?
Je suis donc un témoin de leur peu de puissance ?
Je les ai méprisés ?   Ah ! qu'ils voudraient bien voir
Mon rival, comme moi, mépriser leur pouvoir ! [5] 560

HERMIONE.

Que m'importe, Seigneur, sa haine ou sa tendresse ?
Allez contre un rebelle [6] armer toute la Grèce ;

---

 1. *i.e.*, she has said she would like to be able to love him. 2. Complete the thought : "I should have for you." 3. *Que de* = " How many." 4. *Vos yeux = Vous.* 5. She would like to see Pyrrhus hate her as he (Orestes) does ; *i.e.*, love her madly. 6. *rebelle*, because he will not surrender Andromache's son.

Rapportez-lui le prix de sa rébellion ;
Qu'on fasse de l'Épire un second Ilion.
Allez. Après cela [1] direz-vous que je l'aime?   565

ORESTE.

Madame, faites plus, et venez-y vous-même.
Voulez-vous demeurer pour otage en ces lieux?
Venez dans tous les cœurs faire parler vos yeux.[2]
Faisons de notre haine une commune attaque.

HERMIONE.

Mais, Seigneur, cependant* s'il épouse Andromaque?   570

ORESTE.

Hé ! Madame.

HERMIONE.

Songez quelle honte pour nous
Si d'une Phrygienne il devenait l'époux ! [3]

ORESTE.

Et vous le haïssez? Avouez-le, Madame,
L'amour n'est pas un feu qu'on renferme en une âme.
Tout nous trahit, la voix, le silence, les yeux ;   575
Et les feux mal couverts n'en éclatent que mieux.[4]

HERMIONE.

Seigneur, je le vois bien, votre âme prévenue*
Répand sur mes discours le venin qui la tue,
Toujours dans mes raisons cherche quelque détour,*
Et croit qu'en moi la haine est un effort d'amour.[5]   580
Il faut donc m'expliquer : vous agirez ensuite.
Vous savez qu'en ces lieux mon devoir m'a conduite ;
Mon devoir m'y retient, et je n'en puis partir
Que [6] mon père ou Pyrrhus ne m'en fasse sortir.
De la part de mon père allez lui faire entendre   585
Que l'ennemi des Grecs ne peut être son [7] gendre :
Du Troyen ou de moi faites-le décider ;

---

1. *cela = ce que je viens de vous dire.*   2. *i.e.,* "let the eloquence of your eyes arouse new enemies for Pyrrhus."   3. A clever effort to explain the involuntary reaction expressed in 570. *Phrygienne* is scornful for "Trojan woman."   4. Orestes refuses to be duped by Hermione's pretense.   5. "an outgrowth of love," — because she wants to hate Pyrrhus for having scorned her love.   6. Read *à moins que* or *avant que.*   7. *son = de Ménélas.*

Qu'il songe qui des deux il veut rendre ou garder ;
Enfin qu'il me renvoie, ou bien qu'il vous le livre.
Adieu.   S'il y consent, je suis prête à vous suivre.   590

SCÈNE III.

ORESTE, *seul*.

Oui, oui, vous me suivrez, n'en doutez nullement :
Je vous réponds* déjà de son consentement.
Je ne crains pas enfin que Pyrrhus la retienne :
Il n'a devant les yeux que sa chère Troyenne ;
Tout autre objet le blesse ; et peut-être aujourd'hui   595
Il n'attend qu'un prétexte à l'éloigner [1] de lui.
Nous n'avons qu'à parler : c'en est fait.*   Quelle joie
D'enlever à l'Épire une si belle proie !
Sauve tout ce qui reste et de Troie et d'Hector,
Garde son fils, sa veuve, et mille autres encor,   600
Épire : c'est assez qu'Hermione rendue
Perde à jamais tes bords et ton prince de vue.
Mais un heureux destin le conduit en ces lieux.
Parlons.   À tant d'attraits,[2] Amour, ferme ses yeux !

SCÈNE IV.

PYRRHUS, ORESTE, PHŒNIX.

PYRRHUS.

Je vous cherchais, Seigneur.[3]   Un peu de violence*   605
M'a fait de vos raisons combattre la puissance,
Je l'avoue ; et depuis que je vous ai quitté,
J'en ai senti la force et connu l'équité.
J'ai songé, comme vous, qu'à la Grèce, à mon père,
À moi-même, en un mot, je devenais contraire ; [4]   610

---

1. *l'* = Hermione.   2. *i.e.*, the beauty of Hermione.   3. Apparently the threats of Pyrrhus against Andromache have had no effect on the lovely widow's attitude. Irritated, Pyrrhus unexpectedly changes his mind about yielding Astyanax to the Greeks.   4. He was about to (*devenais*) do something foreign to the general policy of his father and his allies.

Que je relevais [1] Troie, et rendais imparfait
Tout ce qu'a fait Achille et tout ce que j'ai fait.
Je ne condamne plus un courroux légitime,
Et l'on vous va, Seigneur, livrer votre victime.

ORESTE.

Seigneur, par ce conseil prudent et rigoureux,　　　615
C'est acheter* la paix du sang d'un malheureux.

PYRRHUS.

Oui.　Mais je veux, Seigneur, l'assurer davantage :
D'une éternelle paix Hermione est le gage ;
Je l'épouse.　Il semblait qu'un spectacle si doux
N'attendît en ces lieux qu'un témoin tel que vous.　　　620
Vous y représentez tous les Grecs et son père,
Puisqu'en vous Ménélas voit revivre son frère.[2]
Voyez-la donc.　Allez.　Dites-lui que demain
J'attends, avec la paix, son cœur de votre main.[3]

ORESTE.

Ah Dieux !

SCÈNE V.

PYRRHUS, PHŒNIX.

PYRRHUS.

Hé bien, Phœnix, l'amour est-il le maître ?　　　625
Tes yeux refusent-ils encor de me connaître ? [4]

PHŒNIX.

Ah ! je vous reconnais ; et ce juste courroux,
Ainsi qu'à tous les Grecs, Seigneur, vous rend à vous
Ce n'est plus le jouet d'une flamme servile :
C'est Pyrrhus, c'est le fils et le rival d'Achille,　　　630
Que la gloire à la fin ramène sous ses lois,
Qui triomphe de Troie une seconde fois.

1. "I was about to give aid to Troy."　　2. Menelaus, the father of Hermione, had a brother, Agamemnon, the father of Orestes.　Recall the famous quarrel between Agamemnon and Achilles during the Trojan war.　　3. The whole speech is a masterpiece of polite irony. 4. Pyrrhus is very proud of his virtuous conduct, even though it is based on irritation.　*connaître :* "recognize the man you used to know," *i.e.,* one no longer a slave to love.

PYRRHUS.

Dis plutôt qu'aujourd'hui commence ma victoire.
D'aujourd'hui* seulement je jouis de ma gloire ;
Et mon cœur, aussi fier que tu l'as vu soumis,   635
Croit avoir en l'amour vaincu mille ennemis.
Considère, Phœnix, les troubles que j'évite,
Quelle foule de maux l'amour traîne à sa suite,
Que d'amis, de devoirs j'allais sacrifier,
Quels périls. . . .   Un regard m'eût tout fait oublier.   640
Tous les Grecs conjurés fondaient*[1] sur un rebelle.
Je trouvais du plaisir à me perdre pour elle.

PHŒNIX.

Oui, je bénis, Seigneur, l'heureuse cruauté*
Qui vous rend. . . .

PYRRHUS.

Tu l'as vu, comme elle m'a traité.
Je pensais, en voyant sa tendresse alarmée,   645
Que son fils me la dût renvoyer désarmée.[2]
J'allais voir le succès de ses embrassements :
Je n'ai trouvé que pleurs mêlés d'emportements.
Sa misère l'aigrit ; et toujours plus farouche,
Cent fois le nom d'Hector est sorti de sa bouche.   650
Vainement à son fils j'assurais mon secours ;
" C'est Hector, disait-elle en l'embrassant toujours ;
Voilà ses yeux, sa bouche, et déjà son audace ;
C'est lui-même, c'est toi, cher époux, que j'embrasse."
Et quelle est sa pensée ?   Attend-elle en ce jour   655
Que je lui laisse un fils pour nourrir son amour ?

PHŒNIX.

Sans doute.   C'est le prix* que vous gardait l'ingrate.
Mais laissez-la, Seigneur.

PYRRHUS.

Je vois ce qui la flatte.
Sa beauté la rassure ; et malgré mon courroux,
L'orgueilleuse m'attend encore à ses genoux.   660

---

1. *fondaient = auraient fondu.* In this speech Pyrrhus is evidently
strengthening his uncertain resolution by listing all the misfortunes a
continuation of his love for Andromache would entail.   2. *i.e.*, after
Andromache had seen her son and reflected on the consequences to him
of her resistance to Pyrrhus, she should have been willing to listen to his
love.

Je la verrais aux miens, Phœnix, d'un œil tranquille.
Elle est veuve d'Hector, et je suis fils d'Achille :
Trop de haine sépare Andromaque et Pyrrhus.

PHŒNIX.

Commencez donc, Seigneur, à ne m'en [1] parler plus.
Allez voir Hermione ; et content de lui plaire,   665
Oubliez à ses pieds [2] jusqu'à votre colère.
Vous-même à cet hymen venez la disposer.*
Est-ce sur un rival qu'il s'en faut reposer*?
Il ne l'aime que trop.

PYRRHUS.

          Crois-tu, si je l'épouse,
Qu'Andromaque en son cœur n'en sera pas jalouse? [3]   670

PHŒNIX.

Quoi? toujours Andromaque occupe votre esprit?
Que vous importe, ô Dieux ! sa joie ou son dépit?
Quel charme, malgré vous, vers elle vous attire?

PYRRHUS.

Non, je n'ai pas bien dit tout ce qu'il lui faut dire :
Ma colère à ses yeux n'a paru qu'à demi ;   675
Elle ignore à quel point je suis son ennemi.
Retournons-y.   Je veux la braver à sa vue, [4]
Et donner à ma haine une libre étendue.
Viens voir tous ses attraits, Phœnix, humiliés
Allons.

PHŒNIX.

     Allez, Seigneur, vous jeter à ses pieds.   680
Allez, en lui jurant que votre âme l'adore,
À de nouveaux mépris l'encourager encore.

PYRRHUS.

Je le vois bien, tu crois que prêt à l'excuser
Mon cœur court après elle, et cherche à s'apaiser. [5]

1. *en = d'elle.* Phœnix is very justifiably concerned that Pyrrhus, having made his decision about Andromache, refuses to dismiss the matter and continues to talk about her. 2. A *précieux* notion. 3. Compare the sentiments of Hermione in v. 570. 4. "defy her to her face." 5. His heart, although in a rage at her scorn, runs after her and seeks an excuse to put aside its anger.

PHŒNIX.

Vous aimez : c'est assez.

PYRRHUS.

                          Moi l'aimer ? une ingrate *   685
Qui me hait d'autant plus que mon amour la flatte ? ¹
Sans parents, sans amis, sans espoir que sur moi,²
Je puis perdre * son fils ; peut-être je le doi.³
Étrangère . . . que dis-je ? esclave dans l'Épire,
Je lui donne son fils, mon âme, mon empire ;   690
Et je ne puis gagner dans son perfide cœur
D'autre rang que celui de son persécuteur ?
Non, non, je l'ai juré, ma vengeance est certaine :
Il faut bien une fois justifier * sa haine.
J'abandonne son fils.   Que de pleurs vont couler ! ⁴   695
De quel nom sa douleur me va-t-elle appeler !
Quel spectacle pour elle aujourd'hui se dispose !
Elle en mourra, Phœnix, et j'en serai la cause.
C'est lui mettre moi-même un poignard dans le sein.

PHŒNIX.

Et pourquoi donc en faire * éclater le dessein ?   700
Que ⁵ ne consultiez-vous tantôt votre faiblesse ? ⁶

PYRRHUS.

Je t'entends.   Mais excuse un reste de tendresse.
Crains-tu pour ma colère un si faible combat ?
D'un amour qui s'éteint c'est le dernier éclat.
Allons.   À tes conseils, Phœnix, je m'abandonne.   705
Faut-il livrer son fils ? faut-il voir Hermione ?

PHŒNIX.

Oui, voyez-la, Seigneur, et par des vœux * soumis
Protestez-lui . . .

PYRRHUS.

            Faisons tout ce que j'ai promis.

---

  1. She hates him all the more because he is a king stooping to love
a slave, and hence is complimenting her highly.   2. Complete the
thought : "she is . . ."   3. *doi = dois;* s omitted to give eye-
rhyme with the following line.   4. Note the shift in Pyrrhus' train of
thought beginning in the middle of this line.   5. *Que = Pourquoi.*
6. "Before you committed yourself, why did you not consider your
weakness ?"

ACTE III. SCÈNE PREMIÈRE.

ORESTE, PYLADE.

PYLADE.

Modérez donc, Seigneur, cette fureur extrême.[1]
Je ne vous connais plus : vous n'êtes plus vous-même.   710
Souffrez . . .

ORESTE.

        Non, tes conseils ne sont plus de saison,
Pylade, je suis las d'écouter la raison.
C'est traîner trop longtemps ma vie et mon supplice :
Il faut que je l'enlève,[2] ou bien que je périsse.
Le dessein en est pris, je le veux achever.*   715
Oui, je le veux.

PYLADE.

       Hé bien, il la faut enlever :
J'y consens.   Mais songez cependant où vous êtes.
Que croira-t-on de vous, à voir ce que vous faites ?
Dissimulez : calmez ce transport inquiet ;*
Commandez à vos yeux de garder le secret.[3]   720
Ces gardes, cette cour, l'air qui vous environne,
Tout dépend de* Pyrrhus, et surtout Hermione.
À ses regards surtout cachez votre courroux.[4]
Ô Dieux ! en cet état pourquoi la cherchiez-vous ?

ORESTE.

Que sais-je ?   De moi-même étais-je alors le maître ?   725
La fureur m'emportait, et je venais peut-être
Menacer à la fois l'ingrate et son amant.

PYLADE.

Et quel était [5] le fruit de cet emportement ?

---

1. When Orestes' hope of winning Hermione has been disappointed
by Pyrrhus' changed plans, he loses his self-control.   2. *l'* = *Hermione*.   3. Note the *précieux* idea of ordering one's eyes to do
something.   4. Because, in reality, Hermione would be violently
opposed to leaving Epirus, and would make public Orestes' plan to
kidnap her.   5. *quel était = quel aurait été, selon vous* . . .

ORESTE.

Et quelle âme, dis-moi, ne serait éperdue *
Du coup dont ma raison vient d'être confondue * ?   730
Il épouse, dit-il, Hermione demain ;
Il veut, pour m'honorer, la tenir de ma main.
Ah ! plutôt cette main dans le sang du barbare [1] . . .

PYLADE.

Vous l'accusez, Seigneur, de ce destin bizarre.
Cependant, tourmenté de ses propres desseins,   735
Il est peut-être à plaindre autant que je vous plains.

ORESTE.

Non, non ; je le connais, mon désespoir le flatte ;
Sans moi, sans mon amour, il dédaignait l'ingrate ;
Ses charmes jusque-là n'avaient pu le toucher :
Le cruel ne la prend que pour me l'arracher.   740
Ah Dieux ! c'en était fait : * Hermione gagnée
Pour jamais de sa vue allait être éloignée.
Son cœur, entre l'amour et le dépit confus, *
Pour se donner à moi n'attendait qu'un refus ;
Ses yeux s'ouvraient, Pylade ; elle écoutait Oreste,   745
Lui parlait, le plaignait. Un mot eût fait le reste.

PYLADE.

Vous le croyez.

ORESTE.

          Hé quoi ? ce courroux enflammé
Contre un ingrat . . .

PYLADE.

          Jamais il ne fut plus aimé.
Pensez-vous, quand Pyrrhus vous l'aurait accordée,
Qu'un prétexte tout prêt ne l'eût pas retardée ?   750
M'en croirez-vous ? Lassé de ses trompeurs attraits,
Au lieu de l'enlever, fuyez-la pour jamais.
Quoi ? votre amour se veut charger d'une furie *
Qui vous détestera, qui toute votre vie

---

1. For the cultured Greeks an inhabitant of Epirus would be a "barbarian." Also cf. the *précieux* use of the term for "one who is cruel."

Regrettant [1] un hymen tout prêt* à s'achever,   755
Voudra . . .

ORESTE.

C'est pour cela que je veux l'enlever.
Tout lui rirait,* Pylade ; et moi, pour mon partage,
Je n'emporterais donc qu'une inutile rage?
J'irais loin d'elle encor tâcher de l'oublier?
Non, non, à mes tourments je veux l'associer.   760
C'est trop gémir tout seul.   Je suis las qu'on me plaigne.
Je prétends qu'à mon tour l'inhumaine me craigne,
Et que ses yeux cruels, à pleurer condamnés,
Me rendent tous les noms que je leur ai donnés.[2]

PYLADE.

Voilà donc le succès qu'aura votre ambassade :   765
Oreste ravisseur !

ORESTE.

Et qu'importe, Pylade?
Quand nos États vengés jouiront de mes soins,
L'ingrate de mes pleurs jouira-t-elle moins?
Et que me servira que la Grèce m'admire,
Tandis que je serai la fable* de l'Épire?   770
Que veux-tu?   Mais, s'il faut ne te rien déguiser,
Mon innocence enfin commence à me peser.[3]*
Je ne sais de tout temps* quelle injuste puissance
Laisse le crime en paix et poursuit l'innocence.
De quelque part* sur moi que je tourne les yeux,   775
Je ne vois que malheurs qui condamnent les Dieux.[4]
Méritons leur courroux, justifions leur haine,
Et que le fruit du crime en précède la peine.
Mais toi, par quelle erreur veux-tu toujours sur toi
Détourner un courroux qui ne cherche que moi?   780
Assez et trop longtemps mon amitié t'accable :
Évite un malheureux, abandonne un coupable.

---

1. "To regret," in English, generally means "to be sorry about."
In French, *regretter* may mean, as it does here, "to long for something
which is past," or "to wish a thing had taken place when it did not
take place."   2. The general sense of the passage is that if Orestes
must suffer from not being loved by Hermione, he will take her where
she cannot see Pyrrhus and they will suffer together.   3. An oft-cited
line.   Orestes feels the urge to do evil deeds.   4. "which show the
injustice of the gods."

Cher Pylade, crois-moi, ta pitié te séduit.
Laisse-moi des périls dont j'attends tout le fruit.*
Porte aux Grecs cet enfant que Pyrrhus m'abandonne.   785
Va-t'en.

PYLADE.

Allons, Seigneur, enlevons Hermione.
Au travers des périls un grand cœur se fait jour.*
Que ne peut [1] l'amitié conduite par l'amour ?
Allons de tous vos Grecs encourager le zèle.
Nos vaisseaux sont tout prêts, et le vent nous appelle.   790
Je sais de ce palais tous les détours obscurs ; [2]
Vous voyez que la mer en vient battre les murs ;
Et cette nuit, sans peine, une secrète voie
Jusqu'en votre vaisseau conduira votre proie.

ORESTE.

J'abuse, cher ami, de ton trop d'amitié.   795
Mais pardonne à des maux dont toi seul as pitié ;
Excuse un malheureux qui perd* tout ce qu'il aime,
Que tout le monde hait, et qui se hait lui-même.
Que ne puis-je à mon tour dans un sort plus heureux . . .

PYLADE.

Dissimulez, Seigneur : c'est tout ce que je veux,   800
Gardez qu'avant le coup votre dessein n'éclate :
Oubliez jusque-là qu'Hermione est ingrate ; [3]
Oubliez votre amour.   Elle vient, je la voi.[4]

ORESTE.

Va-t'en.   Réponds-moi d'elle, et je réponds de moi.[5]

SCÈNE II.

Hermione, Oreste, Cléone.

ORESTE.

Hé bien ! mes soins* vous ont rendu votre conquête.   805
J'ai vu Pyrrhus, Madame, et votre hymen s'apprête.

---

1. *Que ne peut = Que ne peut faire.*   2. "secret passages."
3. *i.e.*, don't let your indignation at Hermione's treatment of you cause
you to reveal your plans before the proper time.   4. *voi = vois.*
5. *i.e.*, you make sure of plans for abduction : I'll guarantee my silence.

HERMIONE.

On le dit ; et de plus on vient de m'assurer
Que vous ne me cherchiez que pour m'y préparer.[1]

ORESTE.

Et votre âme à ses vœux ne sera pas rebelle?

HERMIONE.

Qui l'eût cru, que Pyrrhus ne fût pas infidèle?[2]   810
Que sa flamme attendrait si tard pour éclater,
Qu'il reviendrait à moi quand je l'allais quitter?
Je veux croire avec vous qu'il redoute la Grèce,
Qu'il suit son intérêt* plutôt que sa tendresse,
Que mes yeux sur votre âme étaient plus absolus.[3]   815

ORESTE.

Non, Madame : il vous aime, et je n'en doute plus.
Vos yeux ne font-ils pas tout ce qu'ils veulent faire?
Et vous ne vouliez pas sans doute lui déplaire.[4]

HERMIONE.

Mais que puis-je, Seigneur? On a promis ma foi.*
Lui ravirai-je un bien qu'il ne tient pas de moi?   820
L'amour ne règle pas le sort d'une princesse :
La gloire d'obéir est tout ce qu'on nous laisse.
Cependant je partais ;[5] et vous avez pu voir
Combien je relâchais pour vous de mon devoir.

ORESTE.

Ah ! que vous saviez bien, cruelle.[6] . . . Mais, Madame,   825
Chacun peut à son choix disposer de son âme.*
La vôtre était à vous. J'espérais ; mais enfin
Vous l'avez pu donner[7] sans me faire un larcin.
Je vous accuse aussi bien moins que la fortune.
Et pourquoi vous lasser d'une plainte importune?   830
Tel est votre devoir, je l'avoue ; et le mien
Est de vous épargner un si triste* entretien.

---

1. This was what Pyrrhus had ironically told Orestes to do. See vv. 623–4.   2. Verbs in subjunctive rather than conditional because contrary to fact.   3. Hermione disguises her true feelings so that she may not lose Orestes without recall : she may need him again. 4. Orestes is ironic.   5. "I was about to leave."   6. Orestes is about to give way to his feelings. He remembers his plans and Pylades' advice, and answers calmly.   7. *i.e.*, to another.

SCÈNE III.

HERMIONE, CLÉONE.

HERMIONE.

Attendais-tu, Cléone, un courroux si modeste*?

CLÉONE.

La douleur qui se tait n'en [1] est que plus funeste.
Je le plains : d'autant plus qu'auteur de son ennui,[2] 835
Le coup qui l'a perdu* n'est parti que de lui.
Comptez depuis quel temps votre hymen se prépare :
Il a parlé, Madame, et Pyrrhus se déclare.

HERMIONE.

Tu crois que Pyrrhus craint? Et que craint-il encor?
Des peuples qui dix ans ont fui devant Hector, 840
Qui cent fois effrayés de l'absence d'Achille,
Dans leurs vaisseaux brûlants ont cherché leur asile,
Et qu'on verrait encor, sans l'appui de son fils,
Redemander Hélène aux Troyens impunis?[3]
Non, Cléone, il n'est point ennemi de lui-même ;[4] 845
Il veut tout ce qu'il fait : et s'il m'épouse, il m'aime.
Mais qu'Oreste à son gré* m'impute ses douleurs ;
N'avons-nous d'entretien [5] que celui de ses pleurs*?
Pyrrhus revient à nous. Hé bien ! chère Cléone,
Conçois-tu les transports de l'heureuse Hermione? 850
Sais-tu quel est Pyrrhus? T'es-tu fait* raconter
Le nombre des exploits. . . . Mais qui les peut compter?
Intrépide, et partout suivi de la victoire,
Charmant, fidèle enfin, rien ne manque à sa gloire.
Songe . . .

CLÉONE.

Dissimulez. Votre rivale en pleurs 855
Vient à vos pieds, sans doute, apporter ses douleurs.

HERMIONE.

Dieux ! ne puis-je à ma joie abandonner mon âme?
Sortons : que lui dirais-je?

1. "because of that." 2. "so much the more since responsible for his own suffering . . ." 3. *i.e.*, still at the siege of unconquered Troy. 4. "he is not at odds with himself." 5. "Have we no other subject of conversation."

SCÈNE IV.

Andromaque, Hermione, Cléone, Céphise.

ANDROMAQUE.

Où fuyez-vous, Madame?
N'est-ce point à vos yeux un spectacle* assez doux
Que la veuve d'Hector pleurante à vos genoux?   860
Je ne viens point ici, par de jalouses larmes,
Vous envier un cœur qui se rend à vos charmes.
Par une main cruelle, hélas! j'ai vu percer
Le seul où mes regards prétendaient s'adresser.[1]
Ma flamme par Hector fut jadis allumée;   865
Avec lui dans la tombe elle s'est enfermée.
Mais il[2] me reste un fils.   Vous saurez quelque jour,
Madame, pour un fils jusqu'où va notre amour;
Mais vous ne saurez pas, du moins je le souhaite,
En quel trouble mortel son intérêt[3] nous jette,   870
Lorsque de tant de biens qui pouvaient nous flatter,*
C'est le seul qui nous reste, et qu'[4]on veut nous l'ôter.
Hélas! lorsque lassés de dix ans de misère,
Les Troyens en courroux menaçaient votre mère,
J'ai su de mon Hector lui procurer l'appui.   875
Vous pouvez[5] sur Pyrrhus ce que j'ai pu sur lui.
Que craint-on d'un enfant qui survit à sa perte?
Laissez-moi le cacher en quelque île déserte.
Sur les soins* de sa mère on peut s'en assurer,
Et mon fils avec moi n'apprendra qu'à pleurer.   880

HERMIONE.

Je conçois vos douleurs. Mais un devoir austère,
Quand mon père a parlé, m'ordonne de me taire.
C'est lui qui de Pyrrhus fait agir le courroux.
S'il faut fléchir Pyrrhus, qui le peut mieux que vous?
Vos yeux assez longtemps ont régné sur son âme.   885
Faites-le prononcer: j'y souscrirai, Madame.[6]

---

1. "The only one for which I had any affection."   2. impersonal.
3. "concern for his welfare."   4. *qu'* = *lorsque.*   5. "You have
the influence."   6. Note the exultant irony of this speech.

SCÈNE V.

ANDROMAQUE, CÉPHISE.

ANDROMAQUE.

Quel mépris la cruelle attache à ses refus !

CÉPHISE.

Je croirais ses conseils, et je verrais Pyrrhus.
Un regard confondrait Hermione et la Grèce . . .
Mais lui-même il vous cherche.

SCÈNE VI.

PYRRHUS, ANDROMAQUE, PHŒNIX, CÉPHISE.

PYRRHUS, à *Phœnix.*

          Où donc est la princesse[1] ? 890
Ne m'avais-tu pas dit qu'elle était en ces lieux ?

PHŒNIX.

Je le croyais.

ANDROMAQUE, à *Céphise.*

     Tu vois le pouvoir de mes yeux.

PYRRHUS.

Que dit-elle, Phœnix ?

ANDROMAQUE.

     Hélas ! tout m'abandonne.

PHŒNIX.

Allons, Seigneur, marchons sur les pas d'Hermione.

CÉPHISE.

Qu'attendez-vous ? rompez ce silence obstiné. 895

ANDROMAQUE.

Il a promis mon fils.

---

1. Hermione. His pride demands that he make Andromache think
he was looking for Hermione and met her by accident.

CÉPHISE.

Il ne l'a pas donné.

ANDROMAQUE.

Non, non, j'ai beau pleurer, sa mort est résolue.

PYRRHUS.

Daigne-t-elle sur nous tourner au moins la vue?
Quel orgueil !

ANDROMAQUE.

Je ne fais que l'irriter encor.
Sortons.

PYRRHUS.

Allons aux Grecs livrer le fils d'Hector.   900

ANDROMAQUE.

Ah ! Seigneur, arrêtez !   Que prétendez-vous faire?
Si vous livrez le fils, livrez-leur donc la mère.
Vos serments m'ont tantôt juré tant d'amitié ! [1]
Dieux ! ne pourrai-je au moins toucher votre pitié?
Sans espoir de pardon m'avez-vous condamnée?   905

PYRRHUS.

Phœnix vous le dira, ma parole est donnée.

ANDROMAQUE.

Vous qui braviez [2] pour moi tant de périls divers !

PYRRHUS.

J'étais aveugle alors : mes yeux se sont ouverts.
Sa grâce* à vos désirs pouvait être accordée ;
Mais vous ne l'avez pas seulement demandée.   910
C'en est fait.*

ANDROMAQUE.

Ah ! Seigneur, vous entendiez assez
Des soupirs qui craignaient de se voir repoussés.
Pardonnez à l'éclat d'une illustre fortune
Ce reste de fierté qui craint d'être importune.
Vous ne l'ignorez pas : Andromaque sans vous   915
N'aurait jamais d'un maître embrassé les genoux.

---

1. *amitié = amour.*   2. "boasted that you would face."   This line
is an ironic reference to vv. 281–296.

PYRRHUS.

Non, vous me haïssez ; et dans le fond de l'âme
Vous craignez de devoir quelque chose à ma flamme.
Ce fils même, ce fils, l'objet de tant de soins,
Si je l'avais sauvé, vous l'en [1] aimeriez moins.   920
La haine, le mépris, contre moi tout s'assemble ;
Vous me haïssez plus que tous les Grecs ensemble.
Jouissez à loisir d'un si noble courroux.
Allons, Phœnix.

ANDROMAQUE.

Allons rejoindre mon époux.[2]

CÉPHISE.

Madame . . .

ANDROMAQUE.

Et que veux-tu que je lui dise encore ?   925
Auteur de tous mes maux, crois-tu qu'il les ignore ?
Seigneur, voyez l'état où vous me réduisez.
J'ai vu mon père mort, et nos murs embrasés ;
J'ai vu trancher les jours de ma famille entière,
Et mon époux sanglant traîné sur la poussière,   930
Son fils, seul avec moi, réservé pour les fers.
Mais que ne peut un fils ?   Je respire, je sers.[3]
J'ai fait plus : je me suis quelquefois consolée
Qu'ici, plutôt qu'ailleurs, le sort m'eût exilée ;
Qu'heureux dans son malheur, le fils de tant de rois,   935
Puisqu'il devait servir, fût tombé sous vos lois.
J'ai cru que sa prison deviendrait son asile.
Jadis Priam soumis * fut respecté d'Achille :
J'attendais de son fils encor plus de bonté.
Pardonne, cher Hector, à ma crédulité.*   940
Je n'ai pu soupçonner ton ennemi d'un crime ;
Malgré lui-même enfin je l'ai cru magnanime.[4]
Ah ! s'il l'était assez pour nous laisser du moins
Au tombeau qu'à ta cendre ont élevé mes soins,[5]

---

1. *i.e.*, "because I had saved him."   2. *i.e.*, commit suicide.
3. I, a princess of Troy, consent to be alive and to be a slave : a mother
will, if necessary, do anything for her child.   4. A reflection of the
chivalrous idea that a mighty conqueror necessarily possesses a noble
soul.   5. Apparently the captive Andromache had raised up an
empty tomb in Epirus to the memory of her dead husband.

Et que finissant là ma haine et nos misères,
Il ne séparât point des dépouilles si chères ! [1]   945

PYRRHUS.

Va m'attendre, Phœnix.

SCÈNE VII.

Pyrrhus, Andromaque, Céphise.

PYRRHUS *continue*.

　　　　　　Madame, demeurez.
On peut vous rendre encor ce fils que vous pleurez.
Oui, je sens à regret * qu'en excitant vos larmes
Je ne fais contre moi que vous donner des armes. [2]   950
Je croyais apporter plus de haine en ces lieux.
Mais, Madame, du moins tournez vers moi les yeux :
Voyez si mes regards sont [3] d'un juge sévère,
S'ils sont d'un ennemi qui cherche à vous déplaire.
Pourquoi me forcez-vous vous-même à vous trahir ?   955
Au nom de votre fils, cessons de nous haïr.
À le sauver enfin c'est moi qui vous convie.
Faut-il que mes soupirs vous demandent sa vie ?
Faut-il qu'en sa faveur j'embrasse vos genoux ?
Pour la dernière fois, sauvez-le, sauvez-vous.   960
Je sais de quels serments je romps pour vous les chaînes,
Combien je vais sur moi faire éclater de haines. [4]
Je renvoie Hermione, et je mets sur son front,
Au lieu de ma couronne, un éternel affront.
Je vous conduis au temple où son hymen s'apprête ;   965
Je vous ceins du bandeau préparé pour sa tête.
Mais ce n'est plus, Madame, une offre à dédaigner :
Je vous le dis, il faut ou périr ou régner.
Mon cœur, désespéré d'un an d'ingratitude,
Ne peut plus de son sort souffrir l'incertitude.   970
C'est craindre, menacer et gémir trop longtemps.
Je meurs si je vous perds, mais je meurs si j'attends.

---

1. Andromache and Astyanax are the "mortal remains" of Hector.
2. *i.e.*, Andromache, in tears, had even a stronger hold over Pyrrhus
than she had ordinarily.   3. Supply *ceux* here, and in following line.
4. *Combien de haines je vais faire éclater sur moi.*

Songez-y : je vous laisse ; et je viendrai vous prendre
Pour vous mener au temple, où ce fils doit m'attendre ;
Et là vous me verrez, soumis ou furieux,   975
Vous couronner, Madame, ou le perdre [1] à vos yeux.

SCÈNE VIII.

ANDROMAQUE, CÉPHISE.

CÉPHISE.

Je vous l'[2]avais prédit, qu'en dépit de la Grèce,
De votre sort encor vous seriez la maîtresse.

ANDROMAQUE.

Hélas ! de quel effet tes discours sont suivis !
Il ne me restait plus qu'à condamner* mon fils.[3]   980

CÉPHISE.

Madame, à votre époux c'est être assez fidèle :
Trop de vertu [4] pourrait vous rendre criminelle.[5]
Lui-même il porterait* votre âme à la douceur.

ANDROMAQUE.

Quoi ? je lui donnerais Pyrrhus pour successeur ?

CÉPHISE.

Ainsi le veut son fils,[6] que les Grecs vous ravissent.   985
Pensez-vous qu'après tout ses mânes* en rougissent ;
Qu'il méprisât, Madame, un roi victorieux
Qui vous fait remonter au rang de vos aïeux,
Qui foule aux pieds pour vous vos vainqueurs en colère,
Qui ne se souvient plus qu'Achille était son père,   990
Qui dément ses exploits [7] et les rend superflus* ?

disavows

1. *i.e.*, turn him over to the Greeks.   2. *l'* is a summary of the
idea expressed in the following subordinate clause.   3. *i.e.*, "What a
terrible change in affairs as a result of following your advice ! It is now
I who condemn my own son !" For it has never occurred to Andromache
to accept Pyrrhus and save her son at that price.   4. "fidelity to
your dead husband."   5. *i.e.*, if it cost her son's life.   6. Note : it
is not *the son* who demands it, but his safety.   7. The attitude and
conduct of Pyrrhus toward Andromache is the opposite of what one
might expect from the man who had inflicted such harm on the Trojans.

ANDROMAQUE.

Dois-je les oublier, s'il [1] ne s'en souvient plus ?
Dois-je oublier Hector privé de funérailles,
Et traîné sans honneur autour de nos murailles ?
Dois-je oublier son père à mes pieds renversé,   995
Ensanglantant l'autel qu'il tenait embrassé ?
Songe, songe, Céphise, à cette nuit cruelle
Qui fut pour tout un peuple une nuit éternelle.
Figure-toi Pyrrhus, les yeux étincelants,
Entrant à la lueur* de nos palais brûlants,   1000
Sur tous mes frères morts [2] se faisant un passage,*
Et de sang tout couvert échauffant le carnage.
Songe aux cris des vainqueurs, songe aux cris des mourants,
Dans la flamme étouffés, sous le fer expirants,
Peins-toi dans ces horreurs Andromaque éperdue :*   1005
Voilà comme Pyrrhus vint s'offrir à ma vue ;
Voilà par quels exploits il sut se couronner ; [3]
Enfin voilà l'époux que tu me veux donner.
Non, je ne serai point complice de ses crimes ;
Qu'il nous prenne, s'il veut, pour dernières victimes.   1010
Tous mes ressentiments lui seraient asservis.* [4]

CÉPHISE.

Hé bien ! allons donc voir expirer votre fils :
On n'attend plus que vous.   Vous frémissez, Madame !

ANDROMAQUE.

Ah ! de quel souvenir viens-tu frapper mon âme !
Quoi ? Céphise, j'irai voir expirer encor   1015
Ce fils, ma seule joie, et l'image d'Hector :
Ce fils, que de sa flamme il me laissa pour gage* !
Hélas ! je m'en souviens, le jour que son courage
Lui fit chercher Achille, ou plutôt le trépas,
Il demanda son fils, et le prit dans ses bras :   1020
"Chère épouse, dit-il en essuyant mes larmes,
J'ignore quel succès* le sort garde à mes armes ;

---

1. *s'il = même s'il.*   2. The sons of Priam, brothers of Hector.
3. "These are the exploits by which he succeeded in distinguishing himself."   4. If Andromache were to marry Pyrrhus, her fate would be bound up with his : this would necessarily influence her view of the past.   She would no longer be able to have the same feelings (*ressentiments*) about the events and people connected with the fall of Troy.

Je te laisse mon fils pour gage de ma foi :
S'il me perd, je prétends qu'il me retrouve en toi.
Si d'un heureux hymen la mémoire t'est chère,   1025
Montre au fils à quel point* tu chérissais le père."
Et je puis voir répandre un sang si précieux?
Et je laisse avec lui périr tous ses aïeux*?
Roi barbare, faut-il que mon crime [1] l'entraîne?
Si je te hais, est-il coupable de ma haine?   1030
T'a-t-il de tous les siens reproché le trépas?
S'est-il plaint à tes yeux des maux qu'il ne sent pas?
Mais cependant, mon fils, tu meurs, si je n'arrête
Le fer* que le cruel tient levé sur ta tête.
Je l'en [2] puis détourner, et je t'y vais offrir?   1035
Non, tu ne mourras point : je ne le puis souffrir.
Allons trouver Pyrrhus.   Mais non, chère Céphise,
Va le trouver pour moi.

CÉPHISE.

Que faut-il que je dise?

ANDROMAQUE.

Dis-lui que de mon fils l'amour est assez fort. . . .
Crois-tu que dans son cœur il ait juré sa mort? [3]   1040
L'amour peut-il si loin pousser sa barbarie?

CÉPHISE.

Madame, il va bientôt revenir en furie.

ANDROMAQUE.

Hé bien ! va l'assurer. . . .

CÉPHISE.

De quoi? de votre foi*?

ANDROMAQUE.

Hélas ! pour la [4] promettre est-elle encore à moi?
Ô cendres d'un époux ! ô Troyens ! ô mon père !   1045
Ô mon fils, que tes jours coûtent cher à ta mère !
Allons.

---

1. This "crime" would be the attitude of Andromache toward
Pyrrhus.   2. *en = de la tête d'Astyanax; y = au fer.*   3. Note her
hesitation: before she commits herself she wants to be assured the
sacrifice is necessary.   4. *la = ma foi.*

CÉPHISE.

Où donc, Madame? et que résolvez-vous?

ANDROMAQUE.

Allons sur son tombeau [1] consulter mon époux.

ACTE IV. SCÈNE PREMIÈRE.

ANDROMAQUE, CÉPHISE.

CÉPHISE.

Ah! je n'en doute point : c'est votre époux, Madame,
C'est Hector qui produit ce miracle [2] en votre âme.   1050
Il veut que Troie encor se puisse relever
Avec cet heureux fils qu'il vous fait conserver. [3]
Pyrrhus vous l'a promis. Vous venez de l'entendre,
Madame : il n'attendait qu'un mot pour vous le rendre.
Croyez-en ses transports : père, sceptre, alliés,   1055
Content de votre cœur, il met tout à vos pieds.
Sur lui, sur tout son peuple il vous rend souveraine.
Est-ce là ce vainqueur digne de tant de haine?
Déjà contre les Grecs plein d'un noble courroux,
Le soin de votre fils le touche autant que vous :   1060
Il prévient leur fureur, il lui laisse sa garde ;
Pour ne pas l'exposer, lui-même il se hasarde.
Mais tout s'apprête au temple, et vous avez promis.

ANDROMAQUE.

Oui, je m'y trouverai. Mais allons voir mon fils.

CÉPHISE.

Madame, qui [4] vous presse? Il suffit que sa vue   1065
Désormais à vos yeux ne soit plus défendue.
Vous lui pourrez bientôt prodiguer vos bontés,
Et vos embrassements ne seront plus comptés.

---

1. Compare v. 944.   2. After meditating over the tomb of Hector, Andromache has decided to marry Pyrrhus, pledge his protection
for her son, but then commit suicide : thus, she will save her son and
remain faithful to Hector. (See vv. 1073–1100.) Céphise does not
realize that Andromache intends to kill herself after the ceremony.
3. Compare vv. 326–327.   4. *qui* = *qu'est-ce qui.*

Quel plaisir d'élever un enfant qu'on voit craître,[1]
Non plus comme un esclave élevé pour son maître,   1070
Mais pour voir avec lui renaître tant de rois !

CÉPHISE.

Céphise, allons le voir pour la dernière fois.

CÉPHISE.

Que dites-vous ? ô Dieux !

ANDROMAQUE.

                    Ô ma chère Céphise,
Ce n'est point avec toi que mon cœur se déguise.
Ta foi,* dans mon malheur, s'est montrée à mes yeux ;   1075
Mais j'ai cru qu'à mon tour tu me connaissais mieux.
Quoi donc ? as-tu pensé qu'Andromaque infidèle
Pût [2] trahir un époux qui croit revivre en elle ;
Et que de tant de morts [3] réveillant la douleur,
Le soin de mon repos* me fît troubler le leur ?   1080
Est-ce là cette ardeur* tant promise à sa cendre ?
Mais son fils périssait : il l'a fallu défendre,
Pyrrhus en m'épousant s'en déclare l'appui ;*
Il suffit : je veux bien m'en reposer* sur lui.
Je sais quel est Pyrrhus.   Violent, mais sincère,   1085
Céphise, il fera plus qu'il n'a promis de faire.
Sur le courroux des Grecs je m'en repose encor :
Leur haine va donner un père au fils d'Hector.
Je vais donc, puisqu'il faut que je me sacrifie,
Assurer* à Pyrrhus le reste de ma vie ;   1090
Je vais, en recevant sa foi* sur les autels,
L'engager à mon fils par des nœuds immortels,
Mais aussitôt ma main, à moi seule funeste,
D'une infidèle [4] vie abrégera le reste,
Et sauvant ma vertu, rendra ce que je doi   1095
À Pyrrhus, à mon fils, à mon époux, à moi.
Voilà de mon amour l'innocent stratagème ;
Voilà ce qu'un époux m'a commandé lui-même.[5]

---

1. *craître* for *croître* because of eye-rhyme.   Both spellings were pronounced
in the same way in the 17th century.   2. Subjunctive
denotes the unreality of the idea.   Same for *fît* in 1080.   3. *i.e.*, the
departed Trojans.   Her marriage with their enemy would make their
shades (*mânes*) restless.   4. *infidèle*, because she married Pyrrhus.
5. She thought of this plan during the period of meditation that took
place between Actes III and IV.   See 1050, note.

J'irai seule rejoindre Hector et mes aïeux.
Céphise, c'est à toi [1] de me fermer les yeux.   1100

CÉPHISE.

Ah ! ne prétendez pas que je puisse survivre . . .

ANDROMAQUE.

Non, non, je te défends, Céphise, de me suivre.
Je confie à tes soins mon unique trésor :
Si tu vivais pour moi, vis pour le fils d'Hector.
De l'espoir des Troyens seule dépositaire,   1105
Songe à combien de rois tu deviens nécessaire.[2]
Veille auprès de Pyrrhus ; fais-lui garder sa foi :
S'il le faut, je consens qu'on lui parle de moi.
Fais-lui valoir l'hymen [3] où * je me suis rangée ; *
Dis-lui qu'avant ma mort je lui fus engagée,   1110
Que ses ressentiments doivent être effacés,
Qu'en lui laissant mon fils, c'est l'estimer assez.
Fais connaître à mon fils les héros de sa race ;
Autant que tu pourras, conduis-le sur leur trace.
Dis-lui par quels exploits leurs noms ont éclaté,*   1115
Plutôt ce qu'ils ont fait que ce qu'ils ont été ; [4]
Parle-lui tous les jours des vertus de son père ;
Et quelquefois aussi parle-lui de sa mère.[5]
Mais qu'il ne songe plus, Céphise, à nous venger :
Nous lui laissons un maître, il le doit ménager.*   1120
Qu'il ait de ses aïeux un souvenir modeste :
Il est du sang d'Hector, mais il en est le reste ;
Et pour ce reste enfin j'ai moi-même en un jour
Sacrifié mon sang, ma haine et mon amour.

CÉPHISE.

Hélas !

ANDROMAQUE.

       Ne me suis point, si ton cœur en alarmes   1125
Prévoit qu'il ne pourra commander à tes larmes.
On vient.   Cache tes pleurs, Céphise ; et souviens-toi
Que le sort d'Andromaque est commis à ta foi.
C'est Hermione.   Allons, fuyons sa violence.

1. *ce sera votre devoir.*   2. Necessary to the preservation of the
Trojan royal line.   3. "Keep reminding him of the significance of
the marriage."   4. Make their *deeds* seem more important to him
than their *rank.*   5. One of the most effective lines in Racine's works.

SCÈNE II.

HERMIONE, CLÉONE.

CLÉONE.

Non, je ne puis assez admirer* ce silence. 1130
Vous vous taisez, Madame ; et ce cruel mépris [1]
N'a pas du moindre trouble agité vos esprits ?
Vous soutenez* en paix une si rude attaque,*
Vous qu'on voyait frémir au seul nom [2] d'Andromaque ?
Vous qui sans désespoir* ne pouviez endurer 1135
Que Pyrrhus d'un regard la voulût honorer ?
Il l'épouse : il lui donne, avec son diadème,
La foi que vous venez de recevoir vous-même,
Et votre bouche encor muette à tant d'ennui*
N'a pas daigné s'ouvrir pour se plaindre de lui ! 1140
Ah ! que je crains, Madame, un calme si funeste !
Et qu'il vaudrait bien mieux . . .

HERMIONE.

Fais*-tu venir Oreste ?

CLÉONE.

Il vient, Madame, il vient ; et vous pouvez juger
Que bientôt à vos pieds il allait se ranger.[3]
Prêt [4] à servir toujours sans espoir de salaire,* 1145
Vos yeux ne sont que trop assurés de lui plaire.
Mais il entre.

SCÈNE III.

ORESTE, HERMIONE, CLÉONE.

ORESTE.

Ah ! Madame, est-il vrai qu'une fois
Oreste en vous cherchant obéisse à vos lois ?
Ne m'a-t-on point flatté* d'une fausse espérance ?
Avez-vous en effet souhaité ma présence ? 1150

---

1. Pyrrhus has just had announced to her his change of intentions.
2. "At the very name." 3. *i.e.*, he would have come as soon as
he heard the news even if you had not sent for him. 4. *Prêt*, with
the idea dependent on it, modifies *lui* in the following line.

Croirai-je que vos yeux, à la fin désarmés,[1]
Veulent . . .

HERMIONE.

Je veux savoir, Seigneur, si vous m'aimez.

ORESTE.

Si je vous aime? Ô Dieux! mes serments, mes parjures,[2]
Ma fuite, mon retour, mes respects,* mes injures,*
Mon désespoir, mes yeux de pleurs toujours noyés,*   1155
Quels témoins croirez-vous, si vous ne les croyez?

HERMIONE.

Vengez-moi, je crois tout.

ORESTE.

Hé bien! allons, Madame:
Mettons encore un coup* toute la Grèce en flamme;
Prenons, en signalant* mon bras et votre nom,
Vous, la place d'Hélène, et moi, d'Agamemnon.   1160
De Troie en ce pays réveillons* les misères;
Et qu'on parle de nous, ainsi que de nos pères.
Partons, je suis tout prêt.

HERMIONE.

Non, Seigneur, demeurons:
Je ne veux pas si loin porter de tels affronts.
Quoi? de mes ennemis couronnant l'insolence,   1165
J'irais attendre ailleurs une lente vengeance?
Et je m'en remettrais* au destin des combats,
Qui peut-être à la fin ne me vengerait pas?
Je veux qu'à mon départ toute l'Épire pleure.
Mais si vous me vengez, vengez-moi dans une heure.[3]   1170
Tous vos retardements sont pour moi des refus.
Courez au temple. Il faut immoler . . .

ORESTE.

Qui?

HERMIONE.

Pyrrhus.

---

1. A *précieux* idea: *vos yeux . . . désarmés;* translate: "you . . . less rigorous."   2. By "perjuries" he means the numerous times he swore he would never see her again.   3. The impetuous Hermione is not willing to let destiny take its course. The violence of her rage causes her to demand of Orestes the death of Pyrrhus.

ORESTE.

Pyrrhus, Madame?

HERMIONE.

Hé quoi? votre haine chancelle?
Ah! courez, et craignez que je ne vous rappelle.[1]
N'alléguez point des droits [2] que je veux oublier ;   1175
Et ce n'est pas à vous à le justifier.

ORESTE.

Moi, je l'excuserais? Ah! vos bontés, Madame,
Ont gravé trop avant* ses crimes dans mon âme.[3]
Vengeons-nous, j'y consens, mais par d'autres chemins.
Soyons ses ennemis, et non ses assassins :   1180
Faisons de sa ruine une juste conquête.
Quoi? pour réponse,[4] aux Grecs porterai-je sa tête?
Et n'ai-je pris sur moi le soin* de tout l'État
Que pour m'en acquitter* par un assassinat?
Souffrez, au nom des Dieux, que la Grèce s'explique,[5]   1185
Et qu'il meure chargé de la haine publique.
Souvenez-vous qu'il règne, et qu'un front couronné . . .

HERMIONE.

Ne vous suffit-il pas que je l'ai condamné?
Ne vous suffit-il pas que ma gloire* offensée
Demande une victime à moi seule adressée ;   1190
Qu'Hermione est le prix d'un tyran opprimé ; [6]
Que je le hais ; enfin, Seigneur, que je l'aimai?[7]
Je ne m'en cache* point : l'ingrat m'avait su plaire,[8]
Soit qu'ainsi l'ordonnât mon amour ou mon père,
N'importe ; mais enfin réglez-vous là-dessus.   1195
Malgré mes vœux, Seigneur, honteusement déçus,

---

1. She realizes she does not really want Pyrhus to die, and her love
may become stronger than her pique at any moment.   2. *i.e.*, the
sacredness and inviolability of the absolute monarch.   3. Since Hermione has started to become considerate of Orestes, he takes Pyrrhus'
offenses against her even more seriously than she does herself.
4. *i.e.*, the answer to the question he was to ask Pyrrhus on behalf of
the Greeks : would he yield up Astyanax?   5. *i.e.*, against Pyrrhus,
because of his treatment of Hermione and his action in regard to the
Trojan youth.   6. *i.e.*, are these arguments not enough to offset any
counter-arguments?   7. "*did* love him," but love him no more.   As
a matter of fact she does, and warns Orestes of the danger of it in the
following lines.   8. "the unappreciative wretch had known how to
make me love him."

Malgré la juste horreur que son crime me donne,*
Tant qu'il vivra, craignez que je ne lui pardonne.
Doutez jusqu'à sa mort d'un courroux incertain :[1]
S'il ne meurt aujourd'hui, je puis l'aimer demain.   1200

ORESTE.

Hé bien ! il faut le perdre,* et prévenir sa grâce ;[2]
Il faut . . . Mais cependant que faut-il que je fasse?
Comment puis-je sitôt servir votre courroux ?
Quel chemin jusqu'à lui peut conduire mes coups ?
À peine suis-je encore arrivé dans l'Épire,   1205
Vous voulez par mes mains renverser un empire ;
Vous voulez qu'un roi meure, et pour son châtiment
Vous ne donnez qu'un jour, qu'une heure, qu'un moment.
Aux yeux de tout son peuple il faut que je l'opprime* !
Laissez-moi vers l'autel conduire ma victime,   1210
Je ne m'en défends* plus ; et je ne veux qu'aller
Reconnaître la place où je dois l'immoler.
Cette nuit je vous sers, cette nuit je l'attaque.

HERMIONE.

Mais cependant ce jour il épouse Andromaque.[3]
Dans le temple déjà le trône est élevé ;   1215
Ma honte est confirmée,* et son crime achevé.
Enfin qu'attendez-vous ? Il vous offre sa tête :
Sans gardes, sans défense, il marche à cette fête ;
Autour du fils d'Hector il les fait tous ranger ;
Il s'abandonne au bras qui me voudra venger.   1220
Voulez-vous, malgré lui, prendre soin de sa vie ?
Armez, avec vos Grecs, tous ceux qui m'ont suivie ;
Soulevez vos amis : tous les miens sont à vous.
Il me trahit, vous trompe et nous méprise tous.
Mais quoi ? déjà leur haine est égale à la mienne :   1225
Elle épargne à regret l'époux d'une Troyenne.
Parlez : mon ennemi ne vous peut échapper,
Ou plutôt il ne faut que les laisser frapper.
Conduisez ou suivez une fureur si belle ;[4]
Revenez tout couvert du sang de l'infidèle ;   1230
Allez : en cet état soyez sûr de mon cœur.

---

1. *incertain*, because love may stifle it at any moment. 2. "forestall
his pardon." 3. If Pyrrhus ever marries Andromache any subsequent
vengeance will be of no interest to her : this marriage must be stopped.
4. *belle*, because it was caused by the mistreatment of Hermione.

ORESTE.

Mais, Madame, songez . . .

HERMIONE.

Ah ! c'en est trop, Seigneur.
Tant de raisonnements offensent ma colère.
J'ai voulu vous donner les moyens de me plaire,
Rendre [1] Oreste content ; mais enfin je vois bien   1235
Qu'il veut toujours se plaindre, et ne mériter rien.
Partez : allez ailleurs vanter votre constance,
Et me [2] laissez ici le soin de ma vengeance.
De mes lâches [3] bontés mon courage [4] est confus,
Et c'est trop en un jour essuyer * de refus.   1240
Je m'en vais seule au temple, où leur hymen s'apprête,
Où vous n'osez aller mériter ma conquête. [5]
Là, de mon ennemi je saurai m'approcher :
Je percerai le cœur que je n'ai pu toucher ; [6]
Et mes sanglantes [7] mains, sur moi-même tournées,   1245
Aussitôt, malgré lui, joindront nos destinées ;
Et tout ingrat qu'il est, il me sera plus doux
De mourir avec lui que de vivre avec vous.

ORESTE.

Non, je vous priverai de ce plaisir funeste,
Madame : il ne mourra que de la main d'Oreste.   1250
Vos ennemis par moi vont vous être immolés,
Et vous reconnaîtrez * mes soins, si vous voulez.

HERMIONE.

Allez.   De votre sort laissez-moi la conduite, *
Et que tous vos vaisseaux soient prêts pour notre fuite.

---

1. *rendre* is dependent grammatically on *voulu*.   2. When two imperatives are joined by *et*, the pronoun objects dependent on the second
regularly take the unstressed position.   3. *lâches* because she had
continued to offer him a chance to win her affection, even when he
had made repeated excuses.   It was a blow to her pride that he didn't
seize this rare chance without question.   4. *courage = cœur*.   5. *i.e.*, by
murdering Pyrrhus.   6. A *précieux* idea: "I shall stab the heart in
which I have not been able to arouse love."   7. *sanglantes = couvertes
de sang.*

ANDROMAQUE.

SCÈNE IV.

Hermione, Cléone.

CLÉONE.

Vous vous perdez, Madame ; et vous devez songer . . . 1255

HERMIONE.

Que [1] je me perde ou non, je songe à me venger.
Je ne sais même encor, quoi qu'il m'ait pu promettre,
Sur d'autres que sur moi si je dois m'en remettre.*
Pyrrhus n'est pas coupable à ses yeux comme aux miens,
Et je tiendrais [2] mes coups bien plus sûrs que les siens. 1260
Quel plaisir de venger moi-même mon injure,
De retirer mon bras teint du sang du parjure,
Et pour rendre sa peine et mes plaisirs plus grands,
De cacher ma rivale à ses regards mourants !
Ah ! si du moins Oreste, en punissant son crime, 1265
Lui laissait [3] le regret de mourir ma victime !
Va le trouver : dis-lui qu'il apprenne à l'ingrat
Qu'on l'immole à ma haine, et non pas à l'État.
Chère Cléone, cours. Ma vengeance est perdue
S'il ignore en mourant que c'est moi qui le tue. 1270

CLÉONE.

Je vous obéirai. Mais qu'est-ce que je vois ?
Ô Dieux ! Qui l'aurait cru, Madame ? C'est le Roi !

HERMIONE.

Ah ! cours après Oreste ; et dis-lui, ma Cléone,
Qu'il n'entreprenne rien sans revoir Hermione.

SCÈNE V.

Pyrrhus, Hermione, Phœnix.

PYRRHUS.

Vous ne m'attendiez pas, Madame ; et je vois bien 1275
Que mon abord* ici trouble votre entretien.

1. Translate: "Whether." 2. je tiendrais = je croirais. 3. *Si du moins Oreste . . . lui laissait = j'espère qu'Oreste ne manquera pas de lui laisser.*

Je ne viens point, armé d'un indigne artifice,
D'un voile d'équité couvrir mon injustice :
Il suffit que mon cœur me condamne tout bas ;*
Et je soutiendrais* mal ce que je ne crois pas.   1280
J'épouse une Troyenne. Oui, Madame, et j'avoue
Que je vous ai promis la foi que je lui voue.
Un autre vous dirait que dans les champs troyens
Nos deux pères sans nous formèrent ces liens,
Et que sans consulter ni mon choix ni le vôtre,   1285
Nous fûmes sans amour engagés l'un à l'autre ;
Mais c'est assez pour moi que je me sois soumis.
Par mes ambassadeurs mon cœur vous fut promis ;
Loin de les révoquer, je voulus y souscrire.
Je vous vis avec eux arriver en Épire ;   1290
Et quoique d'un autre œil l'éclat victorieux
Eût déjà prévenu* le pouvoir de vos yeux,
Je ne m'arrêtai* point à cette ardeur nouvelle :
Je voulus m'obstiner à vous être fidèle,
Je vous reçus en reine ; et jusques à ce jour   1295
J'ai cru que mes serments me tiendraient lieu* d'amour.
Mais cet amour l'emporte, et par un coup funeste [1]
Andromaque m'arrache un cœur qu'elle déteste.[2]
L'un par l'autre entraînés, nous courons à l'autel
Nous jurer, malgré nous, un amour immortel.   1300
Après cela, Madame, éclatez contre un traître,
Qui l'est avec douleur, et qui pourtant veut l'être.
Pour moi, loin de contraindre un si juste courroux,
Il me soulagera peut-être autant que vous.
Donnez-moi tous les noms destinés aux parjures :   1305
Je crains votre silence, et non pas vos injures ;
Et mon cœur, soulevant mille secrets témoins,
M'en dira d'autant plus que vous m'en direz moins.[3]

HERMIONE.

Seigneur, dans cet aveu dépouillé d'artifice,
J'aime à voir que du moins vous vous rendiez justice,   1310

---

1. *par un sort fatal.*   2. Andromache did not want his love :
Pyrrhus would have preferred not to be smitten with her : but his love
for her and her love for her son caused them to be entering into a marriage
unfortunate for all concerned.   3. In these two lines we have an example of Racine's knowledge of the human heart : if Hermione does not
upbraid Pyrrhus for his faithlessness, his own conscience will upbraid him
and will say to him even more forcefully the things she does not say.

Et que voulant bien rompre un nœud si solennel,
Vous vous abandonniez au crime en criminel.
Est-il juste,* après tout, qu'un conquérant s'abaisse
Sous la servile loi de garder sa promesse? [1]
Non, non, la perfidie a de quoi vous tenter ;   1315
Et vous ne me cherchez que pour vous en vanter.
Quoi? sans que ni serment ni devoir vous retienne,
Rechercher une Grecque, amant d'une Troyenne?
Me quitter, me reprendre, et retourner encor
De la fille d'Hélène à la veuve d'Hector?   1320
Couronner tour à tour l'esclave et la princesse ;
Immoler Troie aux Grecs, au fils d'Hector la Grèce? [2]
Tout cela part d'un cœur toujours maître de soi,
D'un héros qui n'est point esclave de sa foi.[3]
Pour plaire à votre épouse, il vous faudrait peut-être   1325
Prodiguer les doux noms de parjure et de traître.
Vous veniez de mon front observer la pâleur,
Pour aller dans ses bras rire de ma douleur.
Pleurante [4] après son char vous voulez qu'on me voie ;
Mais, Seigneur, en un jour ce serait trop de joie ;   1330
Et sans chercher ailleurs des titres empruntés,
Ne vous suffit-il pas de ceux que vous portez? [5]
Du vieux père d'Hector la valeur abattue
Aux pieds de sa famille expirante [6] à sa vue,
Tandis que dans son sein votre bras enfoncé   1335
Cherche un reste de sang que l'âge avait glacé ;
Dans des ruisseaux de sang Troie ardente plongée ;
De votre propre main Polyxène égorgée [7]
Aux yeux de tous les Grecs indignés contre vous :
Que peut-on refuser à ces généreux coups?   1340

PYRRHUS.

Madame, je sais trop à quels excès de rage
La vengeance d'Hélène emporta mon courage :

---

1. Ironical, of course.   2. By favoring now Hermione and now
Andromache.   3. This is the climax of Hermione's ironic denunciation
of Pyrrhus : he breaks his vow to her, not because he is so strong that
vows mean nothing to him but because he is too weak to carry out
his promise.   4. *Pleurante* = modern *Pleurant*.   5. Pyrrhus was
unnecessarily bloodthirsty and cruel during the sack of Troy.   6. *expirante*, see note 4.   7. Pyrrhus sacrificed her on the tomb of
Achilles.

Je puis me plaindre à vous du sang que j'ai versé ; [1]
Mais enfin je consens d'oublier le passé.
Je rends grâces au ciel que votre indifférence   1345
De mes heureux soupirs* m'apprenne l'innocence.
Mon cœur, je le vois bien, trop prompt à se gêner,*
Devait mieux vous connaître et mieux s'examiner.
Mes remords vous faisaient une injure mortelle ; [2]
Il faut se croire aimé pour se croire infidèle.   1350
Vous ne prétendiez point m'arrêter dans vos fers : [3]
J'ai craint de vous trahir, peut-être je vous sers.
Nos cœurs n'étaient point faits dépendants l'un de l'autre ;
Je suivais mon devoir, et vous cédiez au vôtre.
Rien ne vous engageait* à m'aimer en effet.   1355

HERMIONE.

Je ne t'ai point aimé, cruel ?   Qu'ai-je donc fait ?
J'ai dédaigné pour toi les vœux* de tous nos princes :
Je t'ai cherché moi-même au fond* de tes provinces ;
J'y suis encor, malgré tes infidélités,
Et malgré tous mes Grecs honteux de mes bontés.   1360
Je leur ai commandé de cacher mon injure ;
J'attendais en secret le retour d'un parjure ;
J'ai cru que tôt ou tard, à ton devoir rendu,
Tu me rapporterais un cœur qui m'était dû.
Je t'aimais inconstant, qu'aurais-je fait fidèle [4] ?   1365
Et même en ce moment où ta bouche cruelle
Vient si tranquillement m'annoncer le trépas,[5]
Ingrat, je doute encor si je ne t'aime pas.
Mais, Seigneur, s'il le faut,* si le ciel en colère
Réserve à d'autres yeux la gloire de vous plaire,   1370
Achevez votre hymen, j'y consens.   Mais du moins
Ne forcez pas mes yeux d'en être les témoins.
Pour la dernière fois je vous parle peut-être :
Différez-le d'un jour : demain vous serez maître.
Vous ne répondez point ?   Perfide, je le voi,   1375
Tu comptes les moments que tu perds avec moi !
Ton cœur, impatient de revoir ta Troyenne,

---

1. Because it was Hermione's mother (Helen) who caused the Trojan war.   2. *i.e.,* "Because I was remorseful over breaking my pledge to you, I imagined I was doing you a cruel affront."   3. "You had no desire to keep me in love with you."   4. *inconstant = quand tu étais inconstant; fidèle = si tu avais été fidèle.*   5. *le trépas = ce qui causera ma mort.*

Ne souffre qu'à regret qu'un autre t'entretienne.
Tu lui parles du cœur, tu la cherches des yeux.
Je ne te retiens plus, sauve-toi de ces lieux :   1380
Va lui jurer la foi que tu m'avais jurée,
Va profaner des Dieux la majesté sacrée.
Ces Dieux, ces justes Dieux n'auront pas oublié
Que les mêmes serments avec moi t'ont lié.
Porte aux pieds des autels ce cœur qui m'abandonne ;   1385
Va, cours.   Mais crains encor d'y trouver Hermione.

SCÈNE VI.

PYRRHUS, PHŒNIX.

PHŒNIX.

Seigneur, vous entendez.   Gardez* de négliger
Une amante en fureur qui cherche à se venger.
Elle n'est en ces lieux que trop bien appuyée :*
La querelle des Grecs à la sienne est liée ;   1390
Oreste l'aime encore ;   et peut-être à ce prix . . .

PYRRHUS.

Andromaque m'attend.   Phœnix, garde son fils.

ACTE V.   SCÈNE PREMIÈRE.

HERMIONE, *seule.*

Où suis-je ?   Qu'ai-je fait ?   Que dois-je faire encore ?
Quel transport me saisit ?   Quel chagrin me dévore ?
Errante, et sans dessein, je cours dans ce palais.   1395
Ah ! ne puis-je savoir si j'aime, ou si je hais ?
Le cruel ! de quel œil* il m'a congédiée !
Sans pitié, sans douleur, au moins étudiée.[1]
L'ai-je vu se troubler et me plaindre un moment ?
En ai-je pu tirer un seul gémissement ?   1400
Muet à mes soupirs, tranquille à mes alarmes,
Semblait-il seulement qu'il eût part à [2] mes larmes ?
Et je le plains encore ?   Et pour comble d'ennui,
Mon cœur, mon lâche cœur s'intéresse pour lui ? [3]

---

1. *au moins étudiée :* "even a pretended one." 2. "had any
connection with." 3. *i.e.,* "It fills my cup of bitterness that, in spite
of the way he has treated me, my love makes me hesitate to punish him."

Je tremble au seul penser du coup qui le menace ?   1405
Et prête à me venger, je lui fais déjà grâce* ?
Non, ne révoquons point l'arrêt de mon courroux :
Qu'il périsse !   Aussi bien [1] il ne vit plus pour nous.
Le perfide triomphe, et se rit de ma rage :
Il pense voir en pleurs dissiper cet orage ;   1410
Il croit que toujours faible et d'un cœur incertain,
Je parerai d'un bras les coups de l'autre main.[2]
Il juge encor de moi par mes bontés passées.
Mais plutôt le perfide a bien d'autres pensées.
Triomphant dans le temple, il ne s'informe pas   1415
Si l'on souhaite ailleurs sa vie ou son trépas.
Il me laisse, l'ingrat ! cet embarras funeste.
Non, non, encore un coup ;* laissons agir Oreste.
Qu'il meure, puisqu'enfin il a dû le prévoir,
Et puisqu'il m'a forcée enfin à le vouloir.   1420
À le vouloir ?   Hé quoi ? c'est donc moi qui l'ordonne ?
Sa mort sera l'effet* de l'amour d'Hermione ?
Ce prince, dont mon cœur se faisait autrefois
Avec tant de plaisir redire les exploits,[3]
À qui même en secret je m'étais destinée   1425
Avant qu'on eût conclu ce fatal hyménée,
Je n'ai donc traversé tant de mers, tant d'États,
Que pour venir si loin préparer son trépas ?
L'assassiner, le perdre ?   Ah ! devant qu'il expire . . .

SCÈNE II.

HERMIONE, CLÉONE.

HERMIONE.

Ah ! qu'ai-je fait, Cléone ? et que viens-tu me dire ?   1430
Que fait Pyrrhus ?

CLÉONE.

Il est au comble de ses vœux,
Le plus fier des mortels, et le plus amoureux.

---

1. *Aussi bien = Puisqu'en tout cas.*   2. *i.e.,* "He thinks I will hate
him, but that I love him too much to have him punished."   3. "This
prince, whose exploits I had fondly caused to be related to me again
and again . . ."

Je l'ai vu vers le temple, où son hymen s'apprête,
Mener en conquérant sa nouvelle conquête ;
Et d'un œil où brillaient sa joie et son espoir   1435
S'enivrer en marchant du plaisir de la voir.
Andromaque, au travers de mille cris de joie,
Porte jusqu'aux autels le souvenir de Troie : [1]
Incapable toujours d'aimer et de haïr,
Sans joie et sans murmure elle semble obéir.   1440

HERMIONE.

Et l'ingrat ? jusqu'au bout il a poussé l'outrage ?
Mais as-tu bien, Cléone, observé son visage ?
Goûte-t-il des plaisirs tranquilles et parfaits ?
N'a-t-il point détourné ses yeux vers le palais [2] ?
Dis-moi, ne t'es-tu point présentée à sa vue ?   1445
L'ingrat a-t-il rougi lorsqu'il t'a reconnue ?
Son trouble* avouait-il* son infidélité ?
A-t-il jusqu'à la fin soutenu sa fierté ?

CLÉONE.

Madame, il ne voit rien.   Son salut* et sa gloire*
Semblent être avec vous sortis de sa mémoire.   1450
Sans songer qui le suit, ennemis ou sujets,
Il poursuit seulement ses amoureux projets.
Autour du fils d'Hector il a rangé sa garde,
Et croit que c'est lui seul que le péril regarde.*
Phœnix même en répond,* qui l'a conduit exprès   1455
Dans un fort éloigné du temple et du palais.
Voilà, dans ses transports, le seul soin qui lui reste.

HERMIONE.

Le perfide ! Il mourra.   Mais que t'a dit Oreste ?

CLÉONE.

Oreste avec ses Grecs dans le temple est entré.

HERMIONE.

Hé bien ! à me venger n'est-il pas préparé ?   1460

CLÉONE.

Je ne sais.

---

1. *i.e.*, is ever conscious that she is the widow of Hector, and of what
is expected of her in that rôle.   2. Hermione was in the palace.

HERMIONE.

Tu ne sais? Quoi donc? Oreste encore,
Oreste me trahit?

CLÉONE.

Oreste vous adore.
Mais de mille remords son esprit combattu *
Croit * tantôt son amour et tantôt sa vertu.
Il respecte en Pyrrhus l'honneur du diadème ; [1]   1465
Il respecte en Pyrrhus Achille, et Pyrrhus même ;
Il craint la Grèce, il craint l'univers en courroux ;
Mais il se craint, dit-il, soi-même plus que tous.
Il voudrait en vainqueur vous apporter sa [2] tête :
Le seul nom d'assassin l'épouvante et l'arrête.   1470
Enfin il est entré sans savoir dans son cœur
S'il en devait sortir coupable ou spectateur.

HERMIONE.

Non, non, il les verra triompher sans obstacle.
Il se gardera bien de * troubler ce spectacle.
Je sais de quels remords son courage est atteint :   1475
Le lâche craint la mort, et c'est tout ce qu'il craint.
Quoi? sans qu'elle employât une seule prière,
Ma mère en sa faveur arma la Grèce entière ?
Ses yeux pour leur querelle, en dix ans de combats,
Virent périr vingt rois qu'ils ne connaissaient pas ?   1480
Et moi, je ne prétends que la mort d'un parjure,
Et je charge un amant du soin * de mon injure ;
Il peut me conquérir à ce prix sans danger ;
Je me livre moi-même, [3] et ne puis me venger ?
Allons : c'est à moi seule à me rendre justice. [4]   1485
Que de cris de douleur le temple retentisse ;
De leur hymen fatal troublons l'événement, *
Et qu'ils ne soient unis, s'il se peut, qu'un moment.
Je ne choisirai point dans ce désordre extrême :
Tout me sera Pyrrhus, fût-ce [5] Oreste lui-même.   1490
Je mourrai ; mais au moins ma mort me vengera.
Je ne mourrai pas seule, et quelqu'un me suivra.

---

1. The divinity of the sovereign was an idea more current in the time
of Racine than in the time of Pyrrhus.   2. *sa = de Pyrrhus.*   3. "I
give myself as a reward to my avenger."   4. "to get justice for myself."
5. *fût-ce = même si c'était.*

SCÈNE III.

ORESTE, HERMIONE, CLÉONE.

ORESTE.

Madame, c'en est fait,* et vous êtes servie :
Pyrrhus rend à l'autel son infidèle vie.

HERMIONE.

Il est mort?

ORESTE.

Il expire ; et nos Grecs irrités   1495
Ont lavé dans son sang ses infidélités.
Je vous l'avais promis ; et quoique mon courage
Se fît de ce complot une funeste image,[1]
J'ai couru vers le temple, où nos Grecs dispersés
Se sont jusqu'à l'autel dans la foule glissés.   1500
Pyrrhus m'a reconnu.   Mais sans changer de face,*
Il semblait que ma vue excitât son audace,
Que tous les Grecs, bravés en leur ambassadeur,
Dussent [2] de son hymen relever* la splendeur.
Enfin avec transport prenant son diadème,   1505
Sur le front d'Andromaque il l'a posé lui-même.
" Je vous donne, a-t-il dit, ma couronne et ma foi ;
Andromaque, régnez sur l'Épire et sur moi.
Je voue à votre fils une amitié de père ;
J'en atteste les Dieux, je le jure à sa mère.   1510
Pour tous mes ennemis je déclare les siens,[3]
Et je le reconnais pour le roi des Troyens."
À ces mots, qui du peuple attiraient le suffrage,
Nos Grecs n'ont répondu que par un cri de rage ;
L'infidèle s'est vu partout envelopper,   1515
Et je n'ai pu trouver de place pour frapper.
Chacun se disputait* la gloire de l'abattre.
Je l'ai vu dans leurs mains quelque temps se débattre,
Tout sanglant à leurs coups vouloir se dérober ;*
Mais enfin à l'autel il est allé tomber.   1520

---

1. "Looked on this plot as something dreadful."   2. "were to heighten the splendor of his wedding."   3. *Je déclare que tous ses ennemis sont aussi les miens.*

Du peuple épouvanté j'ai traversé la presse
Pour venir de ces lieux enlever ma princesse,
Et regagner le port, où bientôt nos amis
Viendront couverts du sang que je vous ai promis.

HERMIONE.

Qu'ont-ils fait?

ORESTE.

Pardonnez à leur impatience :   1525
Ils ont, je le vois bien, trahi [1] votre vengeance.
Vous vouliez que ma main portât les premiers coups,
Qu'il sentît en mourant qu'il expirait pour vous ;
Mais c'est moi dont l'ardeur leur a servi d'exemple :
Je les ai pour vous seule entraînés dans le temple,   1530
Madame ; et vous pouvez justement vous flatter
D'une mort que leurs bras n'ont fait qu'exécuter.
Vous seule avez poussé les coups . . .

HERMIONE.

Tais-toi, perfide,
Et n'impute qu'à toi ton lâche parricide.*
Va faire chez tes Grecs admirer* ta fureur ı   1535
Va, je la désavoue, et tu me fais horreur.
Barbare, qu'as-tu fait?   Avec quelle furie
As-tu tranché le cours d'une si belle vie?
Avez-vous pu, cruels, l'immoler aujourd'hui,
Sans que tout votre sang se soulevât pour lui?   1540
Mais parle : de son sort qui t'a rendu l'arbitre?
Pourquoi l'assassiner?   Qu'a-t-il fait?   À quel titre*?
Qui te l'a dit?

ORESTE.

Ô Dieux!   Quoi? ne m'avez-vous pas
Vous-même, ici, tantôt, ordonné son trépas?

HERMIONE.

Ah ! fallait-il en croire une amante insensée?   1545
Ne devais-tu pas lire au fond de ma pensée?
Et ne voyais-tu pas, dans mes emportements,
Que mon cœur démentait ma bouche à tous moments?
Quand je l'aurais voulu, fallait-il y souscrire?
N'as-tu pas dû cent fois te le faire* redire?   1550

ı. *i.e.,* in that they did not leave the assassination to Hermione's
appointed avenger, Orestes.

Toi-même avant le coup me venir consulter,
Y revenir encore, ou plutôt m'éviter? [1]
Que ne me laissais-tu le soin de ma vengeance?
Qui [2] t'amène en des lieux où l'on fuit ta présence?
Voilà de ton amour le détestable fruit : 1555
Tu m'apportais, cruel, le malheur qui te suit.
C'est toi dont l'ambassade, à tous les deux fatale,
L'a fait pour son malheur pencher vers ma rivale.
Nous le verrions encor nous partager ses soins ; [3]*
Il m'aimerait peut-être, il le feindrait du moins. 1560
Adieu. Tu peux partir. Je demeure en Épire :
Je renonce à la Grèce, à Sparte, à son empire,
À toute ma famille ; et c'est assez pour moi,
Traître, qu'elle ait produit un monstre comme toi.

SCÈNE IV.

ORESTE, *seul*.

Que vois-je? est-ce Hermione? Et que viens-je d'entendre?
Pour qui coule le sang que je viens de répandre? 1566
Je suis, si je l'en crois, un traître, un assassin.
Est-ce Pyrrhus qui meurt? et suis-je Oreste enfin?
Quoi? j'étouffe en mon cœur la raison qui m'éclaire ;
J'assassine à regret un roi que je révère ; 1570
Je viole en un jour les droits des souverains,
Ceux des ambassadeurs, et tous ceux des humains,
Ceux même des autels où ma fureur l'assiège :
Je deviens parricide, assassin, sacrilège.
Pour qui? Pour une ingrate, à qui je le promets, 1575
Qui même, s'il ne meurt, ne me verra jamais,
Dont j'épouse* la rage. Et quand je l'ai servie,
Elle me redemande et son sang et sa vie !
Elle l'aime ! et je suis un monstre furieux !
Je la vois pour jamais s'éloigner de mes yeux ! 1580
Et l'ingrate, en fuyant, me laisse pour salaire
Tous les noms odieux que j'ai pris pour lui plaire !

---

1. *i.e.*, so that, even if her fury were to make her willing to urge again
this abominable crime, Orestes would not be there to hear her.   2. *Qui*
= *Qu'est-ce qui*.   3. Complete the thought : *si tu n'étais pas venu*.

SCÈNE V.

Oreste, Pylade, Soldats d'Oreste.

PYLADE.

Il faut partir, Seigneur.   Sortons de ce palais,
Ou bien résolvons-nous de n'en sortir jamais.
Nos Grecs pour un moment en défendent la porte.   1585
Tout le peuple assemblé nous poursuit à main forte.[1]
Aux ordres d'Andromaque ici tout est soumis ;
Ils la traitent en reine, et nous comme ennemis.
Andromaque elle-même, à Pyrrhus si rebelle,
Lui rend tous les devoirs d'une veuve fidèle,   1590
Commande qu'on le venge, et peut-être sur nous
Veut venger Troie encore et son premier époux.
Allons.   N'attendons pas que l'on nous environne :
Nos Grecs nous rejoindront ; et tandis qu'Hermione
Tient encore le peuple autour d'elle arrêté,[2]   1595
Voilà votre chemin, sortons en sûreté.

ORESTE.

Non, non, c'est Hermione, amis, que je veux suivre.
À son dernier arrêt* je ne puis plus survivre.
Partez : j'ai fait le crime, et je vais l'expier.

PYLADE.

Hermione, Seigneur ? Il la faut oublier.   1600
Quoi ? toujours l'instrument et l'objet de sa rage,
Cherchez-vous chez les morts quelque nouvel outrage ?
Et parce qu'elle meurt, faut-il que vous mouriez ?

ORESTE.

Elle meurt ?   Dieux ! qu'entends-je ?

PYLADE.

                              Hé quoi ? vous l'ignoriez ?
En rentrant dans ces lieux, nous l'avons rencontrée   1605
Qui courait vers le temple, inquiète, égarée.
Elle a trouvé Pyrrhus porté sur des soldats
Que son sang excitait à venger son trépas.

---

1. *à main forte = avec l'intention de nous détruire.*   2. *i.e.,* because
she has committed suicide.

Sans doute à cet objet sa rage s'est émue.
Mais du haut de la porte [1] enfin nous l'avons vue,　　　1610
Un poignard à la main, sur Pyrrhus se courber,
Lever les yeux au ciel, se frapper et tomber.

ORESTE.

Grâce aux Dieux! Mon malheur passe mon espérance.
Oui, je te loue, ô ciel, de ta persévérance.
Appliqué sans relâche au soin de me punir,　　　1615
Au comble des douleurs tu m'as fait parvenir.
Ta haine a pris plaisir à former ma misère ;
J'étais né pour servir d'exemple à ta colère,
Pour être du malheur un modèle accompli.
Hé bien ! je meurs content, et mon sort est rempli.　　　1620
Où sont ces deux amants? Pour couronner ma joie,[2]
Dans leur sang, dans le mien il faut que je me noie ;
L'un et l'autre en mourant je les veux regarder.
Réunissons trois cœurs qui n'ont pu s'accorder.
Mais quelle épaisse nuit tout à coup m'environne?　　　1625
De quel côté sortir? D'où vient que je frissonne?
Quelle horreur me saisit? Grâce au ciel, j'entrevoi.
Dieux ! quels ruisseaux de sang coulent autour de moi !

PYLADE.

Ah ! Seigneur.

ORESTE.

　　　　　Quoi? Pyrrhus, je te rencontre encore?[3]
Trouverai-je partout un rival que j'abhorre?　　　1630
Percé de tant de coups, comment t'es-tu sauvé?
Tiens, tiens, voilà le coup que je t'ai réservé.
Mais que vois-je? À mes yeux Hermione l'embrasse?
Elle vient l'arracher au coup qui le menace?
Dieux ! quels affreux regards elle jette sur moi !　　　1635
Quels démons, quels serpents traîne-t-elle après soi?
Hé bien ! filles d'enfer, vos mains sont-elles prêtes?
Pour qui sont ces serpents qui sifflent sur vos têtes ![4]

---

1. Pylades and friends had mounted the palace steps, on their way in to get Orestes, and from there witnessed Hermione's suicide. 2. This line marks the beginning of Orestes' madness : the brooding melancholy which had obsessed him is turned into insanity by the stress of events.　　　3. Orestes thinks he sees Pyrrhus, attacks him, and finds him protected by Hermione.　　　4. The recurrent s sound makes of this line a notable case of onomatopœia.

À qui destinez-vous l'appareil qui vous suit?
Venez-vous m'enlever dans l'éternelle nuit?   1640
Venez, à vos fureurs Oreste s'abandonne.
Mais non, retirez-vous, laissez faire Hermione :
L'ingrate mieux que vous saura me déchirer ;
Et je lui porte enfin mon cœur à dévorer.

PYLADE.

Il perd le sentiment.* Amis, le temps nous presse :   1645
Ménageons* les moments que ce transport* nous laisse.
Sauvons-le.   Nos efforts deviendraient impuissants
S'il reprenait ici sa rage avec ses sens

PHÈDRE

The *Phèdre* of Racine stands at the peak of the development of French classic tragedy which began with Alexandre Hardy in 1600 and was to continue for more than a century. No other French tragedy exemplifies so fully the poetic art which had emerged from the rough plays of the *fournisseur* of the Hôtel de Bourgogne through the Quarrel of the *Cid* to become crystallized in the ever more bitterly contested successes of Racine.[1]

Racine may have been thinking of the moral tendencies in his play when he wrote in his preface to the first edition : *Voici encore une tragédie dont le sujet est pris d'Euripide. . . . Quand je ne lui devrais que la seule idée du caractère de Phèdre, je pourrais dire que je lui dois ce que j'ai peut-être mis de plus raisonnable sur le théâtre. Je ne suis point étonné que ce caractère ait eu un succès si heureux du temps d'Euripide, et qu'il ait encore si bien réussi dans notre siècle,[2] puisqu'il a toutes les qualités qu'Aristote demande dans le héros de la tragédie, et qui sont propres à exciter la compassion et la terreur. . . . Au reste, je n'ose encore assurer que cette pièce soit en effet la meilleure de mes tragédies. Je laisse et aux lecteurs et au temps à décider de son véritable prix.* Most readers have " decided " that if *Phèdre* is not the best, it is in any event the most Racinian of Racine's tragedies. *Phèdre est la plus enivrante de ses tragédies. Dans aucune il n'a mis plus de paganisme ni plus de christianisme à la fois ; dans aucune il n'a embrassé tant d'humanité ni mêlé tant de siècles; dans aucune il n'a répandu un charme plus délicieux et plus troublant ; dans aucune, à ne considérer que la forme, il n'a été plus poète et plus artiste.*[3]

The legend of Phèdre goes back to extreme antiquity, to an age when gods, men and monsters formed an intimately

1. Cf. F. Deltour, *Les Ennemis de Racine*, 1859. For the *cabale* against the *Phèdre* and the poet's subsequent withdrawal from dramatic composition, see biographical sketch. 2. Garnier, *Hippolyte*, 1573; De la Pinelière, *Hippolyte*, 1635; G. Gilbert, *Hippolyte*, 1647; Bidar, *Hippolyte*, 1675. 3. Lemaître, *Racine*, 33rd edition, 1922.

connected community.   And Racine insists in his preface : . . .
je me suis très scrupuleusement attaché à suivre la fable. . . .
*j'ai tâché de conserver la vraisemblance de l'histoire, sans rien
perdre des ornements de la fable qui fournit extrêmement à la
poésie.*

In spite of this historical and almost archeological effort
on the part of the poet the play would seem modern in any
period of the world's history.   Phèdre has all the remorse for
her illicit desires that could come to the most delicately constituted Christian conscience, Aricie all the conventional scruples of a young lady in the age of Louis XIV, and Hippolyte
all the delicate considerations of the " perfect gentleman."
And yet the auditor or the reader of *Phèdre* will not be disturbed by any feeling of anachronism or incongruity if he
leaves himself in the hands of the poet.   For the impulses,
motives and passions are elementary, to be seen in any one,
fostored or tompored more or less by heredity, environment,
education and temperament.   The incidents which bring these
impulses, motives and passions into play are easily taken as
equivalents of those which are forever stirring the hearts and
minds of men, for they are rooted in family pasts, questions
of self-interest, wrongs suffered or inflicted, misunderstandings
and gnawing jealousies.

Phèdre, then, with its heroine and its setting of four thousand
years ago, with its atmosphere of the age of Louis XIV, its
psychology in matters of heredity and abnormal inclinations
which seems of yesterday, offers an epitome of humanity in its
most intimate relations.

ACTEURS.

THÉSÉE, fils d'Égée, roi d'Athènes.

PHÈDRE, femme de Thésée, fille de Minos et de Pasiphaé.

HIPPOLYTE, fils de Thésée et d'Antiope, reine des Amazones.

ARICIE, princesse du sang royal d'Athènes.

ŒNONE, nourrice et confidente de Phèdre.

THÉRAMÈNE, gouverneur d'Hippolyte.

ISMÈNE, confidente d'Aricie.

PANOPE, femme de la suite de Phèdre.

Gardes.

La scène est à Trézène, ville du Péloponnèse.

ACTE I. SCÈNE PREMIÈRE.

HIPPOLYTE, THÉRAMÈNE.

HIPPOLYTE.

Le dessein en est pris : je pars, cher Théramène,
Et quitte le séjour de l'aimable* Trézène.
Dans le doute mortel dont je suis agité,
Je commence à rougir de mon oisiveté.
Depuis plus de six mois éloigné de mon père,   5
J'ignore le destin d'une tête si chère ;
J'ignore jusqu'aux lieux qui le peuvent cacher.

THÉRAMÈNE.

Et dans quels lieux, Seigneur, l'allez-vous donc chercher ?
Déjà, pour satisfaire à votre juste crainte,
J'ai couru [1] les deux mers que sépare Corinthe ;   10
J'ai demandé Thésée aux peuples de ces bords [2]
Où l'on voit l'Achéron se perdre chez les morts ;
J'ai visité l'Élide,[3] et, laissant le Ténare,
Passé jusqu'à la mer qui vit tomber Icare.
Sur quel espoir nouveau, dans quels heureux climats   15
Croyez-vous découvrir la trace de ses pas ?
Qui sait même, qui sait si le Roi votre père
Veut que de son absence on sache le mystère* ?

---

1. For *parcourir :* "I have traversed the two seas" (the Ionian and the Ægean). 2. Refers to Epirus, a country west of Thessaly on the Adriatic, whither Theseus had gone to assist a friend and where he was held captive. The Acheron, river of the dead, flowed through this country and was supposed to make its descent there into the lower world. 3. Elis was situated on the northwestern corner of the Peloponnesian peninsula and Tenarus was a promontory on its southeastern extremity. The ancients believed that a cave in this promontory was an entrance to Hades. The Icarean sea, as the portion of the Ægean was called into which Icarus was supposed to have fallen on his ill-fated attempt to fly from Crete, washed the shores of Asia Minor.

Et si, lorsqu'avec vous nous tremblons pour ses jours,
Tranquille, et nous cachant de nouvelles amours,[1]   20
Ce héros n'attend point qu'une amante abusée . . .

HIPPOLYTE.

Cher Théramène, arrête, et respecte Thésée.
De ses jeunes erreurs désormais revenu,
Par un indigne obstacle il n'est point retenu ;
Et fixant de ses vœux l'inconstance fatale,   25
Phèdre depuis longtemps ne craint plus de rivale.
Enfin en le cherchant je suivrai mon devoir,
Et je fuirai ces lieux que je n'ose plus voir.

THÉRAMÈNE.

Hé ! depuis quand, Seigneur, craignez-vous la présence
De ces paisibles lieux, si chers à votre enfance,   30
Et dont je vous ai vu préférer le séjour
Au tumulte pompeux d'Athène et de la cour?
Quel péril, ou plutôt quel chagrin vous en chasse?

HIPPOLYTE.

Cet heureux temps n'est plus.   Tout a changé de face,*
Depuis que sur ces bords les Dieux ont envoyé   35
La fille de Minos et de Pasiphaé.

THÉRAMÈNE.

J'entends : de vos douleurs la cause m'est connue.
Phèdre ici vous chagrine, et blesse votre vue.
Dangereuse marâtre, à peine elle vous vit,
Que votre exil d'abord signala son crédit.   40
Mais sa haine sur vous autrefois attachée,
Ou s'est évanouie, ou s'est bien relâchée.
Et d'ailleurs quels périls vous peut faire courir
Une femme mourante et qui cherche à mourir?
Phèdre, atteinte d'un mal qu'elle s'obstine à taire,   45
Lasse enfin d'elle-même et du jour qui l'éclaire,
Peut-elle contre vous former quelques desseins?

HIPPOLYTE.

Sa vaine inimitié n'est pas ce que je crains.
Hippolyte en partant fuit une autre ennemie :

1. There was reason for the suspicion, for Theseus was notorious
among the ancients for his love affairs.   The detail is significant for later
developments in the play.

Je fuis, je l'avouerai, cette jeune Aricie,   50
Reste d'un sang [1] fatal conjuré contre nous.

THÉRAMÈNE.

Quoi? vous-même, Seigneur, la persécutez-vous?
Jamais l'aimable sœur des cruels Pallantides [2]
Trempa-t-elle aux complots de ses frères perfides?
Et devez-vous haïr ses innocents appas?   55

HIPPOLYTE.

Si je la haïssais, je ne la fuirais pas.

THÉRAMÈNE.

Seigneur, m'est-il permis d'expliquer votre fuite?
Pourriez-vous n'être plus ce superbe Hippolyte,
Implacable ennemi des amoureuses lois [3]
Et d'un joug que Thésée a subi tant de fois?   60
Vénus, par votre orgueil si longtemps méprisée,
Voudrait elle à la fin justifier Thésée?
Et, vous mettant au rang du reste des mortels,
Vous a-t-elle forcé d'encenser ses autels?
Aimeriez-vous, Seigneur?

HIPPOLYTE.

             Ami, qu'oses-tu dire?   65
Toi, qui connais mon cœur depuis que je respire,
Des sentiments d'un cœur si fier, si dédaigneux,
Peux-tu me demander le désaveu honteux?
C'est peu qu'avec son lait une mère amazone [4]
M'ait fait sucer encor cet orgueil qui t'étonne ;   70
Dans un âge plus mûr moi-même parvenu,
Je me suis applaudi quand je me suis connu.

---

1. *sang* and *fatal* in their primitive sense of "race" and "predestined": "Remnant of a race in conspiracy against us by a decree of fate." 2. The sons of Pallas, or Pallante, as Racine calls him. Pallas, was the brother of Ægæus, king of Athens, father of Theseus. The sons of Pallas, the Pallantidæ, hoped to obtain the throne at the death of Ægæus who was very old. When Theseus appeared at court they conspired to put him to death but he slew them all, leaving their sister Aricie as the sole survivor of the family. 3. He is so represented in all the ancient legends, where his scorn for the goddess of love is made the fundamental cause of his misfortunes. 4. The Amazons were, according to the legend, a fierce tribe of women warriors in Cappadocia. After his first expedition against them, Theseus married their queen, Antiope, who became the mother of Hippolytus.

Attaché près de moi par un zèle sincère,
Tu me contais alors l'histoire de mon père.
Tu sais combien mon âme, attentive à ta voix, 75
S'échauffait au récit de ses nobles exploits,
Quand tu me dépeignais ce héros intrépide
Consolant les mortels de l'absence d'Alcide,[1]
Les monstres étouffés et les brigands punis,
Procruste,[2] Cercyon, et Scirron, et Sinnis, 80
Et les os dispersés du géant d'Épidaure,[3]
Et la Crète fumant du sang du Minotaure:[4]
Mais quand tu me récitais des faits moins glorieux,
Sa foi partout offerte et reçue en cent lieux ;
Hélène[5] à ses parents dans Sparte dérobée ; 85
Salamine[6] témoin des pleurs de Péribée ;
Tant d'autres, dont les noms lui sont même échappés,
Trop crédules esprits que sa flamme a trompés :
Ariane[7] aux rochers contant ses injustices,
Phèdre enlevée enfin sous de meilleurs auspices ; 90

1. The family name of Hercules. 2. Procrustes, a brigand of Attica, who stretched or amputated travellers whom he captured until they fitted the bed in which he slept. Cercyon, a brigand who killed all of those whom he overcame in wrestling. Sciron compelled his captives to wash his feet and then kicked them into the sea from the precipice upon which he sat. Theseus subjected him to the same treatment. Sinis, a brigand of enormous strength, who attached the bodies of those whom he killed to the tops of trees which he pulled to the ground and then released. These were among the earliest of the exploits of Theseus. 3. The son of Vulcan, called the "club-bearer" because of the enormous mace with which he slew his enemies. 4. According to the legend, Poseidon, or Neptune, god of the sea, had sent to Minos a white bull to be sacrificed. Minos, admiring the bull's beauty, kept it. As a punishment, Neptune caused Pasiphaë, mother of Phædra, to fall in love with the bull. The Minotaur, half man and half bull, was the offspring of this unnatural passion. He was confined in a labyrinth and fed by a yearly tribute of youths and maidens exacted from other nations until Theseus, who asked to be included in the tribute, slew the monster. The incident casts a sinister shadow over the family background of the heroine of the play. 5. In his preface to *Iphigénie*, Racine cites a legend to the effect that Helen of Troy had been in love with Theseus before her marriage to Menelaus. 6. Salamis, an island off the coast of Attica, whose king, Telamon, married Periboea after she had been deserted by Theseus. 7. Ariadne, daughter of Minos and sister of Phædra, fell in love with Theseus, when she saw him among the youths who were to be fed to the Minotaur. She gave him a thread by which he was able to retrace his steps from the labyrinth after killing the monster. On his return to Attica, he left her to die of grief on the island of Naxos. There is, however, a less tragic legend than this one which Racine follows.

Tu sais comme à regret écoutant ce discours,
Je te pressais souvent d'en abréger le cours,
Heureux si j'avais pu ravir à la mémoire
Cette indigne moitié d'une si belle histoire !
Et moi-même, à mon tour, je me verrais lié ? [1]   95
Et les Dieux jusque-là m'auraient humilié ?
Dans mes lâches soupirs d'autant plus méprisable,
Qu'un long amas d'honneurs rend Thésée excusable,
Qu'aucuns monstres par moi domptés jusqu'aujourd'hui
Ne m'ont acquis le droit de faillir comme lui.   100
Quand même ma fierté pourrait s'être adoucie,
Aurais-je pour vainqueur dû choisir Aricie ?
Ne souviendrait-il [2] plus à mes sens égarés
De l'obstacle éternel qui nous a séparés ?
Mon père la réprouve ; et par des lois sévères   105
Il défend de donner des neveux à ses frères :
D'une tige coupable il craint un rejeton ;
Il veut avec leur sœur ensevelir leur nom,
Et que jusqu'au tombeau soumise à sa tutelle,
Jamais les feux d'hymen ne s'allument pour elle.   110
Dois-je épouser ses droits contre un père irrité ?
Donnerai-je l'exemple à la témérité ?
Et dans un fol amour ma jeunesse embarquée . . .

THÉRAMÈNE.

Ah ! Seigneur, si votre heure est une fois marquée,
Le ciel de nos raisons ne sait point s'informer.   115
Thésée ouvre vos yeux en voulant les fermer ;
Et sa haine, irritant une flamme rebelle,
Prête à son ennemie une grâce nouvelle.
Enfin d'un chaste amour pourquoi vous effrayer ?
S'il a quelque douceur, n'osez-vous l'essayer ?   120
En croirez-vous * toujours un farouche scrupule ?
Craint-on de s'égarer sur les traces d'Hercule ? [3]
Quels courages * Vénus n'a-t-elle pas domptés ?
Vous-même, où seriez-vous, vous qui la combattez,
Si toujours Antiope à ses lois opposée,   125
D'une pudique ardeur n'eût brûlé pour Thésée ?

1. "And I could see myself subject" (to the passions which have
stained my father's reputation)?   2. Translate : "Could my distraught senses forget (no longer remember) the eternal obstacle?"
3. A reference to the story of Hercules made ridiculous by Omphale,
queen of Lydia.

Mais que sert d'affecter un superbe discours ?
Avouez-le, tout change ; et depuis quelques jours
On vous voit moins souvent, orgueilleux et sauvage,
Tantôt faire voler un char sur le rivage,[1]   130
Tantôt, savant dans l'art [2] par Neptune inventé,
Rendre docile au frein un coursier indompté.
Les forêts de nos cris moins souvent retentissent,
Chargés d'un feu secret, vos yeux s'appesantissent.
Il n'en faut point douter : vous aimez, vous brûlez ;   135
Vous périssez d'un mal que vous dissimulez.
La charmante Aricie a-t-elle su vous plaire ?

HIPPOLYTE.

Théramène, je pars, et vais chercher mon père.

THÉRAMÈNE.

Ne verrez-vous point Phèdre avant que de partir,
Seigneur ?

HIPPOLYTE.

C'est mon dessein : tu peux l'en avertir.   140
Voyons-la, puisque ainsi mon devoir me l'ordonne.
Mais quel nouveau malheur trouble sa chère Œnone ?

SCÈNE II.

HIPPOLYTE, ŒNONE, THÉRAMÈNE.

ŒNONE.

Hélas ! Seigneur, quel trouble au mien peut être égal ?
La Reine touche presque à son terme fatal.*
En vain à l'observer jour et nuit je m'attache :   145
Elle meurt dans mes bras d'un mal qu'elle me cache.
Un désordre éternel règne dans son esprit.
Son chagrin* inquiet l'arrache de son lit.
Elle veut voir le jour ; et sa douleur profonde
M'ordonne toutefois d'écarter tout le monde. . . .   150
Elle vient :

1. That is, along the sands of the ocean shore which served as a race-course or speedway as, for example, in our day, Daytona Beach in Florida.
2. Neptune was looked upon as the creator of horses and the patron of horsemanship.

HIPPOLYTE.

Il suffit : je la laisse en ces lieux,
Et ne lui montre point un visage odieux.

SCÈNE III.

PHÈDRE, ŒNONE.

PHÈDRE.

N'allons point plus avant.*   Demeurons, chère Œnone.
Je ne me soutiens* plus : ma force m'abandonne.
Mes yeux sont éblouis du jour que je revoi,   155
Et mes genoux tremblants se dérobent sous moi.
Hélas !   (*Elle s'assied.*)

ŒNONE.

Dieux tout-puissants, que nos pleurs vous apaisent !

PHÈDRE.

Que ces vains ornements, que ces voiles me pèsent !
Quelle importune main, en formant tous ces nœuds,
A pris soin sur mon front d'assembler mes cheveux ?   160
Tout m'afflige et me nuit, et conspire à me nuire.

ŒNONE.

Comme on voit tous ses vœux l'un l'autre se détruire !
Vous-même, condamnant vos injustes desseins,
Tantôt à vous parer vous excitiez nos mains ;
Vous-même, rappelant votre force première,   165
Vous vouliez vous montrer et revoir la lumière.
Vous la voyez, Madame ; et prête à vous cacher,
Vous haïssez le jour que vous veniez chercher ?

PHÈDRE.

Noble et brillant auteur d'une triste famille,
Toi, dont ma mère osait se vanter d'être fille,   170
Qui peut-être rougis du trouble où tu me vois,
Soleil, je te viens voir pour la dernière fois.

ŒNONE.

Quoi ? vous ne perdrez point cette cruelle envie ?
Vous verrai-je toujours, renonçant à la vie,
Faire de votre mort les funestes apprêts ?   175

PHÈDRE.

Dieux ! que ne suis-je assise à l'ombre des forêts !
Quand pourrai-je, au travers d'une noble poussière,
Suivre de l'œil * un char fuyant dans la carrière ? [1]

ŒNONE.

Quoi, Madame ?

PHÈDRE.

       Insensée, où suis-je ? et qu'ai-je dit ?
Où laissé-je égarer mes vœux et mon esprit ?   180
Je l'ai perdu : les Dieux m'en ont ravi l'usage.
Œnone, la rougeur me couvre le visage :
Je te laisse trop voir mes honteuses douleurs ;
Et mes yeux, malgré moi, se remplissent de pleurs.

ŒNONE.

Ah ! s'il vous faut rougir, rougissez d'un silence   185
Qui de vos maux encore aigrit la violence.
Rebelle à tous nos soins, sourde à tous nos discours,
Voulez-vous sans pitié laisser finir vos jours ?
Quelle fureur les borne au milieu de leur course ?
Quel charme ou quel poison en a tari la source ?   190
Les ombres par trois fois ont obscurci les cieux
Depuis que le sommeil n'est entré dans vos yeux,
Et le jour a trois fois chassé la nuit obscure
Depuis que votre corps languit sans nourriture.
À quel affreux dessein vous laissez-vous tenter ?   195
De quel droit sur vous-même osez-vous attenter ?
Vous offensez les Dieux auteurs de votre vie ;
Vous trahissez l'époux à qui la foi vous lie ;
Vous trahissez enfin vos enfants malheureux,
Que vous précipitez sous un joug rigoureux.   200
Songez qu'un même jour leur ravira leur mère,
Et rendra l'espérance au fils de l'étrangère,
À ce fier ennemi de vous, de votre sang,
Ce fils qu'une Amazone a porté dans son flanc,
Cet Hippolyte . . .

PHÈDRE.

Ah, Dieux !

---

1. See above. verses 130 ff.

ŒNONE.

                Ce reproche vous touche. 205

PHÈDRE.

Malheureuse, quel nom est sorti de ta bouche?

ŒNONE.

Hé bien ! votre colère éclate avec raison :
J'aime à vous voir frémir à ce funeste nom.
Vivez donc.   Que l'amour, le devoir vous excite.
Vivez, ne souffrez pas que le fils d'une Scythe,[1]   210
Accablant vos enfants d'un empire odieux,
Commande au plus beau sang de la Grèce et des Dieux.
Mais ne différez point : chaque moment vous tue.
Réparez promptement votre force abattue,
Tandis que de vos jours, prêts à se consumer,   215
Le flambeau dure encore, et peut se rallumer.

PHÈDRE.

J'en ai trop prolongé la coupable durée.

ŒNONE.

Quoi? de quelques remords êtes-vous déchirée?
Quel crime a pu produire un trouble si pressant?
Vos mains n'ont point trempé dans le sang innocent?   220

PHÈDRE.

Grâces au ciel, mes mains ne sont point criminelles.
Plût aux Dieux que mon cœur fût innocent comme elles !

ŒNONE.

Et quel affreux projet avez-vous enfanté
Dont votre cœur encor doive être épouvanté?

PHÈDRE.

Je t'en ai dit assez.   Épargne-moi le reste.   225
Je meurs, pour ne point faire un aveu si funeste.

ŒNONE.

Mourez donc, et gardez un silence inhumain ;
Mais pour fermer vos yeux cherchez une autre main.
Quoiqu'il vous reste à peine une faible lumière,
Mon âme chez les morts descendra la première.   230

---

1. "Scythian" (Amazon), *i.e.*, "barbarian."

Mille chemins ouverts y conduisent toujours,
Et ma juste douleur choisira les plus courts.
Cruelle, quand ma foi vous a-t-elle déçue?
Songez-vous qu'en naissant mes bras vous ont reçue?
Mon pays, mes enfants, pour vous j'ai tout quitté.   235
Réserviez-vous ce prix à ma fidélité?

PHÈDRE.

Quel fruit espères-tu de tant de violence?
Tu frémiras d'horreur si je romps le silence.

ŒNONE.

Et que me direz-vous qui ne cède, grands Dieux!
À l'horreur de vous voir expirer à mes yeux?   240

PHÈDRE.

Quand tu sauras mon crime, et le sort qui m'accable,
Je n'en mourrai pas moins, j'en mourrai plus coupable.

ŒNONE.

Madame, au nom des pleurs que pour vous j'ai versés,
Par vos faibles genoux que je tiens embrassés,
Délivrez mon esprit de ce funeste doute.   245

PHÈDRE.

Tu le veux.   Lève-toi.

ŒNONE.

Parlez, je vous écoute.

PHÈDRE.

Ciel! que lui vais-je dire, et par où commencer?

ŒNONE.

Par de vaines frayeurs cessez de m'offenser.

PHÈDRE.

Ô haine de Vénus! Ô fatale colère!
Dans quels égarements l'amour jeta ma mère![1]   250

ŒNONE.

Oublions-les, Madame; et qu'à tout l'avenir
Un silence éternel cache ce souvenir.

PHÈDRE.

Ariane, ma sœur, de quel amour blessée,
Vous mourûtes aux bords où vous fûtes laissée![2]

1. See note, v. 82.   2. See note, v. 89.

ŒNONE.

Que faites-vous, Madame? et quel mortel ennui*   255
Contre tout votre sang vous anime aujourd'hui?

PHÈDRE.

Puisque Vénus le veut, de ce sang* déplorable
Je péris la dernière et la plus misérable.

ŒNONE.

Aimez-vous?

PHÈDRE.

De l'amour j'ai toutes les fureurs.

ŒNONE.

Pour qui?

PHÈDRE.

Tu vas ouïr le comble des horreurs.   260
J'aime . . . À ce nom fatal, je tremble, je frissonne.
J'aime . . .

ŒNONE.

Qui?

PHÈDRE.

Tu connais ce fils de l'Amazone,
Ce Prince si longtemps par moi-même opprimé?

ŒNONE.

Hippolyte?   Grands Dieux!

PHÈDRE.

C'est toi qui l'as nommé.

ŒNONE.

Juste ciel! tout mon sang dans mes veines se glace!   265
Ô désespoir! ô crime! ô déplorable race!
Voyage infortuné! Rivage malheureux,
Fallait-il approcher de tes bords dangereux?[1]

PHÈDRE.

Mon mal vient de plus loin.[2]   À peine au fils d'Égée
Sous les lois de l'hymen je m'étais engagée,   270
Mon repos, mon bonheur semblait être affermi;
Athènes me montra mon superbe ennemi.

1. That is, to have left her home to come to Trœzen.   2. From the
time when she first came to Athens as the queen of Theseus.

Je le vis, je rougis, je pâlis à sa vue ;
Un trouble s'éleva dans mon âme éperdue ;
Mes yeux ne voyaient plus, je ne pouvais parler ;   275
Je sentis tout mon corps et transir et brûler ;
Je reconnus Vénus et ses feux redoutables,
D'un sang* qu'elle poursuit tourments inévitables.
Par des vœux assidus je crus les détourner :
Je lui bâtis un temple, et pris soin de l'orner ;   280
De victimes moi-même à toute heure entourée,
Je cherchais dans leurs flancs ma raison égarée.
D'un incurable amour remèdes impuissants !
En vain sur les autels ma main brûlait l'encens :
Quand ma bouche implorait le nom de la Déesse,   285
J'adorais Hippolyte ; et le voyant sans cesse,
Même au pied des autels que je faisais fumer,
J'offrais tout à ce Dieu que je n'osais nommer.
Je l'évitais partout.   Ô comble de misère !
Mes yeux le retrouvaient dans les traits de son père.   290
Contre moi-même enfin j'osai me révolter :
J'excitai mon courage à le persécuter.
Pour bannir l'ennemi dont j'étais idolâtre,
J'affectai les chagrins d'une injuste marâtre ;
Je pressai son exil, et mes cris éternels   295
L'arrachèrent du sein et des bras paternels.
Je respirais, Œnone ; et depuis son absence,
Mes jours moins agités coulaient dans l'innocence.
Soumise à mon époux, et cachant mes ennuis,
De son fatal hymen je cultivais les fruits.   300
Vaines précautions ! Cruelle destinée !
Par mon époux lui-même à Trézène amenée,
J'ai revu l'ennemi que j'avais éloigné :
Ma blessure trop vive aussitôt a saigné.
Ce n'est plus une ardeur dans mes veines cachée :   305
C'est Vénus toute entière à sa proie attachée.
J'ai conçu pour mon crime une juste terreur ;
J'ai pris la vie en haine, et ma flamme en horreur.
Je voulais en mourant prendre soin de ma gloire,*
Et dérober au jour une flamme si noire :   310
Je n'ai pu soutenir tes larmes, tes combats ;
Je t'ai tout avoué ; je ne m'en repens pas,
Pourvu que de ma mort respectant les approches,
Tu ne m'affliges plus par d'injustes reproches,

Et que tes vains secours cessent de rappeler   315
Un reste de chaleur tout prêt à s'exhaler.

SCÈNE IV.

PHÈDRE, ŒNONE, PANOPE.

PANOPE.

Je voudrais vous cacher une triste nouvelle,
Madame ; mais il faut que je vous la révèle.
La mort vous a ravi votre invincible époux ;
Et ce malheur n'est plus ignoré que de vous.   320

ŒNONE.

Panope, que dis-tu ?

PANOPE.

Que la Reine abusée
En vain demande au ciel le retour de Thésée ;
Et que par des vaisseaux arrivés dans le port
Hippolyte son fils vient d'apprendre sa mort.

PHÈDRE.

Ciel !

PANOPE.

Pour le choix d'un maître Athènes se partage.   325
Au Prince votre fils l'un donne son suffrage,
Madame ; et de l'État l'autre oubliant les lois,
Au fils de l'étrangère ose donner sa voix.
On dit même qu'au trône une brigue insolente
Veut placer Aricie et le sang de Pallante.   330
J'ai cru de ce péril vous devoir avertir.
Déjà même Hippolyte est tout prêt à partir ;
Et l'on craint, s'il paraît dans ce nouvel orage,
Qu'il n'entraîne après lui tout un peuple volage.

ŒNONE.

Panope, c'est assez.   La Reine, qui t'entend,   335
Ne négligera point cet avis important.

SCÈNE V.

PHÈDRE, ŒNONE.

ŒNONE.

Madame, je cessais de vous presser de vivre ;
Déjà même au tombeau je songeais à vous suivre ;
Pour vous en détourner je n'avais plus de voix ;
Mais ce nouveau malheur vous prescrit d'autres lois.   340
Votre fortune change et prend une autre face :
Le Roi n'est plus, Madame ; il faut prendre sa place.
Sa mort vous laisse un fils à qui vous vous devez,
Esclave s'il vous perd, et roi si vous vivez.
Sur qui, dans son malheur, voulez-vous qu'il s'appuie ?   345
Ses larmes n'auront plus de main qui les essuie ;
Et ses cris innocents, portés jusques aux Dieux,
Iront contre sa mère irriter ses aïeux.
Vivez, vous n'avez plus de reproche à vous faire :
Votre flamme devient une flamme ordinaire.   350
Thésée en expirant vient de rompre les nœuds
Qui faisaient tout le crime et l'horreur de vos feux.
Hippolyte pour vous devient moins redoutable ;
Et vous pouvez le voir sans vous rendre coupable.
Peut-être convaincu de votre aversion,   355
Il va donner un chef à la sédition.
Détrompez son erreur, fléchissez son courage.*
Roi de ces bords heureux, Trézène est son partage ;
Mais il sait que les lois donnent à votre fils
Les superbes remparts que Minerve a bâtis.[1]   360
Vous avez l'un et l'autre une juste ennemie :
Unissez-vous tous deux pour combattre Aricie.

PHÈDRE.

Hé bien ! à tes conseils je me laisse entraîner.
Vivons, si vers la vie on peut me ramener,
Et si l'amour d'un fils en ce moment funeste   365
De mes faibles esprits peut ranimer le reste.

[1]. Athens.

ACTE II. SCÈNE PREMIÈRE.

Aricie, Ismène.

ARICIE.

Hippolyte demande à me voir en ce lieu?
Hippolyte me cherche, et veut me dire adieu?
Ismène, dis-tu vrai? N'es-tu point abusée?

ISMÈNE.

C'est le premier effet de la mort de Thésée.   370
Préparez-vous, Madame, à voir de tous côtés
Voler vers vous les cœurs par Thésée écartés.
Aricie à la fin de son sort est maîtresse,
Et bientôt à ses pieds verra toute la Grèce.

ARICIE.

Ce n'est donc point, Ismène, un bruit mal affermi?   375
Je cesse d'être esclave, et n'ai plus d'ennemi?

ISMÈNE.

Non, Madame, les Dieux ne vous sont plus contraires ;
Et Thésée a rejoint les mânes de vos frères.

ARICIE.

Dit-on quelle aventure a terminé ses jours?

ISMÈNE.

On sème de sa mort d'incroyables discours.   380
On dit que, ravisseur d'une amante nouvelle,
Les flots ont englouti cet époux infidèle.
On dit même, et ce bruit est partout répandu,
Qu'avec Pirithoüs [1] aux enfers descendu,
Il a vu le Cocyte [2] et les rivages sombres,   385
Et s'est montré vivant aux infernales ombres ;

1. Pirithoüs was king of the Lapithæ, a people of Thessaly. Theseus
had aided him in his combat with the centaurs to rescue his bride, and
he had aided Theseus in the abduction of Helen. In return Theseus
aided Pirithoüs in an attempt to carry off Proserpina, wife of Aidoneus,
king of a tribe in Epirus. They were defeated and Pirithoüs was torn to
pieces by the monarch's dog, Cerberus. The names, Proserpina and
Cerberus, both underworld figures, gave rise to the rumor which Ismena
reports.   2. "The river of tears," a branch of the Acheron, see
vv. 11–12 and note.

Mais qu'il n'a pu sortir de ce triste séjour,
Et repasser les bords qu'on passe sans retour.

ARICIE.

Croirai-je qu'un mortel, avant sa dernière heure,
Peut pénétrer des morts la profonde demeure ? 390
Quel charme l'attirait sur ces bords redoutés ?

ISMÈNE.

Thésée est mort, Madame, et vous seule en doutez :
Athènes en gémit, Trézène en est instruite,
Et déjà pour son roi reconnaît Hippolyte.
Phèdre, dans ce palais, tremblante pour son fils, 395
De ses amis troublés demande les avis.

ARICIE.

Et tu crois que pour moi plus humain que son père,
Hippolyte rendra ma chaîne plus légère ?
Qu'il plaindra mes malheurs ?

ISMÈNE.

Madame, je le croi.

ARICIE.

L'insensible Hippolyte est-il connu de toi ? 400
Sur quel frivole espoir penses-tu qu'il me plaigne,
Et respecte en moi seule un sexe qu'il dédaigne ?
Tu vois depuis quel temps il évite nos pas,
Et cherche tous les lieux où nous ne sommes pas.

ISMÈNE.

Je sais de ses froideurs tout ce que l'on récite ; 405
Mais j'ai vu près de vous ce superbe Hippolyte ;
Et même, en le voyant, le bruit de sa fierté
A redoublé pour lui ma curiosité.
Sa présence à ce bruit n'a point paru répondre :
Dès vos premiers regards je l'ai vu se confondre. 410
Ses yeux, qui vainement voulaient vous éviter,
Déjà pleins de langueur, ne pouvaient vous quitter.
Le nom d'amant peut-être offense son courage ;
Mais il en a les yeux, s'il n'en a le langage.

ARICIE.

Que mon cœur, chère Ismène, écoute avidement
Un discours qui peut-être a peu de fondement ! 415

Ô toi qui me connais, te semblait-il croyable
Que le triste jouet d'un sort impitoyable,
Un cœur toujours nourri d'amertume et de pleurs,
Dût connaître l'amour et ses folles douleurs ?　　420
Reste du sang* d'un roi [1] noble fils de la terre,
Je suis seule échappée aux fureurs de la guerre.
J'ai perdu, dans la fleur de leur jeune saison,
Six frères : [2] quel espoir d'une illustre maison !
Le fer moissonna tout ; et la terre humectée　　425
But à regret le sang des neveux* d'Érechthée.
Tu sais, depuis leur mort, quelle sévère loi
Défend à tous les Grecs de soupirer pour moi :
On craint que de la sœur les flammes téméraires
Ne raniment un jour la cendre de ses frères.　　430
Mais tu sais bien aussi de quel œil dédaigneux
. Je regardais ce soin d'un vainqueur soupçonneux.
Tu sais que de tout temps à l'amour opposée,
Je rendais souvent grâce à l'injuste Thésée,
Dont l'heureuse rigueur secondait mes mépris.　　435
Mes yeux alors, mes yeux n'avaient pas vu son fils.
Non que par les yeux seuls lâchement enchantée,
J'aime en lui sa beauté, sa grâce tant vantée,
Présents dont la nature a voulu l'honorer,
Qu'il méprise lui-même, et qu'il semble ignorer.　　440
J'aime, je prise en lui de plus nobles richesses,
Les vertus de son père, et non point les faiblesses.
J'aime, je l'avouerai, cet orgueil généreux*
Qui jamais n'a fléchi sous le joug amoureux.
Phèdre en vain s'honorait des soupirs de Thésée :　　445
Pour moi, je suis plus fière, et fuis la gloire aisée
D'arracher un hommage à mille autres offert,
Et d'entrer dans un cœur de toutes parts ouvert.
Mais de faire fléchir* un courage inflexible,
De porter la douleur dans une âme* insensible,　　450
D'enchaîner un captif de ses fers étonné,
Contre un joug qui lui plaît vainement mutiné :
C'est là ce que je veux, c'est là ce qui m'irrite.
Hercule à désarmer coûtait moins qu'Hippolyte ;
Et vaincu plus souvent, et plus tôt surmonté,　　455
Préparait moins de gloire aux yeux qui l'ont dompté.

1. Pallas, her father, descended from Erechtheus, the first king of
Athens and son of the Earth.　　2. See note to v. 53.

Mais, chère Ismène, hélas ! quelle est mon imprudence !
On ne m'opposera que trop de résistance.
Tu m'entendras peut-être, humble dans mon ennui,
Gémir du même orgueil que j'admire aujourd'hui.   460
Hippolyte aimerait ? Par quel bonheur extrême
Aurais-je pu fléchir . . .

ISMÈNE.

Vous l'entendrez lui-même :

Il vient à vous.

SCÈNE II.

HIPPOLYTE, ARICIE, ISMÈNE.

HIPPOLYTE.

Madame, avant que de partir,

J'ai cru de votre sort vous devoir avertir.
Mon père ne vit plus. Ma juste défiance   465
Présageait les raisons de sa trop longue absence :
La mort seule, bornant ses travaux éclatants,
Pouvait à l'univers le cacher si longtemps.
Les Dieux livrent enfin à la parque homicide [1]
L'ami, le compagnon, le successeur d'Alcide. *(Hercules)*   470
Je crois que votre haine, épargnant ses vertus,
Écoute sans regret ces noms qui lui sont dus.
Un espoir adoucit ma tristesse mortelle :
Je puis vous affranchir d'une austère tutelle.
Je révoque des lois dont j'ai plaint la rigueur.   475
Vous pouvez disposer de vous, de votre cœur ;
Et dans cette Trézène, aujourd'hui mon partage,
De mon aïeul Pitthée [2] autrefois l'héritage,
Qui m'a, sans balancer, reconnu pour son roi,
Je vous laisse aussi libre, et plus libre que moi.   480

ARICIE.

Modérez des bontés dont l'excès m'embarrasse.
D'un soin si généreux honorer ma disgrâce,

---

1. The *Parcæ*, or the three fates, were Clotho who spins the thread of human life, Lachesis who measures it off, and Atropos ("the death-dealing fate") who cuts it.   2. Pittheus, one of the early kings of Trœzen, was the great-grandfather of Hippolytus. He was famed for his wisdom ; both Theseus and Hippolytus were reared at his court.

Seigneur, c'est me ranger, plus que vous ne pensez,
Sous ces austères lois dont vous me dispensez.

HIPPOLYTE.

Du choix d'un successeur Athènes incertaine,   485
Parle de vous, me nomme, et le fils de la Reine.

ARICIE.

De moi, Seigneur?

HIPPOLYTE.

                    Je sais, sans vouloir me flatter,
Qu'une superbe [1] loi semble me rejeter.
La Grèce me reproche une mère étrangère.
Mais si pour concurrent je n'avais que mon frère,   490
Madame, j'ai sur lui de véritables droits [2]
Que je saurais sauver du caprice des lois.
Un frein plus légitime arrête mon audace :
Je vous cède, ou plutôt je vous rends une place,
Un sceptre que jadis vos aïeux ont reçu   495
De ce fameux mortel que la Terre a conçu.
L'adoption le mit entre les mains d'Égée.[3]
Athènes, par mon père accrue et protégée,
Reconnut avec joie un roi si généreux,
Et laissa dans l'oubli vos frères malheureux.   500
Athènes dans ses murs maintenant vous rappelle ;
Assez elle a gémi d'une longue querelle ;
Assez dans ses sillons votre sang englouti
A fait fumer le champ dont il était sorti.[4]
Trézène m'obéit.   Les campagnes de Crète   505
Offrent au fils de Phèdre une riche retraite.
L'Attique est votre bien.   Je pars, et vais pour vous
Réunir tous les vœux partagés entre nous.

---

1. "arrogant" in the sense that it excluded any one of foreign birth
from the throne.   2. The rights of seniority since Phædra was, like
his own mother, Antiope, a foreigner.   3. Ægæus was old when
Theseus was born and there was a legend to the effect that Theseus was
the son of Neptune, god of the sea, and Æthra, wife of Ægæus who
adopted him.   This legend lends color to the special favor of Neptune
for Theseus upon which the catastrophe of the tragedy depends.
4. Refers to the killing of her brothers and to her origin as daughter of
the earth.

ARICIE.

De tout ce que j'entends étonnée et confuse,
Je crains presque, je crains qu'un songe ne m'abuse. 510
Veillé-je?   Puis-je croire un semblable dessein?
Quel Dieu, Seigneur, quel Dieu l'a mis dans votre sein?
Qu'à bon droit votre gloire en tous lieux est semée !
Et que la vérité passe* la renommée !
Vous-même, en ma faveur, vous voulez vous trahir? 515
N'était-ce pas assez de ne point me haïr,
Et d'avoir si longtemps pu défendre votre âme
De cette inimitié . . .

HIPPOLYTE.

                    Moi, vous haïr, Madame?
Avec quelques couleurs qu'on ait peint ma fierté,
Croit-on que dans ses flancs un monstre m'ait porté? 520
Quelles sauvages mœurs, quelle haine endurcie
Pourrait, en vous voyant, n'être point adoucie?
Ai-je pu résister au charme décevant . . .

ARICIE.

Quoi? Seigneur . . .

HIPPOLYTE.

                    Je me suis engagé trop avant.
Je vois que la raison cède à la violence.[1] 525
Puisque j'ai commencé de rompre le silence,
Madame, il faut poursuivre : il faut vous informer
D'un secret que mon cœur ne peut plus renfermer.
Vous voyez devant vous un Prince déplorable,
D'un téméraire orgueil exemple mémorable. 530
Moi qui contre l'amour fièrement révolté,
Aux fers de ses captifs ai longtemps insulté ;
Qui des faibles mortels déplorant les naufrages,
Pensais toujours du bord contempler les orages ;
Asservi maintenant sous la commune loi, 535
Par quel trouble me vois-je emporté loin de moi?
Un moment a vaincu mon audace imprudente :
Cette âme si superbe est enfin dépendante.
Depuis près de six mois, honteux, désespéré,
Portant partout le trait dont je suis déchiré, 540

1. That is, to the "violence" of his passion.

Contre vous, contre moi, vainement je m'éprouve :
Présente, je vous fuis ; absente, je vous trouve ;
Dans le fond des forêts votre image me suit ;
La lumière du jour, les ombres de la nuit,
Tout retrace à mes yeux les charmes que j'évite ;   545
Tout vous livre à l'envi* le rebelle Hippolyte.
Moi-même, pour tout fruit de mes soins superflus,
Maintenant je me cherche, et ne me trouve plus.
Mon arc, mes javelots, mon char, tout m'importune ;
Je ne me souviens plus des leçons de Neptune ; [1]   550
Mes seuls gémissements font retentir les bois
Et mes coursiers oisifs ont oublié ma voix.
Peut-être le récit d'un amour si sauvage
Vous fait, en m'écoutant, rougir* de votre ouvrage.
D'un cœur qui s'offre à vous quel farouche entretien !   555
Quel étrange captif pour un si beau lien !
Mais l'offrande à vos yeux en doit être plus chère.
Songez que je vous parle une langue étrangère ;*
Et ne rejetez pas des vœux mal exprimés,
Qu'Hippolyte sans vous n'aurait jamais formés.   560

SCÈNE III.

Hippolyte, Aricie, Théramène, Ismène.

THÉRAMÈNE.

Seigneur, la Reine vient, et je l'ai devancée.
Elle vous cherche.

HIPPOLYTE.

Moi ?

THÉRAMÈNE.

J'ignore sa pensée.
Mais on vous est venu demander de sa part.
Phèdre veut vous parler avant votre départ.

HIPPOLYTE.

Phèdre ? Que lui dirai-je ? Et que peut-elle attendre . . . 565

1. See note, v. 131.

ARICIE.

Seigneur, vous ne pouvez refuser de l'entendre.
Quoique trop convaincu de son inimitié,
Vous devez à ses pleurs quelque ombre de pitié.

HIPPOLYTE.

Cependant vous sortez.   Et je pars.   Et j'ignore
Si je n'offense point les charmes que j'adore !   570
J'ignore si ce cœur que je laisse en vos mains . . .

ARICIE.

Partez, Prince, et suivez vos généreux desseins.
Rendez de mon pouvoir Athènes tributaire.
J'accepte tous les dons que vous me voulez faire.
Mais cet empire enfin si grand, si glorieux,   575
N'est pas de vos présents le plus cher à mes yeux.

SCÈNE IV.

HIPPOLYTE, THÉRAMÈNE.

HIPPOLYTE.

Ami, tout est-il prêt?   Mais la Reine s'avance.
Va, que pour le départ tout s'arme en diligence.
Fais donner le signal, cours, ordonne et revien
Me délivrer bientôt d'un fâcheux entretien.   580

SCÈNE V.

PHÈDRE, HIPPOLYTE, ŒNONE.

PHÈDRE, à Œnone.

Le voici.   Vers mon cœur tout mon sang se retire.
J'oublie, en le voyant, ce que je viens lui dire.

ŒNONE.

Souvenez-vous d'un fils qui n'espère qu'en vous.

PHÈDRE.

On dit qu'un prompt départ vous éloigne de nous,
Seigneur.[1] À vos douleurs je viens joindre mes larmes.   585
Je vous viens pour un fils expliquer mes alarmes.
Mon fils n'a plus de père ; et le jour n'est pas loin
Qui de ma mort encor doit le rendre témoin.
Déjà mille ennemis attaquent son enfance.
Vous seul pouvez contre eux embrasser sa défense.   590
Mais un secret remords agite mes esprits.
Je crains d'avoir fermé votre oreille à ses cris.
Je tremble que sur lui votre juste colère
Ne poursuive bientôt une odieuse mère.

HIPPOLYTE.

Madame, je n'ai point des sentiments si bas.   595

PHÈDRE.

Quand vous me haïriez, je ne m'en plaindrais pas,
Seigneur. Vous m'avez vue attachée à vous nuire ;
Dans le fond de mon cœur vous ne pouviez pas lire.
À votre inimitié j'ai pris soin de m'offrir.
Aux bords que j'habitais je n'ai pu vous souffrir.   600
En public, en secret, contre vous déclarée,
J'ai voulu par des mers en être séparée ;
J'ai même défendu, par une expresse loi,
Qu'on osât prononcer votre nom devant moi.
Si pourtant à l'offense on mesure* la peine,   605
Si la haine peut seule attirer votre haine,
Jamais femme ne fut plus digne de pitié,
Et moins digne, Seigneur, de votre inimitié.

HIPPOLYTE.

Des droits de ses enfants une mère jalouse
Pardonne rarement au fils d'une autre épouse.   610
Madame, je le sais. Les soupçons importuns
Sont d'un second hymen les fruits les plus communs.
Toute autre aurait pour moi pris les mêmes ombrages,
Et j'en aurais peut-être essuyé plus d'outrages.

---

1. Note the repetition of this word in the following speeches to
suggest the almost fawning humility to which Phædra is brought by her
overwhelming passion.

PHÈDRE.

Ah ! Seigneur, que le ciel, j'ose ici l'attester,   615
De cette loi commune a voulu m'excepter !
Qu'un soin bien différent me trouble et me dévore !

HIPPOLYTE.

Madame, il n'est pas temps de vous troubler encore.
Peut-être votre époux voit encore le jour ;
Le ciel peut à nos pleurs accorder son retour.   620
Neptune le protège, et ce Dieu tutélaire
Ne sera pas en vain imploré par mon père.

PHÈDRE.

On ne voit point deux fois le rivage des morts,
Seigneur.   Puisque Thésée a vu les sombres bords,
En vain vous espérez qu'un Dieu vous ie renvoie ;   625
Et l'avare Achéron ne lâche point sa proie.
Que dis-je ?   Il n'est point mort, puisqu'il respire en vous.
Toujours devant mes yeux je crois voir mon époux.
Je le vois, je lui parle ; et mon cœur . . . Je m'égare,
Seigneur, ma folle ardeur malgré moi se déclare.   630

HIPPOLYTE.

Je vois de votre amour l'effet prodigieux.
Tout mort qu'il est, Thésée est présent à vos yeux ;
Toujours de son amour votre âme est embrasée.

PHÈDRE.

Oui, Prince, je languis, je brûle pour Thésée.
Je l'aime, non point tel que l'ont vu les enfers,   635
Volage adorateur de mille objets divers,
Qui va du Dieu des morts déshonorer la couche ;
Mais fidèle, mais fier, et même un peu farouche,[1]
Charmant, jeune, traînant tous les cœurs après soi,
Tel qu'on dépeint nos dieux, ou tel que je vous voi.   640
Il avait votre port, vos yeux, votre langage,
Cette noble pudeur colorait son visage,
Lorsque de notre Crète il traversa les flots,
Digne sujet des vœux des filles de Minos.
Que faisiez-vous alors ?   Pourquoi, sans Hippolyte,   645
Des héros de la Grèce assembla-t-il l'élite ?

----

1. The sight of Hippolytus absorbs the portrait of Theseus.

Pourquoi, trop jeune encor, ne pûtes-vous alors
Entrer dans le vaisseau qui le mit sur nos bords?
Par vous aurait péri le monstre de la Crète,
Malgré tous les détours de sa vaste retraite.   650
Pour en développer* l'embarras* incertain,
Ma sœur du fil fatal eût armé votre main.[1]
Mais non, dans ce dessein je l'aurais devancée :
L'amour m'en eût d'abord inspiré la pensée.
C'est moi, Prince, c'est moi dont l'utile secours   655
Vous eût du Labyrinthe enseigné les détours.
Que de soins m'eût coûtés cette tête charmante !
Un fil n'eût point assez rassuré votre amante.
Compagne du péril qu'il vous fallait chercher,
Moi-même devant vous j'aurais voulu marcher ;   660
Et Phèdre, au Labyrinthe avec vous descendue,
Se serait avec vous retrouvée ou perdue.

HIPPOLYTE.

Dieux ! qu'est-ce que j'entends ?   Madame, oubliez-vous
Que Thésée est mon père, et qu'il est votre époux?

PHÈDRE.

Et sur quoi jugez-vous que j'en perds la mémoire,   665
Prince ?   Aurais-je perdu tout le soin de ma gloire* ?

HIPPOLYTE.

Madame, pardonnez.   J'avoue, en rougissant,
Que j'accusais à tort un discours innocent.
Ma honte ne peut plus soutenir votre vue ;
Et je vais . . .

PHÈDRE.

        Ah ! cruel, tu m'as trop entendue.   670
Je t'en ai dit assez pour te tirer d'erreur.
Hé bien ! connais donc Phèdre et toute sa fureur.
J'aime.   Ne pense pas qu'au moment que je t'aime,
Innocente à mes yeux, je m'approuve moi-même ;
Ni que du fol amour qui trouble ma raison   675
Ma lâche complaisance ait nourri le poison.

---

1. See note, v. 89.

Objet infortuné des vengeances célestes,
Je m'abhorre encor plus que tu ne me détestes.
Les Dieux m'en sont témoins, ces Dieux qui dans mon flanc
Ont allumé le feu fatal à tout mon sang ; [1]   680
Ces Dieux qui se sont fait une gloire* cruelle
De séduire le cœur d'une faible mortelle.
Toi-même en ton esprit rappelle le passé.
C'est peu de t'avoir fui, cruel, je t'ai chassé ;
J'ai voulu te paraître odieuse, inhumaine ;   685
Pour mieux te résister, j'ai recherché ta haine.
De quoi m'ont profité mes inutiles soins ?
Tu me haïssais plus, je ne t'aimais pas moins.
Tes malheurs te prêtaient encor de nouveaux charmes.
J'ai langui, j'ai séché, dans les feux, dans les larmes.   690
Il suffit de tes yeux pour t'en persuader,
Si tes yeux un moment pouvaient me regarder.
Que dis-je ? Cet aveu que je te viens de faire,
Cet aveu si honteux, le crois-tu volontaire ?
Tremblante pour un fils que je n'osais trahir,   695
Je te venais prier de ne le point haïr.
Faibles projets d'un cœur trop plein de ce qu'il aime !
Hélas ! je ne t'ai pu parler que de toi-même.
Venge-toi, punis-moi d'un odieux amour.
Digne fils du héros qui t'a donné le jour,   700
Délivre l'univers d'un monstre qui t'irrite.
La veuve de Thésée ose aimer Hippolyte !
Crois-moi, ce monstre affreux ne doit point t'échapper.
Voilà mon cœur.   C'est là que ta main doit frapper.
Impatient déjà d'expier son offense,   705
Au-devant de ton bras je le sens qui s'avance.
Frappe.   Ou si tu le crois indigne de tes coups,
Si ta haine m'envie un supplice si doux,
Ou si d'un sang trop vil ta main serait trempée,
Au défaut de ton bras prête-moi ton épée.   710
Donne.

ŒNONE.

    Que faites-vous, Madame ?   Justes Dieux !
Mais on vient.   Évitez des témoins odieux ;
Venez, rentrez, fuyez une honte certaine.

---

1. See note, vv. 269 ff.

SCÈNE VI.

HIPPOLYTE, THÉRAMÈNE.

THÉRAMÈNE.

Est-ce Phèdre qui fuit, ou plutôt qu'on entraîne ?
Pourquoi, Seigneur, pourquoi ces marques de douleur ?   715
Je vous vois sans épée, interdit, sans couleur ?

HIPPOLYTE.

Théramène, fuyons.   Ma surprise est extrême.
Je ne puis sans horreur me regarder moi-même.
Phèdre . . . Mais non, grands Dieux ! qu'en un profond oubli
Cet horrible secret demeure enseveli.   720

THÉRAMÈNE.

Si vous voulez partir, la voile est préparée.
Mais Athènes, Seigneur, s'est déjà déclarée.
Ses chefs ont pris les voix de toutes ses tribus.
Votre frère l'emporte, et Phèdre a le dessus.

HIPPOLYTE.

Phèdre ?

THÉRAMÈNE.

          Un héraut chargé des volontés d'Athènes   725
De l'État en ses mains vient remettre les rênes.
Son fils est roi, Seigneur.

HIPPOLYTE.

                    Dieux, qui la connaissez,
Est-ce donc sa vertu que vous récompensez ?

THÉRAMÈNE.

Cependant un bruit sourd veut* que le roi respire.
On prétend que Thésée a paru dans l'Épire.   730
Mais moi qui l'y cherchai, Seigneur, je sais trop bien . . .

HIPPOLYTE.

N'importe, écoutons tout, et ne négligeons rien.
Examinons ce bruit, remontons à sa source.
S'il ne mérite pas d'interrompre ma course,
Partons ; et, quelque prix qu'il en puisse coûter,   735
Mettons le sceptre aux mains dignes de le porter.

ACTE III. SCÈNE PREMIÈRE.

PHÈDRE, ŒNONE.

PHÈDRE.

Ah ! que l'on porte ailleurs les honneurs qu'on m'envoie.
Importune, peux-tu souhaiter qu'on me voie ?
De quoi viens-tu flatter mon esprit désolé ?
Cache-moi bien plutôt : je n'ai que trop parlé.   740
Mes fureurs au dehors ont osé se répandre.
J'ai dit ce que jamais on ne devait entendre.
Ciel ! comme il m'écoutait ! Par combien de détours
L'insensible a longtemps éludé mes discours !
Comme il ne respirait* qu'une retraite prompte !   745
Et combien sa rougeur a redoublé ma honte !
Pourquoi détournais-tu mon funeste dessein ?
Hélas ! quand son épée allait chercher mon sein,
A-t-il pâli pour moi ? me l'a-t-il arrachée ?
Il suffit que ma main l'ait une fois touchée,   750
Je l'ai rendue horrible à ses yeux inhumains ;
Et ce fer malheureux profanerait ses mains.

ŒNONE.

Ainsi, dans vos malheurs ne songeant qu'à vous plaindre,
Vous nourrissez un feu qu'il vous faudrait éteindre.
Ne vaudrait-il pas mieux, digne sang* de Minos,   755
Dans de plus nobles soins chercher votre repos,
Contre un ingrat qui plaît recourir à la fuite,
Régner, et de l'État embrasser la conduite ?

PHÈDRE.

Moi régner ! Moi ranger un État sous ma loi,
Quand ma faible raison ne règne plus sur moi !   760
Lorsque j'ai de mes sens abandonné l'empire !
Quand sous un joug honteux à peine je respire !
Quand je me meurs !

ŒNONE.

Fuyez.

PHÈDRE.

              Je ne le puis quitter.

ŒNONE.

Vous l'osâtes bannir, vous n'osez l'éviter.

PHÈDRE.

Il n'est plus temps.   Il sait mes ardeurs insensées.   765
De l'austère pudeur les bornes sont passées.
J'ai déclaré ma honte aux yeux de mon vainqueur,
Et l'espoir, malgré moi, s'est glissé dans mon cœur.
Toi-même, rappelant ma force défaillante,
Et mon âme déjà sur mes lèvres errante,
Par tes conseils flatteurs tu m'as su ranimer.   770
Tu m'as fait entrevoir que je pouvais l'aimer.

perceive

ŒNONE.

Hélas ! de vos malheurs innocente ou coupable,
De quoi pour vous sauver n'étais-je point capable ?
Mais si jamais l'offense irrita vos esprits,*   775
Pouvez-vous d'un superbe oublier les mépris ?
Avec quels yeux cruels sa rigueur obstinée
Vous laissait à ses pieds peu s'en faut* prosternée !
Que son farouche orgueil le rendait odieux !
Que Phèdre en ce moment n'avait-elle mes yeux ?   780

PHÈDRE.

Œnone, il peut quitter cet orgueil qui te blesse.
Nourri dans les forêts, il en a la rudesse.
Hippolyte, endurci par de sauvages lois,
Entend parler d'amour pour la première fois.
Peut-être sa surprise a causé son silence ;   785
Et nos plaintes peut-être ont trop de violence.

ŒNONE.

Songez qu'une barbare en son sein l'a formé.

PHÈDRE.

Quoique Scythe et barbare,[1] elle a pourtant aimé.

ŒNONE.

Il a pour tout le sexe une haine fatale.

---

1. See v. 210 and note.

PHÈDRE.

Je ne me verrai point préférer de rivale. 790
Enfin tous tes conseils ne sont plus de saison.*
Sers ma fureur, Œnone, et non point ma raison.
Il oppose à l'amour un cœur inaccessible :
Cherchons pour l'attaquer quelque endroit plus sensible.*
Les charmes d'un empire ont paru le toucher ; 795
Athènes l'attirait, il n'a pu s'en cacher ;
Déjà de ses vaisseaux la pointe était tournée,
Et la voile flottait aux vents abandonnée.
Va trouver de ma part* ce jeune ambitieux,
Œnone ; fais briller la couronne à ses yeux. 800
Qu'il mette sur son front le sacré diadème ;
Je ne veux que l'honneur de l'attacher moi-même.
Cédons-lui ce pouvoir que je ne puis garder.
Il instruira mon fils dans l'art de commander ;
Peut-être il voudra bien lui tenir lieu de père. 805
Je mets sous son pouvoir et le fils et la mère.
Pour le fléchir enfin tente tous les moyens :
Tes discours trouveront plus d'accès que les miens.
Presse, pleure, gémis ; plains-lui Phèdre mourante ;
Ne rougis point de prendre une voix suppliante. 810
Je t'avouerai de tout ; je n'espère qu'en toi.
Va : j'attends ton retour pour disposer de moi.

SCÈNE II.

PHÈDRE.

Ô toi, qui vois la honte où je suis descendue,
Implacable Vénus, suis-je assez confondue ?
Tu ne saurais plus loin pousser ta cruauté. 815
Ton triomphe est parfait ; tous tes traits ont porté.
Cruelle, si tu veux une gloire nouvelle,
Attaque un ennemi qui te soit plus rebelle.
Hippolyte te fuit, et bravant ton courroux,
Jamais à tes autels n'a fléchi les genoux. 820
Ton nom semble offenser ses superbes oreilles.
Déesse, venge-toi : nos causes sont pareilles.
Qu'il aime . . . Mais déjà tu reviens sur tes pas,
Œnone ? On me déteste, on ne t'écoute pas.

SCÈNE III.

PHÈDRE, ŒNONE.

ŒNONE.

Il faut d'un vain amour étouffer la pensée, 825
Madame. Rappelez votre vertu* passée :
Le Roi, qu'on a cru mort, va paraître à vos yeux ;
Thésée est arrivé, Thésée est en ces lieux.
Le peuple, pour le voir, court et se précipite.
Je sortais par votre ordre, et cherchais Hippolyte, 830
Lorsque jusques au ciel mille cris élancés . . .

PHÈDRE.

Mon époux est vivant, Œnone, c'est assez.
J'ai fait l'indigne aveu d'un amour qui l'outrage ;
Il vit : je ne veux pas en savoir davantage.

ŒNONE.

Quoi ?

PHÈDRE.

Je te l'ai prédit ; mais tu n'as pas voulu. 835
Sur mes justes remords tes pleurs ont prévalu.
Je mourais ce matin digne d'être pleurée ;
J'ai suivi tes conseils, je meurs déshonorée.

ŒNONE.

Vous mourez ?

PHÈDRE.

Juste ciel ! qu'ai-je fait aujourd'hui ?
Mon époux va paraître, et son fils avec lui. 840
Je verrai le témoin de ma flamme adultère
Observer de quel front j'ose aborder son père,
Le cœur gros de soupirs, qu'il n'a point écoutés,
L'œil humide de pleurs, par l'ingrat rebutés.
Penses-tu que, sensible* à l'honneur de Thésée, 845
Il lui cache l'ardeur dont je suis embrasée ?
Laissera-t-il trahir et son père et son roi ?
Pourra-t-il contenir l'horreur qu'il a pour moi ?
Il se tairait en vain.   Je sais mes perfidies,
Œnone, et ne suis point de ces femmes hardies 850
Qui goûtant dans le crime une tranquille paix,
Ont su se faire un front qui ne rougit jamais.

Je connais mes fureurs, je les rappelle toutes.
Il me semble déjà que ces murs, que ces voûtes
Vont prendre la parole,* et prêts à m'accuser,   855
Attendent mon époux pour le désabuser.
Mourons.   De tant d'horreurs qu'un trépas me délivre.
Est-ce un malheur si grand que de cesser de vivre ?
La mort aux malheureux ne cause point d'effroi.
Je ne crains que le nom que je laisse après moi.   860
Pour mes tristes enfants [1] quel affreux héritage !
Le sang de Jupiter [2] doit enfler leur courage ;
Mais quelque juste orgueil qu'inspire un sang si beau,
Le crime d'une mère est un pesant fardeau, [3]
Je tremble qu'un discours, hélas ! trop véritable,   865
Un jour ne leur reproche une mère coupable.
Je tremble qu'opprimés de ce poids odieux
L'un ni l'autre jamais n'ose lever les yeux.

ŒNONE.

Il n'en faut point douter, je les plains l'un et l'autre ;
Jamais crainte ne fut plus juste que la vôtre.   870
Mais à de tels affronts pourquoi les exposer ?
Pourquoi contre vous-même allez-vous déposer ?
C'en est fait ; on dira que Phèdre, trop coupable,
De son époux trahi fuit l'aspect redoutable.
Hippolyte est heureux* qu'aux dépens de vos jours   875
Vous-même en expirant appuyiez ses discours.
À votre accusateur que pourrai-je répondre ?
Je serai devant lui trop facile à confondre.
De son triomphe affreux je le verrai jouir,
Et conter votre honte à qui voudra l'ouïr.   880
Ah ! que plutôt du ciel la flamme me dévore !
Mais ne me trompez point, vous est-il cher encore ?
De quel œil voyez-vous ce Prince audacieux ?

PHÈDRE.

Je le vois comme un monstre effroyable à mes yeux.

ŒNONE.

Pourquoi donc lui céder une victoire entière ?   885
Vous le craignez.   Osez l'accuser la première

1. Phædra had two sons, Acamas and Demophon.   2. According
to the legend, Minos, lord and judge of the under-world, was the son of
Jupiter and Europa.   3. See note, v. 82.

Œnone est Coupable !

Du crime dont il peut vous charger aujourd'hui.
Qui vous démentira ? Tout parle contre lui :
Son épée en vos mains heureusement* laissée,
Votre trouble présent, votre douleur passée,   890
Son père par vos cris dès longtemps prévenu,
Et déjà son exil par vous-même obtenu.

PHÈDRE.

Moi, que j'ose opprimer et noircir l'innocence ?

ŒNONE.

Mon zèle n'a besoin que de votre silence.
Tremblante comme vous, j'en sens quelque remords.   895
Vous me verriez plus prompte affronter mille morts.
Mais puisque je vous perds* sans ce triste remède,
Votre vie est pour moi d'un prix à qui tout cède.
Je parlerai. Thésée, aigri par mes avis,
Bornera sa vengeance à l'exil de son fils.   900
Un père en punissant, Madame, est toujours père :
Un supplice léger suffit à sa colère.
Mais le sang innocent dût-il être versé,
Que ne demande point votre honneur menacé ?
C'est un trésor trop cher pour oser le commettre.*   905
Quelque loi qu'il vous dicte, il faut vous y soumettre,
Madame ; et, pour sauver notre honneur combattu,
Il faut immoler tout, et même la vertu.
On vient ; je vois Thésée.

PHÈDRE.

        Ah ! je vois Hippolyte ;
Dans ses yeux insolents je vois ma perte écrite.   910
Fais ce que tu voudras, je m'abandonne à toi.
Dans le trouble où je suis, je ne puis rien pour moi.

SCÈNE IV.

THÉSÉE, HIPPOLYTE, PHÈDRE, ŒNONE, THÉRAMÈNE.

THÉSÉE.

La fortune à mes vœux cesse d'être opposée,
Madame ; et dans vos bras met . . .

PHÈDRE.

                    Arrêtez, Thésée,
Et ne profanez point des transports si charmants.   915
Je ne mérite plus ces doux empressements.
Vous êtes offensé.   La fortune jalouse
N'a pas en votre absence épargné votre épouse.
Indigne de vous plaire et de vous approcher,
Je ne dois désormais songer qu'à me cacher.   920

SCÈNE V.

THÉSÉE, HIPPOLYTE, THÉRAMÈNE.

THÉSÉE.

Quel est l'étrange accueil qu'on fait à votre père,
Mon fils?

HIPPOLYTE.

            Phèdre peut seule expliquer ce mystère.
Mais si mes vœux ardents vous peuvent émouvoir,
Permettez-moi, Seigneur, de ne la plus revoir;
Souffrez que pour jamais le tremblant Hippolyte   925
Disparaisse des lieux que votre épouse habite.

THÉSÉE.

Vous, mon fils, me quitter?

HIPPOLYTE.

                  Je ne la cherchais pas:
C'est vous qui sur ces bords conduisîtes ses pas.
Vous daignâtes, Seigneur, aux rives de Trézène
Confier en partant Aricie et la Reine.   930
Je fus même chargé du soin de les garder.
Mais quels soins désormais peuvent me retarder?
Assez dans les forêts mon oisive jeunesse
Sur de vils ennemis a montré son adresse.
Ne pourrai-je, en fuyant un indigne repos,   935
D'un sang plus glorieux teindre mes javelots?
Vous n'aviez pas encore atteint l'âge où je touche,
Déjà plus d'un tyran, plus d'un monstre farouche
Avait de votre bras senti la pesanteur;
Déjà, de l'insolence heureux persécuteur,   940

Vous aviez des deux mers assuré les rivages.
Le libre voyageur ne craignait plus d'outrages ;
Hercule, respirant* sur le bruit de vos coups,
Déjà de son travail se reposait sur vous.[1]
Et moi, fils inconnu d'un si glorieux père,   945
Je suis même encor loin des traces de ma mère.[2]
Souffrez que mon courage ose enfin s'occuper.
Souffrez, si quelque monstre a pu vous échapper,
Que j'apporte à vos pieds sa dépouille honorable,
Ou que d'un beau trépas la mémoire durable,   950
Éternisant des jours si noblement finis,
Prouve à tout l'univers que j'étais votre fils.

THÉSÉE.

Que vois-je ?   Quelle horreur dans ces lieux répandue
Fait fuir devant mes yeux ma famille éperdue ?
Si je reviens si craint et si peu désiré,   955
Ô ciel, de ma prison pourquoi m'as-tu tiré ?
Je n'avais qu'un ami.   Son imprudente flamme
Du tyran de l'Épire allait ravir la femme ;
Je servais à regret ses desseins amoureux ;
Mais le sort irrité nous aveuglait tous deux.   960
Le tyran m'a surpris sans défense et sans armes.
J'ai vu Pirithoüs, triste objet de mes larmes,
Livré par ce barbare à des monstres cruels
Qu'il nourrissait du sang des malheureux mortels.[3]
Moi-même, il m'enferma dans des cavernes sombres,   965
Lieux profonds, et voisins de l'empire des ombres.[4]
Les Dieux, après six mois, enfin m'ont regardé :
J'ai su tromper les yeux de qui j'étais gardé.
D'un perfide ennemi j'ai purgé la nature ;
À ses monstres lui-même a servi de pâture ;   970
Et lorsque avec transport je pense m'approcher
De tout ce que les Dieux m'ont laissé de plus cher ;
Que dis-je ? quand mon âme, à soi-même rendue,
Vient se rassasier d'une si chère vue,
Je n'ai pour tout accueil que des frémissements :   975
Tout fuit, tout se refuse à mes embrassements.

---

1. An elliptical expression : "Was already counting upon you to succeed him in his labors."   2. See v. 69.   3. See v. 384 and note. 4. It will be recalled that the Acheron was supposed to descend into Hades in Epirus where Pirithoüs met his death as described above.

feeling

Et moi-même, éprouvant la terreur que j'inspire,
Je voudrais être encor dans les prisons d'Épire.
Parlez. Phèdre se plaint que je suis outragé.
Qui m'a trahi? Pourquoi ne suis-je pas vengé?   980
La Grèce, à qui mon bras fut tant de fois utile,
A-t-elle au criminel accordé quelque asile?
Vous ne répondez point. Mon fils, mon propre fils
Est-il d'intelligence * avec mes ennemis?
Entrons. C'est trop garder un doute qui m'accable.   985
Connaissons à la fois le crime et le coupable.
Que Phèdre explique enfin le trouble où je la voi.

SCÈNE VI.

Hippolyte, Théramène.

HIPPOLYTE.

Où tendait ce discours qui m'a glacé d'effroi?
Phèdre, toujours en proie à sa fureur extrême,
Veut-elle s'accuser et se perdre elle-même?   990
Dieux! que dira le roi? Quel funeste poison
L'amour a répandu sur toute la maison!
Moi-même, plein d'un feu [1] que sa haine réprouve,
Quel il m'a vu jadis, et quel il me retrouve!
De noirs pressentiments viennent m'épouvanter.   995
Mais l'innocence enfin n'a rien à redouter.
Allons, cherchons ailleurs par quelle heureuse adresse
Je pourrai de mon père émouvoir la tendresse,
Et lui dire un amour qu'il peut vouloir troubler,
Mais que tout son pouvoir ne saurait ébranler.   1000

ACTE IV. SCÈNE PREMIÈRE.

Thésée, Œnone.

THÉSÉE.[2]

Ah! qu'est-ce que j'entends? Un traître, un téméraire
Préparait cet outrage à l'honneur de son père?

---

1. Refers to his love for Aricie which he believed would displease his father. See vv. 102 ff.   2. Critics have been disposed to find Theseus too credulous in believing the reports which come to him. It is to be recalled that his own past predisposes him to accept the more readily a calumny of this nature.

Avec quelle rigueur, destin, tu me poursuis !
Je ne sais où je vais, je ne sais où je suis.
Ô tendresse ! ô bonté trop mal récompensée !   1005
Projet audacieux ! détestable pensée !
Pour parvenir au but de ses noires* amours,
L'insolent de la force empruntait le secours.
J'ai reconnu le fer, instrument de sa rage,
Ce fer dont je l'armai pour un plus noble usage.   1010
Tous les liens du sang n'ont pu le retenir !
Et Phèdre différait à le faire punir ?
Le silence de Phèdre épargnait le coupable ?

ŒNONE.

Phèdre épargnait plutôt un père déplorable.
Honteuse du dessein d'un amant furieux   1015
Et du feu criminel qu'il a pris dans ses yeux,
Phèdre mourait, Seigneur, et sa [1] main meurtrière
Éteignait de ses yeux l'innocente lumière.
J'ai vu lever le bras, j'ai couru la sauver.
Moi seule à votre amour j'ai su la conserver ;   1020
Et plaignant à la fois son trouble et vos alarmes,
J'ai servi, malgré moi, d'interprète à ses larmes.

THÉSÉE.

Le perfide ! Il n'a pu s'empêcher de pâlir.
De crainte, en m'abordant, je l'ai vu tressaillir.
Je me suis étonné de son peu d'allégresse ;   1025
Ses froids embrassements ont glacé ma tendresse.
Mais ce coupable amour dont il est dévoré
Dans Athènes déjà s'était-il déclaré ?

ŒNONE.

Seigneur, souvenez-vous des plaintes de la Reine.
Un amour criminel causa toute sa haine.   1030

THÉSÉE.

Et ce feu dans Trézène a donc recommencé ?

ŒNONE.

Je vous ai dit, Seigneur, tout ce qui s'est passé.
C'est trop laisser la Reine à sa douleur mortelle ;
Souffrez que je vous quitte et me range auprès d'elle.

---

1. Note the ambiguity. *Sa* might be taken as either "his" or "her." She had seized his sword to kill herself at the end of their interview; cf. v. 710.

SCÈNE II.

Thésée, Hippolyte.

THÉSÉE.

Ah ! le voici.   Grands Dieux ! à ce noble maintien   1035
Quel œil ne serait pas trompé comme le mien ?
Faut-il [1] que sur le front d'un profane adultère
Brille de la vertu le sacré caractère ?
Et ne devrait-on pas à des signes certains
Reconnaître le cœur des perfides humains * ?   1040

HIPPOLYTE.

Puis-je vous demander quel funeste nuage,
Seigneur, a pu troubler votre auguste visage ?
N'osez-vous confier ce secret à ma foi ?

THÉSÉE.

Perfide, oses-tu bien te montrer devant moi ?
Monstre, qu'a trop longtemps épargné le tonnerre,   1045
Reste impur des brigands dont j'ai purgé la terre.
Après que le transport d'un amour plein d'horreur
Jusqu'au lit de ton père a porté sa fureur
Tu m'oses présenter une tête ennemie,
Tu parais dans des lieux pleins de ton infamie,   1050
Et ne vas pas chercher, sous un ciel inconnu,
Des pays où mon nom ne soit point parvenu.
Fuis, traître.   Ne viens point braver ici ma haine,
Et tenter un courroux que je retiens à peine.
C'est bien assez pour moi de l'opprobre éternel   1055
D'avoir pu mettre * au jour un fils si criminel,
Sans que ta mort encor, honteuse à ma mémoire,
De mes nobles travaux vienne souiller la gloire.
Fuis ; et si tu ne veux qu'un châtiment soudain
T'ajoute aux scélérats qu'a punis cette main,   1060
Prends garde que jamais l'astre qui nous éclaire
Ne te voie en ces lieux mettre un pied téméraire.
Fuis, dis-je ; et sans retour précipitant tes pas,
De ton horrible aspect purge tous mes États.

1. "Can it be?"

Et toi, Neptune, et toi, si jadis mon courage   1065
D'infâmes assassins [1] nettoya ton rivage,
Souviens-toi que, pour prix de mes efforts heureux,
Tu promis d'exaucer le premier de mes vœux.
Dans les longues rigueurs d'une prison cruelle
Je n'ai point imploré ta puissance immortelle.   1070
Avare du secours que j'attends de tes soins,
Mes vœux t'ont réservé pour de plus grands besoins :
Je t'implore aujourd'hui.   Venge un malheureux père.
J'abandonne ce traître à toute ta colère ;
Étouffe dans son sang ses désirs effrontés :   1075
Thésée à tes fureurs connaîtra tes bontés.

HIPPOLYTE.

D'un amour criminel Phèdre accuse Hippolyte !
Un tel excès d'horreur rend mon âme interdite ;
Tant de coups imprévus m'accablent à la fois,
Qu'ils m'ôtent la parole* et m'étouffent la voix.   1080

THÉSÉE.

Traître, tu prétendais* qu'en un lâche silence
Phèdre ensevelirait ta brutale insolence.
Il fallait, en fuyant, ne pas abandonner
Le fer qui dans ses mains aide à te condamner ;
Ou plutôt il fallait, comblant ta perfidie,   1085
Lui ravir tout d'un coup la parole et la vie.

HIPPOLYTE.

D'un mensonge si noir justement irrité,
Je devrais faire ici parler la vérité,
Seigneur ; mais je supprime un secret qui vous touche.
Approuvez le respect qui me ferme la bouche ;   1090
Et sans vouloir vous-même augmenter vos ennuis,
Examinez ma vie, et songez qui je suis.
Quelques crimes toujours précèdent les grands crimes.
Quiconque a pu franchir les bornes légitimes
Peut violer enfin les droits les plus sacrés ;   1095
Ainsi que la vertu, le crime a ses degrés ;
Et jamais on n'a vu la timide innocence
Passer subitement à l'extrême licence.

---

1. For the partial list see the account of Hippolytus, vv. 80 ff.   Neptune was in fact worshipped especially in this country ; one of his most celebrated temples was in Trœzen.

Un jour seul ne fait point d'un mortel vertueux
Un perfide assassin, un lâche incestueux.　　　　　　1100
Élevé dans le sein d'une chaste héroïne,
Je n'ai point de son sang démenti l'origine.
Pitthée,[1] estimé sage entre tous les humains,
Daigna m'instruire encore au sortir * de ses mains.
Je ne veux point me peindre avec trop d'avantage :　1105
Mais si quelque vertu m'est tombée en partage,
Seigneur, je crois surtout avoir fait éclater
La haine des forfaits qu'on ose m'imputer.
C'est par là qu'Hippolyte est connu dans la Grèce.
J'ai poussé la vertu jusques à la rudesse.　　　　　1110
On sait de mes chagrins * l'inflexible rigueur.
Le jour n'est pas plus pur que le fond de mon cœur.
Et l'on veut * qu'Hippolyte, épris d'un feu profane . . .

THÉSÉE.

Oui, c'est ce même orgueil, lâche ! qui te condamne.
Je vois de tes froideurs le principe odieux :　　　　1115
Phèdre seule charmait tes impudiques yeux ;
Et pour tout autre objet ton âme indifférente
Dédaignait de brûler d'une flamme innocente.

HIPPOLYTE.

Non, mon père, ce cœur, c'est trop vous le celer,
N'a point d'un chaste amour dédaigné de brûler.　　1120
Je confesse à vos pieds ma véritable offense :
J'aime ; j'aime, il est vrai, malgré votre défense.*
Aricie à ses lois tient mes vœux asservis ;
La fille de Pallante a vaincu votre fils.
Je l'adore, et mon âme, à vos ordres rebelle,　　　1125
Ne peut ni soupirer ni brûler que pour elle.

THÉSÉE.

Tu l'aimes ? ciel ! Mais non, l'artifice est grossier.
Tu te feins criminel pour te justifier.

HIPPOLYTE.

Seigneur, depuis six mois je l'évite, et je l'aime.
Je venais en tremblant vous le dire à vous-même.　1130
Hé quoi ? de votre erreur rien ne vous peut tirer ?
Par quel affreux serment faut-il vous rassurer ?
Que la terre, le ciel, que toute la nature . . .

1. See v. 478 and note.

THÉSÉE.

Toujours les scélérats ont recours au parjure.
Cesse, cesse, et m'épargne un importun discours,   1135
Si ta fausse vertu n'a point d'autre secours.

HIPPOLYTE.

Elle vous paraît fausse et pleine d'artifice.
Phèdre au fond de son cœur me rend plus de justice.

THÉSÉE.

Ah ! que ton impudence excite mon courroux !

HIPPOLYTE.

Quel temps à mon exil, quel lieu prescrivez-vous ?   1140

THÉSÉE.

Fusses-tu par delà les colonnes [1] d'Alcide,
Je me croirais encor trop voisin d'un perfide.

HIPPOLYTE.

Chargé du crime affreux dont vous me soupçonnez,
Quels amis me plaindront, quand vous m'abandonnez ?

THÉSÉE.

Va chercher des amis dont l'estime funeste   1145
Honore l'adultère, applaudisse à l'inceste,
Des traîtres, des ingrats, sans honneur et sans loi,
Dignes de protéger un méchant* tel que toi.

HIPPOLYTE.

Vous me parlez toujours d'inceste et d'adultère.
Je me tais.   Cependant Phèdre sort d'une mère,[2]   1150
Phèdre est d'un sang, Seigneur, vous le savez trop bien,
De toutes ces horreurs plus rempli que le mien.

THÉSÉE.

Quoi ? ta rage à mes yeux perd toute retenue ?
Pour la dernière fois, ôte-toi de ma vue :
Sors, traître.   N'attends pas qu'un père furieux   1155
Te fasse avec opprobre arracher de ces lieux.

---

1. "The Pillars of Hercules" was a name given to Calpe (modern Gibraltar) and Abyla, the two heights on either side of the straits of Gibraltar.   According to the tradition they formed one mountain until Hercules tore them apart to give an outlet to the Mediterranean.   They were on the western edge of the world known to Theseus.   2. See note, v. 82.

SCÈNE III.

THÉSÉE, *seul*.

Misérable, tu cours à ta perte infaillible.
Neptune, par le fleuve [1] aux Dieux mêmes terrible,
M'a donné sa parole, et va l'exécuter.
Un dieu vengeur te suit, tu ne peux l'éviter.   1160
Je t'aimais ; et je sens que malgré ton offense
Mes entrailles pour toi se troublent par avance.
Mais à te condamner tu m'as trop engagé.
Jamais père en effet fut-il plus outragé ?
Justes Dieux, qui voyez la douleur qui m'accable,   1165
Ai-je pu mettre* au jour un enfant si coupable ?

SCÈNE IV.

PHÈDRE, THÉSÉE.

PHÈDRE.

Seigneur, je viens à vous, pleine d'un juste effroi.
Votre voix redoutable a passé jusqu'à moi.
Je crains qu'un prompt effet* n'ait suivi la menace.
S'il en est temps encore, épargnez votre race,   1170
Respectez votre sang, j'ose vous en prier.
Sauvez-moi de l'horreur de l'entendre crier ;
Ne me préparez point la douleur éternelle
De l'avoir fait répandre à la main paternelle.

THÉSÉE.

Non, Madame, en mon sang ma main n'a point trempé ; 1175
Mais l'ingrat toutefois ne m'est point échappé.
Une immortelle main de sa perte est chargée.
Neptune me la doit, et vous serez vengée.

PHÈDRE.

Neptune vous la doit ! Quoi ? vos vœux irrités . . .

---

1. The Styx, river of Hades. The gods were believed to regard the
Styx with so much reverence that to swear by it constituted the most
binding of oaths, even for them.

THÉSÉE.

Quoi? craignez-vous déjà qu'ils ne soient écoutés? 1180
Joignez-vous bien plutôt à mes vœux légitimes.
Dans toute leur noirceur retracez-moi ses crimes ;
Échauffez mes transports trop lents, trop retenus.
Tous ses crimes encor ne vous sont pas connus :
Sa fureur contre vous se répand en injures : 1185
Votre bouche, dit-il, est pleine d'impostures ;
Il soutient qu'Aricie a son cœur, a sa foi,
Qu'il l'aime.

PHÈDRE.

Quoi, Seigneur?

THÉSÉE.

Il l'a dit devant moi.
Mais je sais rejeter un frivole artifice.
Espérons de Neptune une prompte justice. 1190
Je vais moi-même encore au pied de ses autels
Le presser d'accomplir ses serments immortels.

SCÈNE V.

PHÈDRE, *seule.*

Il sort. Quelle nouvelle a frappé mon oreille?
Quel feu mal étouffé dans mon cœur se réveille?
Quel coup de foudre, ô ciel ! et quel funeste avis ! 1195
Je volais toute entière [1] au secours de son fils ;
Et m'arrachant des bras d'Œnone épouvantée,
Je cédais aux remords dont j'étais tourmentée.
Qui sait même où m'allait porter ce repentir?
Peut-être à m'accuser j'aurais pu consentir ; 1200
Peut-être, si la voix ne m'eût été coupée,
L'affreuse vérité me serait échappée.
Hippolyte est sensible,* et ne sent rien pour moi !
Aricie a son cœur ! Aricie a sa foi !
Ah, Dieux ! Lorsqu'à mes vœux l'ingrat inexorable 1205
S'armait d'un œil si fier, d'un front si redoutable,
Je pensais qu'à l'amour son cœur toujours fermé
Fût contre tout mon sexe également armé.

1. "with no other thought than to save his son."

Une autre cependant a fléchi son audace ;
Devant ses yeux cruels une autre a trouvé grâce.   1210
Peut-être a-t-il un cœur facile à s'attendrir.
Je suis le seul objet qu'il ne saurait souffrir ;
Et je me chargerais du soin de le défendre ?

SCÈNE VI.

PHÈDRE, ŒNONE.

PHÈDRE.

Chère Œnone, sais-tu ce que je viens d'apprendre ?

ŒNONE.

Non ; mais je viens tremblante, à ne vous point mentir.   1215
J'ai pâli du dessein qui vous a fait sortir :
J'ai craint une fureur à vous-même fatale.

PHÈDRE.

Œnone, qui l'eût cru ? j'avais une rivale.

ŒNONE.

Comment ?

PHÈDRE.

      Hippolyte aime, et je n'en puis douter.
Ce farouche ennemi qu'on ne pouvait dompter,   1220
Qu'offensait le respect, qu'importunait la plainte,
Ce tigre, que jamais je n'abordai sans crainte,
Soumis, apprivoisé, reconnaît un vainqueur :
Aricie a trouvé le chemin de son cœur.

ŒNONE.

Aricie ?

PHÈDRE.

      Ah ! douleur non encore éprouvée !   1225
À quel nouveau tourment je me suis réservée !
Tout ce que j'ai souffert, mes craintes, mes transports,
La fureur de mes feux, l'horreur de mes remords,
Et d'un refus cruel l'insupportable injure
N'était qu'un faible essai des tourments que j'endure.   1230
Ils s'aiment ! Par quel charme* ont-ils trompé mes yeux ?
Comment se sont-ils vus ? Depuis quand ? Dans quels lieux ?

Tu le savais.   Pourquoi me laissais-tu séduire?
De leur furtive ardeur ne pouvais-tu m'instruire?
Les a-t-on vus souvent se parler, se chercher?   1235
Dans le fond des forêts allaient-ils se cacher?
Hélas! ils se voyaient avec pleine licence.*
Le ciel de leurs soupirs approuvait l'innocence :
Ils suivaient sans remords leur penchant amoureux,
Tous les jours se levaient clairs et sereins pour eux.   1240
Et moi, triste rebut de la nature entière,
Je me cachais au jour, je fuyais la lumière ;
La mort est le seul Dieu que j'osais implorer.
J'attendais le moment où j'allais expirer ;
Me nourrissant de fiel, de larmes abreuvée,   1245
Encor dans mon malheur de trop près observée,
Je n'osais dans mes pleurs me noyer à loisir ;
Je goûtais en tremblant ce funeste plaisir ;
Et sous un front serein déguisant mes alarmes,
Il fallait bien souvent me priver de mes larmes.   1250

ŒNONE.

Quel fruit recevront-ils de leurs vaines amours?
Ils ne se verront plus.

PHÈDRE.

                    Ils s'aimeront toujours.
Au moment que je parle, ah! mortelle pensée!
Ils bravent la fureur d'une amante insensée.
Malgré ce même [1] exil qui va les écarter,   1255
Ils font mille serments de ne se point quitter.
Non, je ne puis souffrir un bonheur qui m'outrage,
Œnone.   Prends pitié de ma jalouse rage,
Il faut perdre Aricie.   Il faut de mon époux
Contre un sang* odieux réveiller le courroux.   1260
Qu'il ne se borne pas à des peines légères :
Le crime de la sœur passe* celui des frères.
Dans mes jaloux transports je le veux implorer.
    Que fais-je?   Où ma raison se va-t-elle égarer?
Moi jalouse! et Thésée est celui que j'implore!   1265
Mon époux est vivant, et moi je brûle encore!
Pour qui?   Quel est le cœur où [2] prétendent* mes vœux?
Chaque mot sur mon front fait dresser mes cheveux.

1. As in modern French when following the noun: "in this very
exile"; "in this exile even."   2. *auquel*.

Mes crimes désormais ont comblé la mesure.
Je respire à la fois l'inceste et l'imposture.   1270
Mes homicides mains, promptes à me venger,
Dans le sang innocent brûlent de se plonger.
Misérable ! et je vis ? et je soutiens la vue
De ce sacré soleil dont je suis descendue ?
J'ai pour aïeul le père et le maître des Dieux : [1]   1275
Le ciel, tout l'univers est plein de mes aïeux.
Où me cacher ? Fuyons dans la nuit infernale.
Mais que dis-je ? mon père [2] y tient l'urne fatale ;
Le sort, dit-on, l'a mise en ses sévères mains :
Minos juge aux enfers tous les pâles humains.   1280
Ah ! combien frémira son ombre épouvantée,
Lorsqu'il verra sa fille à ses yeux présentée,
Contrainte d'avouer tant de forfaits divers,
Et des crimes peut-être inconnus aux enfers !
Que diras-tu, mon père, à ce spectacle horrible ?   1285
Je crois voir de ta main tomber l'urne terrible ;
Je crois te voir, cherchant un supplice nouveau,
Toi-même de ton sang devenir le bourreau.
Pardonne. Un Dieu cruel a perdu ta famille ; [3]
Reconnais sa vengeance aux fureurs de ta fille.   1290
Hélas ! du crime affreux dont la honte me suit
Jamais mon triste cœur n'a recueilli le fruit.
Jusqu'au dernier soupir de malheurs poursuivie,
Je rends * dans les tourments une pénible vie.

ŒNONE.

Hé ! repoussez, Madame, une injuste terreur.   1295
Regardez d'un autre œil une excusable erreur.
Vous aimez. On ne peut vaincre sa destinée.
Par un charme * fatal vous fûtes entraînée.
Est-ce donc un prodige inouï parmi nous ?
L'amour n'a-t-il encor triomphé que de vous ?   1300
La faiblesse aux humains n'est que trop naturelle.
Mortelle, subissez le sort d'une mortelle.

---

1. Minos, her father, was the son of Jupiter and Europa.   2. Minos was one of the three judges who passed sentence on the shades of the dead as they entered Hades. The other two were Æacus and Rhadamanthus. Minos as the presiding judge collected in the "fatal urn" the votes upon which the eternal weal or woe of the shade depended. 3. See note, v. 269.

Vous vous plaignez d'un joug imposé dès longtemps :
Les Dieux même, les Dieux, de l'Olympe habitants,
Qui d'un bruit si terrible épouvantent les crimes, 1305
Ont brûlé quelquefois de feux illégitimes.

PHÈDRE.

Qu'entends-je ? Quels conseils ose-t-on me donner ?
Ainsi donc jusqu'au bout tu veux m'empoisonner,
Malheureuse ? Voilà comme tu m'as perdue.
Au jour * que je fuyais c'est toi qui m'as rendue. 1310
Tes prières m'ont fait oublier mon devoir.
J'évitais Hippolyte, et tu me l'as fait voir.
De quoi te chargeais-tu ? Pourquoi ta bouche impie
A-t-elle, en l'accusant, osé noircir sa vie ?
Il en mourra peut-être, et d'un père insensé 1315
Le sacrilège vœu peut-être est exaucé.
Je ne t'écoute plus. Va-t'en, monstre exécrable :
Va, laisse-moi le soin de mon sort déplorable :
Puisse le juste ciel dignement te payer !
Et puisse ton supplice à jamais effrayer 1320
Tous ceux qui comme toi, par de lâches adresses,
Des Princes malheureux nourrissent les faiblesses,
Les poussent au penchant où leur cœur est enclin,
Et leur osent du crime aplanir le chemin,
Détestables flatteurs, présent le plus funeste 1325
Que puisse faire aux rois la colère céleste !

ŒNONE, *seule.*

Ah, Dieux ! pour la servir j'ai tout fait, tout quitté :
Et j'en reçois ce prix ? Je l'ai bien mérité.

ACTE V. SCÈNE PREMIÈRE.

HIPPOLYTE, ARICIE.

ARICIE.

Quoi ? vous pouvez vous taire en ce péril extrême ?
Vous laissez dans l'erreur un père qui vous aime ? 1330
Cruel, si de mes pleurs méprisant le pouvoir,
Vous consentez sans peine à ne me plus revoir,
Partez, séparez-vous de la triste Aricie ;
Mais du moins en partant assurez votre vie.

Défendez votre honneur d'un reproche honteux,   1335
Et forcez votre père à révoquer ses vœux.
Il en est temps encor.   Pourquoi, par quel caprice,
Laissez-vous le champ libre à votre accusatrice?
Éclaircissez Thésée.

HIPPOLYTE.

             Hé ! que n'ai-je point dit?
Ai-je dû mettre* au jour l'opprobre de son lit?   1340
Devais-je, en lui faisant un récit trop sincère,
D'une indigne rougeur couvrir le front d'un père?
Vous seule avez percé ce mystère odieux.
Mon cœur pour s'épancher n'a que vous et les Dieux.
Je n'ai pu vous cacher, jugez si je vous aime,   1345
Tout ce que je voulais me cacher à moi-même.
Mais songez sous quel sceau je vous l'ai révélé.
Oubliez, s'il se peut, que je vous ai parlé,
Madame ; et que jamais une bouche si pure
Ne s'ouvre pour conter cette horrible aventure.   1350
Sur l'équité des Dieux osons nous confier :
Ils ont trop d'intérêt à me justifier ;
Et Phèdre, tôt ou tard de son crime punie,
N'en saurait éviter la juste ignominie.
C'est l'unique respect que j'exige de vous.   1355
Je permets tout le reste à mon libre courroux.
Sortez de l'esclavage où vous êtes réduite ;
Osez me suivre, osez accompagner ma fuite ;
Arrachez-vous d'un lieu funeste et profané,
Où la vertu respire un air empoisonné ;   1360
Profitez, pour cacher votre prompte retraite,
De la confusion que ma disgrâce y jette.
Je vous puis de la fuite assurer les moyens.
Vous n'avez jusqu'ici de gardes que les miens ;
De puissants défenseurs prendront notre querelle ;   1365
Argos nous tend les bras, et Sparte nous appelle :
À nos amis communs portons nos justes cris ;
Ne souffrons pas que Phèdre, assemblant nos débris,
Du trône paternel nous chasse l'un et l'autre,
Et promette à son fils ma dépouille et la vôtre.[1]   1370

    1. That is, Trœzen which belonged to Hippolytus and Athens upon
which both had a claim.

L'occasion est belle, il la faut embrasser.
Quelle peur vous retient? Vous semblez balancer?
Votre seul intérêt m'inspire cette audace.
Quand je suis tout de feu, d'où vous vient cette glace?
Sur les pas d'un banni craignez-vous de marcher?   1375

ARICIE.

Hélas ! qu'un tel exil, Seigneur, me serait cher !
Dans quels ravissements, à votre sort liée,
Du reste des mortels je vivrais oubliée !
Mais n'étant point unis par un lien si doux,
Me puis-je avec honneur dérober avec vous?   1380
Je sais que sans blesser l'honneur le plus sévère,
Je me puis affranchir des mains de votre père :
Ce n'est point m'arracher du sein de mes parents ;
Et la fuite est permise à qui fuit ses tyrans.
Mais vous m'aimez, Seigneur ; et ma gloire* alarmée . . . 1385

HIPPOLYTE.

Non, non, j'ai trop de soin de votre renommée.
Un plus noble dessein m'amène devant vous :
Fuyez mes ennemis, et suivez votre époux.
Libres dans nos malheurs, puisque le ciel l'ordonne,
Le don de notre foi ne dépend de personne.   1390
L'hymen n'est point toujours entouré de flambeaux.
    Aux portes de Trézène, et parmi ces tombeaux,
Des princes de ma race antiques sépultures,
Est un temple sacré formidable aux parjures.
C'est là que les mortels n'osent jurer en vain :   1395
Le perfide y reçoit un châtiment soudain ;
Et craignant d'y trouver la mort inévitable,
Le mensonge n'a point de frein plus redoutable.
Là, si vous m'en croyez, d'un amour éternel
Nous irons confirmer le serment solennel ;   1400
Nous prendrons à témoin le dieu qu'on y révère ;
Nous le prierons tous deux de nous servir de père.
Des Dieux les plus sacrés j'attesterai le nom.
Et la chaste Diane, et l'auguste Junon,[1]
Et tous les Dieux enfin, témoins de mes tendresses,   1405
Garantiront la foi de mes saintes promesses.

1. Diana, goddess of the chase, was the paragon of chastity among
the gods ; Juno (Greek Hera), queen of the gods, was the patron of
matrimonial unions.

ARICIE.

Le Roi vient. Fuyez, Prince, et partez promptement.
Pour cacher mon départ, je demeure un moment.
Allez ; et laissez-moi quelque fidèle guide,
Qui conduise vers vous ma démarche timide.   1410

SCÈNE II.

THÉSÉE, ARICIE, ISMÈNE.

THÉSÉE.

Dieux, éclairez mon trouble, et daignez à mes yeux
Montrer la vérité, que je cherche en ces lieux.

ARICIE.

Songe à tout, chère Ismène, et sois prête à la fuite.

SCÈNE III.

THÉSÉE, ARICIE.

THÉSÉE.

Vous changez de couleur, et semblez interdite,
Madame ! Que faisait Hippolyte en ce lieu ?   1415

ARICIE.

Seigneur, il me disait un éternel adieu.

THÉSÉE.

Vos yeux ont su dompter ce rebelle courage ;
Et ses premiers soupirs sont votre heureux* ouvrage.

ARICIE.

Seigneur, je ne vous puis nier la vérité :
De votre injuste haine il n'a pas hérité ;   1420
Il ne me traitait point comme une criminelle.

THÉSÉE.

J'entends : il vous jurait une amour éternelle.
Ne vous assurez point sur ce cœur inconstant ;
Car à d'autres que vous il en jurait autant.

ARICIE.

Lui, Seigneur?

THÉSÉE.

Vous deviez le rendre moins volage :   1425
Comment souffriez-vous cet horrible partage?

ARICIE.

Et comment souffrez-vous que d'horribles discours
D'une si belle vie osent noircir le cours?
Avez-vous de son cœur si peu de connaissance?
Discernez-vous si mal le crime et l'innocence?   1430
Faut-il [1] qu'à vos yeux seuls un nuage odieux
Dérobe sa vertu qui brille à tous les yeux?
Ah! c'est trop le livrer à des langues perfides.
Cessez : repentez-vous de vos vœux homicides ;
Craignez, Seigneur, craignez que le ciel rigoureux   1435
Ne vous haïsse assez pour exaucer vos vœux.
Souvent dans sa colère il reçoit nos victimes ;
Ses présents sont souvent la peine de nos crimes.

THÉSÉE.

Non, vous voulez en vain couvrir son attentat :
Votre amour vous aveugle en faveur de l'ingrat.   1440
Mais j'en crois des témoins certains, irréprochables :
J'ai vu, j'ai vu couler des larmes véritables.

ARICIE.

Prenez garde, Seigneur.   Vos invincibles mains
Ont de monstres sans nombre affranchi les humains ;
Mais tout n'est pas détruit, et vous en laissez vivre   1445
Un . . . Votre fils, Seigneur, me défend de poursuivre.
Instruite du respect qu'il veut vous conserver,
Je l'affligerais trop si j'osais achever.
J'imite sa pudeur, et fuis votre présence
Pour n'être pas forcée à rompre le silence.   1450

SCÈNE IV.

THÉSÉE, seul.

Quelle est donc sa pensée? et que cache un discours
Commencé tant de fois, interrompu toujours?

1. "Can it be?"

Veulent-ils m'éblouir par une feinte vaine ?
Sont-ils d'accord tous deux pour me mettre à la gêne* ?
Mais moi-même, malgré ma sévère rigueur,　　　　　　　　1455
Quelle plaintive voix crie au fond de mon cœur ?
Une pitié secrète et m'afflige et m'étonne.
Une seconde fois interrogeons Œnone.
Je veux de tout le crime être mieux éclairci.
Gardes, qu'Œnone sorte, et vienne seule ici.　　　　　　　1460

SCÈNE V.

Thésée, Panope.

PANOPE.

J'ignore le projet que la Reine médite,
Seigneur, mais je crains tout du transport qui l'agite.
Un mortel désespoir sur son visage est peint ;
La pâleur de la mort est déjà sur son teint.*
Déjà, de sa présence avec honte chassée,　　　　　　　　1465
Dans la profonde mer Œnone s'est lancée.
On ne sait point d'où part ce dessein furieux ;
Et les flots pour jamais l'ont ravie à nos yeux.

THÉSÉE.

Qu'entends-je ?

PANOPE.

　　　　　　　Son trépas n'a point calmé la Reine :
Le trouble semble croître en son âme incertaine.　　　　　1470
Quelquefois, pour flatter ses secrètes douleurs,
Elle prend ses enfants et les baigne de pleurs ;
Et soudain, renonçant à l'amour maternelle,
Sa main avec horreur les repousse loin d'elle.
Elle porte au hasard ses pas irrésolus ;　　　　　　　　1475
Son œil tout égaré ne nous reconnaît plus.
Elle a trois fois écrit ; et changeant de pensée,
Trois fois elle a rompu sa lettre commencée.
Daignez la voir, Seigneur ; daignez la secourir.

THÉSÉE.

Ô ciel ! Œnone est morte, et Phèdre veut mourir ?　　　　1480
Qu'on rappelle mon fils, qu'il vienne se défendre !
Qu'il vienne me parler, je suis prêt de l'entendre.

Ne précipite point tes funestes bienfaits,
Neptune ; j'aime mieux n'être exaucé jamais.
J'ai peut-être trop cru des témoins peu fidèles,   1485
Et j'ai trop tôt vers toi levé mes mains cruelles.
Ah ! de quel désespoir mes vœux seraient suivis !

SCÈNE VI.

Thésée, Théramène.

THÉSÉE.

Théramène, est-ce toi ?   Qu'as-tu fait de mon fils ?
Je te l'ai confié dès l'âge le plus tendre.
Mais d'où naissent les pleurs que je te vois répandre ?   1490
Que fait mon fils ?

THÉRAMÈNE.

      Ô soins tardifs et superflus !
Inutile tendresse !   Hippolyte n'est plus.

THÉSÉE.

Dieux !

THÉRAMÈNE.

    J'ai vu des mortels périr le plus aimable,
Et j'ose dire encor, Seigneur, le moins coupable.

THÉSÉE.

Mon fils n'est plus ? Hé quoi ? quand je lui tends les bras,   1495
Les Dieux impatients ont hâté son trépas ?
Quel coup me l'a ravi ? quelle foudre soudaine ?

THÉRAMÈNE.

À peine nous sortions des portes de Trézène,
Il était sur son char ; ses gardes affligés
Imitaient son silence, autour de lui rangés ;   1500
Il suivait tout pensif le chemin de Mycènes ;
Sa main sur ses chevaux laissait flotter les rênes.
Ses superbes coursiers, qu'on voyait autrefois
Pleins d'une ardeur si noble obéir à sa voix,
L'œil morne maintenant et la tête baissée,   1505
Semblaient se conformer à sa triste pensée.
Un effroyable cri, sorti du fond des flots,
Des airs en ce moment a troublé le repos ;

Et du sein de la terre une voix formidable
Répond en gémissant à ce cri redoutable.   1510
Jusqu'au fond de nos cœurs notre sang s'est glacé ;
Des coursiers attentifs le crin s'est hérissé.
Cependant sur le dos de la plaine liquide
S'élève à gros bouillons une montagne humide ;
L'onde approche, se brise, et vomit à nos yeux,   1515
Parmi des flots d'écume, un monstre furieux.
Son front large est armé de cornes menaçantes ;
Tout son corps est couvert d'écailles jaunissantes ;
Indomptable taureau, dragon impétueux,
Sa croupe se recourbe en replis tortueux.   1520
Ses longs mugissements font trembler le rivage.
Le ciel avec horreur voit ce monstre sauvage ;
La terre s'en émeut, l'air en est infecté ;
Le flot, qui l'apporta, recule épouvanté.
Tout fuit ; et sans s'armer d'un courage inutile,   1525
Dans le temple voisin chacun cherche un asile.
Hippolyte lui seul, digne fils d'un héros,
Arrête ses coursiers, saisit ses javelots,
Pousse au monstre, et d'un dard lancé d'une main sûre,
Il lui fait dans le flanc une large blessure.   1530
De rage et de douleur le monstre bondissant
Vient aux pieds des chevaux tomber en mugissant,
Se roule, et leur présente une gueule enflammée,
Qui les couvre de feu, de sang et de fumée.
La frayeur les emporte ; et sourds à cette fois,*   1535
Ils ne connaissent plus ni le frein ni la voix.
En efforts impuissants leur maître se consume,
Ils rougissent le mors d'une sanglante écume.
On dit qu'on a vu même, en ce désordre affreux,
Un Dieu qui d'aiguillons pressait leur flanc poudreux.   1540
À travers des rochers la peur les précipite ;
L'essieu crie* et se rompt.   L'intrépide Hippolyte
Voit voler en éclats tout son char fracassé ;
Dans les rênes lui-même il tombe embarrassé.
Excusez ma douleur.   Cette image cruelle   1545
Sera pour moi de pleurs une source éternelle.
J'ai vu, Seigneur, j'ai vu votre malheureux fils
Traîné par les chevaux que sa main a nourris.
Il veut* les rappeler, et sa voix les effraie ;
Ils courent.   Tout son corps n'est bientôt qu'une plaie.   1550

De nos cris douloureux la plaine retentit.
Leur fougue impétueuse enfin se ralentit :
Ils s'arrêtent, non loin de ces tombeaux antiques
Où des Rois ses aïeux sont les froides reliques.
J'y cours en soupirant, et sa garde me suit.   1555
De son généreux sang la trace nous conduit :
Les rochers en sont teints ; les ronces dégouttantes
Portent de ses cheveux les dépouilles sanglantes.
J'arrive, je l'appelle ; et me tendant la main,
Il ouvre un œil mourant, qu'il referme soudain.   1560
"Le ciel, dit-il, m'arrache une innocente vie.
Prends soin après ma mort de la triste Aricie.
Cher ami, si mon père un jour désabusé
Plaint le malheur d'un fils faussement accusé,
Pour apaiser mon sang et mon ombre plaintive,   1565
Dis-lui qu'avec douceur il traite sa captive ;
Qu'il lui rende . . ." À ce mot ce héros expiré
N'a laissé dans mes bras qu'un corps défiguré,
Triste objet, où des Dieux triomphe la colère,
Et que méconnaîtrait l'œil même de son père.   1570

THÉSÉE.

Ô mon fils ! cher espoir que je me suis ravi !
Inexorables Dieux, qui m'avez trop servi !
À quels mortels regrets ma vie est réservée !

THÉRAMÈNE.

La timide Aricie est alors arrivée.
Elle venait, Seigneur, fuyant votre courroux,   1575
À la face* des Dieux l'accepter pour époux.
Elle approche : elle voit l'herbe rouge et fumante ;
Elle voit (quel objet pour les yeux d'une amante) !
Hippolyte étendu, sans forme et sans couleur.
Elle veut quelque temps douter de son malheur ;   1580
Et ne connaissant* plus ce héros qu'elle adore,
Elle voit Hippolyte et le demande encore.
Mais trop sûre à la fin qu'il est devant ses yeux,
Par un triste regard elle accuse les Dieux ;
Et froide, gémissante, et presque inanimée,   1585
Aux pieds de son amant elle tombe pâmée.
Ismène est auprès d'elle ; Ismène, toute en pleurs,
La rappelle à la vie, ou plutôt aux douleurs.

Et moi, je suis venu, détestant la lumière,
Vous dire d'un héros la volonté dernière,　　　　　　　　1590
Et m'acquitter, Seigneur, du malheureux emploi
Dont son cœur expirant s'est reposé sur moi.
Mais j'aperçois venir sa mortelle ennemie.

SCÈNE VII.

Thésée, Phèdre, Théramène, Panope, gardes.

thésée.

Hé bien ! vous triomphez, et mon fils est sans vie.
Ah ! que j'ai lieu de craindre ! et qu'un cruel soupçon,　　1595
L'excusant dans mon cœur, m'alarme avec raison !
Mais, Madame, il est mort, prenez votre victime :
Jouissez de sa perte, injuste ou légitime.
Je consens que mes yeux soient toujours abusés.
Je le crois criminel, puisque vous l'accusez.　　　　　　1600
Son trépas à mes pleurs offre assez de matières,
Sans que j'aille chercher d'odieuses lumières,*
Qui ne pouvant le rendre à ma juste douleur,
Peut-être ne feraient qu'accroître mon malheur.
Laissez-moi, loin de vous et loin de ce rivage,　　　　　1605
De mon fils déchiré fuir la sanglante image.
Confus, persécuté d'un mortel souvenir,
De l'univers entier je voudrais me bannir.
Tout semble s'élever contre mon injustice.
L'éclat de mon nom même augmente mon supplice　　　1610
Moins connu des mortels, je me cacherais mieux.
Je hais jusques au soin dont m'honorent les Dieux ;
Et je m'en vais pleurer leurs faveurs meurtrières,
Sans plus les fatiguer d'inutiles prières.
Quoi qu'ils fissent pour moi, leur funeste bonté　　　　1615
Ne me saurait payer de ce qu'ils m'ont ôté.

phèdre.

Non, Thésée, il faut rompre un injuste silence :
Il faut à votre fils rendre son innocence.
Il n'était point coupable.

thésée.

　　　　　　　　Ah ! père infortuné !
Et c'est sur votre foi que je l'ai condamné !　　　　　　1620
Cruelle, pensez-vous être assez excusée . . .

PHÈDRE.

Les moments me sont chers, écoutez-moi, Thésée.
C'est moi qui sur ce fils chaste et respectueux,
Osai jeter un œil profane, incestueux.
Le ciel mit dans mon sein une flamme funeste ;   1625
La détestable Œnone a conduit tout le reste.
Elle a craint qu'Hippolyte, instruit de ma fureur,
Ne découvrît un feu qui lui faisait horreur.
La perfide, abusant de ma faiblesse extrême,
S'est hâtée à vos yeux de l'accuser lui-même.   1630
Elle s'en est punie, et fuyant mon courroux,
A cherché dans les flots un supplice trop doux.
Le fer aurait déjà tranché ma destinée ;
Mais je laissais gémir la vertu soupçonnée.
J'ai voulu, devant vous exposant mes remords,   1635
Par un chemin plus lent descendre chez les morts.
J'ai pris, j'ai fait couler dans mes brûlantes veines
Un poison que Médée apporta dans Athènes.
Déjà jusqu'à mon cœur le venin parvenu
Dans ce cœur expirant jette un froid inconnu ;   1640
Déjà je ne vois plus qu'à travers un nuage
Et le ciel et l'époux que ma présence outrage ;
Et la mort, à mes yeux dérobant la clarté,
Rend au jour, qu'ils souillaient, toute sa pureté.

PANOPE.

Elle expire, Seigneur !

THÉSÉE.

                    D'une action si noire   1645
Que ne peut avec elle expirer la mémoire !
Allons, de mon erreur, hélas ! trop éclaircis,
Mêler nos pleurs au sang de mon malheureux fils.
Allons de ce cher fils embrasser ce qui reste,
Expier la fureur d'un vœu que je déteste.   1650
Rendons-lui les honneurs qu'il a trop mérités ;
Et pour mieux apaiser ses mânes irrités,
Que, malgré les complots d'une injuste famille,
Son amante aujourd'hui me tienne lieu de fille.

VOCABULARY

It has been assumed that the users of this vocabulary will have had the equivalent of approximately two years of college French. An attempt has been made to furnish such students convenient means for an accurate reading of the texts with all possible economy of space.

Some very familiar words, contained in the first thousand items of the *Frequency List* compiled by the American and Canadian Committee on Foreign Language Study, have been omitted. Words of high frequency, however, have been included whenever their context gives them a shade of meaning with which students with the presupposed training might not be familiar. We have omitted also words whose equivalents in English are identical or so nearly like the French that the student can hardly fail to recognize them. It has been assumed too that the student will be familiar with the most common pronouns and negatives. Adverbs in *-ment,* which follow directly on the adjectives from which they are formed, are often omitted, when this *-ment* can be replaced by the English adverbial ending *-ly* added to the adjective which has just been given. The English equivalent of reflexive verbs is given only when the meaning of the verb is changed by the reflexive construction; *e.g., douter* " doubt "; *se douter* " suspect." When the verb is rendered merely reflexive or the equivalent of the English passive voice by the reflexive pronoun the English equivalent will not be given. In the interests of economy of space it has been assumed finally that the users of this selection of texts will be able to recognize easily the functions of words which do double duty as parts of speech; *e.g., flatteur,* as a noun " flatterer " and as an adjective " flattering." Except in some more complicated cases, or when no economy of space is to be gained, words of this type are grouped under one item. A semi-colon marks the division of the English equivalents of the word according to these different grammatical functions: **flatteur** *pleasing, beguiling, deceitful; flatterer;* — **ambigu** *m. mixture; ambiguous;* — **afin de** *in order to* (preposition); — **que** *in order that* (conjunction). We believe that our procedure throughout will be obvious and that the gain in compactness and convenience will be sufficient to justify these violations of a strict lexicographical technique.

Words which should be looked up in the vocabulary because of their special seventeenth-century usage, or because of the special meaning which they take on, because of their context, are frequently starred in the texts. In some cases, where this idiomatic usage is especially marked, the English equivalent of the word or phrase is followed by a verse, or page and line, reference in parentheses to the play and passage in which it occurs. The plays in these instances are designated by their initial letters: *L.C.* for *Le Cid; P.* for *Polyeucte; L.M.* for *Le Menteur; P.R.* for *Les Précieuses Ridicules; T.* for *Tartuffe; M.* for *Le Misanthrope; A.* for *Andromaque; Ph.* for *Phèdre.*

à to, at, in, with, on, for
abaisser lower; **s'—** stoop, humble oneself
abandonner desert, give up (over); **s'—** offer oneself
abattre strike down, lay low; **s'—** be cast down
abattu cast down, dejected, beaten
abhorrer abhor, detest
abîme *m.* abyss; **abîmé** plunged (into grief)
abolir abolish, destroy, pardon
abominable villainous, detestable, wretched
abonder be plentiful, abound
abord *m.* approach, attack, arrival (*A.* 1276); **d'—** (at) first, at once, in (from) the beginning; **d'— que** as soon as
aborder approach, accost, greet
abrégé *m.* epitome, abridgment
abréger abridge, cut short
abreuver drench, quench the thirst (of)
absolu absolute, unyielding
abus *m.* abuse, misuse
abuser deceive, take advantage; **— de** impose on; **s'—** be mistaken (**à**) in
académie *f.* learned circle; **— de beaux esprits** group of fine wits
accabler overwhelm, crush, overtake, kill (*A.* 208)
accès *m.* access, approach, familiarity; **noirs —** gloomy fits (*M.* 98)

accommodement *m.* reconciliation, compromise
accommoder fit, suit, reconcile; **s'—** put up (**de,** with) (*P.R.* 272, 14, *M.* 460)
accompagnement *m.* accompaniment, attendant
accompagner accompany, escort
accompli accomplished, cultured
accomplir finish, perfect, fulfill
accord *m.* agreement, betrothal; **d'—** in agreement, settled (*L.M.* 745); **être d'—** agree, admit; **demeurer d'—** agree (**de,** on); **tomber d'—** agree, come to an agreement
accordée betrothed, promised bride
accorder grant, yield, reconcile (*A.* 243); **s'—** agree (*L.M.* 307, *M.* 1604), be settled peacefully (*L.C.* 463)
accoster accost, speak to
accouchement *m.* delivery, childbirth
accoutré dressed up, gotten up
accoutumer accustom, train
accrocher hook, catch, ensnare
accroire : faire — cause one to believe
accroître increase, grow, enlarge
accueil *m.* reception, welcome
accueillir welcome, greet, receive
accusateur -trice *m. f.* accuser
accuser accuse, brand, blame (*L.C.* 1389); **— juste** speak the truth

acharnement *m.* blind fury, passion

Achéron *the river of woe over which the dead passed into Hades*

acheter buy; **c'est —** you buy (*A.* 616)

achevé extreme (*M.* 568)

achever end, complete, carry out; **tout prêt à s'—** on the point of realization

acquérir acquire, obtain, win (over)

acquitter discharge, carry out; **s'— de** perform, pay one's debt (*L.C.* 1220); **s'en —** fulfill one's trust (*L.C.* 1238)

adieu *m.* farewell, good-bye

admettre admit, allow

admirable fine, wonderful, worthy of admiration (*M.* 333)

admirer admire, wonder at (*T.* 1314; *A.* 1130); **faire —** extol (*A.* 1535)

adorateur *m.* adorer, lover

adorer love, worship, cherish

adouci calm (*M.* 1683)

adoucir soften, soothe, calm; **s'—** become gentle, tone down

adresse *f.* art, skill, trick (*L.M.* 457, 1010, 1608)

adresser direct, dedicate; **s'—** be aimed

adroit skilful, cunning

adroitement adroitly

adultère *m.* adultery, adulterer; adulterous

adversaire *m.* opponent, enemy

affaiblir weaken; **s'—** become weak, fail

affaire *f.* affair, thing, concern, matter (of honor, *M.* 789); **avoir — à** have to deal with; **ne faire rien à l'—** have nothing to do with the case; **sortir (se tirer) d'—** get out of difficulty

affairé busy

affamé famished, bloodthirsty

affecter affect, assume, feign

affermir confirm, strengthen; **s'—** grow strong

affliger afflict, torment; **s'—** grieve, be cast down

affranchir set free, rid, deliver

affreux dreadful, terrible, awful

affront *m.* insult, stigma

affronter affront, face

afin de in order to; **— que** in order that, so that

africain African, Saracen, Moor

âge *m.* years, time of life; **jeune — youth**

agent *m.* agent, tool

agir act, operate, work; **faire —** use, set in motion; **s' — de** be a question of, concern

agiter agitate, stir, upset

agréer allow, accept

agrément *m.* charm

ahi! ahy! ouch!

aider aid, help, assist

aïeul *m.* grandsire; **aïeux** ancestors

aigle *m.* eagle

aigre bitter, sharp

aigreur *f.* bitterness, sharpness, grudge

aigrir irritate, heighten, embitter, increase (*L.C.* 1163)

aiguillon *m.* spur

ailleurs elsewhere, (to) others; **d'—** besides, moreover

aimable pleasing, cherished, beguiling, lovely

aimé beloved, sweetheart

aimer love, like, be glad; **— mieux** prefer

ainsi thus, (and) so, in the same way, like that, besides; **— que** as well as, like

air *m.* appearance, bearing, fashion (*M.* 900), tune; **airs** firmament; **— précieux** atmosphere of affectation ; **d'un** — in a way ; **avoir l'**— appear

aise glad, delighted ;   *n. m.* happiness, joy, comfort

aisé easy

aisément easily, plainly

ajouter add, unite

ajustement *m.* dress, attire, get-up

ajuster arrange, straighten out, reconcile (**à**, with)

alarme *f.* panic, terror, worry

alarmer disturb, upset ;   **s'**— take fright

alfange *f.* scimitar (*Moorish curved sword*)

Alger Algiers

allée *f.* alley, walk, path

allégeance *f.* relief, consolation

allégement *m.* solace, relief

allégresse *f.* gladness, joy

alléguer allege, state

aller go, be about to, take place ; **allons !** come ! **allez !** oh, come on ! really ! **s'en** — go away ; **— à** suit, have in view ; **il y va de** it is a question of

alliance *f.* union, marriage

allié *m.* ally

allumer light, kindle, stir up

aloi *m.* alloy ;   **de bon** — high class

alte-là ! stop right there !

altéré thirsty, athirst (**de,** for)

altérer change, thirst

altesse *f.* highness

altier haughty, proud

amant -e *m. f.* lover, suitor, sweetheart

amas *m.* heap, mass, pile, mingling (*P.* 7)

ambassade *f.* embassy

ambigu *m.* mixture ; ambiguous

ambitieux *m.* pretender ; ambitious

âme *f.* soul, mind, heart (*often in seventeenth century*), courage, person (*M.* 1133)

amener lead, guide, bring

amertume *f.* bitterness

amitié *f.* friendship, affection, love (*often in 17th century*)

amollir soften, conquer (a heart)

amorce *f.* bait, attraction ; allurement, charm

amorti deadened, dulled, gone

amour *m.* love, affection, love-affair

amoureux loving, in love with

amour-propre self-love, vanity

ample full, wide   [time

amusement *m.* pastime, waste of

amuser amuse, trifle with, put off ; **s'**— waste one's time

ancien old, former, elder

ancrer anchor

Andalousie *f.* Andalusia (*province of southern Spain*)

ange *m.* angel

angle *m.* angle (*of a fortification*)

animer animate, inspire, stimulate, encourage

antipode *m.* reverse, opposite

apaiser appease, pacify, calm

apercevoir perceive ; **s'**— perceive, see

aplanir smooth out, level

apothéose *f.* apotheosis, deification

apothicaire *m.* apothecary

appareil *m.* escort, equipment (*L.M.* 825)

apparence *f.* show, likelihood, probability ; **à l'**— by appearances

appartenir belong

appas *m.* attraction, charm

appeler appeal, call, summon ; **s'**— be named

appesantir : **s'**— grow heavy

applaudir (**à**) applaud, praise, congratulate ; **s'**— **à** glory in

applaudissement *m.* applause
appliqué bent (**à,** on)
appliquer apply, put into practice
apporter bring (in)
appréhender fear, dread, have fear
apprendre teach, learn, inform
apprêt *m.* preparation (detail of, *L.M.* 279)
apprêter prepare, make ready
apprivoisé tamed, domesticated
approche *f.* approach, contact, association
approcher approach, draw up, come near (**de,** to); **s'— de** draw near, join
approuver approve
appui *m.* support, protection, credence, defender (*A.* 1083)
appuyer support, lean, rest, spread, give authority to (*M.* 1506), second (*A.* 1389)
âpre harsh, cruel, fierce
après after, next, for; **d'—** according to; afterward; **— que** after
arbitre *m.* judge, referee
arborer hoist
arc *m.* bow
archevêque *m.* archbishop
ardent burning, aflame (**de,** with)
ardeur *f.* passion, love, zeal, impetuousness (*L.C.* 1745)
aride dry, sterile, barren
arme *f.* arm, weapon; **—s** deeds (*A.* 361); **prendre les —s** take up arms; **rendre les —s** surrender
armer arm, furnish; **s'—** take up arms, be prepared
arracher snatch, tear away, extort
arrêt *m.* decree, sentence, verdict (*M.* 1499; *A.* 1598)
arrêter arrest, stop, hold in check, hold back, thwart, fix,

decree, determine, set up in marriage (*L.M.* 398); **s'—** stop, halt, be resolved; **s'— à** pay attention to, persist in (*A.* 1293), give way to
arrière *m.* back; **en — back**ward
arriver come, reach, happen, take place
arroser sprinkle
article *m.* article, detail
artifice *m.* device, trick
ascendant *m.* ascendant, star
asile *m.* refuge, asylum
aspect *m.* sight, view, appearance
aspirer be ambitious to, be eager to (for)
assaisonnement *m.* spice, seasoning
assaisonner season, give spice to
assassiner murder, kill, grieve
assaut *m.* assault, attack
assemblée *f.* crowd, audience, company
assembler bring together, collect, gather (up), unite
assener strike, land (*a blow, T.* 1799)
asseoir : s'— sit down, sit
asservir subject, enslave, sacrifice (*A.* 1011)
assez enough, rather, quite, sufficiently, well (long) enough; **c'est —** that's enough, they are enough
assidu assiduous, obstinate, faithful (*M.* 1257)
assiduité *f.* constant attention
assiéger besiege, assail
assis seated, sitting
associer make a partner (**à,** in)
assommer beat to death, lay out, bore to tears (*M.* 590)
assoupir stifle, quash
assujettir enslave, subject, expose (*M.* 961)

assurance *f.* confidence, declaration, certainty (*P.* 25)

assuré certain, unmoved, fixed

assurément surely, with confidence

assurer make safe, certify, devote (*A.* 1090); s'— be reassured (de, about), be persuaded, rely (de, on), arrest (*L.C.* 572), take precautions (*L.M.* 1381)

astre *m.* star, fate

atrabiliaire violent, cantankerous

attache *f.* attachment, devotion, fastening

attaché eager; — près de attached to

attachement *m.* fondness, devotion, eagerness, inclination

attacher fasten, bind, invoke, fix (à, on); — du crime à consider sinful; s'— apply one's self, intend, try

attaquer attack; — son silence try to lead him into conversation (*M.* 609); s'— à attack, challenge

atteindre reach, equal (*L.C.* 1034), affect, afflict

atteint touched, afflicted, stricken

atteinte *f.* pang, shock, blow (*L.C.* 292)

attendant que until, till

attendre await, wait (for), expect; s'— à expect

attendrir move, touch, soften

attentat *m.* crime, violence, attack

attente *f.* expectation, hope, promise, intention

attenter attempt; — sur vous-même seek death

attester call to witness, call upon

attirer attract, draw, bring down (on)

attrait *m.* attraction, charm

attraper catch, gain

aucun any (one) either; ne . . . — none, no (one), none, not any

aucunement not at all, somewhat (*L.M.* 654)

audace *f.* boldness, daring, impudence

audacieux bold, daring; foolhardy man, upstart

au-dessous beneath, below, inferior to

au-dessus above, superior to

au devant de in front of, to meet

audience *f.* hearing

augmenter increase, heighten

augure *m.* omen, sign

auguste august, venerable

aujourd'hui today, in our day; d'— beginning with today (*A.* 634); dès — from today on

aumône *f.* alms, charity

aune *f.* ell; le long de l'— for all they're worth (*T.* 162)

auparavant before, first

auprès de with, near, beside, in comparison with, from

auspice *m.* auspice, omen, sign

aussi also, so, as, as a matter of fact, therefore, either; — bien moreover, besides, after all

aussitôt immediately; — que as soon as

austère stern, severe, rigorous

austérité *f.* austerity, severity

autant as much (many), as, so; d'— (by) so much (plus, the more); — que as well as

autel *m.* altar

auteur *m.* author, creator, cause

autoriser authorize, justify

autour de around, round about, near

autre other, different, greater; tout — quite different

autrefois once, formerly

autrement otherwise, differently
autrui others
avaler swallow
avance *f.* : **par —** in advance, before the event
avancer make progress, hasten, hasard ; **s'—** draw near
avant before ; **bien —** very far ; **plus —** farther ; **trop —** too far, too deeply (*A.* 1178) ; **— que** before
avantage *m.* favor, precedence
avantageux auspicious, worthwhile, profitable
avant-hier day before yesterday
avare greedy, miserly, sparing
avec, avecque (along) with ; **d'—** from
avenir *m.* future ; *v.* happen, occur
aventure *f.* experience, fate, disaster (*M.* 1222)
avertir warn, inform
avertissement *m.* warning, notice
aveu *m.* confession, avowal, permission (*L.M.* 1770)
aveugle blind ; **en —** like a blind man
aveuglement *m.* blindness
aveugler blind
avide greedy, grasping
avidité *f.* greed, irresistible desire
avis *m.* advice, warning, opinion, information ; **porter —** give counsel (*L.M.* 1088)
avisé thought of
aviser : **s'—** take into one's head, be inclined, bethink oneself
avoir have, receive, get ; **— beau** be (do) in vain
avorter thwart, miscarry
avouer confess, admit, approve
babil *m.* chatter, words
babiller chatter

badaud *m.* ninny, gaper, " sucker "
badinage *m.* idle talk, nonsense, foolery
bagage *m.* baggage ; **plier —** clear out, be off
bagatelle *f.* trifle, nonsense
baie *f.* trick, falsehood
baigner bathe
bâiller yawn
baillive *f.* bailiff's wife
baiser *m.* kiss ; *v.* kiss, embrace
baisser lower, become dim
bal *m.* ball, dance
balance *f.* scales, doubt ; **être en —** be hesitant ; **mettre en —** hesitate
balancer waver, be in doubt
baliverne *f.* nonsense
banc *m.* bench ; **—s du théâtre** seats on the stage
bandeau *m.* diadem
bannir banish, exile
banqueroute *f.* bankruptcy ; **faire — à** forego, quit (*L.M.* 4, 1017)
baptême *m.* baptism, christening
baptiser baptize
baragouin *m.* jargon
barbare *m.* barbarian ; barbarous, cruel
barbarie *f.* barbarism, cruelty
barbe *f.* beard, whiskers
barbouiller daub ; **se —** behave strangely
bas *m.* stocking, lower part, bottom ; **à —** down, all over, at an end (*P.R.* 302, 17)
bas *adj.* low, base ; **salle basse** parlor, ground-floor room ; *adv.* down, low ; **tout —** in a low voice, silently (*A.* 1279)
Basque Basque (*native of the Basque country, southwestern France*)
basque *f.* tail (*of a garment*)

bassesse *f.* baseness, despicable conduct

bateau *m.* boat

bâtiment *m.* building

bâtir build, erect

bâton *m.* stick, club, pole

battre beat, strike; **se —** fight

baye (modern *baie*) *f.* trick, joke

bayer gape, stare (at)

beau beautiful, fair, fine, noble, splendid; **avoir — parler** talk in vain (*L.C.* 1255); **avoir — pleurer** weep in vain (*A*. 897); **tout —!** gently! softly! hold!

beau-frère *m.* brother-in-law

beau-père *m.* father-in-law

belle-mère *f.* mother-in-law, stepmother [the church

bénéfice *m.* benefice, position in

bénignité *f.* benignity, kindness

bénin, bénigne benign, benignant, kind

bénir bless, thank; **eau bénite** holy water

bercer rock, lull, soothe

berger *m.* shepherd

berner ridicule, laugh at

besoin *m.* need; **au —** in time of need, on occasion; **avoir — de** need

bête *f.* beast, animal; stupid

biais *m.* bias, shift, way, subterfuge (*M*. 1351)

bien *m.* good, boon, blessing, happiness (*L.C.* 919, 1048), possession, wealth, welfare (*L. C.* 1233); **homme de —** good man

bien *adv.* well, very, indeed, much, many, a great deal, quite, surely, clearly, perhaps, of course; **ou —** or else; **— que** although

bienheureux happy, blessed

bienséance *f.* propriety

bienveillance *f.* good will, favor

bienvenu(e) welcome

bijou *m.* jewel

bile *f.* bile, anger, gall, spleen

billet *m.* note; **billet-doux** (gallant) love-letter

billevesée *f.* nonsense, trash

bizarre strange, fantastic; crazy person

bizarrerie *f.* absurdity, caprice

blâme *m.* reproof, criticism, disapproval

blâmer criticize (**de**, for), accuse

blanc -che white, fair, blank; *n.* powder (cosmetic)

blancheur *f.* whiteness, blondness

blanchir whiten, grow pale

blasphème *m.* blasphemy

blasphémer blaspheme, profane

blesser wound, offend, pierce, afflict

blessure *f.* wound

bois *m.* wood, robber's nest

bon good, good-natured, kind, fine, simple, worthy; **à quoi —** what's the use? why?; **le — de tout** the main thing; **tout de —** seriously, really, honestly

bonace *f.* calm, smooth sea

bondir bound, leap

bonheur *m.* happiness, good fortune; **à —** favorably

bonhomme *m.* old man, worthy man (*no irreverence implied in seventeenth-century usage*)

bonjour *m.* good morning, good day, greetings; **donner le —** greet

bonté *f.* kindness, favor, good will

bord *m.* shore, border; **aux —s** on the shores

borne *f.* limit, boundary

borner limit, restrict

boue *f.* mire, mud

bouillant angry, hot

bouillon *m.* boiling, bubble

bourbeux muddy

bourde *f.* fib, sham; **donner des — tell fibs

bourgeois *m.* citizen, dull (uncouth) person; *adj.* middle class, vulgar

Bourguignon inhabitant of Burgundy

bourreau *m.* executioner

bourru crabbed, surly, ill-humored; *n.* freak

bout *m.* end, tip, bit; **pousser à** — make desperate (*M.* 328); **venir à — de** overcome (*L.C.* 1564); **en venir à** — succeed (*L.M.* 1315)

bouton *m.* button

braie (*usually plural*) *f.* trousers, breeches

brailleur *m.* braggart, brawler

branle *m.* impetus; **donner le — à** set in motion

branlement *m.* shaking

bras *m.* arm, strength, help; **sur les** — on one's hands

brave brave, worthy; hero (*T.* 326)

braver brave, defy, face (*L. C.* 80)

braverie *f.* finery

bravoure *f.* bravery, courage

bride *f.* bridle, check-rein; **tenir la** — control, check

brigade *f.* brigade, troop

brigue *f.* intrigue, cabal, conspiracy

briguer solicit

brillant brilliant, luminous; brilliancy, gem

briller shine; **faire** — flash

brimborion *m.* trinket, bauble

brin *m.* spray, sprig, a single feather (*P.R.* 292, 14)

brisée *f.* trace; **aller sur nos** — follow in our footsteps, become our rivals

briser shatter, break (off), interrupt, stop

brocard *m.* gibe, taunt

broncher stumble, blunder

brouhaha *m.* uproar, applause

brouiller confuse, mix up, disturb, embroil; **se** — lose one's presence of mind, become enemies

bru *f.* daughter-in-law

bruit *m.* noise, outcry (**de,** over), rumor, report, reputation (*P. R.* 284, 19); — **sourd** vague rumor (*L.M.* 1120)

brûler burn, inspire, inflame, long; — **pour** love madly

brun dark, dark-skinned; brunette

brusque sudden, gruff, violent

brusquerie *m.* impoliteness, rough action (speech)

brutal rough, uncivilized (*P.R.* 270, 22); brute

brutalité brutality, roughness

bruyant noisy, loud, talkative

buisson *m.* bush, shrub

bureau *m.* office; — **des merveilles** abode of wonders (*P.R.* 283, 17)

but *m.* end, aim, goal, purpose; **de — en blanc** point blank, bluntly (*P.R.* 275, 12); **parvenir au** — succeed

butte *f.* butt; **être en** — be exposed

çà! here! come now!

cabale *f.* intrigue, plot, conspiracy, secret doings (*T.* 397)

cabinet *m.* room, closet, boudoir (*P.R.* 271, 12) desk

cacher hide, conceal (**à,** from); **se** — conceal one's feelings, make a secret of (*A.*1193)

cadence *f.* time (of a dance)

cagot *m.* bigot, fanatic

cagoterie *f.*, cagotisme *m.* bigotry, hypocrisy

cajoler coax, talk sweetly to

calmer calm, sooth

calomnier calumniate, slander
campagne *f.* country, field, plain, campaign
canaille *f.* rabble, scoundrel
canapé *m.* sofa, divan
candeur *f.* frankness, honesty
canon *m.* trouser leg, lace ruffles (*worn about the knee and waist by seventeenth-century dandies*)
canton *m.* district, subdivision of the country
captiver captivate, take captive
caquet *m.* cackling, tittle-tattle
caractère *m.* character, disposition, symbol; **un bon** — an eccentric type
caresse *f.* caress, attention, mark of affection
caresser caress, praise, flatter
carrière *f.* career, lists, racecourse
carrosse *m.* carriage, coach
carte *f.* chart, map
cas *m.* case, attention; **— de conscience** conscientious scruple; **faire — de** esteem, have regard for; **faire si peu de** — think so little
casquaret *m.* person with long thin legs
Cassandre Cassandra (*one of Priam's daughters, who had the gift of prophecy, but no one believed her*)
casser break, reverse (a legal decision, *M.* 1542)
cassette *f.* casket, cash-box
Castille Castile (*province of central Spain*)
Caton Cato (232–147 B.C., *Roman philosopher and censor, famous for the austerity of his morals*)
cause *f.* reason, lawsuit (*M.* 189)
causer bring about, converse, talk
causeur *m.* talker
caution *f.* security

cavalier -ère nonchalant, free and easy, blunt
cavalier *m.* gentleman; **me trouves-tu bien fait en** — do you think I look good as a dandy? [house
céans this house, (to) in this
céder yield, give way, give up
ceindre gird, bind
célèbre famous, glorious
célébrer praise, make famous
celer conceal, hide
cendre *f.* ashes, remains, memory
censeur *m.* censor, critic
censurer censure, blame
centuple hundred fold
cependant however, and yet, and then, in the meantime; **— que** while
cérémonie *f.* ceremony, courtesy, politeness, useless " air "
cerf *m.* deer, stag
certes surely, indeed, in truth
cerveau *m.* brain, mind
cervelle *f.* brains, folly; **— usée** doting old man (*L.M.* 1542); **essuyer la** — put up with the stupidity
cesse *f.* ceasing, end; **sans --** always, constantly
cesser cease, stop, end
chagrin grieved, dissatisfied
chagrin *m.* melancholy, sorrow, ill humor, austere humor, grief, peevishness
chagriner trouble, harass
chaîne *f.* bond, bondage, tie
chair *f.* flesh; **— à pâtés** minced meat
chaise *f.* chair, seat
chaleur *f.* warmth, heat, ardor, fever, anger
champ *m.* field
Champagne *old French province*
chance *f.* good luck, luck
chanceler falter, stagger
chandelle *f.* candle, tallow candle

change *m.* exchange, infidelity; **prendre le —** be fooled, be deceived

changement *m.* conversion, infidelity

changer (de) change, exchange

chanson *f.* song, a form of light poem; **—s!** nonsense!

chant *m.* song, singing

chanter sing

chape *f.* cope, cape; **sous —** secretly, underhandedly

chapitre *m.* topic, subject

char *m.* chariot

charge *f.* burden, position, post, office, function

chargé burdened, suffused; **tout — full**, laden

charger charge, load, burden, weigh down, commission, accuse; **se —** take upon oneself

charlatan *m.* charlatan, quack

charme *m.* spell, magic, blandishment, enchantment, fascination

charmer enchant, please, delight

chasser drive away, expel, hunt

chat *m.* cat

château *m.* castle, fortress

châtier chastise, punish, condemn

châtiment *m.* chastisement, punishment

chatouilleux ticklish

chaud hot, warm, ardent, lively, intense

chaussette *f.* sock, short stocking (*worn next to the leg*) (*P.R.* 292, 19)

chef *m.* chief, head, leader

chemin *m.* road (**de**, to), course, way; **—s** means; **couper — à** cut off, stop; **faire un — open** a road

cher, dear, cherished, precious, valuable; **coûter —** cost dearly

chercher seek, look for, try, wish; **— querelle** pick a quarrel; **aller —** go for

chèrement dearly, tenderly

chérir cherish, love dearly

cheval *m.* horse; **à —** on horseback; **adresse à —** skill in horsemanship

chevalier *m.* knight

chevet *m.* pillow, head (*of a bed*)

cheveux *m. pl.* hair; **grands —** wig

chez in the house of, among, with, in; **de — vous** from your house

chicane *f.* chicanery, cavil, quibble

chicaner quibble with

chien *m.* dog

chiffre *m.* figure (*numerical*), cipher

chimère *f.* idle fancy, phantom, monster

chimérique fantastic

chœur *m.* chorus

choir fall

choisir choose, select, stop to choose

choix *m.* choice, pleasure

choquer shock, arouse, offend

chose *f.* thing, event; **quelque — something**, some obligation; **grand'chose** a great deal; **peu de —** of little consequence

choyer fondle, pet

chrétien Christian; **parler — talk** intelligently

chut! hush! silence!

chute *f.* fall, conclusion (*of a poem, or stanza*)

cicatrice *f.* scar

ciel *m.* sky, heaven

cimeterre *m.* scimitar (*curved Moorish sword*)

circonstance *f.* circumstance, detail, fact

citer quote, refer to

citoyen *m*. citizen

civil civil, polite (*M*. 66)

civilité *f*. civility, politeness

clair evident, bright, light (*in color*)

clameur *f*. clamor, noise

clarté *f*. manifestation, intelligence (*L.M*. 68), information (*L.M*. 1781)

clef *f*. key

clin *m*. blinking

cloître *m*. cloister

clou *m*. nail; **je ne donnerai pas un** — I wouldn't give a cent

coche *m*. coach; **cocher** coachman

cochon *m*. pig

cœur *m*. heart, mind, courage (*often in seventeenth century*), love; **à — ouvert** with open heart, frankly; **de bon —** heartily; **avoir mal au —** be nauseated; **quand le — m'en dit** when I feel inclined (*L.M*. 216)

coffre *m*. box, chest, trunk

cohue *f*. crowd, mob

coiffer: **se — de** be infatuated with

coin *m*. corner, side

colère *f*. anger, wrath; **en —** angry

colifichet *m*. trinket, bauble

collatéral distant relative; **vos chers collatéraux s'en trouveront fort bien** your dear heirs will profit largely by it; *i.e*., you will have no grandchildren (*L.M*. 1487)

collation *f*. repast, meal

collet *m*. collar; **petit —** clergyman's collar

colonne *f*. column

colorer color, tinge, pretend

combat *m*. battle, struggle; **rendre —** fight

combattre combat, fight, resist, attack, vie

combattu torn, fought over (*A*. 1463)

comble *m*. height, excess, acme, crowning point, utmost, " last straw "

combler overwhelm, fill, heap up

comédie *f*. comedy, play, theater

comédien -ne *m. and f*. actor, actress

commander command, rule, be in command

comme as, how, like, as much as, since

comment? how? what?

commerce *m*. business, correspondence, exchange (*L.M*. 1616; *P.R*. 284, 25) society, intercourse

commettre commit, confide, endanger

commode convenient

commodément comfortably

commodité *f*. convenience

commun usual, ordinary, universal, joint; **lieux —s** commonplaces; **peu —** unusual, extraordinary; **le —** the general run (of men)

communément generally, publicly

communication *f*. connection, exchange

compagne *f*., **compagnon** *m*. companion

compatible à congenial with, consistent with

compatir sympathize (à, with), take pity (à, on)

complaire (à) please, take pleasure in

complaisance *f*. compliance, readiness to oblige, condescension, moderation

complaisant obliging; flatterer (*M*. 326)

complexion *f.* disposition (*M.* 283)

complice *m. and f.* partner, accomplice

complot *m.* plot, conspiracy, machination

composer compose, write, come to an agreement (*L.M.* 663)

comprendre understand

compromettre compromise

compte *m.* account, reckoning, calculation; **à ce —** according to that; **faire — de** attach importance to (*L.C.* 1230, 1513); **rendre —** give an account; **trouver son — à** find one's advantage in (*L.M.* 1429)

compter count, reckon, consider (*M.* 715)

concerner concern, interest

concert *m.* band, group of musicians (*L.M.* 284)

concerté arranged beforehand

concevoir conceive, imagine, understand

conclure conclude, arrange

concours *m.* crowd, gathering

concubinage *m.* illicit love

concurrence *f.* competition

concurrent *m.* rival, competitor

condamner condemn, blame, cause the death of (*A.* 980)

condition *f.* position, condition in life; **gens de —** people of quality

conduire conduct, lead, guide, direct, take, contrive

conduite *f.* behavior, plan, guidance, direction (*A.* 1253), composition

confesser confess, acknowledge

confiance *f.* confidence, reliance

confidence: **faire —** confide

confident *m.* confidant, familiar friend

confier confide, entrust; **se — à** rely on

confin *m.* extent, limit

confirmer confirm, strengthen, complete (*A.* 1216)

confit preserved (*of fruit*), steeped

confondre confuse, confound, shake, convict, put to shame (*Ph.* 814); **se —** be thrown into confusion, lose countenance; **confondu** upset (*A.* 730)

conforme suitable, suited to character

conformer: **se —** conform

confrère *m.* colleague

confus confused, bewildered, ashamed, embarrassed, hesitating (*A.* 743)

confusion *f.* embarrassment, uproar

congé *m.* leave

congédier dismiss

congruant congruous, harmonious, becoming; **— à** in keeping with

conjoncture *f.* situation

conjuré allied; plotter, conspirator

conjurer entreat, beg, beseech

connaissance *f.* acquaintance, knowledge; **—s** information

connaisseur *m.* expert, critic

connaître know, be acquainted with, have knowledge, appreciate, recognize (*synonymous often with* **reconnaître**); **se —** know one's place (ability); **se — à (en)** be a good judge of; **faire —** make known, give to understand

conquérant *m.* conqueror; **en —** like a conqueror

conquérir conquer

conquête *f.* conquest, possession, victory

conscience *f.* a matter of conscience (*T.* 549)

conseil *m.* advice, counsel, decision, council

conseiller *m.* counsellor, adviser

conseiller (à) counsel, advise

consentir consent, agree

conséquence *f.* conclusion, deduction, outcome

conserver preserve, save, keep, maintain, stay on good terms with (*M.* 1641)

considérable important, worthy of attention, esteemed

considération *f.* respect, deference

considérer think, esteem, value, have consideration for

consoler console (de, for)

consommer perfect; consommé complete (*M.* 853)

conspirer conspire, plan for (*A.* 180)

constamment constantly, with courage (constancy)

constance *f.* fidelity, patience, courage

constant faithful, unchanging, certain (*M.* 1535)

consulter consult (over), deliberate, hesitate

consumer consume, exhaust; se — be worn out

conte *m.* short story, tale; —s bleus (en l'air) fairy tales, nonsense

contempler look at, consider

contentement *m.* pleasure, happiness

contenter satisfy, please, pay

conter tell, relate; en — à flirt with (*L.M.* 955, 1399)

conteur *m.* story-teller, boaster (*M.* 595); — de nouvelles spinner of miraculous yarns (*L.M.* 362)

contorsion *f.*: —s bowing and scraping (*M.* 43)

contraindre compel, force, repress, oblige

contrainte *f.* constraint, force

contraire adverse, hostile, different

contraire *m.* opposite; au — on the contrary, in opposition (de, to)

contrariant contradictory

contrarier contradict, oppose, cross

contrat *m.* contract

contre against, contrary to, near, close to

contredire contradict

contrée *f.* country, region

contrescarpe *f.* counterscarp (advanced fortification)

contretemps *m.* accident, disappointment; d'un tel — so inappropriately (*L.M.* 94)

contrôler control, examine

convaincre convince, convict

convenir suit, become; — de admit, agree on

conversation *f.* conversation, party (*T.* 151)

convier invite, summon, urge

convoiter covet, lust after

copier copy, imitate

coquette coquettish, flirtatious

coquin *m.* rascal, scoundrel

coquine *f.* hussy, jade

cordon *m.* cord, ribbon, string

corne *f.* horn

corneille *f.* crow, magpie

corps *m.* body, corpse; à son — défendant in spite of one‹ self

correction *f.* censure, reproof

corriger reform, set right, restrain

corrompre corrupt; corrompu sinful

côté *m.* side, direction; de ce — in this direction; de tous —s in all directions; d'un et d'autre — in either case; du — de in the direction of, toward; des deux —s on both sides; **de ton** — from you (*L.M.* 1588)

couche *f.* bed, couch

coucher lay, put to bed, enter (*T.* 1771); — **d'imposture** maintain a lie (*L.M.* 1059); **se** — lie down, go to bed

couler flow, run; **se** — slip (in), go secretly, pass away (*L.M.* 36)

couleur *f.* color, pretext; **sans** — pale

coup *m.* blow, stroke, draught, deed (*A.* 147), feat, assault (*L.C.* 268); — **d'essai** first attempt, initial test; — **de hasard** stroke of chance; — **de maître** master-stroke; — **d'œil** glance; — **de tête** something desperate; — **de vent** gust of wind; **à ce** — at last, now for once (*L.M.* 1232); **à tous** —**s** at every turn, on all occasions; **du premier** — from the start; **encore un** — once more (*A.* 1158, 1418; *L.M.* 1586); **sur ce** — with this affair (*L.M.* 1436); **tout à** — suddenly, at one stroke

coupable guilty, criminal; culprit, evil-doer

coupe-gorge *m.* den of murderers

couper cut (off, short), interrupt; — **chemin** put an end to (*M.* 530)

cour *f.* court; **faire sa** — pay one's court

courage *m.* resolution, heart (*often synonymous with* **cœur**)

courber bend; **se** — bend

courir run, hasten, rush about, go over, circulate; — **un cerf** hunt a deer

couronne *f.* crown

couronner crown

courroucer: se — be angered, bridle up

courroux *m.* anger, wrath, aversion; **mettre en** — anger

cours *m.* course; **avoir son** — exhaust itself (*A.* 311)

course *f.* journey, flight

coursier *m.* steed

courtisan *m.* courtier

coûter cost

coutume *f.* custom, habit; **de** — usual

coutumier customary

couvent *m.* convent

couvrir cover

cracher spit

craindre fear, dread

crainte *f.* fear, dread, terror, scruple; **de** — for fear

craire (**croire**) believe

créance *f.* belief, received opinion

crédit *m.* influence, credence, hold, reputation, force (*L.M.* 1080); **se mettre en** — gain a reputation

crédulité *f.* credulity, unwarranted faith (*A.* 940)

créer create

crêpe *m.* crape, mourning

crever burst, die

criaillerie *f.* clamoring, bawling

crier cry (out, for), shout, yell, groan

crime *m.* fault, misdeed, sin, wrong

crin *m.* mane

croc *m.* hook

croire believe, think, expect, hope, trust, heed (*A.* 1464); **si je m'en croyais** if I followed my own feelings (*A.* 388)

croisé crossed, forked

croître grow, increase, augment

crotté muddy, dirty

crotter soil, dirty, bemire

croupe *f.* croup, back

croyable believable, credible

croyance *f.* belief, credit, faith

cruauté *f.* cruelty, resistance to love (*A*. 643)

cuisant sharp, poignant

cuisine *f.* kitchen, things to eat

cuisinier *m.* cook

cultiver cultivate

curieux curious, inquisitive

cyprès *m.* cypress

daigner deign, condescend

dame *f.* lady; —! well! indeed!

damner damn, condemn

damoiseau *m.* dude, dandy, fop

dans in (the midst of), within, into, among

danser dance

dard *m.* dart

davantage more, even more, further

dé *m.* dice; **tenir le —** take one's turn, hold the floor

débat *m.* argument, contention, quarrel

débattre debate, contest; **se —** struggle, writhe

débaucher corrupt, spoil

débit *m.* recital, speech

débiter retail, give out, utter, pronounce

debout up, standing; —! get up!

débris *m. pl.* ruins

début *m.* beginning, start

décevoir deceive, disappoint, be deceptive

déchaîné let loose, unchained

déchaînement *m.* disruption, upheaval

déchirer tear, rend, lacerate, tear in pieces

décider decide, choose

Décie Decius (*Roman emperor,* 249–251)

déclarer declare, manifest, avow

déclin *m.* spring (*on old firearms which caused the hammer to descend on the powder-pan*)

découvrir discover, reveal, lay bare, see, betray (*L.M.* 1727)

décréter decree, issue a warrant

décrier decry, disgrace, bring into disrepute

décrire describe

déçu deceived, disappointed

dédaigner disdain, scorn

dédaigneux disdainful, scornful

dédain *m.* disdain, scorn

dédale *m.* labyrinth, mix-up

dedans within, in, inside

dedans *m.* interior, real character (*L.M.* 407); **au-dedans** within

dédire deny, retract, gainsay, contradict; **se —** take back (*what one has said, L.C.* 1802; *L.M.* 991)

déesse *f.* goddess

défaillant failing, weakening

défaire defeat, undo, rid, free; **se —** get rid; **vous voilà défait** you are rid (*L.M.* 1638)

défaite *f.* undoing, sham, pretext

défaut *m.* defect, fault, failure, failing, weakness; **au — de** for lack of, instead of; **à leur —** since they have not done so (*P.R.* 304, 15)

défendre defend (**de,** against), forbid; **se — de** resist (*A.* 1211)

défense *f.* protection, excuse, prohibition, warning; **se mettre en —** be on the defensive, defend oneself

déférer defer, entrust

défiance *f.* distrust, mistrust, suspicion, reason to fear (*L. M.* 1165); **être en —** be suspicious, be on one's guard

défier defy, challenge; **se —** distrust, be suspicious (*P.R.* 283, 3; *L.M.* 975)

défigurer disfigure

défunt deceased, dead

dégager free, release, redeem, withdraw, disengage; **se — de** discharge, fulfill (*A*. 511), disentangle oneself, get released by (*L.M*. 685)

dégénérer degenerate

dégoût *m*. disgust, distaste, loss of appetite (*T*. 235)

dégoûté disgusted; **un peu bien —** rather hard to please (*L.M*. 1043)

dégouttant dripping

degré *m*. degree, stage, step, height, rank

déguiser hide, conceal, cover up

dehors *adv*. outside; *m*. exterior, appearance, out-of-doors; **au — outwardly**

déjà already, now, even now

déjeuner breakfast, lunch

delà beyond; **par —** beyond

délasser : se — rest

délibérer deliberate, waver

délicat refined, fastidious, touchy

délicatesse *f*. delicacy, refinement

délicieux delicious, delightful

délier untie, disconnect

délivrer free, rid; **se —** get away

déloger dislodge, get out

déloyal faithless, dishonest, untrue

déloyauté *f*. disloyalty, dishonesty, treachery

demande *f*. request, question, petition

demander ask (for), demand, beg

démangeaison *f*. itching, craving

démanger itch

démarche *f*. step; **—s faites** steps taken

démêlé *m*. contention, quarrel, mix-up

démêler disentangle, extract, distinguish; **se —** extricate oneself, escape (*L.M*. 727)

démenti *m*. contradiction, action of calling someone a liar

démentir belie, contradict, discredit, disavow, fail to be worthy of (*L.C*. 92)

demeure *f*. dwelling, abode, dwelling place

demeurer live, stay, remain, delay, take time, continue, spend (*M*. 313); **— d'accord de** admit; **y serait demeuré** would have made no effort to evade the issue (*L.M*. 688)

demi half; **à —** half

démon *m*. demon, devil, spirit

démordre let go (one's hold), loosen one's bite, yield, retract

dénicher leave the nest, get out

denier *m*. denier, farthing

dénier deny

dénoncer denounce

dénouer untie, free; **se —** get loose

dent *f*. tooth

dentelle *f*. lace

dépêcher hasten; **se —** hurry (up)

dépeindre depict, describe, picture

dépendance *f*. subjection; **sans — freely**, of one's own free will

dépendre depend (**de**, on), be at the command of (*A*. 722)

dépens *m. pl*. expense, cost

dépense *f*. cost, outlay (of money)

dépensier extravagant

dépit *m*. spite, anger, vexation, contempt

déplaire displease, offend, trouble; **ne vous en déplaise** by your leave, begging your pardon

déplaisir irritation (*A*. 81), sorrow, suffering (*often synonymous with* **douleur**)

déplorer deplore, lament

déployer unfold, let loose, display, exercise; se — vent itself

déposer lay down, bear witness, testify

dépositaire m. depositary, trustee, guardian

dépôt m. deposit

dépouille f. spoils, hide; —s remains

dépouiller despoil, strip, rob

dépourvu unprovided, devoid

depuis since, for, after; — un an for the last year, a year ago; — une heure an hour ago; — peu recently; — quel temps? for how long? — que since, when

dernier last, recent, extreme, lowest, meanest, utmost (P. R. 284, 14)

dérober rob, steal (à, from), take away, hide (L.M. 625), conceal, shelter; se — give way, steal away, escape (à, from, A. 1519)

derrière behind

dès since, beginning with, as early as; — ce soir this very evening; — la nuit this very night; — que as soon as, from the moment that

désabuser undeceive

désarmé : — de plumes without decorative plumes

désarmer disarm

désavantage m. disadvantage, discredit

désaveu m. disavowal, denial

désavouer repudiate, disclaim, disapprove of

descendre go (come) down, land

descente f. descent, landing

désert deserted, lonely

désert m. lonely place, solitude

déserter desert, forsake

désespéré in despair; desperate man

désespérer drive to despair, make desperate, dishearten; se — despair

désespoir m. despair, desperation, keen jealousy (A. 1135)

désirer desire, want, wish

désobéir disobey (à)

désobligeant unobliging, unpleasant

désolé distressed, afflicted, disconsolate

désordre m. riot, confusion, turmoil, trouble

désormais henceforth, hereafter, at last

dessein m. design, plan, purpose, intention; à — deliberately; à — de in order to; avoir — intend

desservir take away, thwart

dessiller unseal, open

dessous under, beneath (it), below

dessus m. upper hand, victory; avoir le — de win a victory over

dessus adv. above, over

destin m. fate, chance, lot

destinée f. destiny, course

destiner destine (à, to, for), design, fit, set apart

détaché indifferent (P. 1641)

détacher detach, separate; se — de break loose from

détail m. detail, list

déterrer discover, bring to light; se — be revealed

détour m. by-way, winding, pretext, ruse, trickery (A. 579, L.M. 522, 1611)

détourner turn aside, avert

détromper undeceive; se — learn the truth

détruire destroy, remove

deuil *m.* mourning

devancer anticipate, precede

devant before, in front of, in the presence of

développer unfold, reveal, penetrate (*Ph.* 651)

devenir become, be; **qu'est-il devenu?** what has become of him?

devers towards

deviner guess

dévisager disfigure, scratch the face of, examine intently

devoir *m.* duty, respect, obligation, consideration (*A.* 479), concession (*L.C.* 359); **—s empressés** eager attentions; **dans le —** dutiful

devoir owe, ought, should, must, be bound, be due, be destined to, be expected to; **doit** is to; **devait** was to; **vous ne m'en devez rien** you are fully my equal (*P.R.* 295, 19)

dévorer devour, consume

dévot religious, pious; **lieux —s** places of worship

dévot *m.* pious person

dévotement devoutly, piously

dévotion *f.* piety, religion

dextrement cleverly, skilfully

diable *m.* devil

diablement devilishly, deucedly

diablesse *f.* she-devil, shrew; shrewish

diantre! the devil! the deuce! **— soit fait de vous** the devil take you

dicter dictate

dieu *m.* God, heavens! **Dieux!** ye Gods!

diffamer defame, debase

différence *f.* distinction

différend *m.* dispute, quarrel

différer defer, delay, put off, wait

digne worthy, noble, fitting

dignité *f.* dignity, honor, high position

diligence *f.* diligence; **en —** diligently

dîner dinner; to dine, have dinner

dire say, tell, mention, state; **c'est à —** that is; **vouloir —** mean

directeur *m.* director, spiritual guide

discernement *m.* discernment, penetration

discerner discern, distinguish

discipline *f.* scourge

discourir discourse, talk, gossip, prattle (*L.M.* 382)

discours *m.* talk, report, tale; **ce —** these words; **changer de —** change the subject; **— en l'air** wild tale

discret discreet, considerate, circumspect

diseur *m.* speaker, sayer, prattler

disgrâce *f.* disgrace, misfortune, disaster, mishap (*L.M.* 1161)

disparaître disappear

dispenser exempt from, release, relieve

disposer persuade, prepare (*A.* 667), order; **se —** be prepared

dispute *f.* discussion, argument

disputer argue, contest; **se —** contend over (*A.* 1517)

dissimuler dissemble, feign, conceal

dissiper scatter, dismiss, disperse

distinguer distinguish, differentiate

distraire turn aside, save from, amuse

divers different

divertir amuse, divert

divertissement *m.* diversion, amusement

diviser divide, separate

division f. estrangement, discord
divulguer divulge, reveal, publish
docile gentle, easy to manage
docte learned
docteur m. doctor, learned man
doigt m. finger
domestique servant, member of family (*often thus in seventeenth century*)
domination f. sway, influence
dominer master, be supreme, overcome
dommage m. damage, pity
dompter conquer, rule, tame
don m. gift
donc then, therefore, pray
donner give, grant, devote, cause, ascribe, confer, arouse, inspire (*M*. 122; *A*. 1197); — **dans** (**sur**) indulge in (*P.R.* 292, 14); — **prise à** give occasion for; **en** — **à** make a fool of, play tricks on (*L.M.* 1168, 1360, 1744)
donneur m. giver, dealer (*derogatory sense*)
donzelle f. damsel (*scornful*)
doré gilded
dorénavant henceforth
dormir sleep, be at rest
dos m. back
dossier m. back (*of a chair*)
double false, two-faced, treacherous
doubler double, increase
doucement gently, softly, mildly, just wait! (*P.R.* 281, 7)
doucet -te demure
douceur f. sweetness, gentleness, softness, tenderness, joy, charm, sweet wile; **—s** bliss; **en** — pleasantly
doucereux sweetish, honeyed
douer endow
douleur f. grief, pain, distress; — **de tête** headache

douloureux grievous, grief-stricken
doute m. uncertainty; **sans** — no doubt, surely
douter doubt, hesitate, waver, be doubtful; **se** — **de** suspect
douteux doubtful, hesitating, in doubt, uncertain
doux, douce sweet, pleasing, gentle, tender, soft, docile, gracious; **tout** —! softly! hold!
drap m. sheet; **mettre dans de beaux —s** get into a fine fix
drapeau m. flag
dresser raise, erect, prepare, draw up, stand up
droit right, just, straight, upright, straightway
droit m. right, claim, power, law; — **des gens** international law; **avoir** — be right, may; **être en** — **de** have the right to
dû due; **le** — **de** what is due to
dupe f. dupe, " sucker "
duper deceive, fool, trick
dur hard, harsh, rough
durant during [time
durée f. duration, continuance,
durer last, persist; **on n'y dure point** you can't bear it
dureté f. harshness, severity
eau f. water, tears; **eaux** sea, waves
ébahi dumfounded
ébaubi amazed, astonished
éblouir dazzle, blind, flatter
ébranler shake, move, disturb
écaille f. scale
écarté lonely, isolated
écarter turn aside (astray), put (send, drive) away, scatter, separate
échafaud m. scaffold
échapper escape; **s'**— make one's escape, lose control of oneself

échauffer heat, inflame, urge on; **s'**— become enthused (excited)

éclaircir enlighten, make clear, inform; **s'** — **de** find out the truth about

éclaircissement *m.* enlightenment, explanation

éclairer light up, enlighten, clear up, give light, spy upon

éclat *m.* splendor, brilliancy, outburst, display (*M.* 925), glory (*L.C.* 171, 249), uproar, fury (*L.C.* 721), publicity, showdown, splinter; **faire** — **de** proclaim, noise abroad

éclatant brilliant, glorious, public, open, loud, striking, violent, conspicuous

éclater display itself, burst forth, explode, flash, be apparent (*M.* 879), storm, break, fly in pieces, shine, be famous (*A.* 1115); **faire** — reveal, display, parade, proclaim

écolier *m.* scholar, student

écorcher skin, wound

écot *m.* table company, crowd

écouter listen to, hear, pay attention to

écraser wipe out, annihilate, crush

écrier : s' — exclaim, make an outcry

écrire write

écrit *m.* writing, composition, letter, paper (legal)

écu *m.* crown (coin)

écume *f.* foam, spray

édifié edified

édit *m.* edict, decree

effacer blot out, destroy

effaré frightened, scared

effaroucher make angry, scare; **s'** — take fright, get angry, become suspicious

effectivement in reality, as a matter of fact

effet *m.* effect, accomplishment (*L.C.* 1608), outcome, reality, function, result (*L.C.* 1132, 1344; *L.M.* 1087, 1303, 1601), performance (*L.C.* 184, 1524), consequence; **en** — really, indeed, in fact, for a fact; **obtenir l'** — succeed (*L.C.* 995)

efficace efficient; efficiency, force

efforcer : s' — strive, try

effort *m.* struggle, trouble, influence; **se faire un** — constrain (*force oneself*)

effrayer frighten, terrify; **s'** — take fright, be alarmed

effroi *m.* fright, terror

effronterie *f.* impudence, boldness

effroyable frightful, dreadful

égal equal, even, same, indifferent

également equally, likewise

égaler equal, rival, put on the same footing (**à,** with)

égard *m.* regard (**à,** for), respect, consideration

égaré bewildered, distraught, dismayed

égarement *m.* straying, error, disorder

égarer lead astray, lose, turn aside, stray; **s'** — go astray, get lost, wander, forget oneself (*Ph.* 629)

égayer cheer up, gladden, enliven; **s'** — be amused (diverted)

égorger slay, destroy, butcher

égratignure *f.* scratch, hurt

élan *m.* enthusiasm, rapture

élancement *m.* transport

élancer spring, raise; **s'** — dart away

élever exalt, raise, rear, nurse; **s'** — rise, arise

élire elect, select, choose

éloge *m.* praise

éloigné remote, distant, separated (*A.* 1456)

éloignement *m.* removal, retirement

éloigner remove, banish; **s'—** withdraw

élu elect

éluder elude, escape

élue assessor's wife

embarquer embark (**dans,** upon)

embarras *m.* embarrassment, perplexity, alternative, confusion, difficulty, maze (*Ph.* 651)

embarrasser embarrass, entangle, disturb; **s'—** be perplexed, be at a loss, be uneasy (**de,** over)

embonpoint *m.* stoutness, fatness, profusion (*P.R.* 280, 4)

embrasement *m.* burning

embraser inflame, set fire to

embrassade *f.* embrace, kissing

embrassement *m.* embrace, kiss

embrasser embrace, clasp, kiss, take in, adopt, undertake (*A.* 514)

embuscade *f.* ambush, hiding-place (*L.M.* 753)

emmener lead away, take away

émouvoir move, excite, affect, stir, influence

empêchement *m.* hindrance, obstacle, obstruction

empêcher hinder, prevent, keep

empire *m.* rule, command, authority

emploi *m.* task, service, position, duty, business, use

employer employ, use; **s'—** use one's influence

empoisonner poison

empoisonneur *m.* poisoner, flatterer

emportement *m.* transport, fit of passion, anger, frenzy

emporter carry away (off), take possession; **l'—** win out, carry the day, prevail; **s'—** be carried away, run riot, lose one's self-control, lose one's head (temper), be intent (**à,** on, *M.* 989)

empressement *m.* eagerness, zeal, attention

empresser: **s'—** hasten; **empressé** busy, eager

emprunter borrow

ému moved, stirred, aroused

encens *m.* adoration, praise, flattery

encenser pay homage to, worship (at), praise, flatter

enchaîner chain, bind in chains

enchantement *m.* enchantment, magic deed

enchanter enchant, bewitch

enclin inclined, prone

encolure *f.* neck and shoulders of an animal, appearance; **vous êtes d'— à** you have the build of one who would (*L.M.* 44)

encor(e) still, (and, as) yet, again, too, besides, even: **— un** another; **— que** although

encourager encourage, incite

encre *f.* ink

endroit *m.* place, opportunity, case

endurcir harden

endurcissement *m.* hardness, obduracy

endurer bear, allow, permit

enfance *f.* childhood

enfant *m. f.* child, son, daughter

enfanter beget, bring forth, harbor

enfer *m.* hell

enfermer shut (lock) up, imprison, contain

enfin finally, in the end, in short, in a word, in conclusion, after all, in any case, really, at last

enflammé on fire, glowing, ardent

enflammer inflame, set on fire, excite, inspire (love)

enfler swell, elate;   **s'—** be puffed up

enfoncer plunge

enfuir : **s'—** flee

engager engage, pledge, enlist, bind, challenge, involve, compel, obligate (*A.* 1355; *L.C.* 1068); **s'—** enlist, go, be involved (*L.C.* 97);   **à m'— Lucrèce** get L. betrothed to me (*L.M.* 1270)

engloutir engulf, swallow up

énigme *f.* riddle (*a favorite literary game in seventeenth-century salons*)

enivrer intoxicate

enjoué witty, lively

enjouement *m.* gaiety, sprightliness

enlacer twist together, entwine

enlèvement *m.* abduction

enlever carry off, take away, abduct

ennemi *m.* enemy; *adj.* hostile

ennui *m.* weariness, worry, vexation (*A.* 1139), suffering (*L.C.* 971), sorrow, grief (*often synonymous with* **douleur**)

ennuyer vex, anger, weary, bore

ennuyeux wearisome, tedious

énoncer utter, express

enorgueillir make proud, elate

enquête *f.* enquiry, investigation

enrager rage, be furious, go mad

enrichir enrich

ensanglanter make bloody, stain with blood

enseigner teach

ensemble together, whole, at the same time

ensevelir bury

ensuite then, afterwards, next, accordingly

ensuivre : **s'—** follow

entasser pile up, heap up

entendre hear, understand, be persuaded by (*A.* 546), expect (*P.R.* 304, 14); **faire —** suggest

entêté possessed, infatuated, obstinate

entêter enthrall, delight (*M.* 599), infatuate

enthousiasmer enthuse, enchant

entiché infected

entier entire, whole, all, complete;   **tout —** without reserve

entourer surround, accompany

entr'acte *m.* intermission, interlude

entrailles *f. pl.* entrails, feelings, heart

entraîner drag along (off), win over, attract, draw on, involve (*A.* 1029)

entre between, into, in, among

entremise *f.* intervention

entreprendre undertake, attempt

entreprise *f.* enterprise, undertaking

entrer enter, come (go) in; **faire — show in**

entresuivre : **s'—** follow each other

entretenir maintain, converse with (*L.M.* 915; *M.* 1041; *A.* 1378), speak, bring forward, hold, sustain (*A.* 154)

entretien *m.* conversation, talk, topic, conference, intercourse

entrevoir catch a glimpse of, perceive

entrevue *f.* interview, meeting

envelopper surround, include, settle (*M.* 1162)

envers toward, to, in regard to, with

envi *m.* : à l'— zealously, vying with each other

envie *f.* envy, desire; **avoir —** want

envier envy, begrudge

envieux envious, jealous

environ around, about

environner encircle, surround

envisager perceive, behold, foresee

envoyer send; **— querir (chercher)** send for

épais thick, dull (*P.R.* 278, 2)

épancher pour out, shed, lavish; **s'—** unbosom oneself

épandre shed, pour out

épargner spare, save

épaule *f.* shoulder

épée *f.* sword

éperdu dismayed, confused (*A.* 729), dazed (*A.* 1005)

Épidaure Epidaurus, town in ancient Greece

Épire Epirus, district west of Thessaly on the Adriatic

épître *f.* epistle, letter

éploré in tears

épouser marry, espouse, make one's own (*A.* 1577)

épouvantable terrible, frightful, awful

épouvante *f.* fear, terror

épouvanter terrify, frighten, scare

époux -se *m. f.* husband, wife, bride

épreuve *f.* trial, test

épris smitten, in love with, seized, inspired

éprouver try, test, feel, experience, torture (*L.M.* 1037); **s'—** try out oneself

épuiser exhaust

équipage *m.* costume, outfit

équitable equitable, just

équité *f.* equity, justice

équivoque ambiguous; ambiguity

ériger erect, set up, establish; **s'— en** set oneself up as

errant wandering, straying

erreur *f.* mistake, aberration

escadron *m.* squadron, troop

esclavage *m.* slavery, servitude

esclave *m. f.* slave, dupe

escrimer fence; **s'—** try one's hand at

Espagne *f.* Spain; **espagnol** Spanish, Spaniard

espèce *f.* kind, sort

espérance *f.* hope, expectation

espérer hope (for, à, in), expect

espoir *m.* hope, expectation

esprit *m.* spirit, mind, intelligence, wit, sense; **—s** mind, feeling; **bel —** fine wit (*person of cultured and delicate taste*); **— faible** weak-minded person (*L.M.* 1542)

essai *m.* trial, attempt, experiment, sample; **—s** past experience

essayer try, test, try out; **s'—** try one's skill

essor *m.* flight, appearance (*M.* 365)

essoufflé out of breath

essuyer wipe away (out), dry, endure (*M.* 556, 576, 808, 1098; *A.* 1240)

estime *f.* regard, consideration, self-esteem (*L.C.* 365), estimate (*L.C.* 426)

estimer esteem, consider, deem, appreciate, believe

estocade *f.* long thin sword (*used in duelling*)

estomac *m.* breast, bosom

estropier cripple

établir establish

étage m. floor (of a building), story, rank, class

étaler display, parade

état m. state, situation, way of living; bien en—in fine condition; faire—have a high opinion, count on; hors d'— unable

éteindre extinguish, put out, cancel, stifle; s'— die

étendre extend, spread, stretch (out); étendu extensive, inclusive

étendue f. extent, scope

éternel eternal, unceasing, immortal, lasting, constant

éterniser immortalize, perpetuate

étincelant flashing, glittering

étincelle f. spark, flash, faint indication

étoffe f. stuff, material

étoile f. star

étonnement m. astonishment, wonder, emotion

étonner astonish, amaze (de, at), move, terrify

étouffer stifle, throttle, suppress

étrange extraordinary, unaccustomed, wonderful, hard, excessive (L.C. 1685)

étranger foreigner; foreign (Ph. 558)

être m. being, creature

être be, exist; — à belong to, be one's business (duty); — de be in the place of; en — be a part of, be involved in it; y — encor remain here still; soit! so be it!

étroit narrow, close

étude f. study, care, concern, effort

étudié feigned, assumed

évanouir : s'— vanish

événement m. event, outcome, case, contingency, execution (A. 1487)

éventail m. fan

éventer get the wind of, see through; s'— fan oneself

éviter avoid, shun, escape

exactitude f. strictness, preciseness, punctuality

examiner look into, test

exaucer hear, grant, hearken to

exceller excel, be talented

excepté with the exception of

excès m. excess, extreme, overflow

exciter excite, urge (on), arouse, cause

excuser pardon, forgive; s'— ask pardon

exécrable odious, hateful, abominable

exécuter execute, carry out

exemplaire exemplary; n. m. model, copy (of a book)

exemple m. model, equal; à son — following his example

exempt m. constable

exercer exercise, administer, train, use; s'— use one's skill, practice

exercise m. exercise, practice, occupation

exhaler breathe out, breathe away

exiger exact, demand, require

exiler exile, banish, expel

expédier expedite, despatch, send off

expérience f. experience, test

expier expiate, atone for

expiré expired, gone, over

expirer expire, perish, die, give up, be extinguished (A. 227)

expliquer explain, make clear, reveal, motivate; s'— declare oneself, say what one thinks

exploit m. deed, achievement, feat of arms, writ (T. 1746)

exposer endanger, set forth, bring forward, offer; **s'—** confide, risk (*M.* 350)

exprès expressly, implicit, on purpose

exprimer express

exténué extenuated, enfeebled

extérieur *m.* appearance

extravagance *f.* folly, unreasonableness

extravagant wild, eccentric, ridiculous

extravaguer talk madly (wildly), rave

extrêmement excessively

extrémité *f.* extremity, dire need

fable *f.* story, plot, laughingstock (*P.R.* 304, 19; *A.* 770)

face *f.* appearance, countenance, aspect; **à la — de** before; **changer de —** change front, vary, change expression (*A.* 1501); **— en —** face to face

fâcher offend, irritate, anger, displease, vex; **se — take** offense, lose one's temper

fâcheux vexatious, unpleasant, annoying (*T.* 1501), painful, hateful, disagreeable, hard, unlucky (*T.* 805), sensitive, easy to offend (*L.M.* 1248); *n. m.* " pest "

facile easy, lenient, credulous (*L.M.* 1489)

façon *f.* fashion, way, politeness, formality; **d'autre —** differently; **de cette —** in this way; **de la bonne —** in the right way; **de ma —** of my composition (making); **de quelque — que** in whatever way; **faire des —s** stand on ceremony

façonnier fussy, formalistic

fadaise *f.* twaddle, nonsense

fade insipid, dull, flat

fagoter arrange, create, dress

faible weak, slight; weakness, foible

faiblesse *f.* weakness, inadequacy

faillir fail, miss, come near to, go astray

faire make, do, cause, have, form, commit, play, pretend to be, give, grant, inspire, put, fashion, utter; **avoir beau —** do what one will; **n'avoir que —** have no business; **— les yeux doux** make eyes, flirt; **— éclater** announce (*A.* 700); **qu'y —** what's to be done about it? **c'en est fait** 'tis all over, that's settled (*A.* 597, 741, 911, 1493), the worst has happened (*L.C.* 1704)

faiseuse *f.* maker; **de la bonne —** from a fashionable shop

fait *m.* fact, deed, action, affair, conduct, business, get-up; **tout à —** quite, entirely, altogether

falloir be necessary, must, have, take, can, should; **comme il faut** properly, as is proper; **il s'en faut** far from it, it lacks (*P.R.* 276, 13); **peu s'en faut** almost, not far from; **s'il le faut** if it is necessary (*A.* 1369)

fanfaron *m.* braggart

fantaisie *f.* fancy, thought, idea

fantôme *m.* phantom, shadow

faquin *m.* rascal, cheat, scoundrel

fard *m.* make-up, paint (cosmetic); **sans —** truthfully, sincerely (*L.M.* 1655)

fardé berouged, varnished

fardeau burden, load

faribole *f.* idle story, trifle

farouche fierce, wild, shy, savage, untamed, rude, austere, inaccessible to love (*A.* 649)

faste *m.* pomp, display, ostentation

fat *m.* fop, fool, snob, coxcomb

fatal fateful, ill-fated, predestined

fatigue *f.* fatigue, toil, hardship

fatiguer tire, weary, bore

fatras *m.* rubbish

fausset *m.* falsetto, squeaky voice

fausseté *f.* falsity, treachery

faute *f.* fault, error; — **de** for lack of

fauteuil *m.* armchair

faux -sse false, counterfeit

faux-fuyant *m.* subterfuge, screen

faveur *f.* favor, courtesy, interest

favorablement favorably, opportunely

favori *m.* favorite

fécond fertile, fruitful, rich

feindre feign, pretend, hesitate (*M.* 1592); **feint** assumed

feint *f.* sham, pretense, "fake"

félicité *f.* felicity, happiness

femme *f.* wife, woman; **bonne —** old lady; **— de bien** good woman

fer *m.* iron, steel, sword (*L.C.* 257; *A.* 1034); **—s** fetters, chains (*of love or passion*), captivity

ferme constant, solid, strong; *adv.* curtly, haughtily; **—!** steady!

fermer close, shut, exclude from

fermeté *f.* firmness, constancy

ferveur *f.* fervor, ardor

festin *m.* feast, banquet

feu *m.* fire, torch, passion, enthusiasm (*L.M.* 659); **feux** love

feuilleter turn the leaves of (a book)

fiction *f.* fiction, imaginary happening

fidèle faithful, loyal; **peu —** faithless

fief *m.* fief, holding, estate

fieffé arrant, regular

fiel *m.* gall, bitterness

fier -ère proud, haughty, high-spirited, signal (*L.C.* 394), fierce

fier: se — à trust

fierté *f.* pride, arrogance

fièvre *f.* fever

figure *f.* appearance, face; **faire quelque —** be of some importance (*M.* 290)

figurer picture; **se —** imagine, fancy

fil *m.* thread

filet *m.* thread

fille *f.* daughter, maid; **— suivante** servant girl

fin fine, keen, shrewd, elegant, graceful

fin *m.* elegance (*of things*), sharp (clever) person; **sans faire le —** to tell you the honest truth

fin *f.* end; **à la —** at last, in the end, finally

finesse *f.* craftiness, trick, subterfuge

finir finish, end, cease

fixer fix, retain, hold, attract

flambeau *m.* torch

flamme *f.* flame, passion, love, ardor

flanc *m.* side, bosom, flank

flandrin *m.* boob; **— de vicomte** stupid viscount

flatter please, beguile (*L.C.* 530, 1046), deceive, encourage (*A.* 1149), delight (*A.* 871); **se —** congratulate oneself (*A.* 144)

flatteur -se pleasing, beguiling, deceitful; flatterer

fléchir bend, yield, move, persuade, give way, soften

flegme *m.* phlegm, placidity, calm

flétrir tarnish, fade, wither

fleur *f.* flower, bloom, choice

fleurette *f.* light flirtation ; **débiter** —s à flirt with (*L.M.* 42)
fleuri blooming, flowery, gaudy, prosperous looking (*T.* 225)
fleuve *m.* river
florissant flourishing, in favor
flot *m.* billow, wave
flottant wavering, irresolute, vague
flotte *f.* fleet
flotter float, flap, flutter, hover, hesitate ; **laisser** — drop
flux *m.* flow, tide
foi *f.* faith, fidelity (*A.* 1043, 1075), faithfulness, word, promise, belief (**de, in**), truthfulness (*L.M.* 1583), pledge of marriage (*L.C.* 1459 ; *L.M.* 532 ; *A.* 1091, 1138) ; **en faire** — confess it ; (**par**) **ma** — 'pon my word ; **sans** — faithless ; **on a promis ma** — they have pledged my troth (*A.* 819) ; **prêter** — believe
fois *f.* time ; **à la** — at the same time ; **à cette** — for this once ; **tant de** — so often ; **une** — once, once more, for once ; **deux** — twice
fonction *f.* function, duty
fond *m.* bottom, depth, back, heart ; **à** — thoroughly ; **au** — really, after all ; **au** — **de tes provinces** in your kingdom (*A.* 1358)
fondateur *m.* founder
fondement *m.* foundation, basis
fonder base, found, establish
fondre melt, dissolve, rush (*A.* 641)
fonds *m.* source, fund, stock
force *f.* strength, power ; —**mots** a lot of words ; **à** — **de** by dint of ; **à toute** — in spite of everything ; **de cette** — **là** of that quality (*P.R.* 289, 16) ; **par** — perforce

forcer compel, overcome, drive, break in, storm, carry
forfait *m.* crime, misdeed, sin
forfanterie *f.* boasting, hypocrisy
forger forge, invent, devise
forme *f.* way, manner, ceremony
former form, create, arrange, utter, express ; **se** — spring
fort strong, violent ; **être** — **sur** (à) be good, clever, skilful at ; **un si** — so strong a
fort *m.* fortress, height
fort very, much, greatly, strongly
fortement strongly, vigorously
fortifier fortify, strengthen
fortune *f.* fortune, happiness (*A.* 441)
fortuné fortunate, favored by fortune ; favored (lucky) one
fossé *f.* trench
fou, folle mad, wild, unreasonable, crazy (**de**, over)
fou *m.* crazy person, fool, madman
foudre *f.* lightning, thunderbolt ; **coup de** — thunder-clap, sudden disaster
foudroyer smite, lay low, overwhelm
fougue *f.* enthusiasm, fury, mettle
fouiller search
foule *f.* crowd, multitude
fouler trample, tread ; — **aux pieds** trample under foot
fourbe deceitful, crafty
fourbe *m. f.* deceiver, cheat, impostor, deceit, trickery
fourber cheat, deceive
fourberie *f.* deceit, trickery
fournir furnish, supply
fourvoyé gone astray, erring
fracas *m.* uproar, noise ; **faire du** — applaud (*M.* 795)
fragilité *f.* fragility, frailty
frais *m. pl.* cost, expense
frais -îche cool, fresh ; coolness

franc -che frank, sincere, out-and-out, open, sure

franchement frankly, sincerely, honestly

franchir cross (over), pass (over), step over, overcome; **— cela** go that far

franchise *f.* frankness, freedom, liberty

frapper strike, impress, fill, meet

frayeur *f.* fright, terror

frein *m.* rein, check

frémir shudder, tremble, start

frémissement *m.* shudder, trembling, quivering

fréquentation *f.* association, society

fréquenter keep company with

fripon *m.* rascal

frissonner shudder, shiver, quiver

frivole frivolous, slight, vain, trifling, petty

froideur *f.* coldness, coolness, indifference

front *m.* brow, forehead, countenance, impudence, boldness; **de quel —?** with what manner?

frontière *f.* frontier, border

frotter rub

frugalité *f.* frugality, stinginess

fruit *m.* profit (*A.* 784), benefit, pleasure, advantage, result, outcome

frustrer defraud

fuir flee, escape, avoid, shun, be off, fly

fuite *f.* flight, escape, sudden departure

fumée *f.* smoke, reek

fumer smoke, smoulder, reek

fumier *m.* dung, dungheap, trash

funérailles *f. pl.* funeral rites

funeste fatal, mortal, deadly, dire, awful, tragic, disastrous

fureur *f.* fury, rage, madness

furie *f.* fury, madness, woman of uncontrolled passions (*A.* 753)

furieusement furiously, terribly, awfully

furieux angry, furious, raging, terrible, awful

furtif furtive, stealthy

fusée *f.* rocket (*fireworks*)

gage *m.* security, pledge (*A.* 1017); **—s** wages

gager wager, bet

gageure *f.* wager, bet

gagner gain, win, reach, win over; **— au pied** run away; **— sur** persuade; **donner à —** **à** provide profits for

gaillard jovial, joyous, dashing, spirited

gain *m.* gain, winning

galant gallant, fashionable, in good form

galant *m.* lover, admirer

galanterie *f.* polished manners, polite (gallant) deed, " sweet nothings " (*L.M.* 1418)

galère *f.* galley (convict ship)

galerie *f.* gallery, corridor

gant *m.* glove

garant *m.* guarantee, surety, authority

garantir guarantee, protect, preserve

garçon *m.* boy, valet, fellow

garde *m.* guard (person)

garde *f.* responsibility, care; **avoir —** mean, intend; **n'avoir — de** take care not to; **prendre — à** beware of; **prendre — de** watch out for, take care not to

garder guard, watch (over), keep, preserve, save up, hold, remain in, maintain, keep under guard, have in store, take care; **(se) — de** refrain from, be careful not to (*A.* 1387)

garnement *m.* scamp, good-for-nothing

gâter spoil, damage, upset

gauche left, awkward; **à —** to the left, on the left; **prendre à —** misinterpret

gauchir turn aside, flinch

gaupe *f.* lazy-bones, slattern

gazette *f.* newspaper (*seventeenth century*)

géant giant; **géante** *f.* giantess, massive woman

gémir groan, sigh, lament (**de,** over) complain, suffer

gémissement *m.* groan, lament, sympathy

gendarmer : se — take up arms, be up in arms (*M.* 684)

gendre *m.* son-in-law

gêne *f.* torture, torment, trouble

gêner torture, distress, annoy; **se —** be disturbed (*A.* 1347)

généreux high-minded, noble, magnanimous (*usual meaning in the seventeenth century*), generous, tolerant

générosité *f.* magnanimity, nobility of spirit

genou *m.* knee; **à —x** kneeling, upon one's knees; **se mettre à —x** kneel

genre *m.* kind, race, type, sort

gens *m. pl.* people, men, servants; **— de bien** good people; **— d'épée** soldiers, military men

gentil nice, respectable, decent

gentilhomme *m.* nobleman, noble

gésir lie, be located, exist

geste *m.* gesture

gibier *m.* game (*in hunting*)

gigot *m.* leg of lamb

gîte *m.* home, lodging

glace *f.* ice, coldness, chill; mirror, glass

glacer congeal, chill

glaive *m.* sword

glissade *f.* slip

glisser slip, creep, glide; **se —** slip (steal) in

gloire *f.* glory, fame, name, credit, reputation, sense of pride (*A.* 1449), vanity, honor (*L.C.* 1682, 1711; *A.* 1189); **il y va de ma —** my reputation is at stake (*L.C.* 842, 1506; *A.* 413)

glorieux glorious, proud, wonderful

gloser gloss, criticize, carp at

gonflé puffed up, proud

gorge *f.* throat

gouffre *m.* gulf, pit, den

goût *m.* taste, pleasure, fancy; **tu viens d'entrer en —** you've just caught the idea (*L.M.* 1309)

goûter taste, enjoy, take delight in

goutte *f.* drop, bit; *adv.* **ne . . . — ** not a bit, nothing

gouverner govern, rule, rear, instruct, control, win the good graces of (*L.M.* 21); **se —** conduct (behave) oneself

gouverneur *m.* governor, preceptor

grâce *f.* grace, pardon, favor, charm, mercy; **—s** thanks; **sa —** mercy for him (*A.* 909); **de —** I beg of you, please, pray; **de mauvaise —** with (in) poor taste; **faire — à** pardon (*A.* 1406), show mercy to; **rendre —s** give (render) thanks (**de,** for)

graisser grease

grand'basque *f.* long coat-tail, flap

grand'chose *f.* a great deal

grand'ville *f.* chief city

gras fat, stout

grave serious, solemn

Gravelines a town in northern France, on the sea-coast
graver engrave, impress
gré *m.* will, taste, opinion; **à —** at will; **à son —** as much as he likes (*A.* 847); **savoir — à** be grateful (pleased) to
grec, grecque Greek; Greek language
Grenade Granada (*city and province in southern Spain*)
griffe *f.* claw
griffoner scribble, scrawl
grimace *f.* wry face, pretense, humbug, affectation
grimacerie *f.* grimacing, display, mimicry
gronder scold　　　　　[ing
grondeur -se quarrelsome, scolding
gros big; **grosse** with child (*L. M.* 1227)
grossesse *f.* pregnancy, delicate condition
grossier gross, crude, impolite, clumsy
grouiller budge, stir, wiggle
guérir cure, heal, be cured
guerrier warlike, martial; warrior
guetter watch, be on the watch for
gueule *f.* mouth (of animals), jaw
gueuser beg
gueux *m.* beggar, tramp, wretch
guindé affected, unnatural, "stuck-up"
habile clever, skillful, intelligent, smart, quick
habit *m.* coat, cloak, attire, apparel, dress; **—s** clothes
habiter live in, dwell in
hacher chop up, cut to pieces; **— menu** cut into small bits (*L.M.* 1203)
hachis *m.* mincemeat; **en —** minced

haine *f.* hatred, hate, aversion
haïr hate
haire *f.* hair shirt
haleine *f.* breath
hanter frequent, be intimate with
hantise *f.* frequentation, association
hardes *f. pl.* clothes
hardi bold
hardiesse *f.* boldness, presumption
hardiment boldly
harnois *m.* harness, armor
hasard *m.* hazard, risk, chance; **au —** at random; **mettre au —** risk, leave to chance; **ce sera —** it will be very strange (*L. M.* 1111)
hasarder risk, venture, endanger; **se —** risk one's life (reputation)
hâte *f.* haste, hurry; **à la —** hastily, hasty
hâter hasten, urge; **se —** hurry up, be in a hurry, make haste
haut high, lofty, noble, eminent, chief, elated, aloud, loud, public, open; height; **de — en bas** haughtily; **du — de son esprit,** from the lofty height of his intelligence (*M.* 647); **du — jusques en bas** from head to foot; **en —** on high
hautain haughty
hautbois *m.* hautboy (*musical instrument*, oboe)
haut-de-chausses *m.* breeches
hautement loudly, resolutely, authoritatively, publicly
hé! what! good!
hébété stupefied, in a daze
hébreu Hebrew, Jewish
hélas! alas!
hem! what! huh!
héraut *m.* herald

héritage *m.* inheritance, patrimony

hériter inherit

héritier *m.* heir

heur *m.* happiness, good fortune

heure *f.* hour, time, o'clock; **à la bonne —** all right, well and good; **à toute —** always; **sur l'—** at once, right now, on the spot; **tout à l'—** immediately

heureusement happily, fortunately, luckily

heureux happy, fortunate, lucky, welcome, blessed

heurter strike, clash with, run against

hier yesterday; **— au soir** last evening

histoire *f.* history, story

holà! hey! stop! wait!

homicide murderous; murderer

hommage *m.* homage, attention, service

homme *m.* man; **— de bien** proper sort of person; **— du commun** vulgar person; **honnête —** perfect gentleman

honnête honest, well bred, nice, polite, gentlemanly, accomplished, becoming, well-meant, modest, upright, of proper rearing (*L.M.* 575)

honnêtement graciously, courteously

honnêteté *f.* honesty, honor, decency, propriety, politeness

honneur *m.* honor, dignity, sense of honor; **perdre d'—** disgrace

honorer honor

honte *f.* shame, modesty, disgrace; **faire — à** put to shame (*M.* 1338)

honteusement shamefully

honteux shameful, ashamed, disgraceful; bashful people

horloger *m.* watchmaker

horreur *f.* horror, loathing; **faire — fill** with horror; **faire — à** horrify

hors (de) out of, beyond, free from; **— que** unless

hostie *f.* offering, sacrificial victim

hôte *m.* guest

huissier *m.* sheriff; **— à verge** bailiff

humain human, humane; mortal; **l'—** what is human; **—s** mankind

humecté wet, moistened

humer inhale, drink in

humeur *f.* mood, disposition, ill-humor, temper, mind, nature; **d'— à** inclined to

humide wet, moist, of water

humilier humiliate

hymen *m.* marriage; **son —** marriage with him

hyménée *m.* marriage, wedlock

ici here, now; **ici-bas** here below, on earth; **d'—** from here, around here; **— dedans** in here; **près d'—** near here

idée *f.* notion, image, thought

idolâtre idolatrous, worshiping, infatuated; idolater

idolâtrie *f.* idolatry, adoration, madness

ignorant ignorant; ignoramus

ignorer ignore, not to know, be ignorant of

île *f.* island

Ilion Ilium, Troy

image *f.* picture, likeness, portrait, notion, vision

imagination *f.* imagination, fancy (*P.* 1285)

imaginer fancy, invent; **s'—** imagine, fancy

immobile motionless

immoler immolate, sacrifice

immortaliser : s'— make oneself immortal

immuable changeless

impassible calm, passionless

impatroniser : s'— set oneself up as master

impeccable faultless, blameless

impertinence *f.* impertinence, impropriety; misplaced (superfluous) gesture (*L.M.* 1282)

impertinent beside the point, foolish, silly, " fresh "; fool

impie impious ; blasphemer

impiété *f.* impiety, blasphemy

impitoyable pitiless, cruel

implorer implore, beseech, invoke

importance *f.* consequence; **faire l'homme d'—** pretend to be an important person

importer matter, be of importance, concern : **(il) n'importe** it makes no difference, no matter (what) ; **qu'importe?** what of it ?

importun troublesome, wearisome, meddling, irritating

importun *m.* bore, meddler, tormentor

importuner trouble, bore, annoy, irritate, vex, harass

imposer impose (on), lay on, deceive

impossible : il m'est — I cannot

imposteur *m.* pretender, deceiver, hypocrite

imposture *f.* untruth, falsehood, deception

imprécation *f.* imprecation, abuse

imprévu unforeseen, unexpected

imprimer print, stamp

imprimeur *m.* printer, publisher

impromptu *m.* extemporaneous; extemporaneous poem (*P.R.* 286, 15)

impudemment impudently, insolently

impudique immodest

impuissance *f.* powerlessness

impuissant impotent, powerless

impunément freely, without punishment

impuni unpunished

imputer impute, charge (against)

inanimé inanimate, lifeless

incartade *f.* folly, extravagant action (speech)

incertitude *f.* uncertainty, hesitation

incessamment constantly

incestueux incestuous; committer of incest

incivilité *f.* impoliteness, discourtesy

inclémence *f.* severity

incommoder inconvenience, indispose

incommodité *f.* inconvenience

incompatible inconsistent, averse

incongru improper, awkward, ungrammatical

inconnu unknown

inconstant changing, fleeting, fickle

incontestable unquestionable, indisputable

incrédule incredulous person, unbeliever

incroyable unbelievable, incredible

indécence *f.* indecency, impropriety

indifférence *f.* indifference, contempt

indifférent : il m'est — I have no interest in it (him); **que cette amour vous est —** you are indeed indifferent to this love (of mine, *L.M.* 1682)

indigence *f.* poverty, lack

indigne unworthy, unseemly, base, shameful, inappropriate (*L.C.* 437)

indigné indignant, outraged

indignité *f.* indignity, unjust treatment

indomptable indomitable, not to be conquered

indubitable certain, not to be doubted

indubitablement unquestionably

induire induce

industrie *f.* industry, (*often*) cleverness

inégal unequal, uneven; — **à** beneath

inégalité *f.* inequality, inconsistency

infâme infamous, contemptible; wretch

Infante Infanta (*Spanish king's daughter*)

infecter infect, taint

infidèle faithless, false; faithless one

infini infinite, unlimited

informer : s'— inquire (**à**, into), gather information; ask (**de**, about)

infortune *f.* ill-fortune, misfortune

infortuné unfortunate, unlucky, ill-fated, unhappy

ingénieux clever, ingenious, wily

ingrat thankless, ungrateful; ingrate

inhumain inhuman, cruel, unresponsive to love (*A.* 26, 109)

inimitié *f.* enmity, hate

iniquité *f.* wickedness, injustice, evil deed

injure *f.* insult, wrong, outrage, humiliation (*A.* 1154), injustice (*L.M.* 133); **dire des —s à** insult; **faire — à** wrong

injurier insult

injurieux insulting, offensive, malignant

injuste wrong, unwarranted, uncalled for

inopiné unexpected, unlooked for

inouï unheard of

inquiet restless, anxious, turbulent (*A.* 719)

inquiéter disturb, worry, alarm; s'— worry, fret

inquiétude *f.* anxiety, uneasiness, worry

inscrire : s'— sign one's name; **je m'inscris en faux** I protest

insensé mad, crazed, crazy, in desperation, beside oneself; madman

insensible unfeeling, unresponsive (to love), heartless, unmoved (**à**, by)

insensiblement imperceptibly

insigne signal, noteworthy

insinuer insinuate; s'— work one's way in, sneak in, slip in

insolemment insolently

inspirer inspire, urge, suggest

instance *f.* pleading, lawsuit, demand

instant *m.* : **à l'—** at once

instruire instruct, inform, guide

insulte *f.* insult, affront, (*military*) attack

insulter insult, exult over

insupportable unbearable, unendurable

intelligence *f.* intellect, understanding, friendship (*L.M.* 718); **être d'—** be in league, connive

intendant *m.* officer (*entrusted with supervision of district or province*)

interdire forbid

interdit speechless, confused, abashed

intéressé selfish, self-interested

intéresser interest (**à**, in), concern; s'— **à** plead for, be interested in; s'— **contre** be inclined against (*L.C.* 302)

intérêt *m.* interest, selfish interest (*A.* 814), claim, cause

intérieur *m.* heart, behind the scenes

interroger question, examine

interrompre interrupt

intituler entitle, call

intrépide fearless

intrigue *f.* plot, situation, relation, dilemma

introduire introduce, bring in; **s'**— get in, get started

inutile useless, futile, vain

invaincu unconquered

inventer invent, think of

invention *f.* device, trick, imagination (*L.M.* 1480)

invoquer invoke, call upon

irrégulier unorthodox, not according to polite society (*P. R.* 272, 12); — **en cheveux** with uncurled hair

irrémissible unpardonable

irriter vex, stir up, stimulate, spur on, anger, exasperate, excite (*L.M.* 242)

issue *f.* result, outcome

jadis formerly, once, of old

jaloux jealous, grieved

jamais ever, never; **à** — forever; **ne . . .** — never

jaquette *f.* jacket, short coat

jargon *m.* jargon, gibberish

jasmin *m.* jessamine (flower)

jaunissant yellowing

jaser chatter

javelot *m.* javelin

jeter throw, cast, throw away (over), let fall, give, bring; — **les yeux sur** look at; **se** — **dans le bel esprit** go in for stylish affectation

jeu *m.* game, gambling, jest; — **de mots** play on words

jeûne *m.* fasting

jeunesse *f.* youth

joie *f.* joy, delight; **avoir** — be glad

joindre join, unite (**à**, with), add

jouer play, gamble, put on, stage (*a play*), deceive, dupe (*M.* 1088); **se** — make sport (fun, game), trifle (**de**, with); — **de** indulge in (*L.M.* 697); — **d'adresse** resort to a ruse (*L. M.* 582, 1757); **faire** — set in play

jouet *m.* plaything, sport

joug *m.* yoke, servitude

jouir (**de**) enjoy, take pleasure in, make the most of

jouissance *f.* successful love-affair

jour *m.* day, light, life (*A.* 929; *L.M.* 566); —**s** life; **en plein** — in broad daylight; **mettre au** — bring about, produce, bring to life; **mettre en plein** — reveal clearly; **prendre** — set a date; **se faire** — see clearly, clear one's (it's) way (*A.* 787); **tous les** —**s** every day; **voir le** — live; **un** — (*after future tense*) some day

journée *f.* day, deed, action, battle

joyeux happy, joyous

jugement *m.* opinion, sentence; **perdre le** — lose one's mind

juger judge, think, suppose, decide

juin *m.* June

jupon *m.* petticoat, blouse, doublet

jurer swear, affirm, pledge, protest

jus *m.* juice

jusque(s) even; — **à** up to, to, until, as far as, even to, till; — **ici** until now; — **où** to what extent, to what point, how far

jusque-là to the point, to that point, even to the point, to that extent, like that

juste just, right, exact, justified (*L.C.* 48), due, deserved, righteous, real, true, proper (*A.* 1313)

justement justly, exactly, precisely

justesse *f.* exactness, accuracy

justice *f.* reason; **rendre —** do justice; **revenir en —** appeal to a higher court

justificatif justifying, substantiating

justifier justify, prove, give cause for (*A.* 694), refute (*L.M.* 976)

là there, at that point, then; **de — from** there, thence; **par —** thereby, in that way, for that

là-bas down there, downstairs

lâche cowardly, base, weak, sluggish; coward

lâchement in cowardly fashion, basely, unresistingly, slackly

lâcher let go (slip, loose, fall), leave

lâcheté *f.* cowardice, meanness, weakness, baseness (*L.M.* 1515)

là-dessus on that point, in regard to that, over that

là-haut up there, upstairs

laisser let, leave, grant, leave alone, let go, stop talking about (*M.* 1061); **— faire** leave it to; **— là** drop, stop! **— voir** show

lait *m.* milk; **— virginal** almond-cream (*cosmetic*)

lambeau *m.* tatter, rag

lancer hurl, throw, cast

langoureux langorous, pining

langue *f.* tongue, language; **voyez la —!** what a tongue!

langueur *f.* languor, dullness

languir languish, pine

languissant faint, faltering, tiring

laquais *m.* lackey, footman, servant

larcin *m.* theft

lard *m.* bacon, fat, grease

large wide, big, broad, gaping

largesse *f.* generosity, bounty; **faire —** be generous

larme *f.* tear

las weary, tired; **—!** alas!

lasser weary, tire; **se —** get tired

laurier *m.* laurel, honor

laver wash (away, out); **se —** cleanse oneself (*M.* 1682)

leçon *f.* lesson (de, in), teaching, precept; **faire —** lecture; **faire des —s** give lessons

lecture *f.* reading

léger light, frivolous, fickle; **de — lightly**

légèrement lightly, heedlessly

légèreté *f.* levity, indiscretion

lendemain *m.* next day

lent slow, dull, tardy, laggard

lettre *f.* letter; **—s** literature; **un mot de —s** a few lines

lever raise, lift, do away with (*T.* 1486); **se —** rise, get (stand) up

lèvre *f.* lip

liaison *f.* connection, intrigue

libertin skeptical, independent

libertin *m.* free-thinker, skeptic

libertinage *m.* free thinking, skepticism

libraire *m.* publisher, bookseller

libre free, open, clear, unconcerned

lice *f.* arena, lists

licence *f.* freedom, liberty, permission

lien *m.* bond, fetter, union, obligation

lier tie, bind, unite in friendship

lieu *m.* place, chance, reason, cause; **au —** instead; **aucun — nowhere**; **avoir —** have reason, take place; **tenir —** take the place (*A.* 1296)

lieue *f.* league (*three to five miles*)
ligne *f.* line; line of fortifications
liquide watery (*Ph.* 1513)
lit *m.* bed, couch, marriage
litière *f.* litter, straw bed; **faire — de** waste, throw about like dirt (*L.M.* 1306)
livrer deliver, give over, yield, surrender, bring; **— guerre** wage war
loger live, dwell, lodge
logis *m.* dwelling, house
loi *f.* law, rule, command, obedience; **être sous les —s**, be a faithful admirer (*L.C.* 1159)
loin far, far off
loisible permissible
loisir *m.* leisure, repose, time; **à —** at leisure, deliberately
long -ue long, prolonged; **au —** at length; **tout du —** to the end
longtemps a long time, long; **dès —** long since
longueur *f.* length, delay; **tirer en —** delay, put off
lors then; **dès —** thenceforth
loti fixed, well off
louable praiseworthy, laudable
louange *f.* praise
louer praise; **se — de** rejoice in
loueur *m.* praiser, flatterer
louis *m.* louis (*French coin of the ancien régime. The* **louis d'or** *was worth from two to four dollars at different periods*)
loup *m.* wolf
lourd heavy, crude, clumsy, bungling
lourdaud *m.* awkward (stupid) fellow, lout
lueur *f.* gleam, glow, light, glimmer, uncertain light (*A.* 1000)
lugubre lugubrious, melancholy
luire gleam, shine
lumière *f.* light, day, judgement, intelligence, inspiration, information; **—s** brilliant ideas

lune *f.* moon
lustre *m.* luster, glory
mâcher chew; **je ne mâche point** I make no bones about
machine *f.*: **remuer des —s** pull wires
maçon *m.* mason, stoneworker
madrigal *m.* madrigal, light love poem
magnanime magnanimous, noble
magot *m.* grotesque (ugly) person
maigre thin, lean, skinny
main *f.* hand, handwriting; **à toutes —s** in large handfuls, with open hands (*L.M.* 1289); **aux —s** engaged in fighting (*L.C.* 504); **en —** under control, at one's finger-tips (*L.M.* 357; **prendre en —** adopt (*M.* 674); **sous —** secretly, underhandedly
maintenir maintain
maintien *m.* bearing
mais but, why
maison *f.* house, home, family
maître -sse main, chief, master
maîtresse *f.* beloved, lady, sweetheart, mistress (*P.R.* 271, 11; *L.M.* 197, 1699)
mal badly, ill, hardly, in a bad way; **un peu — en biens** somewhat poorly off as to wealth (*L.M.* 1448)
mal *m.* ill, evil, woe, misfortune, pain, harm, malady, suffering (*L.C.* 128); **à —** wrongly, as evil; **— de tête** headache; **tout le — qu'on lui veut** all the anger one has against him (*M.* 1267); **en vouloir — à** be angry with
malade ill, sick; patient
maladroit clumsy; bungler
malaisé hard, difficult
malaisément with difficulty, hardly

maldisant slanderous, malicious; slanderer

mâle manly, vigorous

malfaisant wicked, perverse, evil-doing

malgré in spite of, despite

malheur *m.* misfortune, sorrow, mischance

malheureux unfortunate, unhappy, ill-fated, wretched, sad, luckless

malheureux *m.* wretched person, wretch

maligne malignant

malin malign, evil, malicious

malpropre dirty, careless, slovenly

maltraiter mistreat, deal badly with

mander send word to, write, summon, tell, command

mânes *m. pl.* spirits of the dead, shade (*A*. 986)

manie *f.* mania, passion, folly

manier manage, handle

manière *f.* way, form, fashion; **d'autre —** differently

manque *m.* **manquement** *m.* lack

manquer be lacking, fail, err, miss; **— de parole** break one's word

manteau *m.* mantle

marâtre *f.* stepmother

maraud *m.* rascal

marbre *m.* marble

marchand *adj.* commercial, vulgar

marchand *m.* merchant

marché *m.* bargain, agreement; **à meilleur —** cheaper

marcher walk, go, come, conduct oneself (*L.M.* 572), function (*L.M.* 643)

mari *m.* husband

marier give (join) in marriage; **se — (avec)** marry

marionnette *f.* puppet

marque *f.* sign, symbol, token

marquer mark, determine, show, indicate, prophesy

marquisat *m.* marquisate (*state or condition of a marquis*)

marraine *f.* godmother

martre *f.* marten

martyre *m.* martyrdom, torture, suffering

masque *m.* mask, disguise

masquer mask, conceal; **se —** hide (conceal) oneself

matière *f.* matter, material, subject-matter, topic, motive

matin *m.* morning; **de bon —** early, soon; **du —** in the morning; **si —** so early (in the morning)

maudire curse; **maudit** accursed

Maure Moor

mauvais bad, wicked, evil, wrong, ominous, mean, poor

méchamment evilly, wickedly, maliciously

méchant bad, wicked, evil, naughty, wretched, malicious

méchant *m.* scoundrel, evil-doer

méconnaître fail to recognize; **se —** forget oneself

mécontent dissatisfied; malcontent

mécontentement *m.* displeasure, dissatisfaction

médisance *f.* slander, calumny, gossip

mégarde *f.* negligence; **par —** by mistake

meilleur better; **du — de mon âme** from the bottom of my heart, in all sincerity (*M.* 1214)

mélange *m.* mixture

mêler mingle, mix, confuse, jumble; **se — de (à)** meddle with, interfere with, take part in; **se — dans** associate with, mingle with

Mélitène Melitena, modern Malatia, capital of Armenia Minor

membre *m.* limb

même same, self, very, even; **de** — likewise, too, like it, in the same way; **de** — **que** just as; **la** — **justice** reasonableness itself (*L.M.* 386)

mémoire *f.* memory, reputation, being remembered, mind

menacer threaten

ménage *m.* household; carrying-on (*T.* 7)

ménager manage, spare (*M.* 1640), husband, save, treat discreetly, make the most of, be considerate of (*M.* 490), be careful of (*L.C.* 1418), cater to the wishes of (*A.* 1120), take advantage of (*M.* 1383; *A.* 1646)

mendier beg

mener drive, lead, take, carry on; — **un train** lead a life

mensonge *m.* falsehood, lie

menterie *f.* fibbing, lie

menteur *m.* liar

mentir lie; **à ne pas** — to tell the truth; **à ne point** — to tell the whole truth

menu small, minute

méprendre : **se** — be mistaken

mépris *m.* contempt, scorn, expression of scorn; **au** — in spite; **rendre des** — adopt a scornful attitude (*L.M.* 1086)

méprisable despicable

mépriser scorn, hold in contempt, show contempt for

mer *f.* sea, ocean

merci *m.* thanks (de, for); — **de ma vie!** mercy on us!

mériter merit, deserve, gain

merveille *f.* wonder, marvel, miracle; **à** — marvellously (well)

mesure *f.* measure, time (*in music*), moderation, forbearance; **en** — in tune

mesurer measure, proportion; **se** — **à** vie with, compete with

mésuser misuse

métamorphose *f.* metamorphosis, sudden change   [duct

méthode *f.* method, means, con-

métier *m.* trade, profession; **faire** — make it one's business (*M.* 620)

mets *m.* dish, kind of food

mettre put, set, bring, lay, give, put on (*clothes*); **se** — **à** begin, set about; — **au jour** give life to; reveal, make public (*Ph.* 1340); — **en colère** (**courroux**) offend, anger; — **en usage** make use of

meuble *m.* piece of furniture; —**s** furniture

meurtre *m.* murder

meurtrier murderous, deadly; murderer

mie *f.* sweetheart, darling, dearie

miel *m.* honey

mieux better, more, rather, more comfortable (*T.* 884); **être le** — be on the best terms

mignon dainty, pretty, darling

milieu *m.* middle, midst, middle ground; **au** — in the midst

mince small, trivial, insignificant

mine *f.* mien, face, appearance, look; **à la** — by one's looks; **faire** — pretend, feign; **faire des** —**s** give signs (*by facial expressions*)

miracle *m.* miracle, marvel, wonder

miroir *m.* looking-glass, reflection

misanthrope *m.* misanthropist, pessimist

mise *f.* fashion, style; **être de** — be in vogue

misérable miserable, wretched; wretch

misère *f.* misery, poverty, distress, misfortune

mode *f.* fashion; **à la —** in fashion, fashionable

modèle *m.* model, kind, instance

modérer moderate, temper, calm (tone) down, control, restrain

modeste modest, restrained (*A.* 833)

moelleux soft

mœurs *f. pl.* manners, customs, morals

moindre less, less important; **bien —** much (far) less

moins less; **au (du) —** at least, even; **en — de rien** in less than no time; **à — que (de)** unless

moissonner reap, harvest, cut down

moitié *f.* half, portion, wife; **de — (by)** half; **avec toi je serai de —** I'll be your partner (*L. M.* 1292)

mollement laxly, indulgently

mollesse *f.* laxness

mollir soften (down), wilt

moment *m.* brief time; **à tous —s** constantly

monceau *m.* heap, pile

monde *m.* world, people, society; **beau —** high society; **connaître leur —** know whom one is (they are) dealing with; **grand —** crowd of people (*L. M.* 76); **par le —** publicly; **tout le —** everybody

monnaie *f.* coin, money

monter go up, ascend, rise, flush, go up stairs, go to one's head, mount

montre *f.* show; **passer à la —** pass muster (*L.M.* 66)

montrer show, indicate, point out, teach; **se —** appear, show one's worth (*M.* 1075)

moquer : se — deride, mock; **vous vous moquez** you are not serious

moqueur *m.* mocker, jester

morbleu! hang it! zounds!

morceau *m.* morsel, bit, piece, fragment

morfondre wait around, dance attendance [spirited

morne mournful, depressed, low-

mors *m.* bit (*of a bridle*)

mort *f.* death; **mort** *m.* dead man

mortel mortal, fatal, deadly; mortal (man)

mot *m.* word, saying; **bon —** clever (witty) remark

moteur *m.* mover, author, creator

mou, mol -le soft, weak, tame

mouche *f.* fly, beauty-spot, mouche

moucher : se — blow one's nose (**du pied,** be a clown)

mouchoir *m.* handkerchief

mourir die; **faire —** kill, put to death, be the death of

mousquet *m.* musket, gun

mouton *m.* sheep

mouvement *m.* motive, passion, impulse (*L.C.* 424, 575; *L.M.* 770; *M.* 143), emotion (*L.C.* 759)

moyen *m.* means, way, manner; **le — ?** how?

muet mute, silent

mufle *m.* snout, mug

mugir bellow, roar [ing

mugissement *m.* bellowing, roar-

mur *m.* wall

mûr ripe, mature

muraille *f.* wall

mûrement maturely

murmure *m.* murmur, complaint

murmurer murmur, protest, complain

museau *m.* muzzle, snout, "mug" (*of persons*)

musette *f.* bagpipe

mutiné rebellious, in uproar

mystère *m.* mystery, caution, secret (*L.M.* 1785); mysterious

nager swim, float

naguère lately, recently

nain dwarf, runt

naissance *f.* birth, (good) family, origin; prendre — be born

naissant starting (*A.* 533)

naître be born, spring, arise, be formed; faire — give birth to, create, produce

naïveté *f.* candor, artlessness, apparent innocence (*L.M.* 978)

naturel *m.* nature, disposition, mood; de son — by nature; natural

naufrage *m.* shipwreck

Navarrois man of Navarre, Navarrese

né born; bien — noble

néanmoins nevertheless

néant void, naught, nothingness

nécessaire essential; necessity, servant (*précieux*)

négligé negligent, careless

négliger abandon, slight, overlook, omit

nerf *m.* nerve, sinew

net clean, clear, precise, exact; tout — here and now; trancher - - put it briefly

nettement clearly, frankly

nettoyer clean, clear

neuf new, crude, inexperienced

neveu *m.* nephew; —x descendants, posterity

nez *m.* nose; dire au — say to one's face; mener par le — lead by the nose; mettre le — stick one's nose, meddle

nier deny, refuse

noblesse *f.* nobility

nœud *m.* knot, tie, bond, relationship; le — de l'artifice the secret of the business (*L. M.* 1714)

noir black, dark, base, evil, guilty, infamous, foreboding

noirceur *f.* blackness, baseness, treason

noircir blacken, defame, tarnish

nom *m.* name, reputation

nommer name, declare

nom(n)pareil matchless, unheard-of

nonobstant notwithstanding, in spite of

noter note, blame, brand

nourri fed, supplied, equipped (*L.M.* 1201)

nourrir feed (de, on), rear, bring up, train, cherish, keep

nourriture *f.* nourishment, food

nouveau new, fresh, novel; de — again, recently, newly

nouveauté *f.* novelty, something new

nouvelle *f.* news

novice innocent, " green "

noyer drown; se — be plunged (*A.* 81); noyé de bathed in (*A.* 1155)

nu naked, bare: tout — for its own sake

nuage *m.* cloud

nue *f.* cloud

nuire injure, hurt, do wrong, bother

nuit *f.* night, darkness; de — by night; cette — last night

nullement: ne . . . — not at all

obéir (à) obey

obéissance *f.* obedience

objet *m.* object, subject, spectacle, vision, person

obligation *f.*: avoir — be under obligation

obligeant considerate, kind, fitting, flattering

obliger oblige, force, impel, put under obligation, do a favor for (*L.C.* 1396; *L.M.* 696, 1278)

obscur obscure, dim, dark, humble

obscurcir obscure, darken, tarnish (*L.C.* 1544)

obséder beset, besiege, surround

observer observe, watch, notice

obstination *f.* obstinacy, stubbornness

obstiner make obstinate, cause to persist; **s'**— persist

obtenir obtain, get, procure, receive, win, secure

occasion *f.* time, point, opportunity (**de**, for), reason; **dans l'**— when the time comes, under fire (*P.R.* 295, 22)

occuper busy, trouble; **s'**— apply oneself, become active

occurrence *f.* occasion, circumstance, matter

odieux odious, hateful, repulsive

œil *m.* eye, glance, expression (*of face*); **à mes (nos) yeux** before my (our) eyes (sight); **de mes yeux** from my sight; **de quel** —? with what an attitude (*A.* 123, 1397), how; **d'un** — with an attitude; **suivre de l'**— watch

œuf *m.* egg

œuvre *f.* work

offense *f.* offense, wrong, insult

offenser offend, wrong, outrage, insult

office *m.* service (*L.M.* 105, 1634) practice, duty, behavior

offrande *f.* offering

offre *f.* proposal, offer of service

offrir offer, present, reveal; **s'**— **à** put oneself at the service of

oie *f.* goose

oisif idle, frivolous

oisiveté *f.* idleness, indolence

ombrage *m.* suspicion, distrust, jealousy, worry (*L.C.* 498);

il aura de l'— he will be jealous (*L.M.* 185)

ombre *f.* shadow, shade, protection, semblance

onde *f.* wave, water

ongle *m.* finger-nail

opérer operate, accomplish

opposer oppose, move (set) against; **s'**— **à** resist

opprimer oppress, persecute, kill (*A.* 1209)

or *m.* gold

or now, but

oracle *m.* oracle, testimony, proof (*M.* 1406)

orage *m.* storm, tempest

ordinaire usual; **d'**— usually; **pour l'**— usually; **votre** — **est-il?** is it your custom?

ordonnance *f.* order, ordinance

ordonner order, prescribe, bid, array (*L.C.* 189), arrange (*L. M.* 249)

ordre *m.* order, command, bidding, rank, arrangement, organization (*L.M.* 301); **donner** — **à** prepare (make ready) for; **y mettre** — look after it

ordure *f.* filth, dirt

oreille *f.* ear; **ouvrir l'**— listen

orgueil *m.* pride, arrogance

orgueilleux proud, arrogant

ornement *m.* ornament, decoration

orner ornament, decorate, adorn

os *m.* bone

oser dare, venture

otage *m.* hostage

ôter take (away), withdraw, remove from (*L.M.* 979), free from (*L.M.* 1364, *M.* 511); **s'**— retire, make off

où where, in which (*M.* 666), when, whither, to which (*A.* 1109; *L.C.* 289); **d'**— whence; **par** — how? where?

ouais! well! indeed! dear me!
oubli *m.* forgetfulness, oblivion
oublier forget
ouïr hear, listen; **faire —** utter
outrager insult, wrong, afflict (*L.C.* 1665)
outre further, besides; **plus —** farther, longer (*P.* 1129); **— que** aside from the fact that
outrer exaggerate, exceed, provoke
ouvert open, bare, responsive, easy; **à cœur —** in all sincerity
ouvertement openly, flagrantly
ouvrage *m.* work, piece of work, accomplishment, workmanship (*T.* 919)
ouvrier -ère workman, workwoman; **de la bonne —** from a fashionable milliner
ouvrir open, reveal, open up; **s'—** open, speak plainly
oyez (*from* **ouïr**) hear ye!
païen pagan
paisible peaceful
paix *f.* peace; **en —** quietly
pâlir turn (grow) pale, lose color
palme *f.* palm, victory
pâmé fainting, in a swoon
pâmer swoon, faint
pâmoison *f.* fainting, swoon
panique *adj.* panicky
panneau *m.* trap, snare; **être dans le —** be trapped, be "taken in" (*L.M.* 699)
papier *m.* paper, document
paquet *m.* bundle, parcel
par by, through, by means of, over, out of
parade *f.* parade, display
paragraphe *m.*: **homme à —** legal expert
paraître appear, seem, be apparent; **faire —** show, inform; **se faire —** be apparent (*M.* 238)

parbleu! by gosh! my God! why! by Jove!
pardonner pardon, forgive; **— à** excuse
pareil -eille equal, like, such, similar; **vos —s** such as you; **un —** such a
parent *m.* relative, family connection
parer prepare, adorn, bedeck, decorate
parer parry, ward off; **se — de** escape from, avoid (*L.M.* 1040)
paresse *f.* indolence, laziness
parfait perfect, perfected, complete
parfois sometimes, occasionally
parjure false; perjury, perjurer
parler speak, talk
parleur -euse talker, chatterbox
parmi among, with, at the time of
parole *f.* word, speech, power of speech, promise; **prendre la —** take the floor, speak; **tenir la —** keep one's word
parque *f.* Fate
parrain *m.* godfather
parricide *m.* murderer, murder
part *f.* part, share (**de**, in), place, interest (*L.C.* 355); **autre —** elsewhere; **de la —** by order, in the name; **de ma —** from me, for me, in my name; **de cette —** in this direction; **de — en —** through and through, clean through; **de quelque —** from whatever angle (*A.* 775); **des deux —s** on both sides; **de toutes —s** on every side; **avoir — à** share in (*L.C.* 876, 889); **faire — à** share with, lend; **prendre — à** share in, take interest in
partage *m.* lot, share, portion, division; **avoir en —** have as his, hers, etc.

partager share (**à**, with), divide, apportion

parterre *m.* pit (*of a theater*)

parti *m.* party, followers, decision, necessity, offer, match; **dans notre —** on our side; **prendre le —** make up one's mind; **prendre son —** take his part, side with him

particulier special, unusual

particulier *m.* individual; **en —** in private

partie *f.* part, match, game, legal opponent (*L.C.* 940; *M.* 183, 1487); **quitter la —** give in, leave

partir set out, leave, depart, go (away), be off, come, originate, descend

partisan *m.* partisan, friend

partout everywhere, on all sides

parure *f.* adornment, finery

parvenir arrive, succeed; **— à** attain, reach

pas *m.* step, pace, advance, position; **de ce —** forthwith, immediately; **sur les —** in the steps; **faire un —** take a step

passage *m.* passage, transition (*P.* 1152); **se faire un —** make one's way (*A.* 1001)

passager fleeting, transitory

passe *f.* situation, state; **en — de** about to

passé *m.* past

passe-passe *m.* sleight-of-hand; **jouer des tours de —** juggle (*L.M.* 1774)

passer pass (by), go through (*T.* 670), surpass, go (beyond), slip; **se —** go on, take place, happen; **se — de** get along without

passe-temps *m.* pastime, diversion, amusement

passionné one who is madly in love; **faire le —** pretend to be madly in love (*L.M.* 1359)

passionner impassion; **se —** get angry

pâtir suffer

patrie *f.* fatherland

paupière *f.* eyelid, eye

pavé *m.* paving-stone, pavement

payer pay (for), reward, repay; **— de** pretend, put off with (*T.* 1217), show, come through with; **se —** be paid for

peau *f.* skin, hide

péché *m.* sin; **à —** as a sin

pécher sin

pécheur *m.* sinner

pecque *f.* affected simpleton

peigner : **se —** comb one's hair

peindre paint, depict, describe

peine *f.* pain, torment, distress, difficulty, effort, penalty; **à —** with difficulty, hardly, scarcely, with reluctance; **avoir —** have trouble (**à**, in), find it hard, be hard; **mettre en —** doubt, disturb; **se mettre en —** worry; **sans —** easily; **je perdrai ma —** my trouble will be useless

penchant *m.* inclination, leaning, decline

pencher incline, bend, lean

pendable worthy of hanging

pendant during

pendard *m.* hangbird, villain; **pendarde** *f.* hussy

pendre hang, suspend

pénétrer penetrate, pierce, perceive

pénible painful, hard, tortured

pensée *f.* thought, mind, opinion

penser *m.* thought, power of thought   [pect

penser think (**à**, of), intend, expenser

pensif pensive, absorbed in thought

percer pierce, penetrate, slay

perdre lose, waste, squander, ruin, put to death, kill, destroy, give up, be one's undoing; **se —** disappear, descend, seek destruction

perdrix *f.* partridge

perdu vain, profligate

perfide perfidious, faithless, false, thankless, treacherous

perfide *m. f.* traitor, traitress, wretch

périr perish, die

permettre permit, allow, grant

permis : — à vous you are free

pernicieux pernicious, mischievous

perruque *f.* wig

persécuter persecute, pursue, torment

persévérer persevere, persist

personnage *m.* person, character, individual, rôle (*M.* 1094)

persuader convince, induce; **se — decide, imagine [loss**

perte *f.* destruction, ruin, death,

pervers perverse, corrupt, vile

perversité *f.* corruption, wickedness, depravity

pesant heavy

pesanteur *f.* weight

peser weigh, consider, oppress, be a burden to (*A.* 772)

peste *f.* pest, pestilence, plague; **la —!** plague upon (*M.* 334)

petit little, small, mean, petty, narrow

peu little, few, small, hardly; **dans —** shortly, soon; **de —** little; **depuis —** a short while ago; **avant qu'il soit —** before long; **un — (bien)** rather, somewhat

peuple *m.* people, populace; **—s** tribes, nations

peur *f.* fear; **de —** for fear; **avoir —** be afraid; **faire —** frighten

Picard person from Picardy

pièce *f.* piece, play, room, document (*T.* 1774), trick (*P.R.* 303, 19; *L.M.* 1009, 1482), prank (*L.M.* 881); **la bonne —** the precious rascal (*L.M.* 1650)

pied *m.* foot, footing, base; **— plat** fellow, cad, low rascal; **de — ferme** firmly (*L.C.* 1297); **gagner au —** take to one's heels

piège *m.* snare, trap; **— bien tendu** well laid scheme

pierre *f.* stone

piller pillage, plunder

piper deceive, cheat, fool

piquer irritate; **se —** become angry; **se — de** pride oneself on (*M.* 1165; *P.R.* 270, 20), make a point of (*L.M.* 1285)

pire worse

pis worse; **tant —** so much the worse

pis-aller *m.* last resort, makeshift

pistole *f.* pistole (*gold coin*)

pitié pity (**de,** for), compassion, sympathy; **avoir — de** take pity on; **faire —** inspire with pity

pitoyable pitiable, miserable

place *f.* spot, public square; **— forte** citadel (*L.C.* 189); **de —** room, space; **faire —** give way, make room (**à,** for); **quitter la —** give way, quit the field

placer place, put, locate

plaiderie *f.* lawsuit

plaie *f.* sore, wound

plaindre pity, regret; **se —** complain

plain-pied : de — forthwith, right away

plainte *f.* complaint, lament

plaire please, attract; **se —** take pleasure (delight) (**à,** in); **plaît-il?** I beg your pardon; **plût à** would to

plaisamment amusingly, comically

plaisant funny, amusing, ridiculous

plaisanter jest, joke

plaisanterie *f.* joke, pleasantry

plaisir pleasure, delight; **à —** at will; **par —** by way of jest, in play

planter plant, fix

plat *adj.* flat

plat *m.* dish, plate, course (*in a dinner*)

plâtré plastered, patched up

plein full, complete, open; **à —** completely, openly

pleur *m.* tear, lament; **—s** sorrows (*A.* 848)

pleurer weep (for), lament, bewail

plier fold, bend; **— bagage** get away

plissé plaited

plonger plunge, sink; **se —** plunge, dip

pluie *f.* rain

plume *f.* feather, pen

plupart most, larger part, majority; **la —** for the most part

plus more, greater; **au —** at most; **de —** moreover, further, in addition; **non —** neither

plutôt sooner, rather

poche *f.* pocket

poids *m.* weight, influence, importance

poignard *m.* poniard, dagger

poil *m.* hair; **à trois —** genuine, splendid

poing *m.* fist, hand; **au —** in hand

point *m.* matter, degree, subject, point-lace; **à ce —** so; **à — nommé** at once, at the proper moment, in the nick of time; **à quel —** to what extent (*A.* 1026); **de quel —** how much, how far; **de tout —** completely; **— du jour** daybreak; **le dernier —** the extreme limit

pointe *f.* point, prow, edge

pointillé dotted

politique *f.* policy, politics, statecraft, discretion (*M.* 979); *m.* politician, statesman

pommade *f.* paste, pomade

pommader pomade, apply paste (*cosmetic*)

pompe *f.* pomp, splendor (*usual meaning*)

pompeusement splendidly, with magnificence

pompeux stately, splendid, magnificent, showy

port *m.* port, harbor, haven

port *m.* bearing, appearance (*L. M.* 13; *M.* 720), postage, cost of delivery; **lui payer le —** make it worth her while (*L. M.* 1112)

portefeuille *m.* brief-case

porter bear, carry, incline (*A.* 480), wear, offer, proclaim, direct, bring, give, drive, urge (*A.* 983), take, have, reach the mark; **se — à** force oneself to (*L.C.* 895)

porteur *m.* bearer, carrier, porter

poser pose, set, put, lay off

posséder possess, win, take hold of, master, fill, occupy

possible utmost; **faire (tout) mon —** do my best, as best I can

poster place, station

posture *f.* position, way, situation

poudre *f.* powder, dust

poulet *m.* chicken; love-note
pour for, to, in order to, on account (because) of, through; — **grand que** however great
pourquoi why, the reason
pourri rotten, rotting
poursuite *f.* pursuit, prosecution, persecution
poursuivre pursue, go on, persecute, continue (*M.* 1666)
pourtant yet, however, for all that, nevertheless
pourvoir provide, supply
pourvu que provided (that), if only
pousser push, urge, impel, spur on, direct, carry (on), crowd, drive, let fly, utter (*P.R.* 287, 5), proffer, pronounce, irritate (*M.* 990); — **le doux (tendre, passionné)** talk prettily of adoration (love, passion)
poussière *f.* dust
pouvoir *m.* power, ability, authority, capacity, hold
pouvoir can, be able (to do), may, have power, be capable of, have effect; **se** — be possible (*L.C.* 1814; *P.R.* 275, 15)
pratique *f.* exercise, use, custom
pré *m.* meadow, duelling-ground
prêcher preach
précieux precious, prized, affected; affected man (woman)
précipiter throw, hurl, hurry on; **se** — rush, hasten
précis precise, exact
prédire predict, foretell
prélude *m.* prelude, introduction
premier first, early, former, primitive; **des** —**s** among the first
prendre take, assume, get, catch, make, choose, have, form, make captive; **se** — **à** blame, attack (*L.C.* 1436), criticize (*L.C.* 605; *L.M.* 776), under-

take (*M.* 1684; *P.R.* 281, 8); **s'y** — go about it; — **fin** have an end; — **garde** take care (**de,** not to)
préparer make ready, lay up; **se**—prepare, be in preparation
près (de) near, near by, with, closely, beside, in comparison with; **à cela** — with that exception (*L.M.* 602); **à peu** — nearly, approximately; **de trop** — too closely
présage *m.* presage, omen
présager foreshadow, foresee
prescrire prescribe, lay down, dictate, enjoin
présence *f.*: **en** — face to face
présent *m.* gift; **à** — now, at present
présenter present, offer, show, grant
préserver preserve, keep
présomptueux presumptuous
pressant pressing, urgent, eager impelling
presse *f.* press, crowd, haste
pressé urgent; **être** — be in a hurry
pressentiment *m.* presentiment, foreboding
presser press, oppress, urge (on), hurry, impel
présumer presume, imagine, assume
prêt ready, prepared; **tout** — **de (à)** on the point of
prétendre lay claim, aspire (*L. C.* 791), intend, desire, mean, suppose, try, expect (*L.M.* 910)
prétendu supposed, apparent
prétention *f.* affectation, presumptuousness
prêter lend: — **les lumières de son intelligence à** enlighten (*M.* 570)
prêtre *m.* priest

preuve f. proof

prévaloir prevail; **se —** glory in, boast of

prévenir prevent, anticipate, warn, forestall (*A.* 229, 281, 1061, 1292)

prévention f. prejudice

prévenu prejudiced, predisposed, engrossed, biased

prévoir foresee, anticipate

prévoyance f. foresight

prier pray, ask, beg, request, plead with, entreat, supplicate

prière f. prayer, request; **faire la —** pray, be at prayers

principe m. principle, motive, cause, reason (*L.M.* 1755)

prise f. hold, grasp; **quitter —** let go

priser prize, cherish, set a value on; **se —** say one is worth (*L.M.* 81)

privauté f. familiarity, liberty

priver deprive, strip, deny; **privé** devoid

prix m. price, cost, reward (*A.* 657, **de,** for), recompense, value (*L.M.* 139, 435; *M.* 818) return; **à — de** by dint of; **au prix de** in comparison with

procédé proceeding, method, procedure, custom, conduct

procéder proceed, go on

procédure f. procedure, proceeding

procès m. lawsuit; **procès-verbal** official report

prochain neighbor, fellow man

proche near, near by

prodige m. prodigy, marvel

prodigieux prodigious, marvellous, vast

prodiguer lavish, shower on

produire produce, cause, bring forth

profaner profane, desecrate

profession f. declaration, avowal

profiter profit; **— de** take advantage of

profond profound, deep, bitter (*M.* 91)

profondeur f. depth

proie f. prey, prize (*of war*); **en — a** prey

promenade f. walk, ride, drive, excursion; **à la —** on the promenade

promener take out, conduct, escort, make a display of (*L. M.* 956); **mener —** take on an excursion

promettre promise; **se — de** expect of (*L.C.* 37; *L.M.* 1110)

prompt prompt, quick, hasty, ready

promptitude f. promptness, quickness of wit (*L.M.* 935)

prôner praise, talk up

prononcer pronounce, declare, decide

propice propitious, favorable; **mal —** unpropitious

propos m. proposal, subject, conversation, occasion, word, talk, remark (*M.* 581); **à —** becoming, desirable, timely, at the proper moment; **à — de** in connection with; **à quel —** for what reason? **mal à —** inappropriately; **tout à —** precisely, exactly (*L.M.* 1271); **à tout —** on every occasion

proposer propose, offer; **se —** have in mind, plan, choose

propre own, suitable, fitted, proper, convenient; **qu'a de — la guerre à montrer votre flamme?** how is war likely to prove your love? (*L.M.* 321); **savoir qu'il me fût —** know that he was suited to me (*L. M.* 445)

proprement properly, elegantly, neatly

proscrire proscribe

prosterné prostrated, prostrate

prostitué debased, corrupted, freely offered

protéger protect

protestation *f.* protest, declaration, promise

Provençal person from the Provence

provenir spring from, come from

province *f.* province, country; —s realm

provincial countrified (*P.R.* 269, 10)

prude prudish, prim; prude

prudence *f.* forethought, wisdom, discretion

pruderie *f.* prudishness, affectation

prud'homie *f.* decency, uprightness, good behavior

publier publish, proclaim, declare

puce *f.* flea

pudeur *f.* modesty, discretion, decency, chastity

pudique modest, chaste

puissamment powerfully, mightily, deeply (*L.M.* 1015)

puissance *f.* power, influence, hold

puissant powerful, strong, mighty

puits *m.* well

punir punish (**de,** for); **se —** hate oneself

punition *f.* punishment

pur pure, clean, mere, simple

purger purge, purify, cleanse, free, rid

qualité *f.* quality, rank, characteristic; **en — de** as

quand when, even though (if), if; **— même** even though; **depuis —?** how long?

quant à as to, as for

quart fourth (part of), quarter; **le tiers et le —** everybody

quartier *m.* quarter (*section of a city*), mercy (*in war*)

quatrain *m.* quatrain (*poem of four lines*)

quel what, what a, what sort of, which; **— . . . que** whatever sort of

quelque some, any, a little; **—s** a few; **— . . . que** whatever, however

quelquefois sometimes

querelle *f.* quarrel, cause

quereller quarrel with, pick on, attack, criticize

quérir (querir) seek, fetch; **envoyer —** send for

queue *f.* tail

quiconque whoever

quiétude *f.* repose

quitte discharged (*from an obligation,* *L.C.* 1766), free, released

quitter leave, abandon, give up, forsake, lay aside

quoi what; **à — bon?** why? what's the use? **de —** something, the wherewithal, the means; **— que** whatever; **— qu'il en soit,** whatever be the case; **fort peu de — se satisfaire** small satisfaction (*L.M.* 137); **en —** wherein; **sur —?** why? **je ne sais —** something, somewhat

quoique although

rabat *m.* linen collar

rabaisser lower, undervalue, belittle

rabattre bring (put) down, humble; **en — de moitié** leave half unsaid (*T.* 166)

raccommoder patch up, reconcile

race *f.* race, family, ancestors, descendants

raconter relate, tell

radoucir soften, calm, appease, make gentle; **se —** soften, tone down

rage *f.* fury, wrath, vexation, madness

raideur *f.* severity, austerity

railler ridicule, rail at, make sport of, jest, joke

raillerie *f.* joke, jest, raillery, mockery; **entendre —** take a joke

raison *f.* reason, cause, argument; **avoir —** be right; **donner —** à justify; **faire — justify** (**de,** for), give satisfaction (*by a duel, L.M.* 736); **rendre —** give an account; **tirer —** obtain satisfaction

raisonnable rational, just

raisonnement *m.* reasoning, palavering (*T.* 117); **—s** exchange of views

raisonner reason, present arguments, study, talk it over, argue

raisonneur -se *m. f.* arguer, tireless talker

ralentir : se — slow down

rallier rally

rallumer rekindle, light (again)

ramasser gather together, assemble, concentrate (*M.* 500)

rameau *m.* branch (*of a tree*)

ramener bring back

ramper crawl

rang *m.* rank, station, place, class; **de —** successive (*L.M.* 511)

ranger form in line, draw up, arrange in order, reduce, subject (*L.C.* 289), enlist; **se —** take one's place; **se — à** bring oneself to (*A.* 1109)

ranimer reanimate, restore to life

rappeler recall, call back

rapport *m.* report, account, rumor, relationship, connection

rapporter bring back, refer; **se — à** take one's word for, rely on

rapprocher draw near, bring together, bring nearer; **se —** approach

rassasier satisfy, sate

rassembler gather, bring together

rasseoir seat again, calm, reassure

rassis calm, composed

rassurer reassure, strengthen, satisfy

rattraper get back, rescue

ravager ravage, lay waste

ravaler debase, bring down; **se — descend, stoop

ravi delighted, charmed

ravir charm, delight, tear (snatch) away, carry off, wrest (save) from

ravissement *m.* delight, joy, rapture

ravisseur *m.* seducer, ravisher, abductor

rayer strike out, efface

rayon *m.* ray, beam

rebattre beat again, tell over and over, din, keep back

rebelle *m.* rebel; rebellious, unresponsive

rebeller : se — rebel

rebours *m.* the wrong side (*of cloth*); **au —** backwards, reversely

rebut *m.* refusal, rebuff, dregs, leavings (*L.M.* 79; *M.* 834, 1794)

rebuter reject, cast aside, repulse, rebuff, spurn

recevoir receive, accept, take in

recherche *f.* search, attention, courtship

rechercher seek (out), return to seek

récit *m.* tale, account, story, report

réciter relate, narrate, tell

réclamer call upon, summon

recommandation f. recommendation, advice

recommander recommend, advise

récompense f. reward, atonement

récompenser reward, pay, compensate

reconnaissable recognizable

reconnaissance f. recognition, gratitude, appreciation

reconnaître recognize, discover, acknowledge, show gratitude for, reward (A. 1252), become acquainted with (L.C. 1037)

recourber: se — coil, bend, writhe

recourir have recourse

recours m. recourse

recouvrer recover, (re)gain

recouvrir cover (again); se — put on one's hat again

récrier cry out; se — shout approval, applaud

rectitude f. moral uprightness

recueil m. collection

recueillir take in, reap, derive

reculer recoil, draw back, put off, set back, draw away

redemander ask again, ask back

redescendre come down (again)

redevable indebted, beholden

redire repeat, retell, criticize (P. R. 272, 15; M. 357)

redonner give again, restore

redoublement m. increase

redoubler double, increase; redoublé repeated

redoutable dreadful, formidable, ominous

redouter fear, dread, apprehend

redresser set right, straighten

réduire reduce, force, compel, bring, subdue; se — be limited

refermer close again, shut

réfléchir reflect, consider

reflux m. ebb (of the tide)

réformer make over

refroidir cool (off)

refus m. refusal, denial, rebuff

refuser refuse, reject, decline; se — à refuse, withstand, shun, draw back from (M. 217)

regagner regain, win back

régal m. delight, pleasure

régaler regale, treat

regard m. look, glance, appearance

regarder regard, look at, behold, consider, concern (A. 1454); se — examine oneself

régir rule, govern

règle f. rule

régler regulate, rule, govern, dominate, settle; se — sur take as a model, follow the example of

réglisse: jus de — Spanish licorice

régner reign, rule, prevail

regorger stuff, overflow

regret m. sorrow, irritation, reluctance; à — regretfully (A. 949)

regretter regret, long for

rehausser heighten, enhance

reine f. queen, mistress; en — like a queen

rejeter reject, cast off, scorn, refuse, set aside

rejeton m. offshoot, offspring

rejoindre unite, bring together (again)

réjouir delight, make happy, rejoice; se — be extremely happy, be glad

relâche f. respite; sans — relentlessly

relâcher relax, yield; se — relax, give way

reléguer send (*A.* 522)
relevé elevated
relever raise up, relieve, heighten (*A.* 1504); **se —** rise again, recover
relier bind (*books*)
religieuse *f.* nun
relique *f.* relic, remains
remarque *f.* remark, observation
remarquer observe, note, notice
remède *m.* remedy, cure, relief (*L.C.* 141); **sans —** hopeless
remédier remedy, cure, find a remedy for
remercier thank (**de,** for)
remercîment *m.* thanks
remettre put back, restore, leave, put off, deliver, pardon; **— ensemble** reconcile; **se —** compose oneself, recover; **s'en — à** trust in, rely on (*A.* 1167, 1258)
remis recovered, calm, easygoing
remise *f.* delay, postponement
remonter go up, reascend, go back
remords *m.* remorse, scruple
rempart *m.* rampart, bulwark
remplir fill (again), fulfill; **se —** fill
remporter carry off; **— une victoire** win
remuer move, stir, set in motion
renaître be born again, spring up again, be revived, return
renard *m.* fox
renchérir raise the price of; **— sur le ridicule** be extremely ridiculous
rencontre meeting (**de,** with), encounter, occasion; **aller à la — de** go to meet; **en faire la —** meet him; **par —** by chance meeting
rencontrer meet, encounter, find, come upon

rendre restore, pay, (give) back, do, yield, offer, make, return, give up; **se —** surrender, give in, become; **— grâces** give thanks; **— visite** pay a visit
rêne *f.* rein
renfermer shut up, confine, contain, keep locked up
renfort *m.* reënforcement
renom *m.* renown, reputation
renommé renowned, notorious
renommée *f.* fame, glory, reputation, name, report, rumor
renommer extol, make famous
renoncer (**à**) renounce, give up, have nothing to do with, disclaim
rente *f.* income
rentrer reënter, return, come in, go back into the house, come home; **— dans ses biens** regain his wealth
renverser overthrow, destroy, defeat
renvoyer send back, dismiss, refer, direct, return
répandre shed, spread, pour, spill, scatter; **se — pour** out, appear, be made known, indulge (*M.* 666)
réparer repair, restore, make amends for, retrieve, make up for; **— mon sang** carry on my race (*L.M.* 588)
repartie *f.* retort, sharp reply
repartir set out again, reply to, answer
repasser pass (cross) again
repentir *m.* repentance
repentir : se — repent
repli *m.* fold, recess
répliquer reply
répondre answer, respond, correspond; **— de** answer for, guarantee (*A.* 592), be responsible for (*M.* 1575, *A.* 1455); **— à** measure up to

(*L.C.* 206, 426, 930, 1338), agree with (*L.M.* 830)

réponse *f.* response, reply, answer

reporter bear, take back, bring back, carry, report

repos *m.* repose, rest, calm, peace, tranquillity (*A.* 1080); **en plein —** very quietly

reposer repose; **se —** rest, be calm; **s'en — sur** rely on (*A.* 668, 1084) depend upon

repousser repel, repulse, reject, push (back), put away

reprenant reproving, advising

reprendre take back, recover, continue, reply, blame, criticize

représentation *f.* performance (*of a play*)

représenter represent, perform (*a play*)

reproche *m.* reproach, blame, taunt

reprocher reproach (**de,** for)

reproduire reproduce

réprouver reprove, disapprove of

répugnance *f.* aversion

répugner feel reluctant

réputer esteem

réserver reserve, keep in reserve, hold back (**à,** for)

résidence *f.* stay, sojourn, dwelling-place

résigner resign

résister resist, oppose; **se — à** resist

résolu resolved, resolute, firm

résolution *f.* resolution, determination, decision

résoudre resolve, settle, persuade (*L.C.* 49, 396): **se —** resolve, decide, determine, make up one's mind (*L.M.* 533), resign oneself to

respect *m.* honor, reverence; **—s** regard (*A.* 545), faithful services (*A.* 1154)

respecter respect, spare

respectueux respectful, worshipful

respirer breathe (out), take breath, live, crave

ressaisir take a new hold upon

ressembler (**à**) be like, resemble

ressentiment *m.* resentment, feeling; **—s** ill-feeling (*A.* 1111)

ressentir : se — feel, experience, resent, be indignant (**de,** at)

ressort *m.* means, device, maneuver, spring, energy

ressouvenir : se — recall again

ressusciter revive, call back to life

reste *m.* remains, remainder, remnant, survivors (*A.* 154), leaving (*P.* 1454); **au —** besides, moreover, however; **de — moreover**

rester remain, be left; **il vous reste** you have left

rétablir reëstablish, restore

retardement *m.* delay, pretext for delay

retarder retard, delay, hold back

retenir hold (back), retain, restrain, withhold, keep, detain, reserve (*P.R.* 286, 7)

retentir resound

retenu reserved, prudent, cautious

retenue *f.* restraint, reserve, forbearance

retirer withdraw, pull back, take; **se —** withdraw, retreat

retomber fall back, be transferred (*M.* 1212)

retour *m.* return, turning back, receding, reversal, requital, repentance; **être de —** return, be back

retourner return; **se —** turn around

retracer retrace, recount

rétracter retract; **se —** recant

retraite *f.* withdrawal, refuge, retirement, solitude; **faire —** retreat

retranchement *m.* refuge

retrancher retrench, cut short, cut out

retrouver find (again), regain, recover; **se —** be

réunir bring together, assemble, gather

réussir succeed (**à**, in), come out

revanche *f.* revenge, retaliation; **en —** in return

revancher avenge; **se —** recompense for

réveil *m.* awakening

réveiller awaken, arouse, stir up, renew, reproduce (*A.* 1161); **se —** awaken

révéler reveal

revenir return, come back, come; **en —** get over it, recover

revenu *m.* revenue, income

rêver dream (**à**, of), think, imagine, reflect

révérence *f.* : **—s** pretenses, delicacies (*L.M.* 1281), gestures (*L. M.* 1650)

révérer revere

revers *m.* reverse, defeat, back stroke, cuff, reversal, overthrowing

revêtu clothed, dressed

rêveur -se thoughtful, pensive

revivre live again; **faire —** revive

revoir see again, see

révolter revolt, rebel, cause to rebel (*A.* 357); **se —** revolt, rebel

révoquer revoke, recall, disavow (*A.* 1289)

rhétorique *f.* rhetoric, eloquence

rhume *m.* cold, cold in the head

ride *f.* wrinkle, furrow

rideau *m.* curtain

ridicule ridiculous; **tourner en — ** ridicule

ridicule *m.* ridicule, ridiculousness

rien something, anything, nothing; **à —** as nothing; **— du tout** nothing at all; **ne . . . — que** merely

rieur *m.* laughter, jester

rigoureux rigorous, stern, severe, hard, harsh

rigueur *f.* rigor, severity, harshness, cruelty

rire laugh, make light of, joke; **— à** smile upon (*A.* 757); **se — de** laugh at, make sport of

ris *m.* laugh, laughter

risée *f.* mockery, laughing-stock

risquer risk

rivage *m.* shore, bank, strand

rive *f.* shore

rivière *f.* river

rocher *m.* rock, cliff

rôle *m.* part (*in a play*), rôle

roman *m.* novel, romance

rompre break (off, down), interrupt, stop, tear up; **— la tête** disturb, worry, bother

ronce *f.* nettle, bramble

rond round; *m.* ring, circle

ronfler snore, declaim (*P.R.* 291, 7), roll out

roter belch

rougeur *f.* redness, blush, flush

rougir redden, blush, be ashamed

roulement *m.* rolling

rouler roll, go (on), occur: **se —** roll

rouvrir reopen

royaume *m.* kingdom, realm

ruban *m.* ribbon

rubrique citation (*from the law*)

rudesse *f.* rudeness, roughness

ruelle *f.* lane, narrow street, ruelle (*space between bed and wall where intimate friends of a " précieuse " gathered; L.M.* 622), salon

ruiner ruin, destroy

ruisseau *m.* stream, brook

ruse *f.* deceit, trick, crafty; **rusé** crafty

sacré sacred, holy, inviolable

sacrifice *m.* sacrificial ceremony (*P.* 365)

sacrifier sacrifice, perform a sacrificial ceremony

sacrilège sacrilegious; sacrilege

sage wise, discreet, virtuous, well-behaved, prudent

sage *m.* sage, man of discretion

sagesse *f.* discretion, virtue, wisdom

saignée *f.* bleeding, blood-letting

saigner bleed

sain sane, healthy; **peu** — unsound, unhealthy

sainement sanely, wisely, discreetly

saintement sacredly, piously

sainteté *f.* sanctity, holiness

saisir seize, lay hold (**de,** upon), smite

saison *f.* season, time; **de** — timely, properly timed, appropriate; **hors de** — out of season, untimely, unseasonable, to no purpose

salaire *m.* reward, payment (*A.* 1145), recompense

sale dirty, dishonest, vulgar

salir soil, dirty, besmirch

salle *f.* hall, room; — **basse** parlor (*on the ground floor*)

saluer greet, bow to

salut *m.* salvation, spiritual welfare, safety, hail! greetings! concern for his safety (*A.* 1449)

salutaire salutary, healing, wholesome

salutation *f.* greeting

sang *m.* blood, race, family, descendants

sangbleu! zounds! by Jove!

sanglant bleeding, blood-stained, cruel, horrible (*P.R.* 303, 19)

sans without, but for, except (for); — **que** without

santé *f.* health, sanity

satisfaire satisfy, content

sauf save, except

sauter jump, make a sudden change; — **aux yeux** be very evident

sauvage savage, wild, untamed

sauver save, preserve; **se** — run away from, shun, escape, get away

savant learned, clever, skilful

savant *m.* learned man; **faire figure de . . .** play the part of an expert (*M.* 794)

savoir *m.* knowledge, mental ability

savoir know (how), learn, find out (about), find a way, have the gift of, succeed in; **à** — to wit; **faire** — inform; **je ne saurais** I cannot; **nous ne saurions** we cannot (*P.R.* 298, 3)

scandaliser scandalize, shock

sceau *m.* seal

scélérat *m.* scoundrel, villain, wretch

scélérat rascally, villainous

scène *f.* scene, stage, place of action

science *f.* knowledge

scruple *m.* scruple, reluctance, question

Scythe Scythian (*indefinite designation for nomads of Southwestern Europe with a reputation for savage ferocity*), barbarian

sec, sèche dry

sécher dry, wither, dry (up)

sécheresse *f.* dryness, drought, barrenness

seconder support, help, stand by, strengthen, favor

secourir succor, aid, assist

secours *m.* succor, assistance, relief

secousse *f.* shock

secrétaire secretary, (*sometimes*) confidant

séduire seduce, beguile, lead astray, deceive, charm

Seigneur lord, sire, my lord

seigneurial lordly, concerning a lord

seigneurie *f.* (*territory ruled over by a " Seigneur "*) land, fief

sein *m.* bosom, breast

seing *m.* seal, signature

séjour *m.* stay, abode, home

selon according to; that depends

semblable similar, such; **un —** such a

semblant *m.* semblance, appearance, show, pretense; **faire —** pretend, seem, appear

sembler seem; **que vous semble?** what do you think?

semer sow, scatter, spread, strew

sens *m.* sense, feeling, meaning, direction

sensible sensitive, feeling, keen, painful, responsive, sympathetic (*L.C.* 465), susceptible, tender, evident

sensiblement really, appreciably

sentiment *m.* feeling, opinion (*P.R.* 270, 17, *M.* 1136); consciousness (*A.* 1645)

sentinelle *f.* sentinel, guard; **demeurez en —** stand on guard

sentir feel, perceive, savor of

seoir become, go well, be becoming to

séparer separate, divide; **se —** go away from; **s'en —** part from him

sépulture *f.* sepulchre, tomb

serein serene, calm

sergent *m.* sergeant, constable

sérieusement seriously, really, truly

sérieux serious; **le —** seriousness; **donner dans le —** take seriously

serment *m.* oath, vow, solemn declaration, solemn promise

sermonner sermonize

serré oppressed

serrer lock up, bind, clasp, squeeze, contract, conclude (*M.* 1778)

servant *m.* servant; **être votre —** many thanks

servir serve (**de,** as), wait upon; **— de** tell, regale with (*L.M.* 365); **se — de** make use of, use; **de quoi sert?** what's the good? **que sert?** why? what good is it?

serviteur *m.* servant

seuil *m.* threshold

seul only, sole, alone, single, mere, by oneself; **— à —** alone together

seulement only, simply, merely, solely, even

sévère stern, austere, harsh

sevrer wean

si if, whether, so, such; **un — grand** so great a; **de — grand** so great

siècle *m.* century, age

siège *m.* seat, chair; **— pliant** stool

sien his, hers; **les —s** his people, his family

siffler hiss

signaler attest, make famous (*A.* 1159; *L.M.* 584)

signe *m.* sign, symbol, indication

signer sign (*official papers*)

signifier signify, mean, serve

sillon *m.* furrow

simagrée f. pretense, show
simplicité f. simplicity, good-heartedness (M. 1411)
singe m. monkey, imitator
singularité f. peculiarity
singulier remarkable, rare, peculiar, special, unusual
sinon if not, unless
sitôt so soon, so quickly; — **que** as soon as
situé placed, disposed
sixain m. six-line stanza
sobriété f. sobriety, moderation
société f. society, dealings
soif f. thirst, eagerness (**de,** for), desire
soin m. care, trouble, anxiety, notice, effort, activity (A. 805), attention (A. 1559), interest (A. 1183); **avoir — de** take care of, be concerned over (L.C. 1126), **du — de mon injure** with punishing my mistreatment (A. 1482); **petits —s** delicate attentions (P.R. 276, 3); **prendre — de** care for, have regard for
soit so be it, all right; — **que** . . . **ou** whether . . . or
soleil m. sun; **au grand —** in the broiling sun
solliciter solicit, appeal, plead with
sombre somber, gloomy, dark
sommation f. summons, notice
somme f. sum (of money)
sommeil m. sleep, slumber
sommeiller sleep, doze
sommer urge, call upon
sonder sound, question
songe m. dream
songer think, reflect, consider (A. 531), see in a dream
sonner sound, ring; **faire —** extol (L.C. 1114), harp on (M. 986)
sonnette f. little bell

sorcier m. sorcerer
sornette f. nonsense, twaddle
sort m. lot, fate, fortune, destiny
sorte f. sort, manner, way; **de bonne —** nicely, well; **d'autre —** differently; **de la —** in this (that) way, like that, of that kind
sortilège m. sorcery, magic
sortir go (come) out, leave the house, get out, descend, spring; **achèverait de —** would at last depart (A. 64); **faire —** produce
sortir m. leaving, exit; **au — de** on leaving
sot silly, foolish, idiotic; fool
sottise f. folly, foolishness, stupidity
souci m. care, worry, thought, anxiety
soucier: **se —** worry, care (**de,** about)
soudain sudden, prompt
soudain adv. in a moment, at once, forthwith
soufflet m. buffet, slap in the face, cuff
souffrance f. suffering
souffrir suffer, endure, grant, let, take, receive politely (M. 550)
souhait m. wish, desire
souhaiter desire, hope, wish for
souiller soil, stain, befoul, besmirch, dishonor
souillure f. stain, defilement
soulagement m. consolation, solace (**de,** for), relief
soulager comfort, relieve, appease
soulever rouse; **se —** rise in revolt
soulier m. shoe
soumettre submit, subject, conquer; **se —** consent, submit
soumis humble, obedient, docile
soumission f. submission

soupçon *m.* suspicion
soupçonner suspect
souper *m.* supper; to sup
soupir *m.* sigh, love (*A.* 1346)
soupirant lover, suitor
soupirer sigh, long for, grieve
source *f.* source, origin, fountain head
sourd deaf, obscure
sourire smile
souris *f.* mouse
sous under, beneath, under the weight of
souscrire subscribe, agree
sous-entendre understand
soutenir sustain, bear, maintain, endure (*A.* 1133), support, uphold, defend (*A.* 1280); — l'abord repulse the attack (*L.C.* 1087)
soutien *m.* support, prop
souvenir call to mind; se — remember, recall; faire — remind
souvenir *m.* memory, recollection
souverain sovereign, supreme
spécieux specious, showy
spécifier specify, explain in detail
spectacle *m.* spectacle, sight (*A.* 859)
spirituel clever, witty, intellectual (*P.R.* 290, 20)
stance *f.* stanza
stérile sterile, idle
stérilité *f.* barrenness, lack of fertility
style *m.* style, manner of speech; le beau — polite speech; d'un autre — in a different style
suavité *f.* suavity, voluptuousness
subir undergo, be subject to, submit to, obey
subit sudden, quick
subjuguer conquer, subdue

sublime *m.* brain, sense of smell (*précieux*)
suborner seduce, tamper with
suborneur enticing, seductive
subsister exist, hold out
subtilité *f.* subtlety, perception, artificiality
succès *m.* success, outcome (*L. C.* 71, 1338, 1409, 1650, 1762; *L.M.* 348), result, accomplishment (*L.C.* 1002, 1240), fortune (*A.* 1022)
succession *f.* inheritance
succomber succumb, fall, give way
sucer suck (in), suckle
sucre *m.* sugar, sweetness
suer sweat, perspire
suffire suffice, be enough; — à satisfy; il suffira de trois three will be enough (*T.* 1096)
suffisance *f.* sufficiency, conceit (*M.* 431)
suffrage *m.* approval, vote, support
suite *f.* conclusion, outcome, consequence, result, retinue, sequel, course, duration (*M.* 813), followers (*L.C.* 1018)
suivante *f.* lady's maid, companion
suivre follow, pursue, accompany, continue, obey
sujet *m.* subject, occasion, reason, point, object, cause (*L.M.* 1692; *P.R.* 269, 7; *M.* 780, 1746); à quel —? why?
sujet subject, likely, liable
superbe proud, magnificent, arrogant
superflu superfluous, useless, wasted, of no consequence (*A.* 991)
supplanter supplant, displace
suppléer supply, supplement
supplice *m.* punishment, torture, torment, death, misery

supplier supplicate, beg (of)
supposer suppose, assume, grant
supprimer suppress
suprême supreme, chief
sur on, over, upon, from, by, along, against, after, in regard to
sûr sure, steady, reliable
surcroît *m.* addition, increase
sûreté *f.* surety, security, safety
sur-le-champ at once, all of a sudden
surmonter surmount, overcome, triumph over, endure
surplus : au — moreover
surprendre surprise, amaze, take unawares, come upon, catch, overreach, deceive, impose on, overhear
surprise *f.* confusion, deception, deceit, fraud, intrusion
surséance *f.* suspension; **faire —** suspend execution (*of a writ*)
surtout above all, especially
survenir arise, happen (along), arrive
survivre (à) survive, outlive
sus ! come !
suspect suspicious, cause for suspicion
suspendu uncertain, hesitating
sympathie *f.* affection, love, inclination
tableau *m.* picture, painting
tache *f.* spot, fault, blemish
tacher spot, sully
tâcher try, strive, endeavor
taille *f.* figure, shape, stature, physical constitution (*M.* 807); **la — fine** very elegant figure (*M.* 798)
taillé having a fashionable appearance (*L.M.* 396)
taire keep silent, say nothing about; **se —** be silent, keep still (quiet)
talon *m.* heel

tandis que while, whilst, whereas
tant so much (many), to such an extent; **— que** as long as, while
tantôt soon, just now, recently; **dès —** for the last little while; **— . . . — now . . . now**
tapinois : en — stealthily
tapis *m.* carpet, table cover; **mettre sur le —** bring up for discussion
tapisser hang with draperies
tard late, tardy; **tôt ou —** sooner or later
tarder delay, put off, be slow
targuer : se — de pride oneself on, boast of
tarir become dry, dry up, cease, remove
tartuffié Tartuffed
tâter feel (*by touch*); **en —** get a taste of him
taureau *m.* bull
taxer tax, accuse
teindre tinge, stain, dye, tint, paint
teint *m.* tint, complexion, color
teinture *f.* color, coloring
tel such; **un —** such a; **de — like it; à — prix que ce soit** at any price (*L.M.* 1108); **Monsieur un —** Mr. So-and-so; **telle quelle** some sort of, such as it was (is)
tellement so, in such a way
téméraire rash, presumptuous, bold; hotspur
témérité *f.* temerity, rashness
témoignage *m.* testimony, evidence, witness, proof
témoigner bear witness, testify, give sign, show, manifest, demonstrate
témoin *m.* witness, evidence (*M.* 1679)
tempérament *m.* middle course, moderation

tempête *f*. tempest, storm

tempêter storm, rage

temps *m*. time, weather; **de tout —** ever, always (*A*. 773); **du — de** in the time of (*L. M.* 1258); **depuis quel —?** for how long? (*A*. 837); **en même —** at the same time

tendre tender, moving, affectionate, susceptible

tendre tend, stretch, hold out, extend, lead

tendresse *f*. love, affection

ténèbres *f. pl*. darkness

tenir hold, have, keep, receive, partake, get, consider; **— foi** keep one's word; **— propos** carry on a conversation (*M.* 581); **— lieu** take (the) place; **se —** control oneself; **s'y —** be satisfied; **tiens! tenez!** say! here! (*L.M.* 1276); **vous en tenez** you are trapped (*L.M.* 1484, 1718); **on n'y tient pas** you can't endure it; **je n'y puis plus —** I can't stand it any longer

tentation *f*. temptation

tenter try, attempt, tempt

terme *m*. limit, term, end, boundary, time

terminer terminate, end, conclude

ternir tarnish, stain, put a blemish on

terrasser throw to the ground

terre *f*. earth, land, ground; **en — on earth**; **contre —** on the ground; **par —** to (on) the ground

terriblement (*favorite " précieux " word*) horribly, terribly, awfully

tête *f*. head, one, beginning, leader; **en —** in mind; **— à —** privately; **se mettre dans la — take** into one's head

têtebleu! good God!

théâtre *m*. theater, stage, play

tien thine; **les —s** thy people

tiers third

tige *f*. stem, trunk

tiré fine-spun, far-fetched

tirer draw, pull, evoke, get, extricate, withdraw, wrest, drag, discharge, free, shut, extract, take

tissu *m*. tissue, web, material, series, succession

titre *m*. title, name, expression; **à — de** as (a), in the guise of; **à bon —** with good claim, justly; **à quel —** by what right (*A*. 1542)

toit *m*. roof

tombeau *m*. tomb, monument (*to the dead*)

tomber fall, descend, drop, cease (*M*. 23)

ton *m*. tone

tonner thunder

tonnerre *m*. thunder, thunderbolt

tort *m*. wrong; **à —** wrongly, unjustly; **avoir —** be wrong; **faire — à** harm, misjudge

tôt soon, quick; **au plus —** as soon as possible; **— ou tard** sooner or later

touche *f*. touch, trial, test; **pierre de —** touchstone, criterion

toucher touch, move, affect, concern (*M*. 883), allude; **— à** approach (*P*. 1336), be close to; **n'y touchez pas** are a goody-goody (*T*. 22); **touchez là** shake hands with me

tour *f*. tower

tour *m*. turn, trick; **— d'adresse** skilful trick; **— à —** in turn

tourmenter torment, torture; **se — worry**

tournemain *m*. turn of the hand, instant

tourner turn; **gens mal tournés** inelegant people

tourtourelle f. turtle-dove

tousser cough

tout all, whole, every, each, any; **le —** everything, whole

tout all, wholly, completely, perfectly, just; **— à coup** suddenly; **— à fait** completely, entirely; **— au contraire de** quite different from; **— à vous** entirely yours; **du —** at all

toutefois in any case, however

tout-puissant omnipotent

tracas m. fuss, bustle, to-do

trace f. track, mark (A. 86); **à la —** closely

traduction f. translation

traduire translate

trahir betray, deceive, baffle, reveal (L.C. 1756)

trahison f. treason, treachery

train m. retinue, crowd, way of living (T. 24), pace, speed (M. 584)

traîner drag (away), draw, protract, prolong

trait m. trait, act, dart, shaft, trick, feature, character, arrow, draught, blow, attack, action (M. 1251, 1709; L.C. 956); **— de gentillesse** extremely clever invention (L. M. 693)

traitable tractable, accessible, pliant, complacent

traité m. treatise, agreement, bargain

traitement m. treatment, usage

traiter treat (de, as), use, act toward; **— l'amour** carry on a love-affair (L.M. 351)

traître m. traitor

traîtresse treacherous, deceitful; traitress, faithless woman

trame f. thread, woof

tranchant trenchant; **— de** affecting (T. 1457)

trancher cut off (short), set off; decide (M. 1620); **— des entendus** pretend to be experts (in war, L.M. 863); **— les jours** kill

tranquille calm, quiet, self-possessed

transférer transfer, convey

transir grow cold, chill

transport m. rapture, feeling (M. 1245), outburst, delight (A. 850), seizure (A. 1646)

transporté enraptured, carried away (with joy, etc.)

travail m. work, labor, toil, travail, hardship, deed (L.C. 1784); **travaux avancés** outworks (military, L.M. 340)

travailler labor, work; **se — à** strive toward, be engaged in

travers: au — through; à — de through; **de —** awry, amiss

traverse f. cross-bar, obstacle, misfortune, discouraging occurrence; **à la —** across the path of

traverser cross, pass through, vex, disturb

trébucher stumble, fall

trembler tremble, hesitate

tremper dip, steep, wet, take part in, drench, temper (steel)

trépas m. death

trésor m. treasure

tressaillir start, tremble

tribu f. tribe

triompher triumph (de, over)

triste sad, melancholy (A. 519), petty, slight, sorry, downcast, tragic, tedious (A. 832), unfortunate (L.M. 644)

tristesse f. sadness, sorrow, melancholy

tromper deceive, mislead; **se —** be mistaken

tromperie *f.* deception, deceit

trompette *m.* trumpeter; *f.* trumpet; **sans —** silently, stealthily

trompeur *m.* deceiver

trompeur -euse deceptive, deceiving, false

trône *m.* throne; **au —** on the throne

trop too much (many, well, closely, long, dearly); **de —** unnecessary, superfluous, in the way

trophée *m.* trophy

trouble *m.* confusion, embarrassment, perplexity, uncertainty, disorder, agitation, disturbance (*A.* 1447)

troubler agitate, upset, disturb, distract, confuse, torment

troupe *f.* troop, band, crowd

troupeau *m.* flock, herd

trouver find, take, meet, judge, feel (*M.* 1202); **se —** be

troyen Trojan

tudieu! well, well! the dickens! my gosh!

tuer kill, overcome, destroy; **se — do** one's utmost (*T.* 1455)

tumulte *m.* tumult, uproar, activity

tutélaire guardian, tutelary

tutelle *f.* tutelage, guardianship

tutoyer address familiarly, thee and thou each other

tyranniser tyrannize over

uni united, smooth, unadorned (*P.R.* 276, 7)

union *f.* agreement, match (*M.* 1732)

unique sole, only; **puisqu'il m'est —** since he is my only child (*L.M.* 398)

unir unite

usage *m.* use, custom, enjoyment, experience, purpose; **d'un difficile —** hard to put into practice; **mettre en —** use, make use of, bring into play

user wear out, use up, consume; **— de** use, make use of, show; **en —** behave (*M.* 291); **en — ainsi** act like that (*L.M.* 1258)

ustensile *m.* utensil, tool

usurper usurp

utile useful

vacarme *m.* uproar, racket, noise, fuss

vaillamment valiantly

vaillance *f.* valor, worth

vaillant valiant, brave; brave man

vain proud, useless, void, empty, without meaning; **faire le — (la vaine)** be proud, boast

vaincre conquer, overcome, win over, thwart

vaincu conquered, captive

vainqueur *m.* conqueror, victor

vaisseau *m.* vessel, ship

valable valid

valet *m.* servant; **je suis votre —** at your service (*ironic, T.* 409; *M.* 437)

valeur *f.* valor, strength, worth

valeureux valiant, brave

valoir be worth, be as good as; **— mieux** be better; **faire —** cause to be appreciated, set off

vanité *f.* vanity; **faire —** be proud (*M.* 385)

vanter boast, praise, extol; **se —** boast

vaurien *m.* good-for-nothing, scamp

vautour *m.* vulture, bird of prey

vedette *f.* sentinel, watch-tower

veille *f.* wakefulness, watch, vigil, attendance at court (*P.R.* 295, 14)

veiller watch, keep watch, wake

veine *f.* vein, luck

velours *m.* velvet

vendre sell

vendredi Friday

venger avenge; se — get revenge

vengeur *m.* avenger; avenging

venin *m.* poison, venom

venir come, proceed, happen; — de to have just; — à bout succeed (de, in); faire — call, send for, summon, bring; d'où vient? why?; au premier venu to the first comer, to anyone at all (*M.* 458)

vent *m.* wind

venue *f.* arrival, coming

verdure *f.* verdure, greenness

véritable true, real, honest, truthful, just

vérité *f.* truth; vos —s what you ought to hear (*T.* 76)

vermeille vermilion, rosy

verre *m.* glass

vers towards, toward, to

vers *m.* verse; *pl.* poetry

verser turn, shed, spill, send, bestow, pay

vert green, vigorous

vertu *f.* virtue, valor, honor, validity (*T.* 1824), strength, character, courage (*L.C.* 80, 1296), consciousness of rank, duty to family (*L.C.* 513)

vertueux virtuous, courageous

veste *f.* waistcoat, coat

vêtement *m.* garment, dress

vétille *f.* trifle

vêtu clothed, dressed

veuve *f.* widow

vicieux vicious, defective, faulty

vicomte *m.* viscount; vicomté *f.* viscountship

vide empty

vider empty, arrange, settle; — une affaire (querelle) settle an affair (quarrel) (*L.M.* 1646)

vieillard *m.* old man, father (*L. M.* 939)

vieillesse *f.* old age

vieillir grow old

vieux old, out-of-date

vif -ve fresh, keen, intense, lively

vigoureux vigorous, strong

vigueur *f.* vigor, strength, energy

vil vile, base

vilain poor, wretched, miserable

vin *m.* wine

vindicatif vindictive, vengeful

violence *f.* anger, temper, impetuousness (*A.* 605); se faire — force oneself

violenter force, use force upon, maltreat

violer violate

violon *m.* violin, violinist, fiddler

visage *m.* face, countenance, features

vis-à-vis face to face; tout — right opposite

visée *f.* aim, plan

visible evident, clear

visière *f.* visor (*of a helmet*)

visite *f.* call, rounds; faire — call upon

visiter visit, call upon; — de l'œil look through

vitesse *f.* quickness, speed

vivant living, alive, lively

vivement quickly, sharply

vivre live

vœu *m.* vow, wish, desire, prayer, will, declaration of love (*A.* 1357)

voici here is, see! see here! lo! behold!; le — here he is

voie *f.* way, road, passage

voilà that is, there is (are), see!; — mes gens those are the people for me; nous — bien now we are well fixed (*T.* 431)

voile *f.* sail

voile *m.* veil

voir see, look upon; faire — show; laisser — show, reveal; voyons! come! come!

voisin near by, neighboring, close (**de,** to)

voisin *m.* neighbor

voisinage *m.* neighborhood

voix *f.* voice, vote, opinion, approval

vol *m.* theft, robbery

volage fickle, capricious

voler fly, take wing

voler steal, rob

voleur *m.* thief, robber; **au — !** stop thief!

volonté *f.* will, wish

volontiers willingly, gladly

volupté *f.* pleasure, charm

vomir vomit, throw up

vouer vow, devote, give

vouloir will, wish, want, intend, be willing, demand, desire, like, insist (on), expect, try, be pleased; **— bien** consent, be willing; **— dire** mean; **en — à** aim at; **ne — point** have no use for; **que voulez-vous**

(que veux-tu)? what do you expect?

voûte *f.* vault

voyageur *m.* traveler

vrai true, real, genuine; **de —** really; *m.* truth

vraisemblable probable

vraisemblance *f.* probability

vu in the light of, in consideration of (*L.M.* 1686)

vue *f.* sight, view, vision, seeing, interview; **ma (sa) —** the sight of me (of him); **à ma (sa) —** before my (his) eyes; **donner dans la — à quelqu'un** make an impression on someone (*P.R.* 302, 13)

vuide *m.* emptiness

vuider vacate, move out, settle

vulgaire vulgar, mean, ordinary, average

zèle *m.* zeal, ardor

zélé zealous, ardent